DEVERLEY HEIGHTS MIDDLE SCHOOL

YEAR	NAME (PRINTED)	GRADE
00/01	Amrit K. Badwal ugly	8F1
02/03	~~Troy Bailey~~ ugly	8-S
	whitey ugu	
	was not here ugly WI	

04/05 Meteana Mohamed   8-Fi   ugly

05/06 Unica Small 8-Fi   sexy

06/07 ARNAIB Banks Bank'sz

06/07 JEVON H.S 8Fi

Melanq owns this

eclipse
660

Melea

LE CANADA

L'ÉDIFICATION D'UNE NATION

AUTEURS

Elspeth Deir
Kingston (Ontario)

John F. Fielding
Kingston (Ontario)

COLLABORATEURS

George Adams
Brampton (Ontario)

Nick Brune
Oakville (Ontario)

Peter Grant
Victoria (Colombie-Britannique)

Stephanie Smith Abram
Toronto (Ontario)

Carol White
Kingston (Ontario)

CONSULTANTE À L'ÉDITION FRANÇAISE

Louise Bédard
L'Orignal (Ontario)

Traduit de l'anglais par Denise Houle

Chenelière/McGraw-Hill
MONTRÉAL • TORONTO

Le Canada : L'édification d'une nation

Traduction de : *Canada : The Story of a Developing Nation* de Elspeth Deir, John F. Fielding et coll. © 2000 McGraw-Hill Ryerson Limited (ISBN 0-07-560738-7)

© 2001 Les Éditions de la Chenelière inc.

Coordination : Michèle Levert et Judith Côté
Révision linguistique : Michelle Martin
Correction d'épreuves : Chantal Quiniou
Infographie : Claude Bergeron

Conception graphique : Word & Image Design Studio Inc.
Maquette de la couverture : Greg Devitt
Cartes et illustrations : Deborah Crowle, Paul McCusker

Chenelière/McGraw-Hill
7001, boul. Saint-Laurent
Montréal (Québec)
Canada H2S 3E3
Téléphone : (514) 273-1066
Télécopieur : (514) 276-0324
chene@dlcmcgrawhill.ca

ISBN 2-89461-409-8

Dépôt légal : 1er trimestre 2001
Bibliothèque nationale du Québec
Bibliothèque nationale du Canada

Imprimé et relié au Canada

1 2 3 4 5   IQE   05 04 03 02 01

Nous reconnaissons l'aide financière du gouvernement du Canada par l'entremise du Programme d'aide au développement de l'industrie de l'édition (PADIÉ) pour nos activités d'édition.

L'Éditeur a fait tout ce qui était en son pouvoir pour retrouver les copyrights. On peut lui signaler tout renseignement menant à la correction d'erreurs ou d'omissions.

DANGER
LE PHOTOCOPILLAGE TUE LE LIVRE

Sources de la couverture avant

Au centre Archives de Glenbow, Calgary, Canada, Glenbow, conception de l'affiche par Dennis Budgen ; **en haut à gauche** ANC/C-097750 ; **en bas, à gauche** ANC/C-018734 ; **à droite** ANC/PA-009256

Sources de la couverture arrière

En haut à gauche Gracieuseté de Rogers Communication Inc., **en haut, à droite** Archives provinciales de CB/A-05056 ; **en bas, à gauche** Gracieuseté General Motors du Canada ; **au centre, à gauche** ANC/C-029977

CONSULTANTE À L'ÉDITION FRANÇAISE

Louise Bédard
L'Orignal (Ontario)

ÉVALUATEURS À L'ÉDITION ANGLAISE

Patrice Baker
Elora (Ontario)

Susan L. Lawrence
Beamsville (Ontario)

William Trezise
Oakville (Ontario)

Jennifer Watt
Scarborough (Ontario)

CONSULTANTE À L'ÉDITION ANGLAISE

Brenda Ahenakew
Saskatoon (Saskatchewan)

Remerciements

À la famille Deir, qui m'a appuyée dans ce projet : Paul, Andrew, Matthew, Peter et Emily. À mes parents, Melba et Bill McKay, qui m'ont appris que l'histoire du Canada commence avec l'histoire des gens « ordinaires » qui ont bâti notre pays. À tous les enseignants et les élèves, qui ont donné vie à l'histoire du Canada dans leur tête, dans leur cœur et dans leur vie. Enfin, à mon collègue et ami, John Fielding, dont la passion pour l'histoire et la gaieté font du travail une partie de plaisir.

— *Elspeth Deir*

À Dianne, pour la patience dont elle a fait preuve en me voyant me lancer dans un autre projet. À Ellie Deir, avec qui j'écris en collaboration depuis 1991, une collègue avec qui il fait bon travailler. Aux enseignants de 7e et de 8e année, qui ont probablement le métier le plus difficile dans le domaine de l'éducation, mais avec qui il est très enrichissant de travailler, car ils sont toujours prêts à apprendre et désireux de le faire.

— *John Fielding*

Merci à Patty Pappas, pour nous avoir témoigné sa confiance et nous avoir permis d'organiser la matière du manuel de manière à favoriser l'apprentissage des élèves et à susciter leur intérêt. Merci à l'équipe d'auteurs, Stephanie Smith Abram, Nick Brune, Peter Grant et Carol White, pour avoir travaillé à l'intérieur des paramètres que nous avons établis pour la matière. Merci à Jennifer Ludbrook qui a rempli son rôle d'éditrice avec brio, en faisant preuve de beaucoup d'humour, d'habileté et de patience, ainsi qu'à Crystal Shortt et Jacqueline Donovan, pour avoir mis la matière entre les mains des élèves. Nous sommes également très reconnaissants envers nos réviseurs : Patrice Baker, E. Jane Errington, Susan Lawrence, William Trezise et Jennifer Watt.

— *Elspeth Deir et John Fielding*

Table des matières

Module 2 L'Ouest 124

Module 3 Une société en évolution — 236

Une visite guidée du manuel

Le Canada : L'édification d'une nation présente des récits du passé récent qui vont t'aider à comprendre le Canada d'aujourd'hui. Ce manuel décrit d'abord comment les populations de quatre colonies britanniques se sont unies au sein de la Confédération, et comment les autres territoires de l'Amérique du Nord britannique se sont joints à ces anciennes colonies. Ainsi, la nation s'est étendue d'un océan à l'autre et ses régions ont été reliées par un immense chemin de fer transcontinental. Tu vas lire l'histoire des immigrants qui ont colonisé l'Ouest, et l'impact de la colonisation et des politiques gouvernementales sur les Premières nations. Tu vas aussi apprendre que des inventions ont transformé les modes de déplacement, permis la communication sur de longues distances et révolutionné le travail. Enfin, tu vas étudier les effets de ces changements sur la vie des gens et l'impact de la Première Guerre mondiale sur les Canadiens.

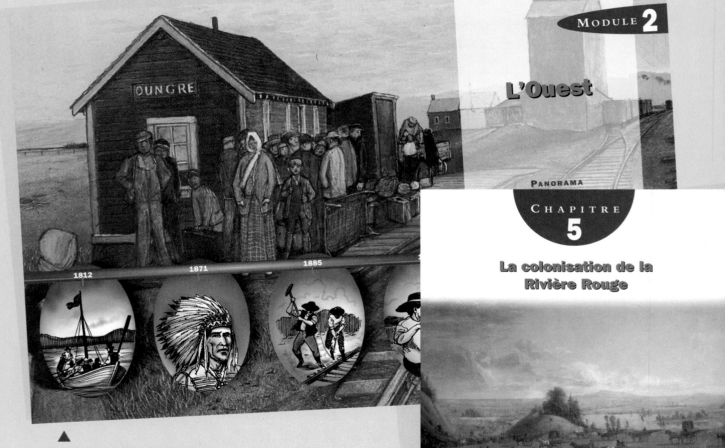

▲
Ouverture du module

- *Le Canada : L'édification d'une nation* comporte trois modules.
- Une grande illustration, représentative du module, introduit la matière.
- La section Panorama présente la liste des sujets que tu vas étudier dans le module.
- Une ligne du temps indique les dates importantes et illustre les événements relatés dans ce module.

Ouverture du chapitre

- Chaque ouverture de chapitre comprend une illustration représentative du chapitre.
- La rubrique Zoom sur le chapitre offre une vue d'ensemble de la matière que contient le chapitre.
- La rubrique Scénario du chapitre dresse la liste des sujets que tu vas étudier dans le chapitre.
- La rubrique Mots clés présente la liste des mots importants du chapitre. Les mots apparaissent en caractères gras quand ils figurent pour la première fois dans le texte, et ils sont suivis d'une définition. Ils sont aussi réunis par ordre alphabétique dans le glossaire à la fin du manuel.
- Une ligne du temps affiche les dates et les événements importants dont il est question dans le chapitre.

Louis Riel
VICTIME DU FANATISME

Un dimanche matin de la fin de juillet 1868, Louis Riel, 23 ans, arrive enfin à la maison de sa mère Rouge. C'est un moment de joie pour le jeune homme, qui n'a pas vu sa famille depuis l'âge de 13 ans. Marie-Anne Lagemodière, sa grand-mère, est la pour l'accueillir.

Le retour de Riel est cependant doux-amer. Pendant ses études au Collège de Montréal, son père est mort. La mort de Jean-Louis Riel crée un vide immense dans cette famille unie. Sa veuve, Julie, a lutté pour subvenir aux besoins de sa famille. La situation s'est de plus en plus détériorée l'été précédent à cause d'une invasion de sauterelles qui a détruit ses cultures dans la région. La fière famille a été obligée d'accepter la charité.

Riel a mis deux ans à effectuer le voyage de retour en passant par les États-Unis. À cette époque, c'est le trajet emprunté par la plupart des voyageurs à destination de la Rivière Rouge. Ils peuvent se rendre en train jusqu'à St. Paul, au Minnesota, avant de se diriger vers le nord. Riel a effectué le voyage par étapes. Pour avoir les moyens de payer la dernière étape de son voyage et s'envoyer de l'argent à sa mère afin de l'aider à nourrir et à vêtir ses huit frères et sœurs, Riel travaille pendant un certain temps à Chicago, en Illinois, et à St. Paul.

Les difficultés familiales ne sont pas la seule cause de la tristesse de Riel. Louis a bouleversé de n'avoir pu épouser Marie-

française dont il est tombé amoureux à Montréal. Marie-Julie a accepté de l'épouser, mais ses parents se sont opposés à leur mariage. Louis compte parmi ses ancêtres une arrière-grand-mère paternelle d'origine chipewyanne. Les Guernon n'ont pas voulu entendre parler du mariage de leur fille avec un homme d'ascendance mixte et qui, de plus, est un étudiant sans le sou.

Malgré les objections des parents, le couple continue de se fréquenter en cachette. Louis et Marie-Julie s'écrivent des poèmes et des lettres d'amour et se voient le plus souvent possible. Riel trouve un emploi de commis dans un bon cabinet d'avocats de Montréal. Le jeune homme est certain que l'amélioration de son statut va inciter les parents de Marie-Julie à changer d'avis.

Il se trompe. Une fois de plus, les Guernon refusent que leur fille épouse un Métis, même promis à un brillant avenir. Marie-Julie se plie à la volonté de ses parents, et Louis est anéanti. Furieux et amer, il décide de retourner dans la colonie de la Rivière Rouge, où il peut être fier de son héritage métis.

Autres personnages à découvrir

Adams Archibald
Simon J. Dawson
William McDougall
Louis Riel
Donald Smith
Colonel G. Wolseley

La famine et les maladies comme le choléra et le typhus transforment des villages en villes fantômes. Devant la menace de la famine et de la maladie, les Irlandais qui peuvent payer la traversée émigrent en Amérique du Nord. Beaucoup s'embarquent dans des *cargos à bois*, navires construits pour expédier le bois des colonies en Grande-Bretagne. Le *Thomas Gelston* est un cargo à bois. Il transporte dans sa cale plus de 500 passagers et la traversée dure neuf semaines. Les locaux des passagers sont surpeuplés et la nourriture et l'eau, insuffisantes. Voici le texte d'un rapport d'enquête gouvernemental:

Il y a moins d'un mètre d'espace entre les couchettes… Les passagers sont forcés de manger sur leur couchette… Dans une couchette, il y a un homme, sa femme, sa sœur et cinq enfants. Dans une autre couchette, il y a dix jeunes filles. La couchette du haut est occupée par cinq hommes, et il y en a huit dans la couchette voisine.

(Traduction libre)

Un journaliste, Steven de Vere, fait le récit de son voyage:

Des centaines de gens misérables, hommes, femmes et enfants… entassés, sans éclairage, sans air, dans la saleté… le corps malade, le cœur au désespoir… Il était impossible de se laver… Ce voyage a duré trois mois.

(Traduction libre)

Passe à l'histoire

Imagine que tu es une immigrante ou un immigrant d'Irlande en 1847. Écris une lettre aux membres de ta famille restés en Irlande. Avant de commencer à écrire, demande-toi si tu veux les encourager à venir en Amérique du Nord.

Lien Internet
www.dlcnsgrawhill.ca

Consulte le site Web ci-dessus pour savoir comment les jeunes orphelins d'origine irlandaise étaient traités au Canada à cette époque. Clique sur Montréal complémentaire/Primaire et secondaire, puis sur le Canada: L'édification d'une nation, où l'on te donnera la suite des indications.

Les passagers sont entassés dans la cale. Il n'y a pas assez de couchettes pour tout le monde. Quand une tempête se lève ou que des maladies infectieuses se propagent, l'équipage reçoit l'ordre d'enfermer les passagers dans la cale.

Croissance et changement 29

Biographies

- Chaque chapitre présente la biographie d'une personne célèbre et celles de deux personnes moins connues. Ces gens ont joué un rôle important dans l'histoire du Canada.
- À la fin de chaque biographie, tu vas trouver une liste d'autres personnages qui ont joué un rôle historique. Leurs noms sont indiqués pour que tu puisses, si tu le désires, te documenter à leur sujet.

Passe à l'histoire

- Dans ces activités de journal, on te demande de réfléchir à un événement historique particulier et d'écrire ce que tu ressens à ce sujet.

Lien Internet

- Des activités de recherche sur ordinateur sont proposées dans chaque chapitre.
- En suivant les instructions, tu peux utiliser Internet pour approfondir, à l'école ou chez toi, un sujet historique associé à la matière du chapitre.

ZOOM SUR LE CHAPITRE

Nous sommes en 1840. Comme chaque été, les personnes représentées dans cette peinture partent à la chasse au bison avec leurs chiens, leurs chevaux, leurs bœufs et les charrettes de la Rivière Rouge. Ce sont des chasseurs, des agriculteurs et des commerçants métis de la Rivière Rouge. Pendant deux mois, ils recueillent les peaux, la graisse et d'énormes provisions de viande de bison pour faire du pemmican.

Ces Métis voyagent sous l'immense ciel des Prairies et se sentent en terrain familier dans les herbages et les pâturages des plaines de l'Ouest. Quelques années à peine après la réalisation de ce tableau, nombre de Métis repartent, cette fois pour échapper aux changements rapides en train de survenir. Entre-temps, transporte-toi dans l'illustration. Vas-tu faire le voyage en charrette ? C'est un véhicule très bruyant et inconfortable, sans l'ombre d'un doute. Il va bientôt falloir retirer les mâts de tente des charrettes et installer un campement pour la nuit. Bonne route !

SCÉNARIO DU CHAPITRE

Dans ce chapitre, tu étudieras les sujets suivants :
- les rivalités associées au commerce des fourrures entre la Compagnie du Nord-Ouest et la Compagnie de la baie d'Hudson;
- les raisons de la venue des Européens dans la région de la Rivière Rouge au début du XIXe siècle;
- quelques-uns des problèmes que les rivalités associées au commerce des fourrures causent aux premiers colons écossais;
- la vie quotidienne des colons et des autres peuples de la région de la Rivière Rouge;
- les luttes des Métis et des autres peuples de l'Ouest pour affirmer leurs droits quand leur collectivité devient une province canadienne, le Manitoba.

MOTS CLÉS

amnistie
fusion
gouvernement provisoire
intermédiaire
métoyer
pemmican
résolution
squatters

1861	1867	1868	1869	1870
Arrivée des colons des deux Canadas à la rivière Rouge	Confédération des Canadas, de la Nouvelle-Écosse et du Nouveau-Brunswick	Le Canada envoie des arpenteurs.	Le Canada établit un gouvernement provisoire dans la région de la Rivière Rouge.	• Scott est exécuté. • Le Manitoba adhère à la Confédération. • Riel quitte la région de la Rivière Rouge.

La colonisation de la Rivière Rouge · 127

Dans le feu de l'action ▶

- Cette rubrique porte sur un événement, une personne ou une invention qui ne fait pas partie de l'histoire centrale, mais qui offre des informations intéressantes sur la période étudiée.

Mes voisins m'ont aidé à construire ma maison. Ils ne m'ont rien fait payer. Je n'ai eu qu'à leur servir à manger. À cette époque, les gens étaient plus chaleureux qu'aujourd'hui.

Les Britanniques

Les colons d'Angleterre représentent une forte proportion de nouveaux arrivants dans les Prairies. Un grand nombre viennent de petites et de grandes villes, d'autres de régions rurales. Ils recréent les institutions et les coutumes de leur pays d'origine : des églises, des clubs, des manifestations sportives, des salles de concert, des salons de thé et des visites. Comme d'autres groupes, ils sont attirés vers des régions déjà peuplées de Britanniques. Contrairement à d'autres immigrants, ils ne sont pas préoccupés par les questions linguistiques, car l'anglais est la langue des Prairies. Un groupe important, la colonie Barr, devient la ville de Lloydminster à l'arrivée d'environ 2000 homesteaders britanniques en 1903.

Dans le feu de l'action

Les agneaux de Barr

En 1902, Isaac Barr, ancien membre du clergé, est un brasseur d'affaires animé de grandes ambitions. Profitant des politiques gouvernementales qui encouragent les colonisateurs à attirer des pionniers dans les Prairies, il imagine un stratagème pour attirer des colons dans une région alors isolée de l'ouest de la vie des 2000 immigrants britanniques pour peupler la colonie, qu'il appelle la « petite Angleterre ».

Quand le groupe fait voile vers le Canada au début du printemps de 1903, les ennuis commencent. Barr ne tient pas ses promesses. À leur arrivée à Saskatoon, plusieurs colons sont certains d'avoir été escroqués. Ils se surnomment les « agneaux de Barr ».

Des colons rebroussent chemin, mais la plupart n'ont d'autre choix que de continuer. À court d'argent, ils ne peuvent se permettre d'abandonner la partie. Leurs charrettes tirées par des bœufs les transportent, eux et leurs effets personnels, vers l'Ouest. Ils ne peuvent qu'espérer que les homesteads promis les attendent à la fin de leur long voyage.

En fait, les terres sont l'une des quelques promesses que Barr a tenues. Les colons n'en sont pas moins soulagés de le voir partir. Leur dernière rebuffade consiste à appeler la ville qu'ils vont devenir le centre de la collectivité, Lloydminster, du nom de l'adjoint de Barr, George Exton Lloyd, qui les a aidés du mieux qu'il a pu.

Ces colons ont quitté l'Angleterre pour s'établir en Saskatchewan en 1903. Le gouvernement canadien leur a procuré des tentes, des vivres et des charrettes à leur arrivée dans les Prairies.

230 L'OUEST

IX

Les faits derrière l'histoire

- Dans chaque chapitre, on te présente des faits historiques pour que tu les prennes en considération.
- Des questions et des activités t'aident à évaluer le sens historique de la matière de cette section.

Entre en scène

- Chaque module comporte deux grandes illustrations. On te demande d'incarner un personnage et de t'imaginer dans cette scène.

Les photographies qui illustrent l'histoire

- Ces documents vont te faire découvrir les innovations faites après 1867 dans les domaines du transport et des communications, à l'aide d'illustrations, de photographies et de légendes.

Où en sommes-nous?

- Dans chaque chapitre, des activités et des questions t'aident à te rappeler la matière acquise et à étudier plus à fond certains personnages et événements présentés dans une section du chapitre.
- Les activités font appel à différents styles d'apprentissage.

Court métrage

- Cette rubrique apparaît périodiquement en marge du texte. On y trouve des tranches d'information historique en rapport avec la matière étudiée.

Clôture du chapitre

- À la fin de chaque chapitre, tu vas trouver un résumé des principaux événements relatés dans le chapitre sous la rubrique Chapitre x, prise 2!
- Les rubriques Vérifie tes connaissances, Applique tes connaissances et Utilise les mots clés comprennent des questions et des activités propices à la mise en pratique des connaissances acquises dans le chapitre.
- Ton enseignante ou enseignant ou toi-même pouvez choisir les activités à faire individuellement ou en groupe.
- Les activités font appel à différents styles d'apprentissage.

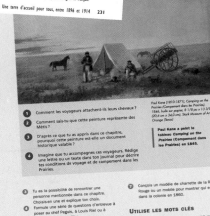

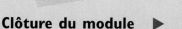

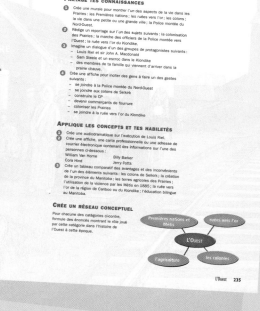

Clôture du module

- À la fin de chaque module, tu vas trouver deux pages d'activités intitulées Réfléchis et fais des liens. Elles comprennent les rubriques Montre ta compréhension des concepts, Développe tes habiletés de recherche, Partage tes connaissances, Applique les concepts et tes habiletés, et Crée un réseau conceptuel.
- Ton enseignante ou enseignant ou toi-même pouvez choisir les activités que tu vas faire individuellement, en petits groupes ou avec la classe.
- Ces activités vont te permettre d'appliquer les concepts de nombreuses façons.

Une visite de l'Amérique du Nord britannique, en 1860

ZOOM SUR LE CHAPITRE

Voici une scène familière aux Canadiens : un voyage royal. Nous sommes en 1860. Albert Édouard, prince de Galles et fils aîné de la reine Victoria, monarque de Grande-Bretagne, vient d'arriver à Halifax, en Nouvelle-Écosse. C'est la première fois qu'un visiteur royal aussi important se rend dans cette partie du monde. Le jeune prince n'a que 18 ans. Un jour, il sera roi d'Angleterre. Tout comme sa mère, Édouard régnera sur l'Amérique du Nord britannique et les vastes territoires qui s'étendent jusqu'aux océans Pacifique et Arctique.

En tant qu'élève en histoire, tu as un laissez-passer spécial pour participer au voyage royal, d'une durée de deux mois, du prince Édouard en Amérique du Nord britannique. Édouard inspectera l'état des colonies et des territoires de sa mère. Tu visiteras quelques-unes des plus grandes villes de l'Amérique du Nord britannique. Tu apprendras aussi à connaître les différents peuples des régions qui composent le Canada d'aujourd'hui.

SCÉNARIO DU CHAPITRE

Dans le présent chapitre, tu étudieras les sujets suivants :

- **les principaux lieux visités par le prince de Galles au cours du voyage royal ;**
- **quelques-unes des réalités à l'origine des conflits sociaux en Amérique du Nord britannique en 1860 ;**
- **quelques-unes des industries et des exportations dominantes ;**
- **l'étendue de l'Amérique du Nord britannique en 1860 ;**
- **les documents, les artefacts et les ressources communautaires que les historiens utilisent pour comprendre le passé ;**
- **les techniques de recherche que tu développeras au cours de ton étude de l'édification du Canada.**

MOTS CLÉS

archives
Assemblée législative
bâtiment
 du patrimoine
chantier naval
charte
citadelle
document primaire
gouvernement
 responsable
lieutenant-gouverneur
Métis
monopole
motion
recensement
Terre de Rupert

1860

24 juillet
Édouard, prince de Galles, arrive à St. John's (Terre-Neuve).

26 août
Le prince Édouard inaugure le pont Victoria à Montréal.

1er septembre
Le prince Édouard pose la première pierre des nouveaux édifices du gouvernement à Ottawa.

7 septembre
Le prince Édouard arrive à Toronto.

20 septembre
Le prince Édouard quitte le Canada de Windsor.

LE VOYAGE ROYAL

Terre-Neuve

Il y a souvent du brouillard et de la pluie à St. John's (Terre-Neuve), même en été. Le 24 juillet 1860, le mauvais temps n'a pas empêché presque toute la population de St. John's de se rendre aux docks pour accueillir le visiteur royal. Le prince Édouard est arrivé après une traversée de l'Atlantique qui a duré deux semaines. Près du quai, les habitants de l'île ont construit une grande arche en bois et l'ont ornée de guirlandes. Du côté de l'arche donnant sur le port, les mots « Bienvenue au prince » ont été gravés et peints.

Les nuages se sont enfin dissipés. Un canot d'apparat s'éloigne d'un des trois navires britanniques. Après être passé sous l'arche et avoir échangé des salutations avec le **lieutenant-gouverneur** de Terre-Neuve, le visiteur royal et son cortège prennent place dans des voitures découvertes. La foule aperçoit à chaque tournant un gentilhomme de haute taille, portant la barbe, en conversation avec le prince. C'est le duc de Newcastle, garde du corps du prince Édouard pendant sa visite. En sa qualité de secrétaire d'État des Colonies, le duc de Newcastle administre les affaires de l'Amérique du Nord britannique. La foule acclame les visiteurs et agite des drapeaux au passage des voitures dans les rues sinueuses de la capitale.

À l'époque de la visite royale, la population de Terre-Neuve s'élève à 130 000 habitants. La plupart des Terre-Neuviens vivent de la pêche dans de minuscules peuplements le long de la côte rocheuse. La population britannique augmente en raison surtout de l'arrivée d'immigrants en provenance d'Irlande. Les Terre-Neuviens ont commencé à administrer leurs affaires en 1832. Ils ont élu des représentants qui ont bientôt exigé que le gouvernement respecte leurs décisions plutôt que celles des hommes choisis par le gouverneur britannique. C'est ce qu'on appelle un **gouvernement responsable**. À l'époque de la visite du prince Édouard, Terre-Neuve possède un gouvernement responsable depuis cinq ans.

Des paroisses, des groupes culturels, des entreprises et des associations de travailleurs ont bâti des arches dans chacune des villes que le prince Édouard a visitées pour lui démontrer leur loyauté. Après sa visite, les arches ont été démolies.

La Nouvelle-Écosse

L'étape suivante de la visite princière est la Nouvelle-Écosse. Près de Sydney, dans l'île du Cap-Breton, les travailleurs des mines de charbon accueillent le prince de Galles. Les ancêtres de ces mineurs ont commencé à travailler dans les mines à la fin du XVIIIe siècle. Le prince Édouard visite aussi un village micmac.

La population de la Nouvelle-Écosse est concentrée sur la côte. La construction navale constitue l'activité dominante. Presque chaque ville a un **chantier naval**, où l'on construit des voiliers aux mâts élevés avec le bois d'immenses conifères qui ont descendu la rivière. Les navires de fabrication locale sont réputés dans le monde entier.

En cherchant bien...

UTILISE DES ILLUSTRATIONS HISTORIQUES POUR COMPRENDRE L'HISTOIRE

L'illustration que tu vois au début de ce chapitre a été publiée dans *The Illustrated London News* en 1860. Un peintre l'a réalisée pour donner aux lecteurs une idée de l'arrivée du prince Édouard à Halifax, en Nouvelle-Écosse. Comme la photographie n'en était qu'à ses débuts, des illustrateurs effectuaient des croquis des événements importants pour les journaux.

INTERROGE LES FAITS

1. Comment peux-tu reconnaître le prince Édouard sur cette illustration ?

2. Édouard est accueilli par le lieutenant-gouverneur lord Mulgrave. Indique où se trouve cet homme.

3. Décris les autres groupes.

4. Le prince Édouard est arrivé à bord du navire de guerre *Hero*. Quelles sont les différences entre les navires de guerre que tu vois en arrière-plan et ceux d'aujourd'hui ? Pourquoi sont-ils différents ?

5. Jusqu'à quel point cette illustration t'aide-t-elle à imaginer l'événement ?

6. Penses-tu que l'illustrateur a exagéré ou modifié des détails de cette scène ? Explique ta réponse.

7. Qu'est-ce que cette illustration t'apprend au sujet de l'Amérique du Nord britannique en 1860 ? Fais la liste de ce que tu sais déjà à ce sujet.

L'Amérique du Nord britannique, en 1860

William Hall, fils d'esclaves qui se sont enfuis de la Nouvelle-Écosse, a été le premier Afro-Canadien à gagner la Croix de Victoria. Marin dans la marine royale, il a gagné la décoration la plus distinguée en 1857, après avoir servi en Inde. Il est à bord du *Hero* durant la visite royale.

À l'occasion de sa visite d'Halifax, capitale de la Nouvelle-Écosse, le prince Édouard prononce un discours devant les membres de la législature. Un grand nombre des 30 000 résidents d'Halifax sont membres des forces armées britanniques, en poste à la base navale et à la garnison. Entre 1853 et 1856, quelques-uns de ces hommes s'étaient battus pour la Grande-Bretagne pendant la guerre de Crimée. Dans son discours, le prince Édouard leur rend hommage :

Je partage de tout cœur la fierté que vous inspirent les exploits des fils de la Nouvelle-Écosse, et la ferveur avec laquelle vous honorez la mémoire des hommes morts pour mon pays et le vôtre.

Le Nouveau-Brunswick

En Nouvelle-Écosse, le cortège du prince Édouard effectue le trajet Halifax-Windsor à bord d'un train inauguré peu de temps auparavant. Puis les visiteurs traversent la baie de Fundy en bateau et visitent Saint-Jean, la ville la plus ancienne et la plus grande du Nouveau-Brunswick. Cette ville de 30 000 habitants est un port animé et un centre de commerce du bois et de construction de navires en bois.

Le prince de Galles remonte ensuite la rivière Saint-Jean jusqu'à Fredericton, capitale du Nouveau-Brunswick, à bord d'un train inauguré quelques jours plus tôt. Tout le long de la rivière, des bûcherons abattent des arbres dans les forêts de conifères. Le commerce du bois est la principale source d'emplois de la colonie. D'énormes billes de pin blanc sont transportées par flottage jusqu'à Saint-Jean, puis chargées dans des bateaux à destination de l'Angleterre. À Fredericton, le prince participe à l'inauguration de l'Université du Nouveau-Brunswick.

1 Suggère une raison pour laquelle les Premières nations ont été exclues du recensement.

2 Classe les populations des régions par ordre décroissant.

** Ce tableau indique la population de l'Amérique du Nord britannique, d'après les données du **recensement** de 1860-1861. La population de Terre-Neuve et les Premières nations ont été exclues du recensement.*

Population de l'Amérique du Nord britannique en 1861*	
Région	**Population**
Nouvelle-Écosse	330 857
Nouveau-Brunswick	252 047
Île-du-Prince-Édouard	80 857
Canada-Est (Québec)	1 111 566
Canada-Ouest (Ontario)	1 396 091
Colombie-Britannique	51 524
Territoires du Nord-Ouest	6 691
Total	3 229 633

En cherchant bien...

INTERPRÈTE LES GRAPHIQUES

Ce graphique linéaire montre l'expansion et le déclin de l'industrie de la construction de navires en bois dans les colonies des Maritimes. Le graphique a été effectué à partir de données recueillies par un chercheur.

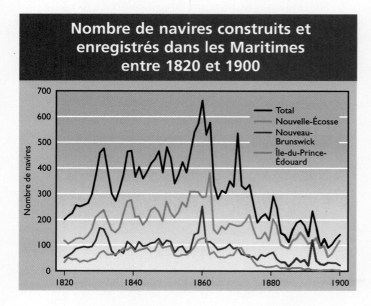

Nombre de navires construits et enregistrés dans les Maritimes entre 1820 et 1900

Légende : Total · Nouvelle-Écosse · Nouveau-Brunswick · Île-du-Prince-Édouard

Axe vertical : Nombre de navires (0 à 700)
Axe horizontal : 1820, 1840, 1860, 1880, 1900

INTERROGE LES FAITS

1. a) Comment les années sont-elles indiquées ?
   b) Comment le nombre de navires construits chaque année est-il indiqué ?
   c) Quelle ligne indique le nombre total de navires construits dans les colonies des Maritimes ?
2. Combien de navires environ a-t-on construits dans les Maritimes en 1860 ?
3. Quel secteur a produit le plus de navires en 1860 ? Combien de navires environ ce secteur a-t-il produits ?
4. Quelle a été la meilleure année pour la construction navale dans les Maritimes ?
5. Fais des hypothèses sur les causes de l'augmentation subite de la construction navale dans les années 1860.
6. Fais des recherches sur les causes du déclin de l'industrie de la construction de navires en bois qui a suivi.
7. Énumère les tâches qu'une chercheuse ou un chercheur devrait accomplir pour recueillir ce type de données.

Cette illustration d'un wigwam micmac près de Sydney a paru dans l'un des nombreux livres publiés sur le voyage royal. Que t'apprend cette illustration sur le mode de vie des Micmacs ? Par exemple, le wigwam est-il de grande dimension ? Quels matériaux a-t-on utilisés pour le construire ? Pourquoi penses-tu que les organisateurs du voyage du prince Édouard lui ont fait visiter ce village micmac ?

LES BÂTIMENTS TE RENSEIGNENT SUR L'HISTOIRE

Tu peux apprendre l'histoire d'une collectivité en observant les bâtiments, les repères historiques et les monuments.

Le monument commémoratif de la guerre à la Place de la Confédération à Ottawa.

INTERROGE LES FAITS

1. La plupart des collectivités canadiennes ont des monuments commémoratifs de la guerre et des plaques historiques. Trouve un monument commémoratif près de chez toi et visite-le. Prends des notes sur sa conception, ses décorations et ses inscriptions.

   a) Quelles guerres ce monument commémore-t-il ? À quelle guerre la plupart des noms sont-ils associés ?

   b) Qu'est ce qu'un monument commémoratif de la guerre peut t'apprendre au sujet des différentes guerres ?

   c) Qu'est-ce qu'un monument commémoratif de la guerre t'apprend au sujet de ta collectivité ?

2. Y a-t-il des **bâtiments du patrimoine** dans ta collectivité ? Si oui, trouves-en un et renseigne-toi sur son histoire. Comment et pourquoi a-t-il été désigné bâtiment du patrimoine, et par quel organisme ? Si tu es incapable de trouver un bâtiment du patrimoine, consulte Internet pour obtenir des informations sur le patrimoine d'une ville canadienne. Choisis un bâtiment du patrimoine et documente-toi à son sujet.

JOHN A. MACDONALD

THE ARCHITECT OF CANADIAN CONFEDERATION IN 1867, AND THE FIRST PRIME MINISTER OF CANADA, OCCUPIED THIS HOUSE, BELLEVUE, FOR A PERIOD FROM 1848.

ERECTED BY THE KINGSTON HISTORICAL ASSOCIATION 1954

Les édifices qui présentent un intérêt historique spécial sont parfois protégés en tant que bâtiments du patrimoine et on les distingue à l'aide d'une plaque. La plaque ci-dessus désigne une maison habitée autrefois par sir John A. Macdonald.

En 1860, il n'y a pas de liaison routière entre le Nouveau-Brunswick et la Province du Canada. Le cortège du prince Édouard doit retourner en Nouvelle-Écosse avant de traverser le détroit de Northumberland pour visiter l'île qui porte le nom de son grand-père.

L'Île-du-Prince-Édouard

Édouard fait une courte halte à Charlottetown, capitale de l'Île-du-Prince-Édouard. Cette ville compte alors 7000 habitants. L'agriculture, la construction navale et la pêche sont les principales activités de la petite île. Le prince assiste à une réception à Fanningbrook, lieu de résidence du lieutenant-gouverneur. À l'époque où le représentant de la Reine gouverne la colonie, Fanningbrook est le centre décisionnel du gouvernement. Après la mise en place du gouvernement responsable en 1851, les fonctions du lieutenant-gouverneur se limitent à la représentation de la monarchie.

Le Canada-Est

Le convoi du prince Édouard quitte le port de Charlottetown en bateau à vapeur, se dirige vers le nord et entre dans le golfe du Saint-Laurent. Après avoir dépassé la péninsule de Gaspé, les navires se dirigent vers l'ouest et s'engagent dans la vaste embouchure du fleuve Saint-Laurent. Édouard arrive dans la Province du Canada.

L'Acte d'Union de 1841 a uni le Bas-Canada et le Haut-Canada. Les deux parties s'appellent le Canada-Est et le Canada-Ouest. L'**Assemblée législative**, corps des représentants élus chargé de légiférer, a deux chefs, soit un pour chacune des parties.

© 1860. Reproduit avec la permission de la Société canadienne des postes. NAC/POS 149.

En 1860, Charles Connell, maître de poste du Nouveau-Brunswick, est responsable de l'émission d'une nouvelle série de timbres-poste. Il fait mettre son propre portrait sur le timbre de cinq cents! Connell doit donner sa démission et la plupart des timbres sont détruits. Aujourd'hui, les rares timbres qui subsistent valent environ 6000 $ chacun pour les collectionneurs.

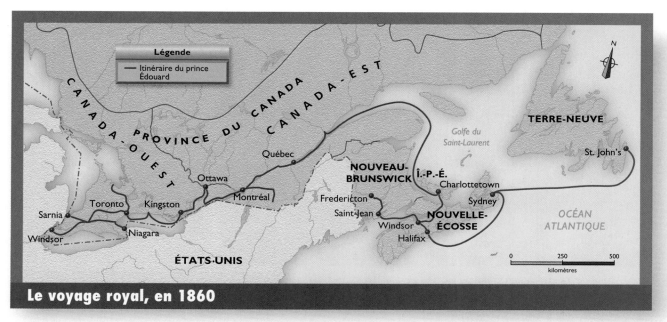

Le voyage royal, en 1860

Cette situation vient de ce que chaque partie a une culture et des lois propres. Le Canada-Est est la patrie des Canadiens français, alors que la population du Canada-Ouest est principalement anglophone. À l'époque de la visite du prince Édouard, Georges-Étienne Cartier, dans le Canada-Est, et John A. Macdonald, dans le Canada-Ouest, sont les co-premiers ministres.

Les navires de guerre défilent devant les terres cultivées bordant les rives du fleuve Saint-Laurent. Le 18 août, ils jettent l'ancre au large de Québec. Pour souhaiter la bienvenue aux visiteurs, on fait retentir des coups de feu du haut de la **citadelle**, ou forteresse, sur le rocher où se dresse la ville fortifiée.

Québec est le cœur de la société canadienne-française. Après la chute de la Nouvelle-France en 1759, la ville est devenue la capitale de l'Amérique du Nord britannique. À l'époque de la visite du prince Édouard, cependant, Québec a perdu son statut de ville principale et de port dominant et elle va perdre son titre de capitale quelques années plus tard. La plupart des 59 000 résidents sont francophones, mais une minorité d'anglophones occupent les postes clés dans l'industrie et le commerce. La principale activité de Québec est la manutention du bois d'œuvre. Des billes équarries en provenance de la vallée de l'Outaouais sont transportées par flottage sur le fleuve Saint-Laurent jusqu'à Québec, où on les débite pour en faire du bois de charpente ou on les charge dans des navires à destination de l'Angleterre.

Bon nombre de Canadiens français démontrent leur loyauté envers la Couronne britannique en construisant des arches le long de l'itinéraire du prince de Galles. Le Canada français est très catholique. À Québec, le prince reçoit d'abord un groupe d'évêques vêtus de leur soutane violette ; il rend aussi visite aux religieuses du Couvent des ursulines, au centre de la vieille ville.

Des billes équarries sont chargées dans la coque des navires à Québec et exportées.

1-76323, Loading slip with deals through the bow port, Québec City (Un chargement de madriers sur la proue d'un navire dans le port de Québec), 1872. Musée McCord d'histoire canadienne, Montréal

INTERPRÈTE LES CARTES DES PEUPLEMENTS HISTORIQUES

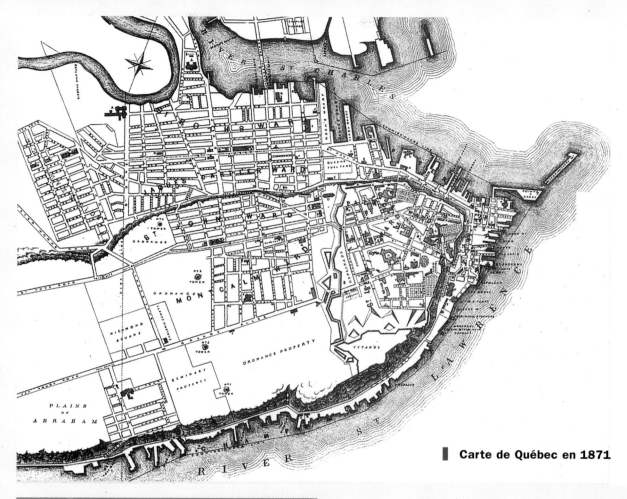

■ Carte de Québec en 1871

1. La plupart des cartes ont des symboles communs qui aident les lecteurs à interpréter les informations. Dans le coin supérieur gauche, une boussole indique l'orientation (ou direction). Où est le nord sur la carte ?

2. Examine la carte et détermine comment les caractéristiques suivantes sont représentées et marquées :
   a) les cours d'eau
   b) les docks
   c) les falaises boisées
   d) les murs de la vieille ville
   e) la citadelle
   f) les rues
   g) les édifices importants

3. Quelle est la différence entre les formes des rues à l'intérieur et à l'extérieur des murs ? Comment expliques-tu cette différence ?

4. Trouve une vieille carte de ta collectivité ou de l'agglomération la plus proche.
   a) La disposition des rues dans le quartier le plus ancien est-elle différente de celle des rues des secteurs plus récents ? Si oui, comment expliques-tu cette différence ?
   b) Les noms des rues sont-ils les mêmes aujourd'hui ?
   c) À qui ou à quoi les noms des rues sont-ils associés ?
   d) Comment cette carte t'aide-t-elle à comprendre l'histoire de la collectivité ?

Le moment est venu de prendre un autre bateau à vapeur. Le cortège royal remonte le fleuve Saint-Laurent et arrive à Montréal le 25 août. La population de Montréal atteint presque 100 000 habitants. Montréal est la plus grande ville de l'Amérique du Nord britannique. Son port est rempli de navires et le rivage, bordé d'usines. La plupart des résidents parlent anglais.

Partout où il va, le prince Édouard observe la richesse et le raffinement de la société montréalaise. Un bal auquel assistent 6000 personnes a lieu dans un pavillon bâti pour la circonstance.

À l'occasion d'une cérémonie spéciale, le prince pose le dernier rivet du tout nouveau pont Victoria qui enjambe le fleuve Saint-Laurent. Le pont mesure plus de 2 km. Pendant des décennies, les seules voies d'accès à la région des Grands Lacs ont été le fleuve Saint-Laurent et la rivière des Outaouais. En 1818, on a entrepris la construction d'un réseau de canaux coûteux pour améliorer le transport vers les Grands Lacs. À l'achèvement du chemin de fer du Grand Tronc en 1859, une période d'expansion rapide commence. Ce chemin de fer, le plus long du monde à l'époque, relie Sarnia dans le Canada-Ouest à Rivière-du-Loup dans le Canada-Est. Un embranchement mène au port américain de Portland, dans le Maine, ouvert toute l'année. Le transport ferroviaire favorise les échanges commerciaux avec les États-Unis.

Les assises du pont Victoria sont construites pour résister à la pression des glaces du fleuve Saint-Laurent en hiver et sont suffisamment hautes pour livrer passage aux navires au long cours.

II-47427, Victoria Bridge, Montréal, QC (Pont Victoria à Montréal, au Québec), toile de 1878. Musée McCord d'histoire canadienne, Montréal

Le Canada-Ouest

Le prince Édouard se rend ensuite en bateau à vapeur à Ottawa, dans le Canada-Ouest. Moins de 36 ans auparavant, cette ville n'était qu'un baraquement sur une falaise dominant la rivière des Outaouais. En 1826, le colonel John By a commencé à construire des écluses sur le canal Rideau. Une voie navigable relie la rivière au lac Ontario. Le baraquement est devenu un centre d'abattage appelé Bytown. Rebaptisée Ottawa, la ville a été choisie comme capitale permanente de la Province du Canada. Comment l'histoire et la géographie ont-elles influé sur cette décision ? Voici un indice : la ville d'Ottawa était plus éloignée de la frontière des États-Unis que Toronto, Kingston et Montréal.

À Ottawa, les édifices du gouvernement commencent à prendre forme. Le 1er septembre 1860, le prince de Galles pose la première pierre des nouveaux édifices qui dominent tous les autres bâtiments de la ville. Ottawa, qui compte 15 000 hatitants, est en plein essor.

En l'honneur du prince Édouard, les bûcherons de la vallée de l'Outaouais font plusieurs démonstrations impressionnantes de leur adresse. Des hommes dirigent un train de flottage sur une glissoire à billes servant à éviter les chutes de la Chaudière. À cette époque, les bûcherons abattent d'immenses pins blancs, équarrissent les troncs à la hache et les attachent ensemble pour former des radeaux, ou trains de flottage. Ils acheminent les trains de flottage le long des cours d'eau jusqu'aux eaux de marée, où les trains de flottage sont défaits et les billes chargées dans des navires pour l'exportation. Le prince de Galles étonne les reporters en sautant sur un train de flottage pour descendre la glissoire à bille.

1. Quelle est la grosseur du train de flottage ? Quel indice te permet d'évaluer sa taille ?

2. Comment le train de flottage est-il décoré ?

3. Comment la glissoire à billes est-elle construite ? Pourquoi avait-on besoin d'une glissoire à billes ?

4. Que peux-tu dire au sujet de l'emplacement de la ville ?

Le prince de Galles sur un train de flottage dans la glissoire à billes servant à éviter les chutes de la Chaudière.

EXAMINE DES DOCUMENTS HISTORIQUES

Ce manuscrit est un **document primaire**. Il fait partie du compte rendu quotidien des débats de l'Assemblée législative de la Province du Canada en 1860. Il se trouve aux Archives nationales du Canada, à Ottawa. Les **archives** sont en quelque sorte des musées qui renferment des documents ayant une valeur historique.

Comme on peut le constater dans la traduction à droite, ce document fait état d'une proposition visant à modifier une **motion** inscrite à l'ordre du jour de l'Assemblée. L'auteur de la proposition est le Torontois George Brown, membre de l'Assemblée législative.

L'avenir de la Province du Canada était alors incertain. Des rumeurs circulaient au sujet de la fin de l'union des Canadas. Il y avait trop de différences entre la population francophone et la population anglophone. Brown a alors proposé un nouveau type de relations entre les deux Canadas. Les membres de son parti, les *Clear Grits*, ont suggéré d'établir une fédération dans laquelle chacun des Canadas aurait son propre gouvernement qui s'occuperait « des affaires locales et de celles de sa partie du Canada », et un « gouvernement général » qui administrerait les « questions d'intérêt national et d'intérêt commun ». De l'avis des historiens, cette proposition simple a été le début de notre administration fédérale.

Un document primaire

M. Brown propose la suppression du texte suivant, le mot « Que » dans ladite motion et son remplacement par ce qui suit :

« Soit nommé un comité de neuf membres pour faire enquête et déposer un rapport, _premièrement_, sur la pertinence de remplacer l'union existante du Haut-Canada et du Bas-Canada par la subdivision de la Province en deux ou plusieurs parties, chacune dirigeant elle-même les affaires locales et celles de sa partie du Canada, ainsi que par l'établissement d'un gouvernement central et d'une législature générale, où la représentation des citoyens reposerait sur la population, pour mener les affaires d'intérêt national et d'intérêt commun ; _deuxièmement_, sur la pertinence d'inviter les autres provinces britanniques à adhérer à cette union ; _troisièmement_, sur la pertinence d'énoncer des clauses visant l'intégration dans ladite union de parties des Territoires de la Baie d'Hudson quand ceux-ci auront été suffisamment colonisés ; _quatrièmement_, pour suggérer à la Chambre les modalités de cette union au gré dudit comité. »

Le cortège du prince Édouard monte à bord d'un train spécial de la société des chemins de fer Ottawa & Prescott pour un court voyage. Arrivé au fleuve Saint-Laurent, le groupe prend un bateau à vapeur, le *Kingston*. L'itinéraire prévoit des haltes dans plusieurs villes situées sur les berges du lac Ontario. Des milliers de gens se sont rassemblés à Kingston le 4 septembre. Le *Kingston* jette l'ancre pour la nuit, mais le prince Édouard reste à bord. Des protestants d'origine irlandaise faisant partie d'une société, l'ordre d'Orange, ont construit des arches et suspendu des banderoles et, au son des fanfares, ils défilent dans les rues de Kingston, vêtus du costume de leur société. Une banderole proclame : « Notre Dieu, notre pays et notre reine. » Le duc de Newcastle refuse que le prince reconnaisse les orangistes en passant sous leurs arches. En Grande-Bretagne, l'ordre d'Orange est banni, car ses membres s'opposent farouchement à l'Église catholique et ont la réputation d'attiser la haine et la violence religieuses.

John A. Macdonald s'efforce de convaincre le duc de Newcastle de visiter Kingston. Il fait valoir que le prince Édouard est invité par la ville, non par l'ordre d'Orange. De plus, les loges des orangistes sont légales en Amérique du Nord britannique, où elles ont été fondées en 1830. À Halifax, le Prince a honoré les catholiques de sa présence en marchant sous une arche érigée par eux. À Québec, il a aussi accordé beaucoup d'attention aux évêques et aux religieuses catholiques. Édouard reste à bord du *Kingston* et le navire poursuit son voyage. La même situation se produit à Belleville, à la déception de la population.

I-8561.0.1, Albert Édouard, prince de Galles (Édouard VII), Reproduction de 1863, photographie (détail), Musée McCord d'histoire canadienne, Montréal

Pendant la visite du prince Édouard à Montréal, William Notman peint son portrait. Le prince mesure environ 1,70 m.

Le 7 septembre, le prince Édouard arrive à Toronto. Selon un témoin américain enthousiaste, «la magnificence des célébrations de Toronto a surpassé tout ce qui s'était fait depuis l'arrivée du prince». Une foule nombreuse se masse pour acclamer le défilé. Des arches se dressent à chaque tournant, symboles de la loyauté de la population envers la monarchie. Des orangistes causent un émoi en dissimulant une arche jusqu'au passage du cortège royal. Ils se hâtent ensuite de la dévoiler!

En 1860, Toronto est la troisième ville en importance de l'Amérique du Nord britannique. Sa population s'élève à 44 000 habitants. La croissance de Toronto est plus rapide que celle de Montréal. Le Canada-Ouest est en train de changer : même si l'agriculture et la coupe du bois sont encore les activités dominantes, la fabrication et le commerce sont en expansion.

Jusqu'à la fin de son séjour dans le Canada-Ouest, le prince de Galles assiste à une succession ininterrompue de cérémonies, de réceptions, de visites et d'inaugurations. Le prince se rend à Collingwood en train. Dès son retour, il prend un autre train à destination de Sarnia en faisant des haltes à Guelph, à Berlin (aujourd'hui Kitchener-Waterloo), à Stratford et à London. Le cortège royal profite du voyage de retour pour aller à Niagara Falls. Le prince Édouard assiste à la traversée de la gorge du Niagara sur une corde par le grand Blondin, perché sur des échasses. Quand Blondin lui propose de le transporter de l'autre côté de la gorge, le prince Édouard se montre intéressé, mais refuse son invitation. À Hamilton, le prince inaugure l'exposition agricole annuelle et le nouveau poste de pompage à la vapeur qui approvisionne la ville en eau courante. Le prince Édouard quitte le Canada à Windsor et traverse la rivière Detroit pour entreprendre une tournée des États-Unis.

Disons au revoir au prince Édouard et prenons place à bord d'un tout autre genre de véhicule pour conclure notre visite de l'Amérique du Nord britannique. Au-delà de la source du lac Supérieur, aucune route ou voie ferrée ne dessert les minuscules peuplements. Pour parcourir les grandes étendues vers l'ouest et le nord, nous devrons utiliser notre imagination et une technologie moderne : un dirigeable.

Le premier dirigeable, ou aérostat, équipé de propulseurs à la vapeur, a été construit en France en 1852. Cet appareil aurait pu servir à la traversée de l'ouest de l'Amérique du Nord, mais aucun document n'atteste ce fait.

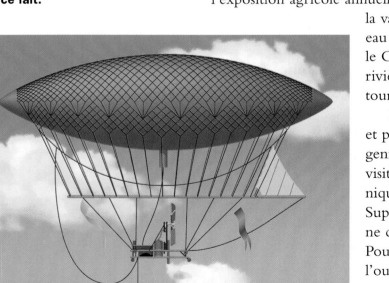

LA TERRE DE RUPERT

En 1860, le territoire qui s'étend jusqu'à la baie d'Hudson s'appelle **Terre de Rupert**. Sa superficie atteint environ quatre millions de km² (à peu près les deux tiers de la superficie actuelle du Canada). En 1670, le roi d'Angleterre avait accordé à la Compagnie de la baie d'Hudson des droits de traite avec les Premières nations sur la Terre de Rupert. La compagnie avait des droits de **monopole**, ce qui signifie qu'elle seule pouvait y faire du commerce. En 1860, la Terre de Rupert est encore sous l'emprise de la compagnie, même si sa **charte**, c'est-à-dire l'entente qui lui accordait le droit de commercer, a expiré en 1859.

En nous dirigeant vers le nord, nous traversons d'abord le lac Huron et nous survolons Sault-Sainte-Marie. Porte d'entrée du lac Supérieur, cette ville est la collectivité la plus à l'ouest de la Province du Canada en 1860. Nous apercevons bientôt Fort William, ancien quartier général de la Compagnie du Nord-Ouest sur les berges du lac Supérieur. Fort William est devenu l'un des postes de traite du réseau de la Compagnie de la baie d'Hudson, qui s'étend jusqu'à l'Alaska d'aujourd'hui. Nous verrons peut-être le capitaine John Palliser et son expédition, de retour de leur quatrième et dernier été d'exploration dans la Terre de Rupert pour le gouvernement britannique et la Royal Geographic Society. L'expédition de Palliser a exploré les anciens itinéraires de canotage à l'ouest du lac Supérieur pour déterminer si les colons en route vers l'ouest pouvaient les utiliser. L'expédition a étudié les sols des prairies herbeuses pour savoir s'ils sont cultivables. Les explorateurs ont arpenté six cols, ou passages étroits, dans les Rocheuses pour évaluer la possibilité de construire un chemin de fer jusqu'au Pacifique.

La Rivière Rouge

Nous voici au-dessus de la colonie multiculturelle de la Rivière Rouge, créée en 1812. D'une superficie de 300 000 km², cette colonie, où la vie est rude, compte plusieurs groupes d'Autochtones, deux communautés de races mixtes (les **Métis**), les vestiges britanniques de la colonie d'origine et un regroupement de retraités de la Compagnie de la baie d'Hudson et leur famille. Environ 7500 personnes vivent ici. Le groupe le plus important est celui des francophones qui descendent de mères autochtones et de voyageurs et de commerçants de fourrure francophones. Leur principal mode de subsistance est la chasse au bison, qui leur procure de la viande et des peaux.

En 1860, on se sert du bateau à vapeur *Anson Northrup* sur la Rivière Rouge pour améliorer le transport vers le sud.

Les troupeaux de bisons diminuent déjà. Partout dans l'Ouest, les Autochtones sont victimes des maladies européennes qui se sont propagées sur leurs territoires. Aux États-Unis, le gouvernement entreprend, dans les plaines de l'Ouest, une guerre de conquête qui fera disparaître les Premières nations. Un peu au sud de la colonie de la Rivière Rouge se trouve le nouvel État du Minnesota, qui compte près de 175 000 habitants. La colonie de la Rivière Rouge deviendra sous peu une poudrière.

Les Territoires du Nord-Ouest

Faisons maintenant un détour par le Grand Nord. La Grande-Bretagne revendique l'Amérique du Nord arctique, même si les Inuits occupent le territoire. Des baleiniers américains se rendent dans l'océan Arctique sur une base saisonnière. Jusqu'aux années 1850, les Britanniques espèrent découvrir un passage du Nord-Ouest pour relier l'Atlantique et le Pacifique.

En 1845, sir John Franklin quitte l'Angleterre pour se mettre à la recherche du passage du Nord-Ouest. Son expédition est aperçue pour la dernière fois en juillet 1845. Pendant des années, des groupes de chercheurs bravent les canaux sinueux de l'archipel Arctique dans l'espoir de retrouver l'expédition perdue de Franklin. Cette peinture représente le Dr John Rae à Pelly Bay, où il s'informe du sort de Franklin auprès des Inuits.

Des Inuits s'adonnent au jeu de ballon national en 1865, à Petite rivière de la Baleine, dans l'actuelle province de Québec.

En nous dirigeant vers le sud-ouest, nous survolons la toundra. Nous apercevons bientôt des épinettes, des saules et des bouleaux rabougris. Le paysage est criblé de lacs. Nous passons au-dessus de la vaste zone de drainage du fleuve Mackenzie. Des peuplements autochtones apparaissent çà et là. C'est le domaine traditionnel des Dénés qui suivent d'immenses troupeaux de caribous dans leurs migrations.

La Colombie-Britannique

Quand les pics enneigés des Rocheuses surgissent à l'horizon, nous jetons du lest pour pouvoir survoler les sommets les plus hauts. Nous traversons le plateau du Fraser dans la colonie de la Colombie-Britannique. Des gardiens de troupeaux conduisent leurs bêtes dans les prairies du plateau aride. Plus à l'est, des chercheurs d'or s'activent dans les criques de la rivière Caribou. La ruée vers l'or a débuté dans les canyons du bas Fraser en 1858. Cette année-là, 30 000 prospecteurs ont afflué vers le sud-ouest de la Colombie-Britannique.

La plupart des chercheurs d'or de Rock Creek, près de la frontière des États-Unis, sont américains. Ils ne cachent pas leur intention de déposséder les Britanniques de la Colombie-Britannique. Des prospecteurs américains se sont révoltés contre la loi qui les oblige à acheter des permis de prospection. Ils ont chassé un commissaire en visite en lui lançant des pierres. Le gouverneur James Douglas, en poste dans l'île de Vancouver, effectue une tournée des champs aurifères à l'été 1860. Il arrive à Rock Creek le 25 septembre. Il a revêtu son uniforme couvert de décorations et affronte bravement 300 prospecteurs. Douglas leur promet qu'il fera construire une route. Il les menace aussi de revenir avec des soldats de la marine s'ils refusent d'acheter des permis. Les prospecteurs l'applaudissent et lui serrent chaleureusement la main. Douglas est intraitable et n'hésite pas à recourir à la force pour faire respecter la loi et l'ordre.

Les premiers prospecteurs chinois arrivent pendant la ruée vers l'or du Fraser.

L'île de Vancouver

Notre destination finale est la colonie de l'île de Vancouver. En 1843, James Douglas, alors dirigeant de la Compagnie de la baie d'Hudson, fonde Fort Victoria. L'île de Vancouver devient une colonie en 1849, et Douglas est rapidement désigné gouverneur. La ruée vers l'or favorise la prospérité et l'essor de la colonie. En 1860, une minuscule législature est mise en place, mais Douglas s'oppose à tout projet de gouvernement responsable.

Ces Afro-américains sont arrivés en Colombie-Britannique pendant la ruée vers l'or. En 1860, ils forment un régiment de miliciens, le *Victoria Pioneer Rifle Corps*, pour maintenir la paix alors que des milliers de chercheurs d'or envahissent Victoria.

Le *SS Beaver* est le premier bateau à vapeur à naviguer le long de la côte du Pacifique de l'Amérique du Nord britannique. Ce petit navire aide la Compagnie de la baie d'Hudson à rendre la vaste côte du Pacifique accessible au commerce.

En cherchant bien...

INTERPRÈTE LES DONNÉES

Songhees, village des Salish du littoral, est situé en face du port de Fort Victoria. Environ 600 personnes y vivent en hiver. Chaque printemps, des visiteurs en provenance du nord de la côte arrivent dans le port dans de gros canots. En avril 1859, le commissaire de police ordonne le dénombrement de ces visiteurs et de leurs habitations. Les données sont publiées dans la *Victoria Gazette*.

Premières nations	Logements	Nombre de personnes
Haïda	32	405
Tsimshian	34	574
Stikine	17	223
Ducash	9	111
Bella Bella	11	126
Charcheena	4	62
Kwakiutl	4	44
Total	111	1545

À la parution de ces chiffres, 690 autres Autochtones étaient arrivés au port de Victoria.

INTERROGE LES FAITS

1. Consulte une carte indiquant le territoire des Premières nations de la côte du Nord-Ouest. D'où venait chacun de ces groupes ? Quelle distance environ chaque groupe avait-il parcourue ? (Les Stikine font partie de la nation Tlingit ; les Ducash et les Charcheena représentent peut-être des groupes disparus. Il se peut aussi que leurs noms aient été mal retranscrits.)

2. a) Combien de personnes en moyenne vivaient dans chaque logement ?
   b) Choisis un groupe et renseigne-toi sur ses habitations et son organisation sociale. Quelle utilisation les historiens feraient-ils des données du tableau pour illustrer cette organisation ?

3. Documente-toi sur les migrations saisonnières de ces Autochtones. Pourquoi migraient-ils ? Quels types de marchandises voulaient-ils se procurer à Victoria ? Qu'offraient-ils en échange ?

4. D'après toi, quelle a été la réaction de la population européenne à l'arrivée annuelle des Autochtones ?

Lien Internet

www.dlcmcgrawhill.ca

Consulte le site Web ci-dessus pour voir des photos de la Colombie-Britannique dans les années 1860, y compris une photo de Victoria vue du village de Songhees. Clique sur *Matériel complémentaire/ Primaire et secondaire*, puis sur *Le Canada : L'édification d'une nation*, où l'on te donnera la suite des indications.

Édouard, prince de Galles, visite l'Amérique du Nord britannique en 1860. Il se rend à Terre-Neuve, en Nouvelle-Écosse, au Nouveau-Brunswick, à l'Île-du-Prince-Édouard et dans les Canadas. Toutes ces régions ont mis en place des gouvernements responsables, c'est-à-dire qu'elles s'autogouvernent.

Les habitants utilisent les ressources de la terre pour assurer leur subsistance. Ils coupent du bois et le vendent, fabriquent des navires et construisent des chemins de fer pour améliorer le transport. Montréal est la plus grande ville de l'Amérique du Nord britannique et le centre d'un réseau de transport composé de canaux et de voies ferrées qui permettent peu à peu de surmonter les obstacles géographiques.

L'Amérique du Nord britannique comprend les colonies de la Rivière Rouge, de la Colombie-Britannique et de l'île de Vancouver, ainsi que la Terre de Rupert et les Territoires du Nord-Ouest. La population totale du Canada d'aujourd'hui s'élève à l'époque à un peu plus de trois millions d'habitants. La future nation est déjà diversifiée sur le plan ethnique : des Autochtones, des Métis, des Chinois, des Américains d'origine africaine et des Européens vivent ici.

VÉRIFIE TES CONNAISSANCES

1 Rédige un bref compte rendu du voyage royal en répondant aux questions suivantes pour les lecteurs d'un journal étranger :
   a) Qui était le prince Édouard ?
   b) Pourquoi a-t-il visité l'Amérique du Nord britannique ?
   c) Qu'est-ce que l'Amérique du Nord britannique ?
   d) Quelle a été la durée du séjour du prince Édouard ?
   e) Quel a été son itinéraire ?
   f) Comment le prince Édouard a-t-il effectué son voyage ?
   g) Pourquoi la visite du prince Édouard a-t-elle été importante ?

2 Indique 10 points importants à connaître au sujet de l'Amérique du Nord britannique en 1860. Classe-les par ordre d'importance.

3 a) Quels conflits y avait-il dans les années 1860 en Amérique du Nord britannique ?
   b) Nomme d'autres conflits possibles à partir de la matière que tu as lue.

APPLIQUE TES CONNAISSANCES

1 En équipe, dresse une carte du patrimoine de ta rue, de ton quartier ou d'une partie de ta collectivité. Localise et marque les sites et les bâtiments historiques.

2 Fais des recherches pour déterminer ce que le prince de Galles aurait vu en 1860 s'il avait visité la région où ta collectivité vit aujourd'hui. S'il y avait eu une colonie, qui aurait accueilli le prince Édouard et quels lieux lui aurait-on fait visiter?

3 Les voyages royaux ont toujours été populaires au Canada. Effectue des recherches sur la couverture médiatique d'une journée pendant un voyage royal au Canada. Fais un compte rendu.

4 Fais un jeu de rôles pour mimer une conversation entre John A. Macdonald et le duc de Newcastle. Macdonald essaie de persuader le duc de Newcastle d'autoriser le prince à visiter Kingston.

5 Effectue des recherches sur les styles, le design ou les modes de 1860 dans les domaines de l'habillement, de l'architecture ou du comportement.

6 Trace une carte de l'Amérique du Nord britannique en 1860 et ajoute des éléments visuels pour donner un aperçu de la population et de son mode de vie.

UTILISE LES MOTS CLÉS

Associe les mots à leur définition.

Assemblée législative	écrit ou imprimé présentant un compte rendu direct d'un fait
document primaire	lieu où des documents publics et des dossiers historiques sont conservés
gouvernement responsable	groupe d'élus représentant les électeurs au sein de l'assemblée chargée de légiférer
citadelle	forme de gouvernement dans laquelle les responsables des décisions sont choisis parmi des membres élus de l'Assemblée législative. Ces personnes rendent compte de leurs décisions à l'Assemblée.
recensement	droit accordé à une personne ou à une organisation d'exercer un contrôle exclusif sur le commerce
archives	personnes d'ascendance européenne et autochtone mixte
Métis	territoire arrosé par des cours d'eau qui se jettent dans la baie d'Hudson. Les droits de monopole du commerce sur ce territoire ont été accordés à la Compagnie de la baie d'Hudson en 1670.
monopole	dénombrement officiel de la population
Terre de Rupert	forteresse

1850

1864

1867

Vers la Confédération

PANORAMA

Voici quelques-unes des facettes de l'histoire présentées dans ce module :

- l'immigration en Amérique du Nord britannique des « Irlandais de la famine » et des esclaves afro-américains fugitifs ;
- l'effet du libre-échange en Grande-Bretagne sur la population de l'Amérique du Nord britannique ;
- l'incidence de l'ère de la construction ferroviaire sur les colonies britanniques ;
- les causes de l'impasse politique dans la Province du Canada avant la Confédération ;
- les raisons pour lesquelles la Province du Canada a proposé l'union avec les autres colonies pour former une nouvelle nation ;
- les événements aux États-Unis qui ont poussé la Province du Canada et les colonies de la Nouvelle-Écosse et du Nouveau-Brunswick à s'unir ;
- les personnages qui ont contribué à la conclusion d'une entente concernant la Confédération ;
- les raisons pour lesquelles la nouvelle nation a choisi un régime fédéraliste ;
- comment l'Ouest et l'Île-du-Prince-Édouard sont devenus membres de la nouvelle nation ;
- comment Terre-Neuve s'est jointe à la Confédération en 1949.

1949

Croissance et changement

1840

- La *grande migration* commence.
- Le *Britannia* traverse l'Atlantique pour son voyage inaugural.
- L'âge d'or de la construction navale commence dans les colonies des Maritimes.

1846

Le gouvernement britannique abroge les lois sur les céréales.

1847

Déclin du commerce du bois et de celui du blé

ZOOM SUR LE CHAPITRE

Tu trépignes d'impatience. Un sifflement et des sons de cloche se font entendre pendant que ton père arrête les chevaux à la gare. Tu sautes hors de la voiture et tu cours aussi vite que possible jusqu'à la gare. Voici enfin le train : le soleil se reflète sur le métal rouge et noir. Quel énorme « cheval de fer » ! Tu te rends dans la grande ville de Toronto pour visiter ta tante, ton oncle et tes cousins. Tu ne les as pas vus depuis trois ans ; c'était à l'occasion des funérailles de ta grand-mère. Le voyage avait duré plusieurs jours. Aujourd'hui, le train va te mener à Toronto en quelques heures. Sur le quai, tu assistes au déchargement et au chargement de la Poste royale. Des hommes transportent des piles du journal *The Globe*. Des agriculteurs locaux chargent dans un wagon les légumes frais destinés au marché St. Lawrence à Toronto. Le chemin de fer a transformé la vie des gens !

Tu te prépares pour l'embarquement avec ta famille. Vous devez attendre que des centaines de voyageurs débarquent du train. Ces voyageurs parlent anglais, mais il est difficile de les comprendre à cause de leur accent écossais prononcé. D'après le chef de train, ce sont des immigrants ; ils ont acheté des lopins de terre près du lac Érié. Ces voyageurs feront le reste du trajet à pied ou en charrette.

Cette scène te rappelle le voyage de tes parents au milieu des années 1840. Tu n'avais que trois ans quand ta famille a quitté l'Irlande. La vie a beaucoup changé depuis ce temps en Amérique du Nord britannique.

SCÉNARIO DU CHAPITRE

Dans ce chapitre, tu étudieras les sujets suivants :
- **les expériences des Irlandais de la famine et des esclaves afro-américains fugitifs pendant la *grande migration* ;**
- **les industries et les exportations dominantes de l'Amérique du Nord britannique entre 1840 et 1860 ;**
- **les effets de la révocation des lois sur les céréales sur la population de l'Amérique du Nord britannique ;**
- **comment le Traité de réciprocité a été favorable à l'Amérique du Nord britannique ;**
- **l'influence de la révolution industrielle sur l'Amérique du Nord britannique.**

MOTS CLÉS

abolitionniste
cargo à bois
chemin de fer clandestin
culture commerciale
libre-échange
lois sur les céréales
réciprocité
révolution industrielle
station de quarantaine
tarif douanier
tarif préférentiel
terrassier

1850
Le nombre de fugitifs sur le chemin de fer clandestin augmente.

1851
La construction du chemin de fer du St. Lawrence and Atlantic Railway débute.

1854
Lord Elgin signe le Traité de réciprocité avec les Américains.

1856
Le tronçon Montréal-Toronto du chemin de fer du Grand Tronc est terminé.

1859
Le chemin de fer du Grand Tronc se rend jusqu'à Sarnia.

LA *GRANDE MIGRATION*

Nous, les immigrants, avons accompli les travaux ingrats qui ont permis à ce pays d'exister et de prospérer. Nous sommes allés partout où il y avait du travail… Nous avons bâti ce pays. C'est la vérité.

Alfred, bûcheron

La période de 1840 à 1860 a donné lieu à des changements spectaculaires dans les colonies britanniques de l'Amérique du Nord. Des dizaines de milliers d'Écossais, d'Anglais, d'Irlandais et de Gallois émigrent de la Grande-Bretagne. Des esclaves afro-américains en fuite y trouvent refuge. Ces peuples ajoutent leur langue, leurs coutumes et leurs croyances à celles des Premières nations, des Canadiens français et des colons britanniques déjà établis dans les colonies.

1 Classe les régions par ordre décroissant de population en 1861.

2 Selon toi, quel a été l'effet sur le Canada-Ouest de l'augmentation considérable de la population entre 1841 et 1851 ?

Population des régions de l'Amérique du Nord britannique de 1841 à 1861			
Région	**1841**	**1851**	**1861**
Canada	**1 149 000**	**1 832 000**	**2 508 000**
Canada-Est	717 000	890 000	1 112 000
Canada-Ouest	432 000	942 000	1 396 000
Nouveau-Brunswick	154 000	194 000	252 000
Terre-Neuve	S. O.	102 000	122 000
Nouvelle-Écosse	S. O.	277 000	331 000
Île-du-Prince-Édouard	50 000	70 000	80 000

Les Irlandais de la famine

Les Irlandais forment le groupe d'immigrants le plus nombreux et le plus désespéré. La pomme de terre est la culture de base, ou aliment de base, des agriculteurs irlandais pauvres. La culture de la pomme de terre exige peu d'attention, mais ce légume se conserve mal et est vulnérable aux maladies. En 1845 et en 1846, la récolte de pommes de terre a été pauvre à cause du mildiou. Les conséquences sont désastreuses pour la population affamée. Dans une lettre, un travailleur écrit ceci :

Les paysans ressemblent à des squelettes ambulants. Les hommes souffrent de malnutrition, les enfants malades pleurent, les femmes [sont] trop faibles pour se tenir debout… Les moutons ont tous disparu, les vaches et les volailles ont toutes été tuées.

(Traduction libre)

La famine et les maladies comme le choléra et le typhus transforment des villages en villes fantômes. Devant la menace de la famine et de la maladie, les Irlandais qui peuvent payer la traversée émigrent en Amérique du Nord. Beaucoup s'embarquent dans des **cargos à bois**, navires construits pour expédier le bois des colonies en Grande-Bretagne. Le *Thomas Gelston* est un cargo à bois. Il transporte dans sa cale plus de 500 passagers et la traversée dure neuf semaines. Les locaux des passagers sont surpeuplés et la nourriture et l'eau, insuffisantes. Voici le texte d'un rapport d'enquête gouvernemental :

Il y a moins d'un mètre d'espace entre les couchettes… Les passagers sont forcés de manger sur leur couchette… Dans une couchette, il y a un homme, sa femme, sa sœur et cinq enfants. Dans une autre couchette, il y a six jeunes filles. La couchette du haut est occupée par cinq hommes, et il y en a huit dans la couchette voisine.

(Traduction libre)

Un journaliste, Steven de Vere, fait le récit de son voyage :

Des centaines de gens misérables, hommes, femmes et enfants… entassés, sans éclairage, sans air, dans la saleté… le corps malade, le cœur au désespoir… Il était impossible de se laver… Ce voyage a duré trois mois.

(Traduction libre)

Passe à l'histoire

Imagine que tu es une immigrante ou un immigrant d'Irlande en 1847. Écris une lettre aux membres de ta famille restés en Irlande. Avant de commencer à écrire, demande-toi si tu veux les encourager à venir en Amérique du Nord.

Lien Internet

www.dlcmcgrawhill.ca

Consulte le site Web ci-dessus pour savoir comment les jeunes orphelins d'origine irlandaise étaient traités au Canada à cette époque. Clique sur *Matériel complémentaire/Primaire et secondaire*, puis sur *Le Canada : L'édification d'une nation*, où l'on te donnera la suite des indications.

Les passagers sont entassés dans la cale. Il n'y a pas assez de couchettes pour tout le monde. Quand une tempête se lève ou que des maladies infectieuses se propagent, l'équipage reçoit l'ordre d'enfermer les passagers dans la cale.

Croissance et changement **29**

Court métrage

Morts en mer

En 1847 et en 1848, on surnommait « navires-cercueils » ou « navires de la fièvre » les vaisseaux qui amenaient les Irlandais en Amérique du Nord. Le *Looshtauk* est l'un des plus célèbres de ces navires. Cent dix-sept passagers sur un total de 458 sont morts pendant la traversée. Parmi les 13 membres d'équipage, 11 sont tombés malades. À l'île Middle, station de quarantaine de la rivière Miramichi, près de Chatham, au Nouveau-Brunswick, 100 autres passagers sont morts.

Court métrage

Une maladie mortelle

Le typhus, appelé aussi « fièvre des navires » ou « la fièvre », est transmis par des poux qui se reproduisent vite dans les endroits insalubres et surpeuplés. Quand un pou pique une personne infectée par le typhus, il transporte la maladie dans son système digestif et la transmet à d'autres personnes, qui se grattent et écrasent sur leur peau le pou porteur de la maladie ou ses déjections. Les maux de tête, les maux de dos et la toux sont les symptômes du typhus. Ces malaises sont suivis d'une forte fièvre, de rougeurs cutanées et d'une faiblesse extrême. Le typhus, autrefois mortel, peut maintenant être traité à l'aide d'antibiotiques.

Après la longue traversée, chaque navire doit s'arrêter à une **station de quarantaine**, où l'on examine les passagers. Les immigrants à destination de Québec ou de Montréal doivent s'arrêter à Grosse Île, près de l'embouchure du fleuve Saint-Laurent. En mai 1847 seulement, 36 navires transportant 13 000 passagers ont subi des inspections d'hygiène. Sur les 89 738 immigrants arrivés à Québec en 1847, 5293 ont péri pendant la traversée ; près de 5000 sont morts en quarantaine à Grosse Île.

Peinture de William Kurelek, peintre du XXᵉ siècle, représentant le lazaret où les immigrants étaient gardés en quarantaine à Grosse Île.

Jane White

L'*Eliza Morrison* arrive à la station d'inspection de Grosse Île en juin 1849. Jane White, 18 ans, et ses parents poussent des soupirs de soulagement. Leur voyage périlleux de huit semaines à partir de Belfast, en Irlande, est terminé.

Durant la traversée, le navire a affronté des tempêtes. Tous les passagers ont craint pour leur vie et beaucoup ont eu le mal de mer. Les White étaient à l'aise comparativement aux immigrants pauvres entassés dans l'entrepont, l'espace le moins cher du navire. Les White ont pu s'offrir une cabine et emmener une servante.

Le voyage des passagers de l'entrepont a été infernal. Ils étaient entassés et vivaient dans des conditions misérables. Certains ont succombé au typhus et à la variole, des maladies souvent mortelles. Dans les années 1830, des épidémies de choléra s'étaient répandues dans les navires en provenance d'Irlande. Il y avait eu des milliers de morts. Le souvenir de ces horreurs est vivace. C'est pourquoi tous les navires transportant des Irlandais doivent passer par une station d'inspection.

L'*Eliza Morrison* jette l'ancre à Grosse Île. Un médecin monte à bord pour examiner les passagers. Certains passagers de l'entrepont sont malades, et le médecin leur ordonne de se rendre au lazaret. Les passagers en bonne santé sont mis également en quarantaine, mais sur le navire : ils n'ont pas le droit de débarquer.

Les passagers des cabines sont les mieux traités. Ils ont la permission de descendre à terre, mais ils ne peuvent quitter l'île. Un jour, Jane, ses parents et deux amis réunissent des provisions et vont faire un pique-nique dans les bois. Les passagers en quarantaine leur envient sûrement cet avant-goût de la liberté.

Le pique-nique est une pause appréciée, car il est monotone d'attendre l'autorisation de repartir pour Québec. L'arrivée d'un bateau à vapeur transportant des passagers en excursion crée une autre diversion. « [Le bateau était rempli] de gens qui avaient l'air joyeux, écrit Jane à une amie. Ces gens se sont arrêtés ici, près de notre bateau. Parmi eux, des musiciens jouaient des mélodies entraînantes. C'était vraiment un beau spectacle. »

Mais les gens se plaignent quand même. Ils ont hâte de refaire leur vie au Canada. Ils ne se rendent peut-être pas compte que cela aurait pu être pire. « Je t'assure que tous les passagers sont très mécontents d'être ici », écrit Jane à son amie.

L'*Eliza Morrison* obtient finalement l'autorisation de repartir. Jane et sa famille se rendent jusqu'à Goderich, petite ville située au bord du lac Huron, et s'y établissent. Leur quarantaine à Grosse Île n'aura été qu'un désagrément.

Autres personnages à découvrir

James Croil

Timothy Eaton

Casimir Gzowski

Jane White

Révérend Pernard McGavran

Dans le feu de l'action

L'été noir de 1847

Les tombes des victimes du typhus enterrées dans le cimetière de Partridge Island, dans le port de Saint-Jean au Nouveau-Brunswick, n'ont pas d'inscription. En 1847, les conditions d'existence sont misérables dans cette station de quarantaine, et l'on n'y tient aucun registre.

L'hiver précédent, la rumeur de l'arrivée massive d'Irlandais s'était répandue. Malgré les avertissements, personne ne s'y est préparé. L'hôpital de la station compte un seul médecin. Au début de juin, 2471 passagers gravement malades envahissent les moindres recoins du bâtiment d'une capacité de 100 lits seulement. Des malades et des mourants gisent sur le sol à l'extérieur. On érige d'autres abris et l'on dresse des tentes en vitesse. Deux autres médecins acceptent de secourir les malades, mais ils succombent à la fièvre. Il ne reste plus qu'un seul médecin pour s'occuper des milliers de malades et de mourants.

Les cadavres en décomposition s'empilent. On les enterre dans des fosses communes. La situation tourne à la tragédie quand des pluies torrentielles balaient la mince couche de terre jetée à la hâte sur les cadavres.

Cet été-là, l'été noir de 1847, plus de 12 000 immigrants sont arrivés dans cette île rocheuse et désertique. Environ 600 personnes — nul ne connaît leur nombre exact — n'en sont jamais reparties. Leurs espoirs, leurs rêves et même leurs noms ont été ensevelis dans les fosses communes.

Des immigrants ont effectué le trajet Québec-Montréal dans des bateaux à vapeur comme celui qui est amarré au quai. Le voyage durait de 20 à 30 heures. Cette illustration montre le quai de Montréal en 1850.

Où en sommes-nous ?

1 Selon toi, quel type de personne avait les meilleures chances de survivre à la traversée de l'Atlantique à bord d'un « navire-cercueil » ? Explique ta réponse.

2 Pourquoi utilisait-on les cargos à bois pour amener des passagers en Amérique du Nord ?

3 Grosse Île a été désignée lieu historique national. Es-tu d'accord avec cette décision ? Explique ta réponse.

Le chemin de fer clandestin

Pour une partie de la population des États-Unis, la terre promise est au nord de la frontière. Il s'agit des esclaves afro-américains des États du Sud. Entre 30 000 et 40 000 fugitifs risquent leur vie pour échapper à l'esclavage.

Au XVIIe siècle, des Africains avaient été emmenés en Amérique pour travailler comme esclaves. Au milieu du XIXe siècle, l'esclavage est le fondement de la vie dans le sud des États-Unis. Les travailleurs ramassent le coton vendu par les propriétaires des plantations aux fabriques de vêtements de Grande-Bretagne. L'invention de la machine à égrener le coton permet de nettoyer 200 fois plus de coton par jour. On a donc besoin de plus en plus de main-d'œuvre.

Les États « libres » du Nord sont contre l'esclavage. Un mouvement antiesclavagiste naît au début des années 1800 pour abolir, ou supprimer, l'esclavage. Des **abolitionnistes** créent le **chemin de fer clandestin**. Il s'agit d'un réseau secret de maisons, ou « gares », utilisées pour aider les esclaves à se rendre jusqu'à la Province du Canada. Les fugitifs se déplacent la nuit en suivant la Grande Ourse et l'étoile Polaire. Pendant la journée, ils se cachent dans les gares clandestines le long de leur trajet. Des chasseurs de primes professionnels traquent les esclaves comme des bêtes, même dans le Canada-Ouest. Les « chefs de gare » courent aussi des risques. Une loi américaine de 1850, la Loi sur les esclaves fugitifs, oblige toute personne au courant de l'existence d'esclaves fugitifs à les dénoncer, sous peine de sanctions sévères, dont l'emprisonnement.

Suis la Gourde★

Adieu, vieux maître

N'essaie pas de me poursuivre

Je suis en route vers le nord, vers le Canada

Où les gens sont tous libres.

★*Nom donné par les fugitifs aux étoiles du Grand Chariot, ou Grande Ourse*

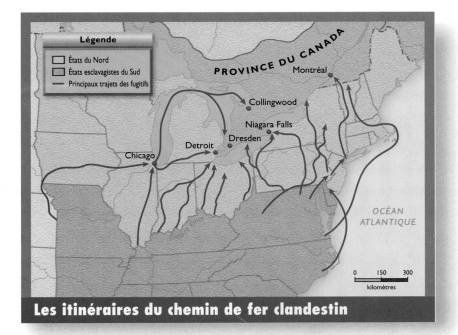

Les itinéraires du chemin de fer clandestin

Eliza Parker

De la dinde farcie en prison! Eliza Parker ne s'attendait pas à ce menu pour l'Action de grâces. Eliza est accusée de trahison. Son procès va débuter dans quelques jours.

Des abolitionnistes ont livré ce repas à la prison située près de Christiana, en Pennsylvanie. Eliza est réconfortée. Elle espère qu'on la déclarera non coupable, de même que les 29 autres prisonniers accusés de trahison.

Des troubles éclatent un matin de septembre 1851. Des chasseurs d'esclaves armés de fusil entrent de force dans la maison où Eliza et son mari William vivent depuis qu'ils ont fui l'esclavage. Grâce au chemin de fer clandestin, les Parker ont trouvé refuge à Christiana, où l'esclavage est illégal. Ils n'y sont toujours pas en sécurité. La Loi sur les esclaves fugitifs accorde aux propriétaires d'esclaves le droit de pourchasser les fugitifs partout aux États-Unis. Les esclaves en fuite peuvent être rendus à leur propriétaire dans les États où l'esclavage est légal.

Le vacarme a alerté le voisinage. Une cinquantaine de voisins déterminés à aider les Parker se sont rassemblés. Moins nombreux, les chasseurs d'esclaves en colère tirent dans la foule. Les gens terrifiés se dispersent dans toutes les directions, mais quelques défenseurs des Parker font feu à leur tour. Un propriétaire d'esclaves est tué et plusieurs personnes sont blessées.

L'incident provoque l'indignation. Pour les gens favorables à l'esclavage, l'incident de Christiana est une « émeute ». Pour les abolitionnistes, c'est un acte de « résistance ». Les jours suivants, une bande pourchasse tous les gens soupçonnés d'avoir aidé les Parker. Eliza est l'une des 30 personnes (27 Noirs et trois abolitionnistes blancs) capturées pendant la battue.

Tous sont accusés de trahison pour avoir utilisé la force afin de défier la Loi sur les esclaves fugitifs. S'ils sont condamnés, c'est la peine de mort. Eliza n'a qu'une consolation : son mari s'est enfui au Canada-Ouest. Avec l'aide de ses relations au chemin de fer clandestin, William a réussi à se rendre jusqu'à la colonie d'Elgin, collectivité d'esclaves fugitifs près de Chatham.

Les abolitionnistes profitent de cet incident pour organiser une campagne contre la Loi sur les esclaves fugitifs. Ils embauchent d'excellents avocats et travaillent fort pour influencer l'opinion publique en faveur des accusés. À leur procès, tous les accusés sont reconnus non coupables.

Après sa libération, Eliza rejoint William dans la colonie d'Elgin. Les Parker élèvent leurs enfants et se réjouissent quand la Pennsylvanie interdit aux chasseurs d'esclaves de poursuivre les fugitifs dans cet État. Lorsque l'esclavage est finalement aboli en 1863, William s'en retourne aux États-Unis. Eliza préfère rester dans son pays d'adoption.

Autres personnages à découvrir

Charles et Nancy Alexander

William Hall

Josiah Henson

Eliza Parker

Harriet Tubman

Bon nombre de fugitifs s'établissent dans la colonie de Dawn (aujourd'hui Dresden), fondée par un ancien esclave, Josiah Henson. En 1842, la colonie est prospère et possède une école, l'Institut britannique américain, fréquentée par les anciens esclaves. La colonie compte des fermes, un moulin à broyer le grain et une scierie. Les abolitionnistes des États-Unis versent des fonds pour soutenir la colonie de Dawn. Après l'abolition de l'esclavage, plusieurs fugitifs regagnent les États-Unis.

Les Américains d'origine africaine ne sont pas toujours bien accueillis. «Il y a beaucoup de préjugés contre nous ici», dit un homme. Cet homme a demandé une chambre dans un hôtel, et on lui a répondu: «C'est complet.» Des Blancs refusent d'envoyer leurs enfants dans les écoles fréquentées par les élèves afro-américains.

Malgré les dangers et les difficultés du voyage, la plupart des anciens esclaves ne regrettent pas d'être partis. Le Canada-Ouest est bel et bien leur terre promise. Ces témoignages de fugitifs le montrent bien:

L'esclavage est comme un poison mortel…

Mes pieds étaient gelés sur le chemin menant vers le nord, mais j'aurais préféré mourir en chemin plutôt que de revenir sur mes pas.

Je veux que les gens de couleur aux États-Unis sachent que, pour être libres, c'est au Canada qu'ils doivent tous venir.

Je suis arrivé sans un seul shilling. J'ai maintenant une maison et une terre de 101 acres [40,9 hectares].

(Traduction libre)

En 1830, Josiah Henson s'est réfugié dans le Haut-Canada avec sa femme et ses quatre enfants. Henson est décédé à Dresden, en Ontario, en 1883.

Lien Internet

www.dlcmcgrawhill.ca

Consulte le site Web ci-dessus pour lire les expériences d'autres fugitifs qui ont utilisé le chemin de fer clandestin. Clique sur *Matériel complémentaire/Primaire et secondaire*, puis sur *Le Canada: L'édification d'une nation*, où l'on te donnera la suite des indications.

Où en sommes-nous?

1 a) Comment la Loi sur les esclaves fugitifs a-t-elle amené beaucoup d'Américains d'origine africaine à venir s'établir au Canada-Ouest?

b) Que t'apprend le chemin de fer clandestin sur les conditions d'esclavage?

2 Fais des recherches sur une colonie fondée par des esclaves fugitifs. Écris des questions pour guider tes recherches. Exemple: De quoi les colons vivaient-ils? Qu'est devenue cette colonie après l'abolition de l'esclavage aux États-Unis?

3 Quelle différence y a-t-il entre une *émeute* et une *résistance*? Explique pourquoi le nom choisi par une personne pour décrire l'incident de Christiana révèle sa position.

Professions des immigrants arrivés à Québec et Montréal, aux années données				
Profession	**1846**	**1854**	**1856**	**1858**
Manœuvre	6 733	10 448	4 338	1 593
Agriculteur, travailleur agricole	4 831	5 632	2 342	1 651
Charpentier, menuisier	162	617	308	205
Forgeron	61	370	234	85
Marchand, commis	–	156	104	192
Cordonnier	87	358	227	52
Tailleur	84	433	206	94
Total	**12 366**	**19 466**	**8 769**	**4 442**

Le tableau ci-dessus contient des données recueillies aux ports de Montréal et de Québec pour certaines années. Les historiens utilisent ces données pour se documenter sur l'immigration dans la Province du Canada. Ces chiffres indiquent seulement les principales professions.

On a besoin de manœuvres pour le défrichement, les travaux forestiers et la construction des canaux et des voies ferrées.

INTERROGE LES FAITS

1. a) Quelles sont les deux professions qui occupaient le plus grand nombre d'immigrants à cette époque ?

   b) Peux-tu expliquer pourquoi ?

   c) Calcule le pourcentage des immigrants occupés dans ces deux professions pour chacune des années indiquées. Fais un remue-méninges avec tes camarades pour expliquer les variations.

2. Consulte un ouvrage de référence pour te renseigner sur la nature du travail d'une profession que tu ne connais pas. Qu'est-ce que cela t'apprend sur cette période ?

3. Penses-tu qu'un marchand ou un commis aurait eu plus de facilité à trouver du travail en 1846 ou en 1858 ? Explique ta réponse.

4. Comment ces chiffres ont-ils été recueillis ?

5. Comment ces chiffres t'aident-ils à comprendre cette période ?

6. Résume en quelques phrases ce que ces chiffres t'apprennent sur la *grande migration*.

EXPANSION, DÉCLIN ET REPRISE

Les colonies de l'Amérique du Nord britannique ont conclu un accord commercial avec la Grande-Bretagne dans les années 1840. À cette époque, le gouvernement britannique perçoit des **tarifs douaniers**, ou taxes sur les importations. La Grande-Bretagne perçoit des taxes moins élevées sur les marchandises importées de l'Amérique du Nord britannique que sur les importations d'autres pays. C'est ce qu'on appelle des **tarifs préférentiels**. En retour, les colonies expédient la plupart de leurs matières premières en Grande-Bretagne. Les produits des colonies peuvent être vendus à la Grande-Bretagne à des prix inférieurs à ceux des produits d'autres provenances. Ces tarifs sont particulièrement avantageux pour deux produits d'exportation dominants, le blé et le bois. Les tarifs préférentiels favorisent la prospérité et l'expansion des colonies, car les produits des colonies sont en demande en Grande-Bretagne.

Les tarifs préférentiels	
Bille de bois de la Baltique	1,00 $
Taxe perçue par la Grande-Bretagne	0,20 $
Coût	1,20 $
Bille de bois du Canada	1,10 $
Taxe perçue par la Grande-Bretagne	0,05 $
Coût	1,15 $

Une période favorable

Au cours des années 1840, le mode de vie des colons se transforme radicalement dans la Province du Canada. Les premières familles d'agriculteurs ont lutté pour survivre. Beaucoup doivent cultiver la terre dans les forêts pour subvenir à leurs besoins. Ces colons vendent le surplus de leurs récoltes pour se nourrir et obtenir de l'argent. La population croissante de la Grande-Bretagne a besoin du blé canadien. De plus en plus de champs sont défrichés et ensemencés. Des ateliers commencent à fabriquer de la machinerie agricole en se servant de machines fabriquées aux États-Unis comme modèles. L'agriculture est en train de devenir une occupation à temps plein pour beaucoup de gens. La **culture commerciale** du blé est rentable et les agriculteurs cultivent cette céréale pour la vendre. Il se construit un nombre croissant de moulins à broyer le grain le long du fleuve Saint-Laurent et d'autres cours d'eau pour transformer le blé en farine. Entre 1839 et 1841, les exportations de blé et de farine quintuplent. À la fin de la décennie, ces exportations ont septuplé. Même les agriculteurs américains font moudre leur blé au Canada pour le vendre à la Grande-Bretagne aux tarifs préférentiels.

Dans les années 1840, la croissance et l'expansion du commerce du bois reflètent l'essor du commerce du blé. La culture du blé occupe plus de travailleurs que l'abattage d'arbres, mais en 1841 le bois représente les deux tiers des exportations à la Grande-Bretagne. La demande de bois en Grande-Bretagne

Des moulins sont construits partout où l'eau courante peut servir à actionner les roues à aubes. Les moulins broient le grain pour faire de la farine.

est tellement forte que les forêts des colonies sont exploitées à longueur d'année.

Les principaux centres forestiers sont la vallée de l'Outaouais et la vallée du Saint-Laurent, dans la Province du Canada, et la vallée de la rivière Saint-Jean, au Nouveau-Brunswick. Avant les années 1840, des bûcherons indépendants coupaient le bois à temps partiel et le vendaient. Après les années 1840, de plus en plus de travailleurs deviennent des salariés à temps plein dans des sociétés forestières comme l'entreprise de J.R. Booth, à Ottawa.

Des groupes de bûcherons passent l'hiver en forêt dans des campements. Leur vie est dure et exténuante. Un prêtre se plaint de l'isolement prolongé de ces hommes : cela, dit-il, « encourage l'impiété, le non-respect du dimanche, les jeux de hasard et les beuveries ». Chaque groupe de bûcherons de la vallée de l'Outaouais abat environ 400 pins blancs ou pins rouges par saison. Dans la forêt, les bûcherons équarrissent les grumes pour en faire des billes, remorquées par des chevaux ou des bœufs jusqu'à un cours d'eau avoisinant. Au printemps, les draveurs dirigent les billes sur les cours d'eau. Parfois, des billes bloquent le cours d'eau et forment un embâcle. Les bûcherons doivent intervenir le plus vite possible pour dégager les billes, sinon d'autres groupes de bûcherons arrivent au marché avant eux et obtiennent le meilleur prix. À la fin du parcours de flottage, les bûcherons entendent toujours dire qu'un draveur a été écrasé et s'est noyé. Lorsque les cours d'eau s'élargissent, les billes sont encerclées et attachées ensemble pour former des trains de flottage. Les hommes dirigent ces grands radeaux où des chevaux les remorquent jusqu'aux ports.

Les trains de flottage sont défaits à Québec et chargés sur des navires. Cette photographie date de 1872.

*I-76310 Anse couverte de billes en provenance de Spencerwood, Québec, en 1872
Musée McCord d'histoire canadienne*

Les principaux ports d'exportation sont ceux de Québec au Canada-Est et de Saint-Jean au Nouveau-Brunswick. Les trains de flottage sont défaits et chargés dans des cargos à bois construits dans les colonies. La construction navale est une autre industrie importante dans les Maritimes et au Québec.

L'âge d'or de la construction navale dans les Maritimes commence dans les années 1840. Cette industrie voit le jour peu après le commerce du bois. On construit des navires pour expédier des billes de bois en Grande-Bretagne. Dans les années 1850, la Nouvelle-Écosse, le Nouveau-Brunswick et l'Île-du-Prince-Édouard se classent au quatrième rang dans le monde pour le tonnage des navires qu'ils exploitent. Seuls la Grande-Bretagne, la France et les États-Unis devancent ces colonies. Il y a des centaines de petits chantiers navals. À cette époque, les deux rives de la rivière Miramichi sont bordées de chantiers navals sur une longueur de 20 km. Les plus gros chantiers navals se trouvent à Saint-Jean.

Le *Marco Polo*, construit au Nouveau-Brunswick en 1851, a la réputation d'être le navire le plus rapide du monde. Ce navire a effectué l'aller-retour entre l'Angleterre et l'Australie en moins de six mois.

Au milieu du XIXᵉ siècle, Saint-Jean est un important centre de construction navale. On y construit une centaine de navires par année. Cette estampe montre un chantier naval et, au premier plan, un navire en construction.

L'industrie navale repose sur un approvisionnement abondant en bois pour la construction des navires et sur l'habileté des travailleurs. Les armateurs sont habituellement copropriétaires des navires avec les commerçants qui les exploitent. Peu de voiliers en bois utilisés pour le commerce durent plus de 15 ans ; c'est pourquoi la demande de navires est forte. L'industrie a pris de l'expansion à l'époque des ruées vers l'or, en Californie, en 1849 et en Australie, en 1851, et de la guerre de Crimée en 1854. Le *Marco Polo* a la réputation d'être le navire le plus rapide du monde. Il a effectué en un temps record le voyage entre l'Angleterre et l'Australie.

Où en sommes-nous ?

1 a) Quels avantages les colonies avaient-elles à commercer avec la Grande-Bretagne ?

b) Quels étaient les avantages pour les Américains de faire moudre leur blé au Canada dans les années 1840 ?

c) À cette époque, pourquoi la Grande-Bretagne avait-elle besoin des matières premières des colonies d'Amérique du Nord ?

2 Pourquoi le bois était-il une ressource aussi importante au milieu du XIXᵉ siècle ? Nomme les industries qui, à ta connaissance, dépendaient du bois.

3 Trace un diagramme montrant l'expansion de la construction navale dans les colonies des Maritimes.

Le traitement de faveur prend fin

Depuis la fin du XVIIIᵉ siècle, la Grande-Bretagne a été emportée dans le tourbillon de la **révolution industrielle**. À partir de l'invention de la locomotive à vapeur et d'autres machines, la révolution industrielle a changé les conditions de travail et le mode de vie en Grande-Bretagne et partout dans le monde. La mécanisation remplace la force musculaire. Peu à peu, le travail en usine remplace le travail agricole. La population quitte la campagne pour les villes.

Au milieu des années 1840, les propriétaires des usines de Grande-Bretagne exercent des pressions sur leur gouvernement pour introduire le **libre-échange**. Dans un régime de libre-échange, aucun droit, ou taxe, n'est perçu sur les importations et les exportations. Les industriels veulent les matériaux les plus économiques pour leurs usines, les aliments les moins chers pour leurs travailleurs et les marchés les plus grands pour leurs produits. Les tarifs préférentiels ont été éliminés.

En 1846, le Parlement britannique adopte un projet de loi pour révoquer les **lois sur les céréales**, ou *Corn Laws*. Les lois sur les céréales interdisent l'importation de blé à bon marché (appelé « maïs » en Grande-Bretagne) pour ne pas concurrencer les agriculteurs britanniques. Le protectionnisme est éliminé. Les autres taxes spéciales sur les importations sont annulées l'une après l'autre. C'est le règne du libre-échange en Grande-Bretagne.

Les effets de la révocation des lois sur les céréales se font sentir à l'époque de l'arrivée massive des Irlandais de la famine en Amérique du Nord britannique. Beaucoup d'agriculteurs, incapables de faire concurrence au blé européen moins cher sur le marché britannique, abandonnent leur ferme et partent aux États-Unis. Le bois de la Province du Canada et du Nouveau-Brunswick ne peut faire concurrence, sur le marché britannique, au bois de la région de la Baltique. Des scieries et des meuneries sont inexploitées. Pour aggraver la situation, le gouvernement américain a permis l'exportation, hors taxe, des céréales et d'autres marchandises en provenance de l'Amérique du Nord britannique, aux ports américains comme ceux de New York et de Boston. Il en résulte le déclin des ports des colonies.

Lord Elgin est nommé goúverneur génêral de la Province du Canada en 1846 et occupe ce poste jusqu'en 1854.

La réciprocité à la rescousse

La ruine menace les marchands des deux Canadas. Lord Elgin, gouverneur général de la Province du Canada, déclare au gouvernement britannique, en 1848, que « les trois quarts des marchands de Montréal sont au bord de la faillite ». Les marchands se sentent trahis et abandonnés. Ils sont favorables à l'annexion aux États-Unis.

Dans le feu de l'action

L'héroïne de Long Point

À Long Point, dans le Canada-Ouest, les vents froids de l'automne annoncent des naufrages. La péninsule de Long Point se jette dans le lac Érié et est entourée de bancs de sable. Souvent, des navires échouent dans ces eaux peu profondes et redoutables.

En novembre 1854, Abigail Becker, 24 ans, est seule à la maison quand une violente tempête se déchaîne. Son mari Jeremiah, chasseur et trappeur, est parti au loin acheter des vivres pour l'hiver. Inquiète, Abigail se rend jusqu'au rivage dans l'espoir d'apercevoir Jeremiah de retour à Long Point. Une scène terrifiante se déroule sous ses yeux.

Près du rivage, une goélette s'est échouée sur un banc de sable. Huit marins s'agrippent aux cordages gelés, et d'énormes vagues glaciales déferlent sur l'épave.

Abigail décide d'agir. Incapable de nager, elle patauge le plus loin possible dans les vagues. La jeune femme connaît bien les eaux de Long Point. Elle fait signe aux marins épuisés. Un à un, les marins suivent ses indications et atteignent le rivage.

Les marins reconnaissants vantent la bravoure d'Abigail Becker. Elle reçoit des honneurs, y compris une lettre et 50 livres sterling de la reine Victoria. Ce sauvetage n'est pas son seul acte d'héroïsme. Abigail aide aussi plus tard six autres naufragés et sauve un garçon tombé dans un puits.

L'ancêtre de la photographie

En 1839, Louis-Jacques Mandé Daguerre annonce l'invention du daguerréotype. Cette découverte représente un pas de géant dans l'art de la photographie. La popularité du procédé est instantanée. En l'espace d'une année, les premiers studios ouvrent leurs portes à Montréal et à Québec. Les clients sont appelés « patients », car les séances de pose sont interminables. Les sujets doivent rester complètement immobiles pendant que l'appareil photographique fixe lentement leur image sur une plaque de cuivre recouverte d'argent.

Lord Elgin est convaincu que la prospérité des colonies britanniques d'Amérique du Nord dépend du libre-échange avec les États-Unis. Aux yeux des chefs politiques américains, la **réciprocité**, ou libre-échange de certaines marchandises, avec l'Amérique du Nord britannique n'est pas avantageuse pour les Américains. Lord Elgin ne renonce pas à son projet. En 1854, il se rend à Washington pour négocier. Son charme, sa persévérance et sa diplomatie conquièrent les Américains, et le Traité de réciprocité est signé. Au cours des 10 années suivantes, les céréales et le bois du Nouveau-Brunswick et de la Province du Canada, le charbon et le poisson de la Nouvelle-Écosse, et les pommes de terre de l'Île-du-Prince-Édouard entrent aux États-Unis hors taxe. Les navires britanniques peuvent faire voile sur le lac Michigan, et les Américains peuvent utiliser la voie maritime du Saint-Laurent. La réciprocité présente un avantage très important aux yeux des chefs politiques américains : l'accès de leurs pêcheurs aux eaux britanniques au large de la côte de l'Atlantique.

Le retour de la prospérité

Le Traité de réciprocité de 1854 avec les États-Unis favorise l'expansion économique pendant les années 1850. Les exportations de la Province du Canada doublent, passant de 8 millions de dollars en 1853 à 16 millions de dollars en 1855. Les exportations de poisson, de bois et d'autres marchandises des Maritimes enregistrent une croissance semblable. La Grande-Bretagne a besoin du blé des colonies car, de 1854 à 1856, la guerre de Crimée contre la Russie réduit son approvisionnement habituel en céréales en provenance d'Ukraine. La Grande-Bretagne demeure le principal marché des produits des colonies, mais le Traité de réciprocité de 1854 élargit le marché de l'Amérique du Nord britannique. Ce traité scelle avec les États-Unis un régime d'échanges commerciaux nord-sud prometteur pour l'avenir.

Où en sommes-nous ?

1 a) Quels ont été les avantages du libre-échange pour la Grande-Bretagne ?

b) Quel a été l'effet du libre-échange en Amérique du Nord britannique ?

2 Imagine que tu fais du commerce à Montréal à l'époque où la Grande-Bretagne annule les tarifs préférentiels. Expose des arguments en faveur de l'annexion aux États-Unis (population : 23 millions d'habitants).

3 Comment le Traité de réciprocité a-t-il favorisé la prospérité de l'Amérique du Nord britannique ?

DÉBUT DE LA RÉVOLUTION INDUSTRIELLE

L'amélioration du transport par eau

Au cours des années 1840, la révolution industrielle commence à transformer le mode de vie en Amérique du Nord britannique. Le progrès touche d'abord les transports et les communications. Les grands cours d'eau et les voies de navigation sont les artères commerciales de l'Amérique du Nord britannique. Ils bénéficient tout naturellement des premières améliorations. En 1823, le canal Lachine est construit sur le fleuve Saint-Laurent pour contourner des rapides. Six ans plus tard, on construit le canal Welland pour contourner les imposantes chutes du Niagara. Le gouvernement de la Province du Canada est convaincu que la construction de canaux est indispensable au progrès, c'est pourquoi il est prêt à financer une partie des travaux. En 1841, le gouverneur général lord Sydenham consent un prêt de 1,5 million de livres sterling pour les travaux de construction du canal effectués par des entreprises privées. Jusqu'à 10 000 travailleurs, appelés les **terrassiers** du

Court métrage

Le canal Welland

À son inauguration en 1829, le canal Welland était une merveille d'ingénierie. C'est le seul canal encore en usage pour la navigation commerciale. Reconstruit et agrandi quatre fois, il mesure 42 km de longueur et relie les lacs Ontario et Érié. Il fait aujourd'hui partie de la voie maritime du Saint-Laurent. Les cargos des Grands Lacs et les bateaux transatlantiques prennent environ 12 heures pour franchir ses huit écluses.

Le canal Rideau est une merveille d'ingénierie à l'époque de sa construction. Ce canal relie Kingston et Ottawa. Il a été construit pour protéger le pays d'une invasion américaine. Ce canal n'a jamais été une réussite commerciale.

Court métrage

Les canaux n'ont pas tous été des réussites. En Nouvelle-Écosse, un projet ambitieux portant sur la construction d'un canal de 85 km entre Halifax et la baie de Fundy est voué à l'échec. Les hautes marées de la baie de Fundy causent des difficultés. Les écluses se soulèvent en hiver et un barrage s'effondre. Entrepris en 1828, le canal Shubenacadie n'est achevé qu'en 1861. L'ère des canaux est finie depuis longtemps. Le chemin de fer a supplanté les canaux.

canal, participent aux travaux. Beaucoup sont des immigrants du sud de l'Irlande. Les terrassiers creusent, extraient des pierres des carrières et les transportent pour 50 cents par jour. En 1850, les terrassiers construisent un réseau de canaux entre les principales voies de navigation. Des bateaux à vapeur peuvent se rendre de la côte de l'Atlantique à la source des Grands Lacs.

Les bateaux à vapeur sont les nouvelles bêtes de somme des Grands Lacs. Des moteurs à vapeur, nouvelle invention utilisée dans les usines de textile de la Grande-Bretagne, propulsent les bateaux à aubes des Grands Lacs. John Molson est propriétaire de l'*Accommodation*, le premier bateau à vapeur qui navigue sur le Saint-Laurent en 1809. Dans les années 1840, les bateaux à vapeur sont le moyen de transport le plus populaire dans les deux Canadas. Le trajet Montréal-Kingston en bateau à vapeur prend seulement 19 heures ; par voie terrestre, le voyage dure sept jours. Il faut seulement cinq jours pour franchir en bateau la distance entre Niagara et Kingston, Brockville et Preston, et revenir à Toronto. Les bateaux à vapeur assurent le transport rapide et régulier des passagers et des marchandises, au moins jusqu'aux glaces.

Les nouveaux moteurs à vapeur propulsent aussi les navires transatlantiques. En 1833, le *Royal William*, bateau à aubes équipé de voiles, traverse l'Atlantique pour la première fois en utilisant l'énergie de la vapeur. Sept ans plus tard, le *Britannia*, propriété de Samuel Cunard, effectue la traversée en 12 jours. C'est un exploit ! Les paquebots offrent deux types d'hébergement. L'entrepont, l'espace le plus économique, coûte 25 $. Le tarif d'une cabine qui comprend une chambre, les repas et une meilleure place sur le bateau, varie de 60 $ à 80 $. Cunard tire ses revenus du transport des passagers et des marchandises. De plus, il assure le service postal de Sa Majesté ; ce service lui procure le prestige et des revenus additionnels.

Où en sommes-nous ?

1 a) Pourquoi les progrès du transport ont-ils été importants pour l'expansion du commerce ?

b) Quel a été le rôle des canaux dans le transport des marchandises dans les années 1840 ?

2 Imagine que tu vis dans une collectivité où des bateaux à vapeur peuvent accoster. Décris les changements que ces bateaux apportent dans ta collectivité.

3 Explique comment la traversée plus rapide de l'Atlantique a changé la vie en Amérique du Nord britannique. Décris l'effet de ce progrès sur le commerce et la vie quotidienne.

Samuel Cunard

LE ROI DE L'ATLANTIQUE NORD

En 1838, Samuel Cunard, homme d'affaires d'Halifax, âgé de 51 ans, dirige la société forestière fondée par son père. Il possède aussi des intérêts dans la chasse à la baleine, le fer, le charbon et la navigation à voiles. Cunard peut maintenant prendre sa retraite.

Pourtant, l'homme d'affaires n'est pas décidé à s'arrêter. Il a observé l'apparition des bateaux à vapeur pour les passagers, le courrier et les marchandises sur les lacs et les cours d'eau. Ces vaisseaux sont plus rapides que les voiliers, mais ne traversent pas l'Atlantique. Ils ne peuvent pas transporter assez de charbon pour propulser les moteurs durant cette traversée. De plus, leurs moteurs tombent souvent en panne.

En 1838, deux bateaux à vapeur refont avec succès la traversée de l'Atlantique accomplie par le *Royal William* en 1833. Cunard pressent que ces navires sont les précurseurs d'une révolution des transports. L'homme d'affaires veut participer à cette révolution.

Cunard est prudent. En 1839, il saisit la chance de passer à l'action. La Grande-Bretagne est en train d'expérimenter une méthode d'affranchissement du courrier à l'aide d'un timbre adhésif. L'Amirauté britannique invite les sociétés à soumissionner pour le transport transatlantique de la poste par bateau à vapeur. La traversée doit avoir lieu une fois par mois.

Cunard décide de soumissionner. Il embauche Robert Napier, ingénieur naval réputé, pour surveiller la construction de trois bateaux à vapeur. L'ingénieur propose l'installation d'un atelier équipé de pièces de rechange à bord des bateaux. Son but est d'éliminer les retards causés par les pannes de moteur. Napier suggère aussi l'embauche d'un mécanicien pour effectuer les réparations pendant la traversée.

Promettant d'effectuer la traversée *deux fois* par mois, Cunard obtient le contrat du transport postal. Cela représente une amélioration remarquable du service.

Le *Britannia* est le premier bateau construit par son entreprise, la British and North American Royal Mail Steam Packet Company, connue plus tard sous le nom de Ligne Cunard. Un paquebot postal (*packet*, en anglais) transporte du courrier et des passagers. Le 4 juillet 1840, ce bateau à roues latérales quitte le port de Liverpool, en Angleterre, pour son voyage inaugural. Le *Britannia* arrive à Halifax après 12 jours de traversée, deux jours plus tôt que prévu.

Quand Cunard se retire des affaires en 1848, ses bateaux à vapeur assurent le transport du courrier et des passagers chaque semaine entre l'Angleterre et l'Amérique du Nord. Il devient sir Samuel Cunard lorsque la reine Victoria lui accorde le titre de baronnet.

À la mort de Cunard en 1865, des membres de sa famille assurent la succession. Durant plus de 100 ans, la Ligne Cunard exploite quelques-uns des navires les plus célèbres du monde. Le *Lusitania* et le *Mauretania*, les navires les plus rapides de leur époque, ainsi que les paquebots de luxe *Queen Mary* et *Queen Elizabeth* font partie de sa flotte.

Autres personnages à découvrir

Hugh Allan

James R. Booth

Samuel Cunard

Alexander Galt

Allan MacNab

Hart Almerrin Massey

Les chemins de fer

La construction du premier chemin de fer en Grande-Bretagne remonte à 1830. C'est le début d'une ère nouvelle dans le domaine des transports. Des chemins de fer ont été construits en Amérique du Nord britannique pour relier les voies de navigation, mais la construction ferroviaire dans les colonies ne démarre réellement que dans les années 1850. Le chemin de fer a résolu plusieurs problèmes de transport. Les voies de navigation gèlent en hiver, mais les trains peuvent circuler toute l'année si les voies ferrées sont dégagées. Le transport terrestre est lent et peu sûr. Le train se rend dans des régions inaccessibles par bateau.

La fièvre de la construction ferroviaire gagne l'Amérique du Nord britannique dans les années 1850. La construction coûte cher, et la plupart des entrepreneurs ont besoin de l'aide gouvernementale.

La première ligne ferroviaire, la St. Lawrence and Atlantic Railroad, relie Montréal, dans le Canada-Est, à Portland, dans le Maine. Sa construction prend fin en 1853. Alexander Galt est le principal promoteur canadien de ces travaux. Galt est convaincu que le chemin de fer retirera à New York, ville rivale de Montréal, sa position dominante dans l'exportation des céréales.

Une locomotive du Grand Tronc vers 1860. On utilisait du bois pour chauffer l'eau servant à la production de la vapeur.

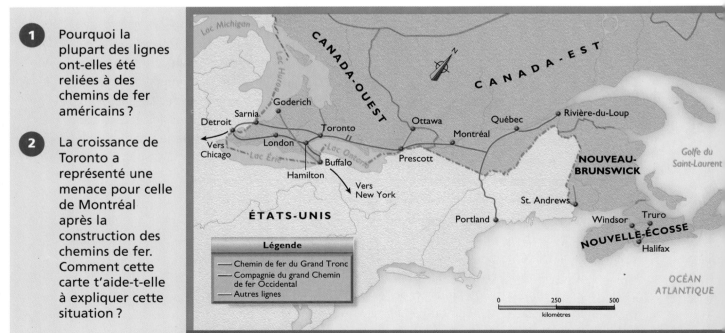

1 Pourquoi la plupart des lignes ont-elles été reliées à des chemins de fer américains ?

2 La croissance de Toronto a représenté une menace pour celle de Montréal après la construction des chemins de fer. Comment cette carte t'aide-t-elle à expliquer cette situation ?

Légende
- Chemin de fer du Grand Tronc
- Compagnie du grand Chemin de fer Occidental
- Autres lignes

Les chemins de fer de l'Amérique du Nord britannique en 1860

Plusieurs accidents ferroviaires surviennent dans les premières années de l'exploitation des chemins de fer. La catastrophe illustrée ici s'est produite en mars 1857 sur le pont Great Western, au-dessus du canal Desjardins. Le train a déraillé et plongé dans le canal, tuant 59 personnes.

Imagine que tu fais partie des spectateurs de cette scène. Quelle est ton opinion au sujet du transport ferroviaire ? D'après toi, qu'est-ce qui a causé cette catastrophe ? Qu'a-t-on fait pour secourir les blessés ? Fais un jeu de rôles avec des camarades pour mimer une conversation entre les spectateurs.

Dès 1851, des hommes politiques et des gens d'affaires de Montréal parlent de la nécessité de construire une ligne de chemin de fer est-ouest pour relier Halifax à Windsor. Ils veulent assurer l'expédition des céréales de Chicago à Montréal en vue de l'exportation, et promouvoir le commerce avec les colonies des Maritimes. Les projets de construction du tronçon des Maritimes échouent, car le Nouveau-Brunswick et la Nouvelle-Écosse ne sont pas d'accord sur le tracé de la ligne. Cependant, on entreprend la construction du tronçon du chemin de fer du Grand Tronc dans les deux Canadas en 1852.

Le Grand Tronc loue d'abord la ligne du St. Lawrence and Atlantic Railroad menant à Portland, dans l'État du Maine, pour avoir un complexe ferroviaire d'hiver sur la côte de l'Atlantique. Des investisseurs et des entrepreneurs britanniques acceptent de construire le tronçon Toronto-Montréal. Le tronçon Toronto-Sarnia doit être financé par le gouvernement canadien. Les administrateurs du Grand Tronc demandent un prêt au gouvernement. Comme six des administrateurs sont aussi des ministres, ils obtiennent facilement des fonds. Les coûts d'ingénierie dépassent le budget, et le gouvernement s'endette davantage en accordant d'autres fonds au Grand Tronc. Le tronçon Toronto-Montréal est inauguré en octobre 1856. Des défilés, des discours et des cérémonies somptueuses ont lieu dans les deux villes.

L'année suivante, des scandales politiques font la manchette des journaux. Certains chefs politiques, dont le premier ministre Francis Hincks, ont accepté des commissions clandestines du Grand Tronc et d'autres sociétés ferroviaires. Le projet est devenu incontrôlable. En 1858, la dette publique atteint 54 millions de dollars à cause des coûts de construction du chemin de fer et de la corruption. Le gouvernement mobilise d'autres fonds en taxant les importations. Les municipalités perçoivent des taxes foncières pour liquider leurs mauvaises créances. En 1859, le chemin de fer du Grand Tronc se rend à Sarnia. C'est la ligne ferroviaire la plus longue du monde à l'époque. Cette ligne s'étend de Sarnia, dans le Canada-Ouest, à Rivière-du-Loup, dans le Canada-Est ; un embranchement mène à Portland dans l'État du Maine. À la fin des années 1850, plus de 3000 km de voies ferrées parcourent les deux Canadas. La dette publique est énorme.

Dans le feu de l'action

Homme d'affaires et chef politique

Parmi les promoteurs du chemin de fer, sir Allan MacNab est maître dans l'art de mêler la politique et la construction ferroviaire. Héros de la guerre de 1812, MacNab siège au Parlement de Hamilton. Il a été ministre dans les années 1840 et premier ministre du Canada en 1854. En plus d'occuper ces fonctions politiques, sir Allan MacNab a été président de trois sociétés ferroviaires, président du conseil d'une autre société et administrateur de deux autres sociétés. MacNab est accusé d'avoir profité de ses fonctions et d'avoir accepté des sommes d'argent de sociétés ferroviaires. Quand on lui demande comment il peut concilier les chemins de fer et la politique, MacNab répond : « Les chemins de fer sont ma politique. »

Comme beaucoup d'entrepreneurs prospères de son époque, sir Allan MacNab habite une demeure imposante. Cette photo représente sa résidence de 72 pièces, Dundurn Castle, à Hamilton.

L'incidence du chemin de fer

L'ère de la construction ferroviaire transforme la vie en Amérique du Nord britannique. La population peut franchir des centaines de kilomètres en une seule journée. L'isolement en hiver et la vie dans la nature sauvage appartiennent au passé. Il est possible de travailler dans une ville et d'habiter dans une ville voisine. Des denrées fraîches sont livrées aux magasins chaque jour.

Le train a une influence sur l'implantation des collectivités. Des colonies situées à l'écart des chemins de fer stagnent, puis disparaissent. Des villes desservies par le train, Toronto par exemple, sont prospères en raison de leur activité ferroviaire. Port Hope, petite ville de 4000 habitants du Canada-Ouest, a investi 740 000 $ dans la construction d'une ligne de chemin de fer pour être desservie par le train. L'industrie ferroviaire crée d'autres entreprises et d'autres industries. Il faut construire des ponts. Des aciéries laminent le fer et l'acier pour la fabrication des rails. Des usines fabriquent des locomotives et des ateliers les réparent. On fabrique des voitures pour le transport des voyageurs. On coupe du bois pour alimenter les locomotives. L'entretien du matériel roulant et des voies ferrées occupe des travailleurs. Des lignes télégraphiques sont construites le long des voies ferrées, et des bureaux de télégrammes ouvrent leurs portes dans les gares.

Le chemin de fer change aussi la manière dont les gouvernements perçoivent leur rôle. Les gouvernements ont compris la nécessité d'investir des fonds publics pour financer des entreprises privées, car les populations sont peu nombreuses. Comme les chemins de fer et les canaux présentent une foule d'avantages importants et durables, les gouvernements doivent financer leur construction.

Les sociétés ferroviaires se classent parmi les plus gros employeurs des colonies à la fin des années 1850. Les travailleurs des ateliers ferroviaires sont membres de «fraternités». Ces premiers syndicats offrent des prestations d'assurance, de maladie et de décès à leurs membres.

Les ateliers du Great Western à Hamilton, en Ontario, en 1863. Le matériel roulant est réparé et les locomotives sont construites à cet endroit.

Où en sommes-nous ?

1 Réalise une brochure publicitaire sur la vente d'actions du chemin de fer du Grand Tronc. Montre le tracé du chemin de fer à l'aide d'une carte. Explique pourquoi c'est un bon investissement.

2 Explique pourquoi la présence d'une gare favorise la prospérité.

3 Conçois un diagramme montrant comment la construction d'un chemin de fer favorise la création d'autres industries.

Dans ce chapitre, nous avons vu les répercussions de la *grande migration* en Amérique du Nord britannique. Nous avons lu les récits des voyages des Irlandais de la famine et des esclaves afro-américains qui ont cherché refuge en Amérique du Nord britannique. On assiste, au cours des années 1840, au développement du commerce du blé et de celui du bois. La révocation des lois sur les céréales en 1846 a de graves conséquences économiques. Les années 1850 sont une période d'expansion économique grâce à la signature du Traité de réciprocité avec les États-Unis.

Dans les années 1850, la révolution industrielle commence à transformer la vie de la population de l'Amérique du Nord britannique. Un réseau de canaux favorise l'expédition des marchandises vers les marchés. Des bateaux à vapeur naviguent sur les Grands Lacs, et des navires transatlantiques traversent fréquemment l'océan. Le chemin de fer a transformé tous les aspects de la vie. Le transport des marchandises est devenu plus rapide et le commerce s'est amélioré. Les villes connaissent une croissance plus rapide. Le train relie les collectivités et prépare le terrain aux changements politiques des années 1860.

VÉRIFIE TES CONNAISSANCES

1. Pourquoi beaucoup d'Irlandais ont-ils émigré en Amérique du Nord britannique, puis déménagé aux États-Unis?

2. Quels risques les esclaves fugitifs couraient-ils en utilisant le chemin de fer clandestin? Pourquoi les fugitifs prenaient-ils ces risques?

3. Quels ont été les changements apportés au commerce du blé et à celui du bois dans les années 1840?

4. Pourquoi beaucoup de gens se sont-ils sentis abandonnés après la révocation des lois sur les céréales?

5. Tu as 13 ans. Explique les améliorations de ton mode de vie en Amérique du Nord britannique entre 1840 et 1860.

6. Quel a été l'effet de la révolution industrielle sur les transports en Amérique du Nord britannique?

7. Pourquoi la période entre 1840 et 1860 a-t-elle été, selon les historiens, une étape décisive de notre histoire?

APPLIQUE TES CONNAISSANCES

1. Réalise un épisode des « Reflets du patrimoine » sur *un* thème parmi les suivants : la traversée de l'Atlantique par les immigrants irlandais, l'arrêt à Grosse Île ou la fuite par le chemin de fer clandestin.

Année	Nombre d'immigrants
1844	2 605
1845	6 133
1846	9 765
1847	14 879
1848	4 141
1849	2 724
1850	1 838
1851	3 470
1852	2 165
1853	3 762
1854	3 440
1855	1 539
1856	708
1857	607
1858	390
1859	230
1860	323

2 Les chiffres du tableau ci-dessus indiquent le nombre d'immigrants arrivés au Nouveau-Brunswick entre 1844 et 1860.

a) Trace un diagramme illustrant l'immigration de 1844 à 1850. Décide si tu vas utiliser un diagramme à bandes ou un diagramme linéaire. Annote ton diagramme et trouve-lui un titre.

b) Écris un court paragraphe pour expliquer ton diagramme à quelqu'un qui n'a pas lu ce chapitre.

c) Énumère les causes possibles de la baisse du nombre d'immigrants au Nouveau-Brunswick entre 1854 et 1860, malgré l'arrivée de milliers d'immigrants européens.

3 Fais des recherches et rédige une lettre ou fais un dessin se rapportant au travail des bûcherons dans les bois, ou au flottage du bois sur les cours d'eau en vue de son expédition.

4 Écris un article de journal pour commenter la révocation des lois sur les céréales.

5 Réalise une affiche ou écris une annonce publicitaire sur un voyage à bord d'un bateau à vapeur ou d'un paquebot de Samuel Cunard.

6 Écris les titres et les paroles de quelques chansons sur le thème des trains.

7 Prépare un exposé sur les locomotives ou sur les voitures de train qui transportaient les voyageurs dans les années 1850.

8 Rédige un télégramme. Rappelle-toi que le tarif est calculé au mot. Fais des recherches sur la manière de présenter ton télégramme pour t'assurer de son exactitude historique.

UTILISE LES MOTS CLÉS

Explique le sens des termes suivants dans ce chapitre :

cargo à bois

chemin de fer clandestin

réciprocité

station de quarantaine

tarif préférentiel

L'impasse politique

Musée McCord d'histoire canadienne, Montréal.
M11588 L'incendie du Parlement de Montréal
vers 1849, huile sur bois attribuée à Joseph Légaré.

1849

L'Assemblée législative de
la Province du Canada brûle.

1851

Robert Baldwin et
Louis-Hippolyte Lafontaine se
retirent de la vie publique.

1853

Francis Hincks quitte son
poste de premier ministre.

1856

Création du Parti libéral-
conservateur, dirigé
par John A. Macdonald

ZOOM SUR LE CHAPITRE

La scène se passe à Montréal le 25 avril 1849. Le gouverneur général lord Elgin vient d'adopter une loi qui autorise le gouvernement à indemniser les citoyens, surtout des Canadiens français, qui ont subi des pertes pendant les rébellions de 1837 et de 1838. Une foule agitée poursuit la voiture de lord Elgin à la sortie de son bureau et lance des pierres et des œufs pourris dans sa direction. Puis la foule envahit les salles de l'Assemblée législative, fait du bois de chauffage avec le mobilier et déchire les rideaux. Une lampe à gaz sert à mettre le feu, qui se propage dans le bâtiment. Les pompiers arrivent sur les lieux, mais la foule les empêche d'entrer. Si tu observes attentivement la peinture, tu remarqueras une personne transportant un bout de tuyau d'incendie coupé par les manifestants.

L'incendie des édifices du Parlement de la Province du Canada marque tragiquement la fin d'une époque. Lord Elgin a adopté une loi contre son gré, et la foule manifeste son désaccord. Il l'a adoptée parce que la majorité des représentants élus ont voté en faveur du projet de loi. La Province du Canada a enfin un gouvernement responsable.

Au cours des 15 années suivantes, les représentants se divisent et sont incapables de s'entendre. Les gouvernements obtiennent des pouvoirs et les perdent quelques semaines, parfois quelques jours, plus tard. Comment cela se produit-il ? Quelle solution pourrait mettre fin à l'impasse politique ?

MOTS CLÉS

coalition
congrès
Constitution
école non
   confessionnelle
impasse politique
parti politique
Parti populiste
plate-forme
   électorale
régime fédéral
représentation
   selon la
   population
réserves
   du clergé
survivance

SCÉNARIO DU CHAPITRE

Dans ce chapitre, tu étudieras les sujets suivants :
- **les différentes positions des partis politiques du Canada-Est et du Canada-Ouest dans les années 1850 ;**
- **comment ces différences aboutissent à l'impasse politique dans la Province du Canada en 1864 ;**
- **comment les hommes politiques proposent de mettre fin à l'impasse ;**
- **les hommes politiques qui prennent ces décisions.**

1857
Formation du nouveau parti des Clear Grits, dirigé par George Brown

1859
Début de la construction des édifices parlementaires à Ottawa

1862
George Brown épouse Anne Nelson.

1864
La Grande Coalition s'organise.

À gauche : Robert Baldwin, chef du Parti réformiste du Canada-Ouest. Son père, William, a exercé des pressions en faveur du gouvernement responsable dans les années 1830.
À droite : Louis-Hippolyte Lafontaine, chef du Parti réformiste du Canada-Est. Il parle français à l'Assemblée, ce qui est contraire à la loi. Sur son initiative, le gouvernement britannique modifie la clause de l'Acte d'Union interdisant l'usage officiel du français à la Chambre.

L'ÉVOLUTION DE LA SCÈNE POLITIQUE

L'établissement du gouvernement responsable en 1849 est une victoire personnelle pour Robert Baldwin et Louis-Hippolyte Lafontaine, chefs du Parti réformiste. Les deux hommes ont des affinités : ils sont tous deux avocats, riches et brillants. Baldwin et Lafontaine deviennent de grands amis après 1841, année où Baldwin aide Lafontaine à obtenir un siège à l'Assemblée législative.

Lafontaine défend la **survivance**, ou survie de la culture canadienne-française. Il a la conviction que les Canadiens français doivent voter en bloc à l'Assemblée et appuyer le même parti aux élections. Si les Canadiens français accordent leur appui au parti ayant le plus de sièges au Canada-Ouest, les lois adoptées vont protéger leurs intérêts et leur culture. En 1850, son ami Robert Baldwin dirige le principal parti du Canada-Ouest. Lafontaine appuie énergiquement l'usage du français dans le corps législatif.

Baldwin et Lafontaine introduisent diverses réformes avant de se retirer en 1851. La colonie semble sur le point d'entrer dans une ère de progrès et de prospérité. Mais les opinions sont bientôt si divisées que 10 gouvernements, dont l'un ne dure que deux jours, se succèdent entre 1854 et 1864. De nos jours, la plupart des partis au pouvoir au Canada ont des mandats de quatre ou cinq ans. Cela te montre à quel point les gouvernements de l'époque sont instables. Quels sont les enjeux et les opinions qui divisent la population ?

Des opinions divisées

Une question est soulevée à l'Assemblée législative : celle de la **représentation selon la population**. La représentation selon la population signifie que chaque chef politique au sein de l'Assemblée législative représente le même nombre de citoyens. Selon l'Acte d'Union de 1841, le Canada-Est et le Canada-Ouest doivent compter un nombre égal de représentants à l'Assemblée législative. À cette époque, le Canada-Est est plus peuplé que le Canada-Ouest. En 1851, la situation change. La population du Canada-Ouest se sent dominée par les électeurs du Canada-Est, surtout parce que ceux-ci ont tendance à voter en bloc. Certains vont même jusqu'à réclamer « un homme, un vote ».

Certains réclament un gouvernement de type américain, où tous les représentants, y compris les juges, sont élus. Ils veulent l'abolition du système de gouvernement parlementaire et la formation d'une république dirigée par un président plutôt que par la monarchie britannique. Les membres du parti choisiront leurs chefs aux **congrès**. Les partisans de ces idées sont appelés « radicaux ». Au Canada-Est, les radicaux appuient le Parti rouge ; au Canada-Ouest, ils votent pour les candidats Clear Grits. Ces idées radicales ne font pas l'unanimité à l'intérieur des partis.

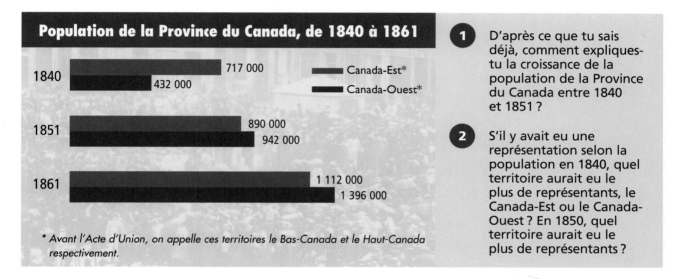

Population de la Province du Canada, de 1840 à 1861

1840 — Canada-Est* 717 000 / Canada-Ouest* 432 000

1851 — 890 000 / 942 000

1861 — 1 112 000 / 1 396 000

■ Canada-Est*
■ Canada-Ouest*

Avant l'Acte d'Union, on appelle ces territoires le Bas-Canada et le Haut-Canada respectivement.

1. D'après ce que tu sais déjà, comment expliques-tu la croissance de la population de la Province du Canada entre 1840 et 1851 ?

2. S'il y avait eu une représentation selon la population en 1840, quel territoire aurait eu le plus de représentants, le Canada-Est ou le Canada-Ouest ? En 1850, quel territoire aurait eu le plus de représentants ?

Dans le feu de l'action

Les élections durant la période de 1840 à 1860

À cette époque, le scrutin est très différent de ce qu'il est aujourd'hui. Les femmes n'ont pas le droit de vote et les hommes ne peuvent voter que s'ils ont une propriété. Leur propriété doit leur rapporter 12 livres sterling, si elle est située à la campagne, ou 5 livres sterling, si elle se trouve dans une ville. La plupart des hommes n'ont donc pas le droit de voter. Il y a un seul bureau de scrutin par circonscription (les circonscriptions sont appelées *riding* en anglais parce que le seul moyen de s'y rendre est d'y aller à cheval).

Le scrutin n'est pas secret et la corruption électorale règne. On achète les votes avec de l'argent ou un repas et l'on fait des menaces aux électeurs pour influencer leur vote.

Comme le scrutin a lieu plusieurs jours d'affilée, les électeurs peuvent voter plus d'une fois dans des circonscriptions différentes. L'une des élections les plus corrompues est celle de 1841 ; au cours de cette élection, plusieurs hommes périssent dans des batailles de gangs. L'année suivante, on adopte des lois pour mettre fin à la corruption électorale.

Les batailles ne sont pas rares dans les campagnes électorales. En 1861, les partisans de John A. Macdonald se barricadent à l'étage supérieur d'une école pour échapper aux partisans de l'adversaire de Macdonald. Une bataille éclate entre les deux groupes après une première rencontre. À cette époque, les élections provoquent souvent des flambées de violence.

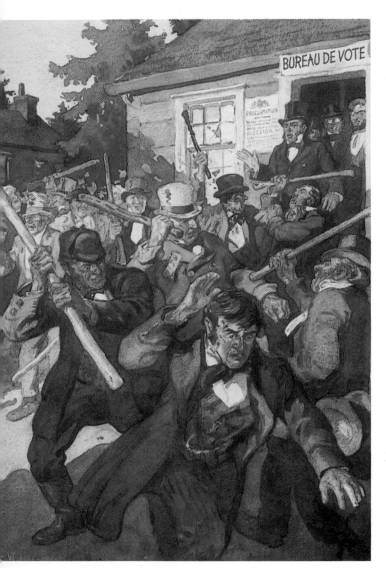

C.W. Jefferys (1869-1951) recueille des témoignages sur l'élection de 1841 pour peindre cette scène. Ici, des hommes armés dispersés à Montréal menacent et éloignent les électeurs canadiens-français.

La religion divise aussi la population. Il est très difficile pour la plupart d'entre nous de comprendre pourquoi les questions religieuses bouleversent tant la population dans les années 1850. Nous vivons dans un pays composé de multiples groupes religieux, ethniques, linguistiques et raciaux. Dans les années 1850, le Canada est différent. La plupart des immigrants viennent de pays où les conflits religieux et les guerres ont duré pendant des siècles. L'Europe de l'Ouest est divisée entre les catholiques et les protestants. Les protestants se sont séparés de l'Église catholique au début des années 1500. De nombreux immigrants conservent leur intolérance et leur haine religieuses envers les autres groupes. Des conflits religieux éclatent : des protestants et des catholiques s'entretuent.

Les divisions religieuses dans la province tournent peu à peu autour de deux enjeux. Que doit-on faire des **réserves du clergé** ? Les fonds de la province doivent-ils servir à la création d'écoles dirigées par des groupes religieux ?

Le gouverneur John Graves Simcoe a créé les réserves du clergé dans le Haut-Canada en 1791. Ces réserves représentent le septième de l'ensemble du territoire. La vente de ces terres doit aider l'Église protestante en place, soit l'Église anglicane ou Église d'Angleterre. Dans les années 1830, l'Église presbytérienne et l'Église méthodiste, qui comptent plus de membres que l'Église anglicane, réclament une partie des fonds. D'autres veulent que les lopins de terre soient vendus et les fonds remis aux gouvernements locaux. Un groupe influent s'oppose au financement par le gouvernement des « sectes religieuses » ou des Églises. Ce groupe réclame des **écoles non confessionnelles**. Selon ce groupe, les écoles subventionnées par l'État ne peuvent être dirigées par des confessions religieuses. Les groupes religieux qui veulent des écoles séparées doivent les financer eux-mêmes.

Au Canada-Est, l'Église catholique joue un rôle important dans les domaines du bien-être, de l'éducation et d'autres services comme les hôpitaux. Beaucoup de gens voient d'un bon œil le rôle que joue l'Église.

Dans les années 1850, de nouveaux **partis politiques** se forment. Des personnes qui partagent les mêmes opinions se regroupent pour faire adopter leurs idées. En 1855, à peine quatre ans après la retraite de Baldwin et de Lafontaine, les divisions commencent à avoir des répercussions sur le gouvernement. De plus, de nombreux représentants siègent à l'Assemblée législative en tant qu'indépendants. Ces membres, surnommés « poissons flottants », n'appartiennent à aucun parti politique. Ils sont donc libres de voter comme bon leur semble. Leurs votes causent parfois la chute des gouvernements.

Où en sommes-nous ?

1 a) À cette époque, quels signes indiquent que la Province du Canada sera difficile à gouverner ?

b) Comment l'Acte d'Union aggrave-t-il ce problème ?

2 Qu'est-ce que la survivance ? Quel rôle cette idée joue-t-elle dans la politique de l'époque ?

3 Les « poissons flottants » peuvent voter selon leur conscience ou selon les intentions de vote présumées des électeurs. Ils ne votent pour un parti politique que s'ils sont d'accord avec ses positions. Selon toi, quel est l'avantage pour les électeurs d'avoir un « poisson flottant » comme représentant ? Quels sont les inconvénients ?

Dans le feu de l'action

Les émeutes de Gavazzi

La religion et la politique forment déjà un mariage instable quand Alessandro Gavazzi arrive au Canada. Patriote italien, prêtre catholique et renégat, Gavazzi prononce deux conférences à Toronto, le 31 mai et le 1er juin 1853. Son message : destituer le pape, chef de l'Église catholique. Ses auditeurs l'acclament. Le Canada-Ouest est un bastion protestant. L'idée de destituer le pape plaît à beaucoup de gens.

Gavazzi se rend ensuite au Canada-Est, où les catholiques sont majoritaires. L'accueil des catholiques de Montréal est évidemment froid. Quand une foule en colère se rassemble à l'extérieur de l'église protestante où Gavazzi fait un prêche, la situation dégénère vite. Les policiers sont impuissants. Le maire demande une intervention militaire pour maîtriser l'émeute, et quelqu'un donne l'ordre de tirer. Dans la mêlée, 10 protestants sont tués et 50 autres sont blessés.

Cela ne met pas fin à l'incident. Des bandes déchaînées brisent les vitraux des églises protestantes et attaquent les pasteurs. Cette émeute montre à quel point la population peut devenir fanatique pour ce qui est des différences religieuses.

Peinture représentant les émeutes de Montréal à la suite de la prédication de Gavazzi

Francis Hincks

LE DÉBUT DE L'IMPASSE

Francis Hincks, né en Irlande, succède à Baldwin en 1851 en tant que chef du Parti réformiste. À son arrivée avec sa nouvelle épouse dans le Haut-Canada en 1832, Hincks loue une propriété de la famille de Baldwin. Les deux hommes deviennent amis. Hincks s'oppose à une réforme radicale et à la rébellion, mais il appuie le changement au sein du gouvernement. En 1838, il crée un bulletin d'une page qui porte le titre « Gouvernement responsable ».

Hincks se rend compte que le Haut-Canada et le Bas-Canada doivent unir leurs efforts pour provoquer le changement. En 1839, il a persuadé Lafontaine de faire équipe avec Baldwin. Il n'est donc pas surprenant qu'en 1851 Hincks travaille aux côtés d'Auguste-Norbert Morin, nouveau chef du Parti réformiste du Canada-Est, en tant que co-premier ministre.

George Brown — Une mission à accomplir

En 1851, la discorde règne déjà entre Hincks et George Brown, un autre éditeur de journal converti à la politique. Brown vient d'une famille presbytérienne écossaise très stricte qui a immigré en Amérique du Nord en 1837. C'est un homme énergique, intelligent et ambitieux, aux opinions bien arrêtées. Brown est ce qu'on appelle à l'époque un homme d'une grande droiture. Il fonde le *Globe* de Toronto en 1844. Le *Globe* devient rapidement le journal des gens instruits et des hommes d'affaires de la province. En moins de 10 ans, le journal de Brown a l'un des plus forts tirages en Amérique du Nord britannique. En 1852, Brown est élu à l'Assemblée législative.

Brown dénonce la « domination catholique française » du Canada-Est sur le Canada-Ouest. L'injustice doit prendre fin. La représentation selon la population devient une nécessité. Dans son esprit, les Canadiens français imposent leurs décisions au Canada-Ouest parce qu'ils votent en bloc. De plus, Brown est farouchement anticatholique ; il estime que les catholiques ont des convictions erronées et que l'Église et son chef, le pape, sont mauvais et corrompus. Selon lui, les plans visant à subventionner les écoles catholiques du Canada-Ouest s'avèrent une conspiration. Brown a la conviction que l'Église et l'État doivent être complètement séparés. Il s'oppose énergiquement au financement public des écoles dirigées par des groupes religieux. Les fonds tirés des réserves du clergé doivent être remis aux gouvernements locaux. Brown compte des partisans parmi les Clear Grits. Ceux-ci ont été surnommés ainsi parce que la population les compare à du grès : ils sont durs, fermes et tenaces.

Court métrage

Une bataille de titans

L'élection complémentaire de 1851 dans le comté de Haldimand, à l'extrémité est du lac Érié, est une bataille de titans. Les deux candidats rivaux sont George Brown et William Lyon Mackenzie. Mackenzie est le porte-étendard des Clear Grits ; on lui a pardonné d'avoir joué un rôle dans la rébellion de 1837. Après une campagne difficile, Mackenzie remporte la victoire sur Brown, candidat réformiste. La première tentative de l'éditeur pour siéger au Parlement constitue un échec.

Dans le feu de l'action

Le monde de la presse

Les journaux jouent un rôle très important dans les années 1850. Il y en a 200 dans la Province du Canada seulement. Les journaux consistent en une simple feuille pliée en deux. Les pages extérieures sont remplies d'annonces publicitaires, tandis que les pages intérieures présentent l'actualité, des comptes rendus des débats de l'Assemblée législative et, surtout, l'éditorial. Même s'il y a moins de personnes qui savent lire qu'aujourd'hui, les gens commentent, débattent et contestent le contenu des quatre pages. Les journaux sont le seul type de média disponible pour diffuser les opinions et les idées. La télévision, la radio, le cinéma et Internet n'existent pas.

C'est pourquoi beaucoup d'hommes politiques publient leur propre journal. Les journaux représentent le moyen le plus simple et le plus économique de communiquer des idées. Les hommes politiques expriment, dans les éditoriaux, leurs propres opinions sur l'actualité, et les lecteurs le savent. George Brown est l'homme politique-éditeur le plus connu dans les années 1850. Il n'est cependant pas le seul: Francis Hincks, Thomas D'Arcy McGee, Augustin-Norbert Morin et Joseph Howe, en Nouvelle-Écosse, ont tous créé ou rédigé des feuilles d'information.

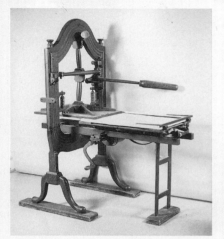

La presse que Joseph Howe a utilisée pour imprimer son journal.

Les Clear Grits veulent restaurer le système politique en entier. On appelle ce parti un **Parti populiste** parce qu'il a l'appui du peuple. Selon les Grits, aucun groupe n'a droit à un traitement spécial ni à des privilèges de la part du gouvernement. Le gouvernement doit représenter l'ensemble de la population. Il n'est pas surprenant que les Grits appuient la représentation selon la population. Selon eux, la population du Canada-Ouest est traitée injustement parce qu'elle compte le même nombre de représentants à l'Assemblée que les électeurs du Canada-Est.

Où en sommes-nous ?

1. Explique le rôle différent de la religion au Canada dans les années 1850 et 1860 par rapport à aujourd'hui. Quelles sont les raisons de cette différence ?

2. a) Quels mots peux-tu employer pour décrire Brown et ses opinions ?

   b) Pourquoi n'est-il pas bon que les historiens jugent les actes et les opinions d'un personnage historique d'après les normes d'aujourd'hui ?

3. Nomme les avantages d'une formation en journalisme pour une personne qui a l'ambition de diriger un bureau politique dans les années 1850.

Mary Ann Shadd

UNE FEMME AVANT-GARDISTE

Mary Ann Shadd est bouleversée. Son ennemi, Henry Bibb, est allé trop loin. Dans son journal intitulé *Voice of the Fugitive* (La voix du fugitif), il a traité de « têtes chaudes » Mary Ann et d'autres personnes qui partagent ses opinions.

La dernière attaque de Bibb s'inscrit dans une guerre d'injures que les deux adversaires se livrent depuis l'arrivée de Mary Ann à Windsor, en Ontario. Cette enseignante originaire des États-Unis veut fonder une école pour les enfants des esclaves afro-américains émancipés. Mary Ann estime que l'école doit aussi accepter des enfants d'autres races. Bibb est d'avis que l'école doit être réservée aux élèves afro-américains. Mary Ann Shadd et Henry Bibb se sont aussi affrontés au sujet de l'utilisation des fonds destinés à aider les esclaves fugitifs à refaire leur vie au Canada-Ouest.

Les insultes sont fréquentes dans le *Voice of the Fugitive*. Le journalisme modéré est rare en Amérique du Nord britannique. Les journaux servent à promouvoir les opinions politiques de leur fondateur.

Les personnes qui désapprouvent les opinions de Bibb n'ont aucune tribune où exprimer leurs idées. C'est la cause des problèmes de Mary Ann Shadd. La solution? Créer son propre journal. En mars 1853, elle publie le premier numéro du *Provincial Freeman* (Le citoyen provincial). Mary Ann Shadd devient la première Afro-Américaine éditrice d'un journal en Amérique du Nord.

L'idée qu'une femme édite un journal est choquante pour les lecteurs, et Mary Ann Shadd le sait. Elle réussit à convaincre le révérend Samuel Ward de passer pour l'éditeur et d'inscrire son nom comme tel dans le journal. Plus tard, Mary Ann Shadd imprime son propre nom dans le journal en ne mettant que les initiales de son prénom. Mary Ann ne veut pas dévoiler qu'une femme dirige le *Provincial Freeman*.

Mais sa ruse est déjouée. Quand la nouvelle se répand, les abonnements cessent. Pour sauver le journal, Shadd et sa sœur, qui a commencé à l'aider, se retirent du journal pour céder la place à un homme.

Dans son dernier éditorial, Mary Ann Shadd écrit que les lecteurs sont offensés parce que sa sœur et elle-même sont « du sexe faible ». Elle encourage d'autres femmes afro-américaines à suivre son exemple. « Bonne nouvelle pour les femmes de race noire : nous avons brisé la glace de l'édition en Amérique du Nord. Devenez éditrices, car un grand nombre d'entre vous le désirent et en sont capables. »

Son expérience au *Provincial Freeman* ne fait cependant pas taire Mary Ann Shadd. Elle épouse Thomas Cary et finit par retourner aux États-Unis, où elle continue de défendre les intérêts de son peuple. Plus tard, Mary Ann milite en faveur du droit de vote pour les femmes. En 1883, à l'âge de 60 ans, elle devient la première diplômée de droit de l'Université Howard, et la deuxième femme afro-américaine en Amérique du Nord à recevoir un diplôme de droit.

Autres personnages à découvrir

Julia Hart

Rosanna Leprohon

Susanna Moodie

Mary Ann Shadd

Catharine Parr Trail

Les adversaires de Brown

En 1855, deux autres hommes appelés à façonner l'avenir du Canada sont élus à l'Assemblée législative. Dans le Canada-Est, Georges-Étienne Cartier suit les traces de Lafontaine. Il défend les intérêts des Canadiens français dans le régime parlementaire britannique. Pour ce faire, il participe à des **coalitions**, ou alliances, avec des hommes politiques du Canada-Ouest.

Cartier a une formation d'avocat. Il a appuyé les rébellions de 1837 et de 1838 dans le Bas-Canada et a fui aux États-Unis pour échapper à la prison et à l'exil. Plus tard, il reprend la pratique du droit. Cartier devient chef du parti de Lafontaine, le Parti bleu. Ses excellents rapports avec le milieu des affaires anglophone lui sont utiles. Il encourage l'expansion commerciale du Canada-Est et l'essor du chemin de fer, et agit comme avocat pour la société ferroviaire du Grand Tronc.

Au Canada-Ouest, John A. Macdonald, jeune avocat, est élu la première fois à l'Assemblée législative en 1844, à 29 ans. Macdonald est né en Écosse et a immigré à Kingston, à cinq ans, avec ses parents. Il quitte l'école à 15 ans pour travailler avec un avocat de Kingston. Ses progrès sont si rapides qu'à 19 ans il possède son propre cabinet. En 1855, Macdonald est un homme politique compétent et respecté.

Dans le feu de l'action

Les Canadiens français relatent l'histoire

François-Xavier Garneau, auteur de l'*Histoire du Canada depuis sa découverte jusqu'à nos jours*, a été désigné «premier historien national» du Canada français. Garneau a d'abord acquis une formation d'avocat. En 1842, il devient le traducteur français de l'Assemblée législative. Son poste lui donne accès au fonds documentaire de l'Assemblée et lui permet de lire et d'écrire.

Garneau s'indigne quand lord Durham écrit, en 1839, que les Canadiens français forment un peuple sans histoire ni culture. Il entreprend de démontrer que les Canadiens français ont une histoire, une littérature et une culture riches, diverses et uniques. La culture a évolué en raison des relations des Canadiens français avec d'autres cultures et avec les Premières nations, puis avec les Anglo-Américains et les Canadiens anglais. L'histoire des Français au Canada de Garneau est très populaire lors de sa publication entre 1845 et 1852. Son histoire du Canada fait naître un sentiment de fierté et d'appartenance profond et durable.

François-Xavier Garneau est considéré comme le plus grand écrivain du Canada français au XIXe siècle.

Macdonald est partisan des Tories. Ceux-ci appuient le milieu des affaires et les compagnies de chemins de fer, de même que l'Église anglicane. Ils sont loyaux envers la Couronne et le patrimoine britanniques. Ce sont des partisans des Tories qui ont incendié les édifices du Parlement en 1849 pour exprimer leur colère contre les « rebelles » indemnisés pour leurs pertes. Le parti disparaît peu après au Canada-Est, mais il subsiste au Canada-Ouest. Macdonald se rend compte que les Tories du Canada-Ouest doivent faire équipe avec les hommes politiques du Canada-Est. Après l'élection de 1854, il tente de convaincre les partisans de Hincks, appelés maintenant Libéraux, de se joindre à son parti et au Parti bleu de Cartier dans le Canada-Est. Le nouveau Parti libéral-conservateur, dont Macdonald et Cartier sont les chefs, est créé en 1856.

La même année, Brown soulève une autre question qui intéresse beaucoup plus les électeurs du Canada-Ouest que ceux du Canada-Est. La location de la Terre de Rupert par la Compagnie de la baie d'Hudson expire en 1859. Brown veut que la Province du Canada achète les droits sur ce vaste territoire. Le Nord-Ouest va fournir de nouvelles terres pour la culture et les colons, et de nouveaux marchés pour les affaires du Canada-Ouest.

Lien Internet

www.dlcmcgrawhill.ca

Consulte le site Web ci-dessus pour te documenter sur l'hymne national du Canada. Clique sur *Matériel complémentaire/ Primaire et secondaire*, puis sur *Le Canada : L'édification d'une nation*, où l'on te donnera la suite des indications.

Dans le feu de l'action

Des ennemis jurés : Macdonald et Brown

Macdonald et Brown ont des tempéraments différents et des convictions politiques opposées. Leur rivalité remonte à 1849. Brown est nommé secrétaire d'une commission créée pour enquêter sur la prison de Portsmouth. Le gardien, Henry Smith père, et sa famille sont des amis de Macdonald. La commission enquête de façon approfondie et découvre que Smith a fait preuve de négligence, ce qui entraîne sa suspension ; de nombreuses accusations pèsent sur lui. Smith fait appel à Macdonald et accuse la commission d'avoir été injuste et d'avoir caché la vérité. Macdonald, par loyauté envers son ami, accuse Brown, l'auteur du rapport, d'être la cause des difficultés de Smith.

En 1855, l'antipathie de Macdonald pour Brown est évidente pour tous les membres de l'Assemblée. Dans un discours, Macdonald accuse Brown d'avoir dénaturé les faits et les preuves dans le rapport sur la prison de Portsmouth. Selon lui, Brown a intimidé le gardien. Macdonald l'accuse d'avoir utilisé des preuves fournies par des criminels.

Brown a la réputation de discourir pendant des heures pour défendre ses idées. Quand il se lève pour répondre aux accusations, il est bref ; il se contente d'exiger une enquête. L'enquête démontre que le rapport de Brown est justifié, mais Macdonald maintient ses accusations. Pour Brown, homme d'honneur et de principes, les enjeux sont graves. Il n'adresse pas la parole à Macdonald pendant des années.

John Alexander Macdonald, en 1842. À 27 ans, il est déjà connu à Kingston et est élu conseiller municipal l'année suivante.

Calixa Lavallée

LA SOIF DE L'AVENTURE

Calixa Lavallée a 15 ans. La musique a toujours compté pour beaucoup dans sa vie. Son père lui enseigne d'abord le piano, l'orgue, le cornet et le violon. Léon Derome, boucher prospère, passionné de musique, est attiré par son talent évident et devient son protecteur. Il offre à l'adolescent la possibilité de quitter sa maison de Saint-Hyacinthe. En 1855, le jeune Calixa vit avec la famille Derome à Montréal, depuis deux ans. Calixa étudie le piano avec deux professeurs européens.

Les dons exceptionnels de Calixa pour la musique ne surprennent personne. Son père, Augustin, a aussi des talents de musicien. Chef de fanfare, il s'est établi avec sa famille à Saint-Hyacinthe, où il travaille pour Joseph Casavant, un fabricant d'orgues réputé. À 11 ans, Calixa devient organiste à la cathédrale de la ville. À 13 ans, il donne un récital de piano au Théâtre Royal de Montréal. C'est là qu'il rencontre Derome.

En 1857, Calixa Lavallée a besoin de changement. Ses cours magistraux de musique l'ennuient. Le jeune musicien veut voler de ses propres ailes, parcourir le monde ; l'aventure ne lui fait pas peur. Il décide de tenter sa chance aux États-Unis, espérant que son talent lui ouvrira des portes dans ce pays. Avec l'appui de ses parents, il se rend à la Nouvelle-Orléans, où il participe à un concours de musique, qu'il remporte. Soudain, les rêves de Calixa deviennent réalité. Un violoniste espagnol célèbre lui propose une tournée en Amérique du Sud, dans les Antilles et au Mexique comme accompagnateur.

En 1861, Calixa retourne aux États-Unis. L'aventure dont il rêvait est au rendez-vous. Au mois d'avril de cette même année, la guerre civile éclate entre les États du Nord et ceux du Sud. Dans un accès d'enthousiasme juvénile, Calixa s'enrôle avec plus de 40 000 autres Canadiens. En septembre 1862, à 19 ans à peine, le jeune homme est blessé pendant la sanglante bataille d'Antietam. Sa blessure est assez grave pour qu'il obtienne une libération honorable, mais elle ne compromet heureusement pas sa carrière musicale.

Les réalisations les plus brillantes de Calixa Lavallée sont à venir. Dix-huit ans plus tard, on lui commande de mettre en musique un poème patriotique écrit en français par Adolphe-Basile Routhier. Le « Ô Canada » remporte un succès immédiat à l'occasion d'une cérémonie de la Saint-Jean-Baptiste, en 1880. Un siècle plus tard, le 1er juillet 1980, ce chant — la musique de Calixa Lavallée, les paroles en français de Routhier et les paroles en anglais inspirées d'un texte de Robert Stanley Weir — devient l'hymne national du Canada.

Autres personnages à découvrir

Joseph Casavant

Calixa Lavallée

Joseph Légaré

Antoine Plamondon

Adolphe-Basile Routhier

En janvier 1857, les anciens partisans de Hincks et les partisans de Brown se joignent à plus de 150 Clear Grits au St. Lawrence Hall de Toronto pour former un nouveau parti. Le parti conserve son nom, mais il adopte les idées de Brown. La **plate-forme électorale** du parti repose sur toutes les politiques de Brown : représentation selon la population, annexion du Nord-Ouest, réseau d'écoles publiques opposé aux écoles séparées pour le Canada-Ouest. La plupart des électeurs du Canada-Ouest appuient ce parti. Le parti de Macdonald, qui compte moins de partisans au Canada-Ouest, ne peut gouverner qu'avec l'appui des électeurs du Canada-Est. Au cours des années suivantes, ces divisions rendent le Canada presque ingouvernable.

Un exemple de l'**impasse politique** qui sévit au Canada se produit l'année suivante. Depuis l'incendie des édifices du Parlement en 1849, la capitale est, tous les deux ans, tour à tour à Toronto et à Québec. Les hommes politiques ne s'entendent pas sur l'emplacement permanent de la nouvelle capitale. L'affaire est soumise à une commission. La commission opte pour Ottawa.

Certains membres du Parti bleu veulent encore imposer Québec comme capitale. Ils rompent avec leur parti et se joignent aux Clear Grits et au Parti rouge en s'opposant à la motion. La motion est défaite, de même que le gouvernement de Macdonald et de Cartier. Macdonald et Cartier remettent leur démission au gouverneur général. On invite George Brown, chef de l'opposition, à former un nouveau gouvernement. Son gouvernement ne dure que deux jours. À son tour, Brown donne sa démission. Macdonald et Cartier reprennent le pouvoir. Voici un commentaire de Macdonald sur cette période :

Dans le feu de l'action

Un village de bûcherons promu capitale nationale

Au début des années 1850, il paraît improbable qu'un vulgaire entassement de baraques de bûcherons sur la rivière des Outaouais devienne la capitale du Canada. D'autres collectivités mieux établies et plus « civilisées », comme Toronto, Québec, Kingston, Montréal et Hamilton, exercent des pressions pour remporter cet honneur. Bytown, rebaptisée Ottawa peu après, a la réputation d'être la ville la plus fruste d'Amérique du Nord britannique. Comment peut-on envisager sa candidature?

La reine Victoria demande l'intervention du gouverneur général Edmund Head pour résoudre le problème. À l'occasion d'une visite à Ottawa au cours de l'automne, Head est invité à un pique-nique sur une colline dominant la rivière des Outaouais. Sa femme peint une aquarelle du magnifique paysage qui se présente à sa vue. Au dire de certains, les conseillers de la reine ont vu ce tableau et ont choisi Ottawa comme capitale.

Ce choix est, en réalité, motivé par d'autres facteurs. Ottawa est plus loin de la frontière américaine que les autres villes. Son éloignement représente un grand avantage à une époque où la crainte d'une invasion subsiste. De plus, la ville est située à la frontière du Canada-Est et du Canada-Ouest. Ce choix cause une telle surprise que les autres villes ne se sentent même pas froissées.

Les élections se sont succédé, les ministères se sont succédé, et le résultat a été le même. Les partis sont tellement équilibrés que le vote d'un seul membre peut décider du sort du [gouvernement] et [par conséquent] du cours de la législation pendant une ou plusieurs années.

(Traduction libre)

Aucun parti ne peut planifier la mise en application de ses politiques parce qu'il n'a pas la certitude d'être au pouvoir assez longtemps. Les gouvernements ne sont que des pourvoyeurs : ils se bornent à pourvoir aux besoins de la population au jour le jour. Personne ne peut prévoir que la vie amoureuse de George Brown tirera les hommes politiques du Canada du bourbier dans lequel ils se sont enfoncés.

> **En 1859, Ottawa est une ville forestière à la jonction du canal Rideau et de la rivière des Outaouais, la voie de navigation divisant les deux sections de la Province du Canada.**

Où en sommes-nous ?

1 a) Quelles sont les trois politiques de la plate-forme électorale du nouveau parti des Clear Grits ?

   b) À qui ces politiques vont-elles plaire et pourquoi ?

2 a) Penses-tu que Brown a raison de ne plus adresser la parole à Macdonald ? Explique ta réponse.

   b) Pourquoi penses-tu que Macdonald et Cartier peuvent travailler ensemble ?

3 Explique dans tes propres mots pourquoi les gouvernements de l'époque ne durent pas.

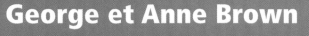

George et Anne Brown
LES BÂTISSEURS D'UNE NATION

Le train transportant George Brown et sa nouvelle épouse, Anne, entre au Union Depot de Toronto le 26 décembre 1862. Une foule enthousiaste de 5000 personnes accueille le couple au son d'une fanfare. Des feux d'artifice explosent dans le ciel d'hiver. Brown prononce un bref discours de remerciement, puis rejoint Anne dans la voiture qui les conduit à leur résidence. La foule les entoure, illuminant les rues sombres de torches allumées.

Anne reçoit un accueil délirant dans le Canada-Ouest. Son mari est un homme politique respecté et l'éditeur d'un journal important. Elle découvre avec étonnement que la population prend la politique très au sérieux.

Anne a grandi dans une famille pieuse et unie d'Édimbourg, en Écosse. Son père, Thomas Nelson, a fondé une maison d'édition prospère. Anne est intelligente, instruite et indépendante. Elle a beaucoup voyagé et a l'habitude d'exprimer ses opinions. Elle refuse de se marier avant de rencontrer l'homme de sa vie. Cet homme, c'est George Brown. Brown est allé à l'école avec les frères d'Anne, mais elle n'est qu'une petite fille quand George émigre 25 ans plus tard. George et Anne ne se seraient peut-être jamais rencontrés si Brown n'avait décidé d'effectuer un long voyage en Angleterre en 1862. Pendant son séjour à Édimbourg, la ville de sa jeunesse, il tombe profondément amoureux de la sœur de ses vieux amis et l'épouse.

À Londres, en Angleterre, Brown côtoie des hommes politiques britanniques et écoute les débats du Parlement, centre du vaste Empire britannique. Cette expérience transforme son attitude à l'égard de la lointaine colonie qui est devenue son pays. Son engagement envers la cause de la réforme ne diminue pas, mais sa perception des choses devient plus objective. Les querelles qui ont absorbé toute son énergie autrefois lui semblent maintenant futiles.

L'attitude de Brown à l'égard de la politique change après son bref contact avec la vie politique britannique. Son mariage lui apprend ce qui est important dans la vie. Il se sent déchiré entre le désir de passer tous ses moments libres avec sa femme qu'il aime tendrement et son devoir d'aider à changer un régime de gouvernement, selon lui, inefficace. À la naissance du premier de leurs trois enfants, l'attrait de la vie familiale devient encore plus fort.

Ce changement d'attitude a une influence remarquable sur l'avenir du Canada. Au lieu de rechercher la confrontation, Brown opte maintenant pour la négociation. Il rassemble des personnes appelées à jouer des rôles clés dans l'édification du Canada. C'est pourquoi Brown est reconnu comme l'un des pères de la Confédération. Anne Brown, la femme qui l'a transformé et influencé, est parfois appelée mère de la Confédération.

Autres personnages à découvrir

Robert Baldwin

George et Anne Brown

James Bruce, comte d'Elgin

Antoine-Aimé Dorion

Francis Hincks

Louis-Hippolyte Lafontaine

La toute-puissance de l'amour

Fatigué et malade, Brown passe l'été de 1862 en Grande-Bretagne, où il se repose. Pendant sa visite à sa famille en Écosse, George rencontre Anne Nelson et tombe amoureux d'elle. George et Anne se marient en novembre et rentrent au Canada un mois plus tard. Le mariage change profondément la vie de George Brown.

La transformation de Brown devient évidente en mars 1863. Brown s'est présenté aux élections. Tout en conservant son instinct de la politique, il ne cherche plus à éliminer son adversaire politique. Brown se montre au contraire très calme, humble et même chaleureux pendant la campagne. Il mentionne son changement d'attitude dans une lettre qu'il adresse à Anne : « Je constate un changement extraordinaire dans mes perceptions par rapport à autrefois. »

Brown est élu. Un voyage long et exténuant le mène jusqu'à Québec pour la nouvelle session parlementaire. Il remplit ses devoirs politiques, mais il n'est plus l'orateur enflammé d'autrefois dans les débats de la Chambre. Brown confesse ceci à sa femme :

> Je déteste le travail parlementaire parce qu'il m'éloigne de vous. Vingt fois par jour, je m'imagine à vos côtés, notre enfant sur vos genoux. Je passe mon bras autour de votre cou, je vous regarde dans les yeux et je vous embrasse tendrement. Je me dis ensuite que je suis un imbécile d'être ici.
>
> *(Traduction libre)*

Brown est fatigué de la politique à l'ancienne qu'il maîtrise si bien et veut retourner auprès des siens, être au chevet de son dernier-né. Seul son sens presbytérien du devoir le retient à Québec. Sa mission a cependant changé : Brown va résoudre l'impasse politique.

Court métrage

Un journal moderne

Le tirage du *Globe* atteint un niveau inégalé. George Brown en profite pour s'équiper d'énormes presses mécanisées et embaucher du personnel de rédaction et d'édition. Le *Globe* devient l'un des premiers journaux modernes, c'est-à-dire un journal qui ne sert pas juste de plate-forme pour la diffusion des opinions du propriétaire-éditeur.

Où en sommes-nous ?

1 Quelle preuve as-tu que George Brown a changé après son mariage avec Anne Nelson ?

2 Prédis comment George Brown va réussir à résoudre l'impasse politique.

3 Selon toi, quelle a été l'influence politique des femmes au XIXe siècle ? Fais des recherches sur le rôle d'une des épouses des hommes dont il est question dans ce chapitre. On dit qu'une femme se trouve derrière chaque grand homme. Est-ce vrai dans le cas de cette femme ?

LA FIN APPROCHE

Le 14 mars 1864, Brown se lève à l'Assemblée pour suggérer la formation d'un comité. Il propose que les membres de ce comité étudient la **Constitution** du Canada, c'est-à-dire les règles qui régissent le gouvernement de la province. Selon lui, ce changement va permettre de résoudre l'impasse politique. Sa motion, ou proposition d'action, n'est pas votée. L'Assemblée se réunit de nouveau le 14 mai, et Brown présente la même motion. Le vote a lieu et la motion est adoptée, malgré l'opposition de Macdonald et de Cartier.

Le comité recommande un **régime fédéral**. Dans ce régime, il y a deux paliers de gouvernement : un gouvernement national ou fédéral, et un gouvernement d'État ou provincial. Aujourd'hui, le Canada a un régime de gouvernement fédéral. Le gouvernement de Macdonald et de Cartier est vaincu le même jour. Cela montre l'ampleur des changements nécessaires.

Pendant son séjour à Québec, Brown réside à l'hôtel Saint-Louis. Macdonald, son ennemi juré, et Cartier, qui n'approuve pas ses idées, le rencontrent à son hôtel. Macdonald et Cartier veulent former un gouvernement de coalition avec Brown. Ensemble, ils veulent créer une nouvelle constitution pour remplacer l'ancien Acte d'Union. Une entente est enfin conclue. Brown se joint à la coalition. Le moment est venu pour lui de prononcer l'un des discours les plus importants de sa carrière et de l'histoire du Canada. Voici ce que dit le registre officiel :

> L'**Hon. George Brown** s'est ensuite levé, visiblement sous l'emprise d'une vive émotion qui l'a presque empêché de parler pendant quelques instants. Il a déclaré : « Pendant 10 ans, je me suis opposé à mes honorables collègues [Macdonald et Cartier] de la manière la plus hostile qu'il est possible de concevoir... La Chambre admettra, j'en suis sûr, que, s'il est justifié de former une coalition en raison d'une crise politique très grave, la crise qui sévit actuellement au Canada justifie cette solution. » (L'Hon. George Brown s'asseoit au milieu des applaudissements chaleureux et prolongés de tous les partis de la Chambre. De nombreux membres se rassemblent autour de lui pour le féliciter... et des représentants canadiens-français lui donnent l'accolade et l'embrassent.)
>
> (Traduction libre)

Brown, Macdonald et Cartier ont saisi l'occasion. Leur sens du devoir l'a emporté sur leurs rivalités partisanes. Comme Brown l'observe : « Les alliances de partis sont une chose, et les intérêts de mon pays en sont une autre. » Le pays a gagné. L'impasse politique est résolue. La réponse, c'est la Confédération. Mais est-ce réalisable ?

Passe à l'histoire

Tu es une représentante ou un représentant élu de l'Assemblée législative. Écris une lettre à ta famille au loin pour lui décrire l'atmosphère de l'Assemblée quand George Brown prononce son discours le 22 juin 1864.

Les faits derrière l'histoire

Dans son discours devant l'Assemblée législative le 22 juin 1864, Brown expose les raisons pour lesquelles il accepte de se joindre à la coalition avec les autres partis. Il exprime aussi quelques-unes de ses craintes. Les lettres de Brown à sa femme Anne exposent ses raisons personnelles de prendre part à la Confédération. Quelques mois après son entrée dans la Grande Coalition, Brown écrit ces commentaires à Anne :

Anne, les circonstances nous ont beaucoup séparés au cours de la dernière année... Nous avons fait notre devoir. Nous pouvons nous réjouir de nous être sacrifiés pour le bien de la moitié d'un continent, n'est-ce pas ?... J'ai voulu être digne de la confiance qui s'est peu à peu développée et qui repose maintenant sur mes épaules. N'aimeriez-vous pas que dans 20 ans, quand nous ne serons peut-être plus de ce monde, notre chère petite

Maggie se remémore avec fierté le rôle qu'a joué son père dans ces événements décisifs ? Ces événements sont assurément décisifs, Anne bien-aimée. Ils vont passer à l'histoire.

INTERROGE LES FAITS

1 Selon toi, quels sont les sacrifices dont Brown parle dans sa lettre ?

2 Selon toi, qu'est-ce qui repose sur les épaules de Brown ?

3 Que veut-il que Maggie se rappelle ?

4 Que t'apprend cette lettre sur la personnalité de George Brown ?

5 Pourquoi les lettres personnelles sont-elles précieuses pour les historiens ?

6 Penses-tu que Brown a vraiment contribué à quelque chose d'important ?

Où en sommes-nous ?

1 Pourquoi les hommes politiques pensent-ils qu'un régime fédéral peut résoudre l'impasse politique ?

2 Selon toi, pourquoi Brown, Cartier et Macdonald sont-ils tous d'accord pour former une coalition ?

3 L'alliance entre Brown, Cartier et Macdonald a été appelée la Grande Coalition. Suggère une explication de ce nom.

4 Le Canada a eu un seul gouvernement de coalition depuis la Grande Coalition, soit pendant la Première Guerre mondiale. Explique pourquoi les gouvernements de coalition sont habituellement formés dans des situations de crise.

La politique du Parlement de la Province du Canada entre 1849 et 1864 connaît le triomphe, puis le tumulte, et de nouveau le triomphe. L'Acte d'Union de 1841 est la toile de fond de ces événements. Pendant les années 1840, les hommes politiques du Canada-Est et du Canada-Ouest travaillent ensemble à la mise en place d'un gouvernement responsable. Pourtant, l'incendie du Champ-de-Mars en 1849 attise les passions à l'égard des différences raciales, religieuses et territoriales qui enflamment la vie politique dans les années 1850. Chacun des nombreux partis politiques a ses partisans, mais aucun ne peut prétendre représenter l'ensemble de la population de la Province du Canada.

Les gouvernements de coalition ne durent que quelques mois, parfois seulement quelques jours, pendant ces années de troubles politiques. Le changement d'attitude d'un des principaux acteurs politiques, George Brown, déclenche un changement d'orientation dans la politique de la Province du Canada. Ce n'est qu'à partir du moment où Macdonald, Cartier et Brown font passer les intérêts de la province avant leurs sentiments personnels et leurs querelles politiques que la Province du Canada peut s'engager dans la voie de la Confédération.

VÉRIFIE TES CONNAISSANCES

1. a) Qu'est-ce qu'un compromis ? Explique ce que cela signifie dans tes propres mots.
   b) Pourquoi un compromis est-il si nécessaire dans le gouvernement entre 1850 et 1864 ?
   c) À ton avis, lequel des trois principaux hommes politiques fait le plus de compromis en 1864 ? Justifie ton choix à l'aide de preuves historiques.

2. Pourquoi est-il si difficile pour les partis de coopérer dans les années 1850 ?

3. Quel rôle les divisions religieuses entre les catholiques et les protestants jouent-elles dans la division du Canada-Est et du Canada-Ouest à cette époque ?

4. a) Pourquoi le scrutin secret est-il nécessaire dans les élections ?
   b) Pourquoi les élections doivent-elles avoir lieu le même jour et à la même heure ?
   c) Quelles autres mesures doit-on prendre pour s'assurer que les élections sont honnêtes ?

5. Quel rôle George Brown joue-t-il :
   a) dans la création des désaccords pendant cette période ?
   b) dans la résolution de l'impasse ?

6. Pourquoi Anne Nelson a-t-elle été appelée la mère de la Confédération ? Penses-tu qu'elle mérite ce titre ?

APPLIQUE TES CONNAISSANCES

1. Penses-tu que les individus influencent les événements historiques ? Choisis une personne dans ce chapitre et explique son rôle dans la détermination des événements.

2. Tu es journaliste. Écris une manchette sur l'un des événements suivants :
   - l'incendie des édifices du Parlement
   - la visite au Canada de M. Gavazzi
   - le discours de George Brown à l'Assemblée le 22 juin 1864

3. Conçois un slogan politique et un logo pour chacun des principaux partis des années 1850.

4. Décris le rôle que jouent les bulletins d'informations à cette époque pour faire connaître l'actualité à la population.
   a) Nomme les médias que la population utilise aujourd'hui pour se tenir au courant des questions politiques.
   b) Quel média utilises-tu en premier pour te renseigner sur une question ?

5. Quelle est l'importance pour les citoyens de se tenir au courant des questions politiques ?

6. Quels problèmes de cette époque sont encore d'actualité ? Comment la situation a-t-elle évolué ?

7. a) Effectue des recherches sur la situation actuelle du Parti conservateur fédéral.
   b) Penses-tu que John A. Macdonald accepterait aujourd'hui que son parti se joigne à la coalition ? Pourquoi ?

UTILISE LES MOTS CLÉS

1. Explique le sens des mots suivants dans le contexte politique de la période de 1849 à 1864 :
   coalition
   école non confessionnelle
   gouvernement responsable
   impasse politique
   régime fédéral
   représentation selon la population
   survivance

2. Pour créer un conseil scolaire, pourquoi aurais-tu besoin de connaître le sens des mots suivants :
   Constitution
   motion

En marche vers la Confédération

Avril 1861	Novembre 1861	Juin 1864	Septembre 1864	Octobre 1864	Février 1865
Début de la guerre de Sécession aux États-Unis	L'affaire du *Trent* provoque l'envoi de troupes britanniques au Canada.	Brown, Macdonald et Cartier forment la Grande Coalition.	Conférence de Charlottetown	• Conférence de Québec • Invasion de St. Albans	Débats sur la Confédération au Canada

ZOOM SUR LE CHAPITRE

Des festivités marquent le 1er juillet 1867, à partir des falaises rocheuses du lac Supérieur jusqu'aux côtes de la Nouvelle-Écosse. La population célèbre la naissance du Dominion du Canada. On prononce des discours à la louange de la nouvelle nation et des défilés annoncent la naissance du pays. Des feux d'artifice semblables à des aurores boréales embrasent le ciel.

Toutefois, l'heure n'est pas aux réjouissances pour tous. En Nouvelle-Écosse, les drapeaux sont en berne comme pour marquer un deuil. Un journal publie une notice nécrologique : «Hier, à minuit, la province libre et éclairée de la Nouvelle-Écosse a trouvé la mort.»

Cependant, la majorité de la population considère la Confédération comme un exploit. Le Canada a obtenu par des négociations pacifiques ce que les États-Unis n'ont accompli que par une guerre révolutionnaire (1776-1783). Comme tu vas le voir dans le récit suivant, la diplomatie, le dialogue et le compromis ont été les outils des chefs politiques de l'Amérique du Nord britannique pour réaliser une union fédérale.

MOTS CLÉS

délégués
destinée
  manifeste
États confédérés
faire sécession
Féniens
guerre
  de Sécession
milice
neutre
subside
  proportionnel
  au nombre
  d'habitants
Union
union
  des Maritimes
union fédérale

SCÉNARIO DU CHAPITRE

Dans ce chapitre, tu étudieras les sujets suivants :
* les décisions prises aux conférences de Charlottetown et de Québec au sujet de la Confédération ;
* l'influence des événements aux États-Unis sur la Confédération ;
* comment et pourquoi le gouvernement britannique appuie la Confédération ;
* comment les incursions des Féniens aident les partisans de la Confédération ;
* les réactions des Maritimes à la Confédération.

Mars 1865	**Avril 1865**	**Mars 1866**	**Avril-juin 1866**	**Décembre 1866**	**Mars 1867**	**Juillet 1867**
Les électeurs mettent Tilley en échec au Nouveau-Brunswick.	Fin de la guerre de Sécession	Les États-Unis mettent fin au Traité de réciprocité.	Les Féniens envahissent le Nouveau-Brunswick et la Province du Canada.	Conférence de Londres	La reine Victoria sanctionne l'Acte de l'Amérique du Nord britannique.	Création du Dominion du Canada

LES POURPARLERS COMMENCENT

À l'été 1864, les chefs politiques des quatre colonies de l'Atlantique de l'Amérique du Nord britannique veulent étudier une éventuelle **union des Maritimes**. Ils planifient une conférence. Les chefs de la Grande Coalition, George Brown, John A. Macdonald et Georges-Étienne Cartier, demandent que des représentants canadiens assistent à la conférence à titre d'observateurs. Après des discussions et l'envoi de télégrammes à la hâte, on choisit Charlottetown, capitale de l'Île-du-Prince-Édouard, comme lieu de la rencontre.

Il y a beaucoup d'enjeux à considérer avant le départ pour Charlottetown des 11 **délégués** canadiens à la conférence. La Grande Coalition va-t-elle même durer ? Les différences politiques entre Brown, Macdonald et Cartier sont importantes. Brown est en faveur de la représentation selon la population, alors que Macdonald et Cartier se méfient beaucoup de cette idée. Les trois hommes ont de graves conflits de personnalité. Macdonald et Brown ne se parlent pas depuis des années. Brown désapprouve le catholicisme, tandis que Cartier a été élevé dans la religion catholique. Le compromis s'annonce difficile.

La Conférence de Charlottetown

Charlottetown, à la fin d'août 1864. L'enthousiasme règne dans la ville. Tous les hôtels sont bondés. Des bateaux à vapeur transportent des excursionnistes venus d'aussi loin que le nord du Nouveau-Brunswick. Charlottetown n'a pas connu cette atmosphère de fête depuis la visite du prince de Galles, en 1860 : le Slaymaker and Nichols Olympic Circus est en ville !

Dans l'excitation générale, l'arrivée des délégués à bord du *Queen Victoria* pour discuter de l'édification d'une nouvelle nation passe presque inaperçue. Même le gouvernement de l'Île-du-Prince-Édouard n'attache pas une grande importance à cet événement. Le comité d'accueil officiel compte en tout et pour tout un ministre du Cabinet, William Pope. Ce soir-là, les 15 délégués des Maritimes invitent les Canadiens à une réception à la résidence du lieutenant-gouverneur.

Cette peinture réalisée au XXe siècle illustre l'arrivée des délégués canadiens à la Conférence de Charlottetown. Dans une embarcation, William Pope va à la rencontre des délégués canadiens attendant à bord d'un bateau à vapeur. Le *Queen Victoria* a jeté l'ancre au large des côtes au lieu d'amarrer dans le port.

Un compte rendu écrit de l'époque présente une version très différente de l'arrivée des délégués. William Pope a pris place dans « une embarcation à fond plat contenant un baril de farine et deux pots de mélasse, en compagnie d'un pêcheur robuste ». Sous la direction de Pope et du pêcheur, l'équipage du bateau à vapeur transporte à terre les 11 délégués canadiens, qui sont ensuite conduits en voiture à cheval au Colonial Building, lieu de la conférence et siège du gouvernement de l'Île-du-Prince-Édouard.

INTERROGE LES FAITS

1. Le peintre s'est documenté avant de représenter cette scène. Quels détails de la peinture concordent avec le compte rendu écrit ?

2. Comment expliques-tu les changements que le peintre a apportés ?

3. Selon toi, quelle représentation de la scène est la plus fiable, le compte rendu ou la peinture ? Explique ta réponse.

4. Selon toi, comment les chefs politiques et les autres vedettes de l'actualité « mettent-ils en scène » les événements de nos jours ?

Georges-Étienne Cartier
UN REBELLE DEVENU RÉFORMATEUR

Toutes les réunions sociales s'animent en présence de Georges-Étienne Cartier. Cet homme politique flamboyant aime les conversations raffinées et l'alcool. La vie sociale lui plaît. Cartier a le don d'agrémenter les fonctions officielles, parfois monotones, de la vie politique dans la capitale du Canada.

Cartier a heureusement les moyens de s'adonner à la vie mondaine. Il n'en a pas toujours été ainsi. Au début de sa carrière d'avocat, en 1837, Cartier s'est battu avec les Patriotes. Obligé de fuir, il a passé une année dans la clandestinité avant de revenir à Montréal. Sa fuite n'a pas nui à sa carrière. Au Canada-Est, le statut de Patriote est un honneur propice aux affaires. Depuis 1837, Cartier fait de bonnes affaires. Sa pratique de droit est prospère, surtout depuis que le Grand Tronc a retenu les services de son cabinet. Cartier a acheté des immeubles qui lui rapportent un revenu. Il a épousé Hortense Fabre, jeune fille d'une famille prospère, et le couple a fondé un foyer. De plus, Cartier a réalisé ses ambitions politiques en se faisant élire à la Chambre d'assemblée en 1848.

En 1860, Cartier peut se permettre de confier à d'autres l'organisation des détails de sa vie professionnelle. Ses assistants et ses associés s'occupent des affaires quotidiennes de sa pratique. Un conseiller gère ses placements. Des domestiques assurent l'entretien de ses maisons, et deux secrétaires l'aident dans la conduite de sa vie politique.

Sa vie personnelle n'est pas aussi ordonnée. Le style de vie de Cartier déplaît à sa femme. Hortense est une fervente catholique ; elle préfère mener une vie paisible et désapprouve les dépenses de son mari et son manque d'intérêt pour la religion. Les activités politiques de Cartier le retiennent de plus en plus à l'extérieur de son foyer ; peu à peu, son mariage se détériore. Cartier commence à côtoyer Luce Cuvillier, et les rumeurs vont bon train à Ottawa et à Montréal. Fille d'un commerçant, Luce Cuvillier partage le goût de Cartier pour le raffinement et la littérature française. La jeune femme porte le pantalon dans l'intimité de sa maison et fume le cigare. Chez une femme, cette conduite est scandaleuse dans les années 1860.

Cartier fait peu de cas des rumeurs. Cependant, il demeure sérieux sur un plan : son dévouement envers la cause des Canadiens français. L'ancien rebelle en est venu à croire que l'on peut accomplir la réforme par des moyens pacifiques. Il travaille fort pour arriver à ses fins.

Autres personnages à découvrir

Georges-Étienne Cartier
John Gray
Joseph Howe
Samuel Tilley
Charles Tupper

Le 2 septembre, premier jour des rencontres, Macdonald et Cartier ont la vedette. Les deux hommes font équipe depuis 10 ans. Chacun a son style personnel. Cartier est ardent et passionné. Macdonald est beaucoup plus humble. Il n'a pas de talent d'orateur, mais il est très cultivé et chaleureux. Macdonald décrit les pouvoirs du gouvernement fédéral dans le régime que proposent les Canadiens. Cartier explique comment les gouvernements provinciaux vont protéger les intérêts et les enjeux locaux. Cet aspect est très important pour la population des Maritimes. Les habitants craignent que la Confédération les dépossède de leur patrimoine et de leur argent.

La population des Maritimes est impressionnée. La première journée est une réussite. Après la rencontre, un magnifique buffet de fruits de mer, spécialité de l'Île-du-Prince-Édouard, est servi aux invités. La soirée est consacrée à des promenades en voiture à la campagne ou en bateau dans la baie.

Le lendemain, Alexander Galt explique la façon dont le gouvernement central prendra en charge les dettes des colonies dès leur annexion. Il décrit comment le gouvernement fédéral versera chaque année aux nouvelles provinces des **subsides proportionnels au nombre d'habitants**. Les revenus seront partagés entre les gouvernements fédéral et provinciaux.

La séance est levée. Les délégués des Maritimes sont maintenant les invités des Canadiens. Ils montent à bord du

Lien Internet

www.dlcmcgrawhill.ca

Tu peux lire la lettre de George Brown à sa femme, Anne, décrivant son arrivée à Charlottetown. Clique sur *Matériel complémentaire/Primaire et secondaire*, puis sur *Le Canada : L'édification d'une nation*, où l'on te donnera la suite des indications.

Toile de l'artiste Dusan Kadlec, commandée par Parcs Canada

Cette peinture est une reconstitution de la dernière soirée des célébrations. Identifie Cartier, Macdonald et Brown parmi les délégués. Pourquoi le peintre a-t-il choisi de rendre ces trois hommes reconnaissables ?

En marche vers la Confédération 77

Les délégués à la Conférence de Charlottetown. Macdonald est assis sur une marche, au centre. Cartier est à sa droite, en face de Brown. Dans les photos de groupe, où se trouvent habituellement les personnes les plus importantes? Pourquoi? Avec une ou un camarade, discute des éléments de cette photo qui en font un document d'une grande valeur historique.

Queen Victoria, où on leur sert un repas somptueux. Les Canadiens ont fait provision de champagne pour leurs invités. Cartier et Brown prononcent des discours, puis tout le monde participe aux discussions. Un délégué s'écrie : «Si l'un de vous peut nommer un obstacle à l'alliance matrimoniale des colonies, qu'il le fasse immédiatement ! » Personne n'émet d'objection. Les délégués continuent de faire connaissance à une autre réception donnée le même soir en leur honneur.

Le lundi 5 septembre, Brown se lève pour prendre la parole. Il déclare que le Parlement fédéral va s'inspirer du modèle britannique. Brown parle ensuite des gouvernements provinciaux et du mode de sélection des juges. Son exposé dure une journée entière.

Le 7 septembre, les délégués des Maritimes se rencontrent à huis clos. Ils discutent de l'unification possible de trois provinces maritimes en une seule, l'Acadie. L'Île-du-Prince-Édouard refuse de renoncer à sa législature indépendante. Son refus compromet tout espoir d'union des Maritimes. Les délégués des Maritimes décident alors d'appuyer une union avec la Province du Canada si les conditions sont acceptables. C'est une percée décisive. Les

délégués s'entendent tous sur le principe d'une **union fédérale**. Les pourparlers se poursuivent à Québec.

Un grand bal clôture la conférence. Les délégués célèbrent toute la nuit, puis prennent le petit-déjeuner à bord du *Queen Victoria* qui vogue vers Pictou, sur le continent. Tous se rendent à Halifax et à Saint-Jean. À ces endroits, ils expliquent leurs projets dans des assemblées publiques. Brown dit, à propos de ce voyage : « Nous avons eu des échanges très amicaux… Les résultats de notre voyage ont dépassé tous nos espoirs. »

Où en sommes-nous ?

1 Quelles décisions les délégués prennent-ils à Charlottetown ?

2 Quelle est la preuve que la population ne considère pas la Conférence de Charlottetown comme un événement important ?

3 Les délégués passent probablement plus de temps en festivités qu'en pourparlers officiels. Selon toi, quel rôle les activités sociales jouent-elles dans les résultats de la Conférence ? Explique ta réponse. Crois-tu que les activités sociales jouent le même rôle aujourd'hui, en politique et en affaires ? Pourquoi ?

4 Selon toi, pourquoi les délégués des Maritimes mettent-ils de côté l'union des Maritimes en faveur d'une union fédérale plus étendue, après avoir écouté les discours des chefs politiques du Canada ?

LES ÉTATS-UNIS : UNE NATION DIVISÉE

Pendant que les délégués présents à Charlottetown planifient une union fédérale, la **guerre de Sécession** fait rage aux États-Unis. Cette guerre oppose les États du Sud, ou **États confédérés**, aux États du Nord, ou **Union**.

La population de l'Amérique du Nord britannique est divisée au sujet de la guerre de Sécession. La majorité des 40 000 à 50 000 soldats volontaires de l'Amérique du Nord britannique se battent pour l'Union à cause de leur haine de l'esclavage. Cependant, l'opinion publique et la plupart des journaux ont tendance à appuyer les États confédérés.

La destinée manifeste

Au fil des ans, beaucoup d'Américains en sont venus à croire inévitable et juste le fait que les États-Unis s'emparent de toute l'Amérique du Nord. C'est ce qu'on appelle la **« destinée manifeste »**. Par les guerres, les menaces et les traités, les États-Unis ont déjà conquis la moitié sud du continent. Comme William Seward, secrétaire d'État américain, le prône : « Tout ce continent... va tôt ou tard faire partie du cercle magique de l'Union américaine. Tels sont les desseins de la nature. » Pendant que la guerre de Sécession se poursuit, des chefs politiques américains déclarent que le moment est propice à la conquête du reste de l'Amérique du Nord. Cette attitude n'est pas surprenante : il est facile pour les troupes de l'Union de marcher vers le nord et d'envahir le Canada et les Maritimes.

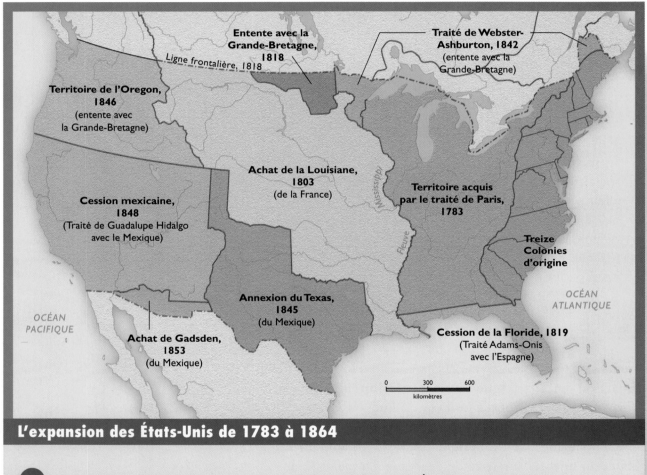

L'expansion des États-Unis de 1783 à 1864

① Réalise une ligne du temps pour montrer l'expansion des États-Unis de 1783 à 1853.

② a) Avec une ou un camarade, fais des recherches sur *une* des acquisitions territoriales indiquées sur la carte. Expose les résultats de tes recherches à tes camarades.

 b) Après les exposés, examine comment les États-Unis ont obtenu la majeure partie de leur territoire. Quel est l'effet possible de ces connaissances sur les délégués présents à Québec ?

Les colonies suivent la direction diplomatique de la Grande-Bretagne, officieusement favorable aux États confédérés. Selon la rumeur, si le Sud est perdu, l'Amérique du Nord britannique risque d'être envahie par la puissante armée des États du Nord. Somme toute, les Américains ont tenté de prendre possession des colonies britanniques pendant la guerre de l'Indépendance de 1776 et la guerre de 1812. D'après Macdonald : « Les Américains sont maintenant un peuple guerrier. Ils ont de grosses armées, une marine puissante… [et] des réserves illimitées de munitions… Nous… devons préparer notre pays à se défendre. Nous devons nous unir. » La Confédération est une protection puissante contre les forces de la destinée manifeste.

L'affaire du *Trent*

La Grande-Bretagne et ses colonies nord-américaines sont officiellement **neutres** : elles ne sont pas censées prendre parti dans la guerre de Sécession. Cependant, des incidents risquent de créer des conflits avec les États du Nord.

En novembre 1861, deux émissaires du Sud font route vers la Grande-Bretagne pour obtenir la reconnaissance des États confédérés en tant que nouveau pays. Le *Trent*, bateau à vapeur britannique, s'engage dans les eaux non protégées du golfe du Mexique. Un bâtiment de guerre de l'Union l'intercepte. Les émissaires qu'il transporte sont enlevés et l'on s'empare des documents. Quand le but du voyage des émissaires en Grande-Bretagne est rendu public aux États-Unis, la population réclame que les troupes de l'Union envahissent les colonies d'Amérique du Nord britannique. La Grande-Bretagne riposte en envoyant 10 000 soldats pour protéger les frontières de la Province du Canada en cas d'invasion. Les soldats effectuent en traîneau, en plein hiver, la majeure partie du trajet entre Saint-Jean, au Nouveau-Brunswick, et le Canada. Il n'y a pas de ligne de chemin de fer entre les Maritimes et le Canada.

L'invasion n'a pas lieu et les deux émissaires sont finalement libérés. Cependant, les expériences des soldats britanniques montrent clairement l'état lamentable des défenses des colonies. Si les généraux et les chefs politiques américains décident un jour d'attaquer l'Amérique du Nord britannique, ils auront très peu d'obstacles à surmonter. Que faire ?

Les troupes britanniques se rendant en carriole à la Province du Canada, en 1862. Le fleuve Saint-Laurent est gelé, et les déplacements se font par voie terrestre.

Court métrage

Des représailles

L'invasion de St. Albans a peut-être accéléré la décision des Américains d'annuler le Traité de réciprocité de 1854 avec le Canada et les colonies des Maritimes. Les Américains estiment que l'entente est beaucoup plus avantageuse pour les colonies que pour les États-Unis. Ils veulent mettre fin au traité pour paralyser l'économie de l'Amérique du Nord britannique. Au printemps de 1866, les États-Unis annulent l'entente.

Lien Internet

www.dlcmcgrawhill.ca

Consulte le site Web ci-dessus pour trouver plus d'informations sur l'affaire du *Trent* et l'invasion de St. Albans. Clique sur *Matériel complémentaire/Primaire et secondaire*, puis sur *Le Canada : L'édification d'une nation*, où l'on te donnera la suite des indications.

L'invasion de St. Albans

En novembre 1863, des émissaires du Sud en poste au Canada lancent des attaques de l'autre côté de la frontière. Ils veulent inciter les troupes de l'Union à se déplacer vers le nord pour défendre la frontière. Ils espèrent provoquer une crise afin d'obliger la Grande-Bretagne à prendre parti pour les États confédérés.

L'attaque la plus célèbre et la plus dangereuse a lieu le 19 octobre 1864, au cours de la Conférence de Québec. Sous les ordres du lieutenant Bennett Young, 21 confédérés vêtus en civil se rendent au Vermont. Ils s'emparent de St. Albans, volent 200 000 $ dans les banques et tuent une personne. Les envahisseurs se réfugient au Canada-Est, où ils sont poursuivis et capturés par un détachement du Vermont. Les hommes qui capturent les envahisseurs sont forcés de les livrer aux troupes locales de la **milice** canadienne.

Les envahisseurs subissent un procès. Le juge les libère, car ils n'ont rien fait de mal selon la loi canadienne. Les Américains sont en colère. Le *New York Times* publie un article clamant : « Nous [les forces armées du Nord] n'avons jamais été en aussi bonne position pour déclarer la guerre à l'Angleterre » sur les champs de bataille du Canada. Le général Dix de l'armée de l'Union ordonne même à ses officiers de « poursuivre les autres envahisseurs même au Canada » et de les ramener « pour leur faire subir un procès sous le régime de la loi martiale ».

L'invasion de St. Albans rallie les opinions en faveur de la Confédération à cause du moment où elle a lieu. Cette affaire met en lumière la menace réelle que représentent les États-Unis et la nécessité pour l'Union d'améliorer ses défenses.

Où en sommes-nous ?

1 Explique la destinée manifeste. Selon toi, jusqu'à quel point est-ce un danger réel pour l'Amérique du Nord britannique ?

2 L'affaire du *Trent* risque-t-elle d'entraîner la Grande-Bretagne dans la guerre de Sécession ? Pourquoi ?

3 « Il faut savoir saisir le moment opportun, dans l'histoire comme dans la vie. » Explique pourquoi cet énoncé s'applique à l'invasion de St. Albans. Y a-t-il eu dans ta propre vie des événements importants où le facteur temps a joué un rôle crucial ?

LA CONFÉRENCE DE QUÉBEC

Les délégués des Maritimes arrivent à Québec le 9 octobre. La délégation de 33 personnes compte cinq femmes et neuf filles de délégués, venues pour se divertir, voir du pays et faire des achats. Les délégués travaillent fort pendant la journée et festoient le soir venu. Ils assistent à plusieurs réceptions officielles et à des bals. Un bal des célibataires est organisé pour présenter les filles des délégués à la société distinguée de la capitale.

À Charlottetown, les délégués se sont entendus sur l'idée d'une union fédérale. À la Conférence de Québec, les délégués élaborent les détails de l'union.

Sir Étienne-Paschal Taché, premier ministre de la Province du Canada, préside la conférence, mais John A. Macdonald dirige les débats. Il rédige lui-même la plupart des 72 Résolutions qui énoncent en détail le mode de gouvernement de la nouvelle nation. Les résolutions forment la base de la première Constitution du Canada, l'Acte de l'Amérique du Nord britannique, ou AANB. Macdonald décrit son rôle crucial dans une lettre à un ami : « Aucun membre… n'a la moindre idée de la façon d'élaborer une constitution. Tout ce qu'il y a de bon ou de mauvais dans la Constitution vient de moi. »

Trois décisions importantes sont prises au sujet de la nouvelle Constitution.

- Le pays adoptera un régime de gouvernement parlementaire. Les députés élus siégeront à la Chambre basse, ou Chambre des communes, tandis que les représentants de la Chambre haute, ou Sénat, seront nommés.

Cette illustration représente la ville de Québec telle qu'elle apparaît aux délégués. On aperçoit à droite l'Université Laval, où une réception est donnée en l'honneur des délégués.

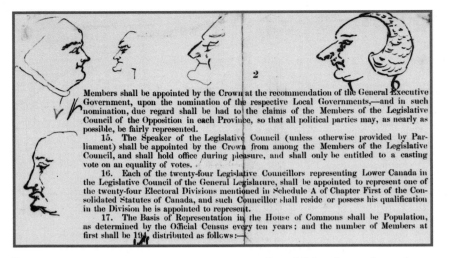

Members shall be appointed by the Crown at the recommendation of the General Executive Government, upon the nomination of the respective Local Governments,—and in such nomination, due regard shall be had to the claims of the Members of the Legislative Council of the Opposition in each Province, so that all political parties may, as nearly as possible, be fairly represented.

15. The Speaker of the Legislative Council (unless otherwise provided by Parliament) shall be appointed by the Crown from among the Members of the Legislative Council, and shall hold office during pleasure, and shall only be entitled to a casting vote on an equality of votes.

16. Each of the twenty-four Legislative Councillors representing Lower Canada in the Legislative Council of the General Legislature, shall be appointed to represent one of the twenty-four Electoral Divisions mentioned in Schedule A of Chapter First of the Consolidated Statutes of Canada, and such Councillor shall reside or possess his qualification in the Division he is appointed to represent.

17. The Basis of Representation in the House of Commons shall be Population, as determined by the Official Census every ten years; and the number of Members at first shall be 194, distributed as follows:—

Macdonald a fait ces caricatures sur une page du texte provisoire de la Constitution pendant les débats de Québec.

- Les liens avec la Grande-Bretagne et la monarchie britannique seront maintenus.
- L'État prendra la forme d'une union fédérale dotée d'un gouvernement fédéral, ou central, pour superviser les enjeux nationaux plus vastes, et de gouvernements provinciaux pour administrer les affaires locales.

Les délégués veulent s'assurer que le gouvernement fédéral est fort et capable de dominer les provinces. La situation des États-Unis leur montre ce qui se produit quand les États ont trop de pouvoirs. Le gouvernement fédéral à Washington avait relativement peu de pouvoirs en vertu de la Constitution américaine, et la guerre de Sécession a éclaté. C'est pourquoi les délégués limitent les pouvoirs des provinces. Cartier sait que plusieurs de ces pouvoirs, par exemple dans les domaines de l'éducation, du droit civil, de la propriété et de la langue, sont fondamentaux pour la survivance du Canada-Est. De plus, les provinces ne peuvent percevoir que des impôts directs, par exemple une taxe de vente ou des frais de service. Les provinces n'ont pas le droit de changer la Constitution ni de **faire sécession**, c'est-à-dire de quitter la nouvelle nation.

Quelques pouvoirs du gouvernement fédéral énoncés dans l'AANB

- Trente-sept pouvoirs précis dans des domaines importants comme la défense, le commerce, la monnaie, le droit pénal et la justice
- Latitude complète de faire des lois pour promouvoir « la paix, l'ordre et le bon gouvernement » de la nouvelle nation
- Pouvoir d'imposition illimité
- Pouvoir d'annuler ou de révoquer les lois provinciales que le gouvernement central estime ne pas être dans l'intérêt du pays
- Pouvoir de nommer des dignitaires provinciaux, par exemple des juges et des lieutenants-gouverneurs

Les délégués passent beaucoup de temps à définir le rôle du Sénat et la manière de choisir ses membres. Chacune des trois régions, c'est-à-dire le Canada-Est, le Canada-Ouest et les Maritimes, doit avoir 24 sénateurs. Les sénateurs doivent être nommés par le gouverneur général, sur les conseils du premier ministre.

Le nombre de députés élus à la Chambre des communes repose sur la population. Le Canada-Est, désormais appelé le Québec, se voit attribuer 65 sièges. Toutes les autres provinces vont avoir un nombre de sièges proportionnel à leur population par rapport à celle du Québec.

Les délégués prennent d'autres décisions. Ils veulent l'adhésion à la Confédération de la Terre de Rupert, de l'île de Vancouver et de la Colombie-Britannique, et prédisent la création d'un pays « a mari usque ad mare » (d'un océan à l'autre). Les délégués s'entendent aussi sur la construction du chemin de fer Intercolonial pour relier les Maritimes à la Province du Canada.

La Conférence de Québec prend fin le 27 octobre. En un peu plus de deux semaines, les délégués s'entendent sur une constitution pour le nouveau pays et une union entre les Maritimes et le Canada. George Brown écrit à la hâte un message annonçant la victoire à sa femme. « Tout va pour le mieux ! La conférence a duré jusqu'à 18 heures et la Constitution a été adoptée. C'est un document fort crédible. » Les délégués retournent chez eux avec des propositions. Ils réussissent à convaincre leur assemblée législative d'approuver les 72 Résolutions.

> **Passe à l'histoire**
>
> Tu es journaliste. Tu couvres la Conférence de Québec ou celle de Charlottetown. Rédige à ce sujet un éditorial ou un reportage pour un bulletin d'informations ou le téléjournal. Ajoute quelques entrevues d'hommes politiques clés, de leur femme et de leur fille.

Où en sommes-nous ?

1 a) Quel est le principal objectif de la Conférence de Québec ?

b) Quelle est la différence entre cet objectif et celui de la Conférence de Charlottetown ?

c) Peut-on dire qu'une conférence a été plus importante que l'autre ? Explique ta réponse.

2 Quelle est l'influence de la guerre de Sécession sur les décisions des délégués ?

3 Quelle est la principale différence entre le mode de sélection des membres du Sénat et celui des députés de la Chambre des communes ? Selon toi, pourquoi les délégués veulent-ils établir cette différence ?

Emma Lajeunesse
UNE CANTATRICE ADULÉE

Le 9 juillet 1865 est un jour doux-amer pour Marie-Louise-Cécile-Emma Lajeunesse. La jeune cantatrice de 17 ans souhaite grandement faire carrière à Albany, dans l'État de New York, mais son départ du couvent du Sacré-Cœur, où elle vit depuis huit ans, l'attriste.

En 1857, un an après la mort de la mère d'Emma, son père, musicien professionnel, devient maître de musique dans ce couvent de l'île de Montréal. Le poste de Joseph Lajeunesse lui permet d'inscrire Emma et sa sœur cadette au couvent. C'est le seul moyen de faire instruire ses filles. Déjà, les études de son fils lui ont coûté toutes ses économies.

Comme ses camarades de classe, Emma étudie la composition et la grammaire, l'arithmétique, l'histoire, la littérature, la rhétorique et la logique, la géographie, la philosophie, l'histoire naturelle, la chimie et la botanique. De plus, elle s'initie aux tâches que les jeunes filles de bonne famille doivent connaître : les travaux d'aiguille, l'économie domestique, la broderie et la dentellerie.

Emma passe aussi quatre heures par jour à s'exercer au piano et au chant. Son horaire est épuisant, mais son père tient à cette discipline. Emma a une voix de soprano exceptionnelle. La jeune fille chante souvent à l'occasion d'événements spéciaux au couvent. À l'âge de 13 ans, elle s'est produite à un concert de gala à Montréal en l'honneur de la visite d'Édouard, prince de Galles. Ce spectacle a été le point saillant de sa vie musicale.

Pour faire une carrière musicale, Emma doit entreprendre des études en Europe. Son père n'en a cependant pas les moyens. Dans l'espoir de recueillir des fonds, Joseph Lajeunesse organise un concert à Montréal. Les critiques sont élogieuses, mais le public ne répond pas. Faire carrière dans le chant n'est pas bien vu pour une jeune fille. Découragée, la famille décide de s'installer à Albany, capitale de l'État de New York. Les Lajeunesse espèrent que la mentalité sera différente là-bas.

Les résidents d'Albany sont conquis par le talent d'Emma. Trois ans après l'arrivée de la jeune cantatrice, ils lui offrent les fonds nécessaires pour payer ses études en Europe.

En Europe, Emma change de nom de famille. Un professeur lui suggère d'adopter le nom d'une famille de la noblesse italienne, Albani. Son professeur trouve ce nom plus romantique que Lajeunesse. Se rappelant la générosité de la population d'Albany, Emma accepte avec joie.

Emma Albani est la première artiste née au Canada à devenir célèbre à l'étranger. Pendant plus de 40 ans, elle donne des spectacles devant des auditoires qui l'adulent, dans des salles de concert et d'opéra d'Europe et d'Amérique du Nord.

Autres personnages à découvrir

Isabella Crawford

Louis-Honoré Fréchette

Emma Lajeunesse

Lucius O'Brien

Anna Swan

LES DÉBATS SUR LA CONFÉDÉRATION

Dans la Province du Canada, les chefs de la Grande Coalition parlent en faveur de la Confédération. L'opposition se compose de représentants du Parti rouge et de quelques indépendants. L'opposition fait valoir que les Canadiens français du Québec seront toujours minoritaires à la nouvelle Chambre des communes fédérale. Les représentants élus des autres provinces, en agissant et en votant ensemble, peuvent surpasser en nombre les députés canadiens-français. La Confédération menace le mode de vie des Canadiens français.

Les partisans de la Confédération disent que le gouvernement provincial protégera la survivance. Cartier considère la nouvelle fédération comme un moyen de promouvoir la compréhension et la coopération. Les Canadiens français auront une province bien à eux, et ils poursuivront leurs travaux avec les autres groupes en tant que citoyens de ce nouveau pays.

Des partisans parlent en faveur de la Confédération

- Nous pouvons avoir un pays qui, un jour, « s'étendra de l'Atlantique au Pacifique ».
- Nous pouvons créer un pays pour « attirer des flots d'immigrants vers nos côtes ».
- Nous pouvons « exploiter… les immenses richesses naturelles… de la moitié nord du continent américain ».
- Nous ne pouvons « revenir à l'hostilité sectionnelle chronique… [entre] la population du Haut-Canada et celle du Bas-Canada ».
- En cas de guerre [avec les États-Unis], « nous pouvons mieux nous défendre ».
- Nous pouvons envisager d'avoir une population combinée de « près de quatre millions d'âmes ».
- Il y aura de nouveaux débouchés commerciaux… Nous pouvons prévoir la disparition des barrières commerciales entre les colonies et l'« ouverture des marchés de toutes les provinces ».
- Nous pouvons prévoir que cette nouvelle union « inspirera une confiance renouvelée en notre stabilité » aux investisseurs étrangers et « attirera des capitaux vers nos côtes ».
- Nous prévoyons devenir le « troisième État maritime en importance du monde ».

Le 11 mars 1865, le vote a lieu. Les 72 Résolutions sont adoptées, avec 91 voix en faveur de la motion et 33 voix contre la motion. Les résultats du scrutin chez les Canadiens français (27 voix en faveur de la motion et 21 voix contre la motion) indiquent une profonde division au sujet de l'adhésion à la Confédération.

Où en sommes-nous ?

1 Selon toi, quelles sont les trois principales raisons d'appuyer la Confédération si tu es

   a) une Canadienne française ou un Canadien français du Canada-Est ?

   b) une Canadienne anglaise ou un Canadien anglais du Canada-Ouest ?

2 Imagine que tu fais partie des délégués assistant aux débats sur la Confédération. Rédige et prononce un discours indiquant ta position au sujet du projet.

3 Selon toi, qui prend le plus grand risque en appuyant la Confédération ? Pourquoi ?

4 Les chefs politiques canadiens-français sont divisés au sujet de l'influence de la Confédération sur la survie de la culture canadienne-française. Selon toi, qui a raison ? Pourquoi ?

Ottawa, en 1866

Edmund et Fanny Meredith

UNE VILLE OÙ IL NE FAIT PAS BON VIVRE

Quand Edmund et Fanny Meredith arrivent à Ottawa à l'automne de 1865, la puanteur est déjà insupportable. L'odeur des eaux d'égout brutes empeste la nouvelle capitale du Canada, qui n'a pas de canalisations pour les évacuer. Les Meredith ont quitté Québec à regret. La vie dans la capitale est rude par rapport au confort de Québec. Les édifices du Parlement sont encore en construction. Quand il pleut, les rues en terre bordées de trottoirs en bois deviennent boueuses. On voit partout des piles de bois et des monticules de sciure. Ottawa est encore une ville forestière où il ne fait pas bon vivre.

En tant que haut fonctionnaire, Edmund Meredith a été obligé de quitter Québec pour pouvoir poursuivre sa carrière. « Plus le temps passe, plus je hais Ottawa », écrit-il dans son journal intime. Plusieurs fonctionnaires arrivés à la même époque partagent les sentiments d'Edmund. Leur venue a causé une pénurie de logements. Les constructeurs de maisons ne peuvent pas répondre à la demande. Les Meredith ont heureusement trouvé une maisonnette pour loger leurs quatre enfants et leur chien, Rab.

De plus, il y a une pénurie de domestiques. Les trois domestiques des Meredith les ont accompagnés, mais ils détestent la vie rustique d'Ottawa et s'empressent de retourner à Québec. L'une des principales difficultés est le manque d'eau courante. Deux fois par semaine, une charrette passe de maison en maison pour vendre des tonneaux d'eau. Sans eau courante, la propreté est difficile à maintenir. Le risque d'incendie est un souci constant. Si une maison prend feu, les pompiers sont souvent impuissants. Même quand les deux chariots équipés d'échelles à crochets de la municipalité arrivent sur les lieux d'un incendie, les pompiers ne peuvent rien faire avant l'arrivée des charrettes transportant l'eau.

Les familles qui veulent du lait frais ont une vache. Bon nombre de ménages gardent aussi des chevaux, des cochons et des poules. Il n'y a pas de service de collecte des ordures. Les maisons, même les mieux tenues, sont souvent infestées de mouches et de rats. Les Meredith se soucient constamment de la maladie. Leurs craintes sont fondées : en 1868, leur fils Clarence meurt au berceau de la dysenterie, maladie due au manque d'hygiène.

En raison du désagrément de la vie à Ottawa, beaucoup de gens croient que les chefs politiques vont bientôt choisir une autre capitale. « Je pense que dans cinq ans, Ottawa ne sera plus la capitale... », écrit Meredith. C'est un vœu pieux. Avec le temps, la ville se développe et les conditions de vie s'améliorent. La population se rend compte que la vie devient agréable. Quand Edmund Meredith prend sa retraite, sa famille quitte Ottawa sans regret pour s'établir à Toronto.

Autres personnages à découvrir

Charles Baillairgé

Sarah Agnes Bernard

John W. Dawson

Thomas Fuller

Thomas C. Keefer

Edmund et Fanny Meredith

En haut : Joseph Howe vers la fin de sa vie. Howe est autodidacte. À l'âge de 24 ans, il est déjà l'éditeur d'un journal.

En bas : Charles Tupper, de la Nouvelle-Écosse, devient premier ministre du Canada en 1896. Il occupe ce poste durant 10 semaines seulement avant d'être défait à une élection.

La Confédération et les Maritimes

À leur retour de Québec, les délégués des Maritimes sont profondément divisés au sujet de la Confédération. John Gray, premier ministre de l'Île-du-Prince-Édouard, est proféderaliste. D'autres représentants de la province sont cependant mécontents des débats de Québec. Selon eux, il est insultant pour l'Île-du-Prince-Édouard d'avoir seulement cinq sièges à la Chambre des communes proposée. La Confédération présente peu d'avantages : pourquoi s'en soucier ? Une élection a lieu en décembre 1865, et un parti antiféderaliste est élu. Le sort de la Confédération est scellé, du moins dans l'immédiat. L'Île-du-Prince-Édouard ne fera pas partie de la Confédération.

De nombreux Terre-Neuviens ont des doutes semblables sur leur adhésion à la Confédération. Une opposition organisée répand des rumeurs : les impôts augmenteront pour permettre le remboursement des dettes du Canada ; les deux Canadas se serviront de l'argent des impôts pour coloniser l'Ouest ; les Terre-Neuviens seront forcés de se battre pour le Canada ; les pêcheurs seront obligés de s'enrôler dans la nouvelle marine. La décision est reportée jusqu'à la tenue d'une élection.

Les premiers ministres de la Nouvelle-Écosse et du Nouveau-Brunswick, Charles Tupper et Samuel Tilley, sont de fervents partisans de la Confédération. Selon eux, la Confédération va promouvoir l'économie de leur province et protéger ses frontières. Les deux hommes doivent cependant surmonter un obstacle : une opposition organisée et forte.

En Nouvelle-Écosse, Joseph Howe, ancien premier ministre et chef politique populaire, dirige les forces antiféderalistes. Dans son journal, il déclare que l'union proposée est une source d'ennuis. Selon Howe, la Confédération entraînera une hausse des tarifs douaniers et des taxes sur les importations ; les produits manufacturés importés coûteront donc plus cher. De plus, la province risque de perdre son lien commercial avec les États de la Nouvelle-Angleterre. Le subside de 0,80 $ par habitant est une insulte. « On nous achète, dit Howe, pour le prix d'un mouton. » Howe accuse les chefs politiques canadiens de se servir du projet de confédération pour résoudre leurs problèmes. Devant cette opposition, Tupper ne soumet pas les 72 Résolutions aux débats de la législature de la Nouvelle-Écosse. Tupper décide d'attendre la suite des événements au Nouveau-Brunswick.

La population du Nouveau-Brunswick est indécise au sujet de la Confédération. Certains sont d'accord avec Tilley et considèrent la Confédération comme la clé du progrès dans la province. Le chemin de fer Intercolonial ouvrira de nouveaux marchés pour ses richesses naturelles. Le Nouveau-Brunswick cessera d'être une petite colonie isolée et adhérera à une grande nation pleine d'avenir. Pour d'autres, la Confédération s'annonce désastreuse. Les tarifs douaniers augmenteront. Rien ne garantit que les Canadiens tiendront leur promesse au sujet de la construction du chemin de fer. Il est préférable de construire un chemin de fer vers les États-Unis. Le marché de ce pays est 10 fois plus étendu. Le Nouveau-Brunswick n'a pas besoin du Canada.

En mars 1865, Tilley convoque une élection sur la question de la Confédération. Il est défait par les forces antifédéralistes, dirigées par Albert J. Smith. Sa défaite semble condamner l'avenir de la Confédération puisqu'une liaison passant par le Nouveau-Brunswick est indispensable au succès de la Confédération.

Samuel Tilley quitte l'école à 13 ans pour faire son apprentissage de pharmacien. Plus tard, il devient lieutenant-gouverneur du Nouveau-Brunswick.

Où en sommes-nous ?

1 Pourquoi Tupper décide-t-il de retarder le débat sur la Confédération ?

2 Du point de vue de la Grande Coalition, de quelle province maritime dépend le succès de la Confédération ? Explique ta réponse.

3 Transcris et remplis le tableau ci-dessous dans ton cahier de notes.

Colonie	Arguments en faveur de la Confédération	Arguments contre la Confédération
Île-du-Prince-Édouard		
Terre-Neuve		
Nouveau-Brunswick		
Nouvelle-Écosse		

La Grande-Bretagne et la Confédération

Le gouvernement britannique appuie entièrement le projet de confédération. La réaction des colonies des Maritimes lui déplaît. Tous les lieutenants-gouverneurs des colonies sont invités à promouvoir la Confédération.

Au Nouveau-Brunswick, Smith veut construire un chemin de fer jusqu'à l'État du Maine pour avoir accès au riche marché américain. Smith tente d'obtenir des appuis financiers en Grande-Bretagne. Le gouvernement britannique avise les banques de refuser de l'aider. Les banques acceptent de financer

Le lieutenant-gouverneur du Nouveau-Brunswick, Arthur Gordon, au cours d'un voyage en canot. Gordon est reconnaissable à son haut-de-forme. Le Colonial Office de Grande-Bretagne lui a ordonné de promouvoir la Confédération.

un seul projet ferroviaire : celui du chemin de fer Intercontinental. Ce projet fait partie du programme de la Confédération. De plus, le gouvernement américain ne désire pas conclure des ententes commerciales spéciales avec le Nouveau-Brunswick ou la Nouvelle-Écosse en remplacement du Traité de réciprocité. Les Maritimes n'ont donc pas accès au riche marché des États-Unis. Un grand nombre d'habitants changent d'avis au sujet de la Confédération.

En avril 1866, le lieutenant-gouverneur oblige le gouvernement Smith à démissionner. Il demande ensuite à Tilley de diriger le gouvernement. Les probabilités de réussite de la Confédération s'améliorent. L'élan final est donné d'une manière totalement inattendue par une bande de radicaux désorganisés, les Féniens.

Les Féniens : une aide extérieure

Un grand nombre d'Irlandais arrivés en Amérique du Nord pendant la Grande Migration, au cours des années 1840 et 1850, veulent libérer l'Irlande de la domination britannique. L'une des sociétés secrètes formées pour défendre cette cause est la Fraternité républicaine irlandaise, qui regroupe les **Féniens**.

La guerre de Sécession prend fin au printemps de 1865. Les Féniens projettent alors une incursion dans les colonies britanniques d'Amérique du Nord. La Grande-Bretagne mobilise les troupes stationnées en Irlande pour les affronter. Les Irlandais de la mère patrie ont ainsi la possibilité de se soulever contre l'Angleterre détestée et de libérer l'Irlande.

En janvier et en février 1866, des Féniens organisent des ralliements dans les villes le long de la frontière entre les États-Unis et les Canadas. Le gouvernement du Canada se prépare pour l'invasion en mobilisant 10 000 volontaires de la milice pour protéger la frontière.

En avril 1866, 500 Féniens quittent le Maine pour s'emparer de l'île de Campobello, au Nouveau-Brunswick. Seulement cinq hommes réussissent à franchir la frontière. Ils menacent un dignitaire et s'emparent d'un Union Jack, le drapeau britannique. Cependant, ils battent en retraite sans tirer un seul coup de feu quand 5000 miliciens canadiens et soldats de l'armée régulière britannique font irruption. La première incursion des Féniens est un échec lamentable.

Une deuxième attaque surprise, lancée à Buffalo, dans l'État de New York, s'annonce plus prometteuse. Les Féniens remportent une victoire à la bataille de Ridgeway, mais l'attaque est aussi un échec. À l'approche d'une milice de 20 000 Canadiens, ils reculent. Les envahisseurs savent qu'ils seront rapidement surpassés en nombre.

Les incursions des Féniens

La chanson des Féniens en marche

*Nous, de la Fraternité des Féniens,
   sommes des guerriers courageux.*

*Nous voulons nous battre pour l'Irlande,
   la terre aimée de nos aïeux.*

*Nous avons gagné maints combats
   aux côtés des hommes en bleu.*

*Nous allons conquérir le Canada,
   car nous sommes valeureux.*

(Traduction libre)

Le 31 mai 1866, environ 800 Féniens traversent la rivière Niagara et s'emparent du village de Fort Érié. La nouvelle sème la panique dans le pays. Des unités de milice saisissent leurs armes et se dirigent vers la région.

Un détachement de miliciens commandé par le lieutenant-colonel Alfred Booker tente d'arrêter l'avance des Féniens dans le village de Ridgeway, à environ 10 kilomètres à l'ouest de Fort Erie.

Malheureusement, les soldats mal entraînés de Booker ne sont pas à la hauteur des Féniens, car beaucoup de ceux-ci sont des anciens combattants aguerris de la guerre de Sécession. À la fin des combats, 9 Canadiens ont trouvé la mort et 38 autres ont été blessés.

Cette illustration représente la bataille de Ridgeway, le 2 juin 1866. À gauche, des Féniens en vert, armés de baïonnettes au canon, avancent. À droite, les troupes britanniques et canadiennes sont alignées en formation de bataille conventionnelle. Les soldats de la ligne de front attaquent l'ennemi, tandis que ceux de la ligne arrière prennent leur place, se mettent en position de tir, visent et tirent. Tu peux voir deux soldats en avant, à droite, en train d'amorcer leur fusil pour se préparer à tirer.

Imagine que tu participes à cette bataille, aux côtés des Féniens ou des troupes britanniques et canadiennes. Le bruit, la peur et l'excitation créent une espèce de flou, mais tu veux te rappeler l'événement pour le raconter à ta famille et à tes amis. Qu'entends-tu? Qu'y a-t-il derrière toi? et devant toi? Ressens-tu de l'excitation? As-tu peur? Prends des notes pour ton compte rendu.

Moins d'une semaine plus tard, environ 1000 Féniens traversent le Canada-Est et pillent des villages. Deux jours plus tard, la milice canadienne accourt pour défendre le territoire. Les envahisseurs se retranchent aux États-Unis. Cet incident marque la dernière tentative sérieuse des Féniens pour prendre le Canada en otage en vue de négocier l'indépendance de l'Irlande.

Les Féniens aident la cause de la Confédération en éveillant la population au danger d'une invasion américaine. Une défense unie est nécessaire, car le gouvernement britannique n'a aucune intention de défendre les colonies.

En Nouvelle-Écosse, Charles Tupper et ses forces profédéralistes remportent l'élection de juin 1866. Le projet de confédération est ravivé par les pressions de la Grande-Bretagne, l'annulation du Traité de réciprocité et la menace d'une invasion par les Féniens. Des délégués du Canada, du Nouveau-Brunswick et de la Nouvelle-Écosse vont à Londres pour demander à la Grande-Bretagne de créer la nouvelle nation du Canada.

Court métrage

Garde à vous !

À Ottawa, la nouvelle d'une incursion possible des Féniens sème la panique. La population ne parle que de cela en préparant la défense de la capitale. On crée des unités de milice, et les soldats sont présents partout dans la ville. Comme beaucoup d'autres fonctionnaires, Edmund Meredith se joint à une unité, le Civil Service Rifle Regiment. Les membres du régiment portent leur uniforme au travail afin de pouvoir quitter leur bureau chaque jour à 9 h et à 16 h pour effectuer des manœuvres.

Où en sommes-nous ?

1 Comment la Grande-Bretagne pousse-t-elle les colonies vers la Confédération ?

2 Pourquoi Smith veut-il établir un lien entre le Nouveau-Brunswick et les États-Unis ?

3 a) Que veulent les Féniens et que proposent-ils ?

   b) Comment les Féniens influencent-ils la population des colonies britanniques ?

4 Imagine que tu es Macdonald ou une partisane ou un partisan de la Confédération. Prépare une affiche, des documents ou un discours sur la campagne en te servant des incursions des Féniens pour promouvoir la Confédération.

Thomas d'Arcy McGee, l'un des Pères de la Fédération, est né en Irlande. Adversaire acharné des Féniens, il est assassiné par Patrick Whelan, que l'on croit faire partie de ce groupe de radicaux, en avril 1868. Cette photo montre le cortège funèbre de Thomas D'Arcy McGee.

Court métrage

Des cloches de mariage

John A. Macdonald ne pense pas seulement aux affaires constitutionnelles pendant son séjour à Londres. Veuf depuis neuf ans, il rencontre un jour, dans la rue Bond, Susan Agnes Bernard, la sœur de son ancien secrétaire particulier. Quelques semaines plus tard, il demande Susan Agnes en mariage et l'épouse en février 1867, pendant son séjour à Londres. Jessie McDougall et Emma Tupper, filles de deux autres délégués présents à la Conférence de Londres, leur servent de dames d'honneur.

La Conférence de Londres

Les délégués canadiens arrivent à Londres le 6 novembre 1866. George Brown est absent. Brown a refusé l'invitation du gouverneur général et a démissionné du gouvernement. « Cette pensée me remplit de bonheur, déclare Brown. Je me réjouis d'être libéré… des responsabilités parlementaires. »

À Londres, John A. Macdonald est choisi à l'unanimité pour présider la Conférence. Les délégués passent de nouveau en revue chacune des 72 Résolutions pour s'assurer que toutes les colonies sont d'accord. Ils apportent quelques changements mineurs et concluent une entente relative au versement d'un léger supplément aux Maritimes. Des événements plus sensationnels surviennent hors de la Conférence. Un soir, Macdonald lit à une heure tardive. Soudain, ses vêtements de nuit et ses draps s'enflamment. Ses cheveux sont brûlés et il subit de graves brûlures à un bras. Cet incident ne l'empêche pas de présider la Conférence le lendemain matin.

Joseph Howe arrive à Londres avec des pétitions des Néo-Écossais dans l'intention d'annuler la Conférence. Howe ne réussit cependant pas à influencer les députés britanniques.

Les délégués ont une dernière tâche à accomplir : trouver le nom de la nouvelle nation. Le « Royaume du Canada » gagne la faveur du public, mais ce nom pose problème. Lord Derby, ministre britannique des Affaires étrangères, « craint que ce nom froisse les Yankees », comme Macdonald l'explique plus tard. Samuel Tilley vient à la rescousse. Il a en mémoire cet extrait du psaume 72 : « Il dominera de la mer à la mer, du fleuve jusqu'aux bouts de la terre. » Le 29 mars 1867, après son adoption par les deux chambres du Parlement britannique moyennant des changements majeurs, l'Acte de l'Amérique du Nord

britannique est signé par la reine Victoria. L'AANB unit le Canada, le Nouveau-Brunswick et la Nouvelle-Écosse dans le nouveau Dominion du Canada.

Les armoiries originales du Dominion combinent les armoiries du Canada-Est, du Canada-Ouest, de la Nouvelle-Écosse et du Nouveau-Brunswick.

Court métrage

Le choix d'un nom

L'idée de la Confédération gagne du terrain, et tout le monde a une opinion sur le nom du nouveau pays. En 1864, le *Globe* de Toronto publie ces suggestions : Tuponia, Albinora, Mesopelagia, Efisga britannique, Cabotia et Transylvania.

Peu de gens prennent ces suggestions au sérieux. Thomas D'Arcy McGee résume la réaction générale en ces termes : « Aimeriez-vous, en vous éveillant un matin, apprendre que vous êtes devenus des Tuponiens ? »

Où en sommes-nous ?

1 Tu es Joseph Howe. Rédige un texte que tu vas lire aux députés britanniques pour les inciter à appuyer ta position sur la Confédération.

2 George Brown décide de ne pas aller à la Conférence de Londres. Qu'est-ce que sa décision t'apprend à son sujet ?

3 Suppose que les délégués ne soient pas d'accord sur le choix du nom « Dominion du Canada ». Suggère un autre nom pour le nouveau pays.

4 Réalise une affiche appuyant ou rejetant la Confédération. Choisis soigneusement les couleurs et le texte.

La marche vers la Confédération entre 1864 et 1867 est entreprise en vue de résoudre l'impasse politique dans la Province du Canada. La recherche d'une solution aboutit à la Conférence de Charlottetown, où des délégués des Canadas et des colonies des Maritimes s'entendent sur le principe d'une union fédérale. À la Conférence de Québec, les détails de la nouvelle union prennent la forme de 72 Résolutions. Cependant, le gouvernement de l'Île-du-Prince-Édouard refuse d'accepter les résolutions. Il y a de fortes réticences en Nouvelle-Écosse et au Nouveau-Brunswick, où les profédéralistes perdent une élection sur cette question. La Confédération semble impossible.

Le gouvernement britannique signifie son appui à la Confédération. Il demande aux lieutenants-gouverneurs de promouvoir cette idée. La fin de la guerre de Sécession ravive la menace d'une invasion américaine. Les incursions des Féniens et l'annulation du Traité de réciprocité aggravent cette menace. En Nouvelle-Écosse et au Nouveau-Brunswick, les chefs politiques acceptent l'idée de la Confédération.

L'objectif final est atteint grâce à la persévérance et aux qualités de visionnaire de quelques personnes remarquables, au soutien et aux encouragements de la Grande-Bretagne et à la menace perçue d'une invasion américaine. Le 1er juillet 1867, la nouvelle nation est officiellement proclamée. Le nouveau Dominion du Canada peut célébrer !

VÉRIFIE TES CONNAISSANCES

1. Pourquoi Macdonald, Cartier et Brown s'efforcent-ils de réaliser la Grande Coalition ? Quels sont les obstacles et les défis qui rendent ce projet difficile ?

2. Pourquoi les historiens considèrent-ils que la Conférence de Charlottetown a été importante ?

3. Qu'est-ce que les délégués de la Conférence de Québec décident au sujet des pouvoirs des gouvernements fédéral et provinciaux ? Est-ce une sage décision ? Qu'est-ce qui incite de nombreux délégués à prendre cette décision au sujet de la répartition des pouvoirs politiques ?

4. Selon toi, la Confédération est-elle possible sans l'influence des Américains et des Britanniques ? Explique ta réponse.

5. Explique pourquoi le « facteur temps » est décisif dans le cas des Féniens. Nomme un autre fait historique où le facteur temps est très important.

6. Pour parvenir à un consensus dans le contexte d'une conférence constitutionnelle, qu'est-ce qui est le plus important : la personnalité, les arguments et les preuves, ou la capacité d'écouter et de s'exprimer ? Explique ta réponse.

APPLIQUE TES CONNAISSANCES

1 Organise une conférence constitutionnelle dans ta classe. Rédige une constitution pour ton école. Énonce les droits et les responsabilités des élèves, des enseignants, de la directrice ou du directeur, de la directrice adjointe ou du directeur adjoint, et du personnel de soutien.

2 Tu fais partie des volontaires qui ont pris le train pour aller se battre contre les Féniens. Tu écris une lettre d'adieu à ta famille, car tu risques ta vie. Dans ta lettre, tu veux expliquer les raisons qui te poussent à te battre contre les Féniens, tes peurs, tes espoirs et tes réflexions sur la vie.

3 Invite une personnalité politique locale à parler à ta classe de l'évolution des pouvoirs des gouvernements provinciaux depuis 1867.

4 Choisis cinq ou six événements clés de ce chapitre et rédige des manchettes de journal.

5 Y a-t-il des leçons que les femmes et les hommes politiques d'aujourd'hui doivent tirer de la Confédération ? Nomme-les et explique-les.

6 Tu vis dans les Maritimes au cours des années 1860. Exprime d'une manière inventive ta position sur la Confédération. Tu peux composer une chanson, un poème, un sketch, une affiche publicitaire ou réaliser un projet de ton choix.

UTILISE LES MOTS CLÉS

Copie les phrases suivantes dans ton cahier de notes. Complète les énoncés en utilisant les mots clés indiqués au début de ce chapitre.

1 Après la Conférence de Charlottetown, la Nouvelle-Écosse, le Nouveau-Brunswick et l'Île-du-Prince-Édouard décident de ne pas former une _____.

2 Selon l'entente de la Confédération, le gouvernement fédéral s'engage à verser un _____ aux nouvelles provinces.

3 À la Conférence de Charlottetown, les 11 _____ de la Province du Canada et les _____ des Maritimes acceptent d'étudier l'idée d'une _____.

4 L'éventuelle conquête de toute l'Amérique du Nord par les États-Unis est connue dans ce pays sous le nom de _____.

5 La _____ aux États-Unis oppose les États du Nord, ou _____, aux États du Sud, ou _____. Cette guerre éclate quand les États du Sud décident de _____.

6 La Grande-Bretagne et les colonies britanniques d'Amérique du Nord sont officiellement _____ dans la guerre de Sécession aux États-Unis.

CHAPITRE 4

La création de la Confédération

1867

La population célèbre
la Confédération.

1868

Howe accepte l'adhésion de
la Nouvelle-Écosse
à la Confédération.

1869

• Le Canada achète la Terre
de Rupert.
• Terre-Neuve et le Labrador
rejettent la Confédération.

1870

Le Manitoba adhère
à la Confédération.

ZOOM SUR LE CHAPITRE

C'est l'ouverture de la première session du Parlement canadien après la Confédération. Tout le monde est élégant pour cet événement historique. Le gouverneur général lit un discours décrivant les plans du premier ministre Macdonald pour créer la nation et lui donner une **identité**.

L'identité est un concept important. De nombreux facteurs, comme ton nom, ton apparence, tes convictions religieuses, ta culture, tes connaissances, tes goûts et tes aversions, font de toi un être unique doté d'une identité propre. Personne d'autre n'est exactement comme toi. Les collectivités, y compris les nations, ont aussi une identité propre qui les rend distinctes. L'histoire fait partie de l'identité de chaque pays. Elle fournit aux citoyens un récit commun de leur passé, un ensemble similaire de mythes et de héros, et une vision partagée.

En tant que nouvelle nation, le Canada acquiert son identité en 1867. Après cette date, son identité continue d'évoluer. Dans ce chapitre, nous allons voir comment la taille du Canada a augmenté à mesure que d'autres provinces et territoires ont adhéré à la nouvelle nation, et le rôle de John A. Macdonald dans les premières années de ce pays.

SCÉNARIO DU CHAPITRE

Dans ce chapitre, tu étudieras les sujets suivants :
- **les tentatives de la Nouvelle-Écosse pour se séparer de la nouvelle Confédération ;**
- **les raisons du rejet de la Confédération par Terre-Neuve et le Labrador jusqu'en 1949 ;**
- **l'expansion du Canada pour coloniser l'Ouest ;**
- **la manière dont le Canada traite les Premières nations ;**
- **l'adhésion de l'Île-du-Prince-Édouard à la Confédération ;**
- **la manière dont la Politique nationale façonne l'identité du Canada.**

MOTS CLÉS

annexion
arpenteur
hameaux isolés
identité
marchés
ministre du Cabinet
Parti de la Nouvelle-Écosse
Politique nationale
propriétaires fonciers non résidents
pupille
référendum

1871
La Colombie-Britannique adhère à la Confédération.

1873
L'Île-du-Prince-Édouard adhère à la Confédération.

1878
La Politique nationale permet à Macdonald de remporter l'élection.

1905
Création des provinces de l'Alberta et de la Saskatchewan

1949
Terre-Neuve adhère à la Confédération.

LES PRISES DE DÉCISION DANS LES COLONIES DE L'ATLANTIQUE

La Nouvelle-Écosse veut quitter la Confédération

Il n'y a pas d'élection en Nouvelle-Écosse avant l'adhésion de la colonie à la Confédération. Les partisans du premier ministre Charles Tupper adoptent une motion en faveur de l'envoi de délégués à la Conférence de Londres durant une session tardive de l'Assemblée législative. Cette motion est adoptée pour l'unique raison que la plupart des membres de l'opposition sont déjà rentrés chez eux. Tilley promet aux Néo-Écossais de négocier de meilleures conditions plus tard, peut-être à la Conférence de Londres.

Selon les forces antifédéralistes, Tupper, à son retour de Londres, avait trahi la population de la Nouvelle-Écosse en la vendant 80 cents par habitant, le montant de la subvention proportionnelle au nombre d'habitants. L'économie de la Nouvelle-Écosse risque d'être détruite par les tarifs douaniers, ou taxes sur les marchandises importées, que le nouveau gouvernement fédéral peut imposer. Ces tarifs douaniers tueront le commerce avec la Nouvelle-Angleterre.

Joseph Howe mène l'opposition à la Confédération et forme avec ses partisans le **Parti de la Nouvelle-Écosse**. À la première élection fédérale tenue 10 semaines après les célébrations de la Confédération, son parti remporte 18 des 19 sièges de la Nouvelle-Écosse. Un parti séparatiste de la Nouvelle-Écosse siège à la Chambre des communes. À l'élection provinciale de 1868, le Parti de la Nouvelle-Écosse devient le gouvernement officiel en remportant 36 des 38 sièges. Les électeurs sont très clairs : ils veulent quitter la Confédération !

En juin 1868, Howe retourne à Londres pour demander la séparation de la Nouvelle-Écosse de la Confédération. La Grande-Bretagne refuse de nouveau. La Nouvelle-Écosse doit collaborer avec le gouvernement fédéral à Ottawa. Des partisans antifédéralistes désillusionnés veulent inciter les Américains à prendre possession de la colonie.

Le premier ministre Macdonald comprend que l'appui de Howe est nécessaire pour faire accepter la Confédération en Nouvelle-Écosse. Macdonald planifie un voyage à Halifax en juillet 1868. Il rencontre Howe en secret dans cette ville afin de négocier de meilleures conditions pour la Nouvelle-Écosse. Howe sait que ses partisans sont dans une situation sans issue. Les solutions de rechange, telles que la rébellion ou l'annexion aux États-Unis, sont impensables. Après quelques mois de négociations, une entente est conclue. La Nouvelle-Écosse obtient plus d'argent.

TRAHIS POUR 80 cents PAR HABITANT VOTEZ POUR JONES et POWER À NORTHUP, COCHRANE et BALCAM DÉFENSEURS DES DROITS DES CITOYENS

Cette bannière antifédéraliste fabriquée à l'aide d'un drap est suspendue dans une rue importante de Halifax à l'été 1867. Que signifie : « Trahis pour 80 cents par habitant » ? Quels sentiments cette bannière éveille-t-elle en Nouvelle-Écosse ?

L'entente prévoit la nomination de Howe au poste de **ministre du Cabinet** dans le gouvernement Macdonald. Howe fera partie du groupe qui prend les décisions dans le gouvernement. À 65 ans, il se livre à une dure campagne électorale et obtient un siège à la Chambre des communes. La lutte a été si difficile que sa santé s'en ressent. Howe ne se rétablit pas. De plus, son revirement est mal accueilli par certains de ses vieux amis; à Halifax, ils traversent la rue pour l'éviter. Macdonald fait habilement taire les critiques des Maritimes les plus bruyantes et les plus dangereuses pour la Confédération.

Lien Internet

www.dlc.mcgrawhill.ca

Consulte le site Web ci-dessus et lis des textes sur les champions du monde d'une épreuve sportive. Clique sur *Matériel complémentaire/Primaire et secondaire*, puis sur *Le Canada : L'édification d'une nation*, où l'on te donnera la suite des indications.

Halifax en 1870, vue de George's Island, en face du port de Halifax.

Où en sommes-nous ?

1 a) Pourquoi Joseph Howe et ses partisans veulent-ils quitter la Confédération ?

b) Selon toi, pourquoi la Grande-Bretagne rejette-t-elle avec autant de fermeté la pétition de Howe ?

2 Avec une ou un camarade, rédige un texte reconstituant la rencontre de juillet 1868 entre Macdonald et Howe. Tu peux faire une mise en scène devant la classe.

3 Selon toi, Howe a-t-il « vendu » la Nouvelle-Écosse ou a-t-il obtenu la meilleure entente possible ? Justifie ton opinion à l'aide de preuves. Tu peux animer un débat à ce sujet.

Terre-Neuve et le Labrador prennent une décision

Les Terre-Neuviens hésitent à adhérer à la Confédération depuis le début des débats en 1864. L'île de Terre-Neuve n'est pas seulement séparée du continent par une vaste étendue d'eau ; ses traditions et son mode de vie la différencient du reste des colonies britanniques de l'Amérique du Nord. Les pêcheries constituent l'activité dominante. Les Terre-Neuviens vivent dans des **hameaux isolés** entourant les ports qui bordent le rivage rocheux.

Les critiques antifédéralistes expriment les craintes de l'opposition : les taxes vont augmenter pour permettre le remboursement des frais de construction des chemins de fer et de la colonisation de l'Ouest et les habitants de Terre-Neuve s'exposent à être conscrits, c'est-à-dire obligés de se battre pour le Canada.

Une élection est annoncée en 1869. La Confédération en est l'enjeu. Charles Fox Bennett, 76 ans, commerçant et propriétaire d'une mine, dirige le groupe antifédéraliste. Il fait campagne le long de la côte dans un petit bateau à vapeur, livrant son message de hameau en hameau. Bennett défait le premier ministre Frederick Carter, remportant 21 sièges contre 9 à l'Assemblée législative. Il va falloir attendre 80 ans, un débat houleux et deux **référendums**, ou votes de tous les électeurs admissibles, pour décider Terre-Neuve à adhérer au Canada en 1949.

En 1866, un câble transatlantique est installé avec succès entre Baie de la Trinité, à Terre-Neuve, et Valentia, en Irlande. Il est ainsi possible d'envoyer des messages télégraphiques en quelques minutes de l'autre côté de l'océan.

*Nous, Terre-Neuviens, labourons l'océan
Avec des cœurs pareils à l'Aigle libre et
    vaillant.
Le temps approche où il nous faudra dire
Si la Confédération a un avenir.*

*Vive Terre-Neuve, l'île dont nous sommes
    les enfants !
Pas un étranger n'aura un pouce de son
    estran ;
La tête vers l'Angleterre, le dos au golfe
    du Saint-Laurent,
Loup canadien, ne fuis pas le sort qui
    t'attend !*

*Ils nous promettent de la mélasse et du
    thé,
Ils veulent éliminer les impôts, nous
    donner
Pour nos cercueils des clous et du bois à
    bon marché,
De l'étoffe pour rapiécer nos vêtements
    usés.*

*Sans l'argent des impôts, comment vont-
    ils financer
Les dépenses élevées de la Marine et de
    l'Armée ?
S'ils se mettent le nez dans nos affaires,
Ils vont nous le faire payer très cher.*

*Ne vendons pas les droits de nos pères,
Nous devons les léguer à nos
    descendants.
Ce n'est pas en échange d'une poignée
    d'argent
Que nous sacrifierons nos terres.*

Cette chanson est populaire à Terre-Neuve et au Labrador chez les adversaires de l'union de la colonie avec le Canada.

Lis attentivement ces couplets et détermine le sens des mots que tu ne connais pas. *Estran*, par exemple, est un mot normand qui désigne la portion du littoral entre les plus hautes et les plus basses mers. Tu peux consulter un dictionnaire ou échanger des idées avec tes camarades.

INTERROGE LES FAITS

1. **Qu'est-ce que les deux dernières lignes du deuxième couplet t'apprennent au sujet de la position des antifédéralistes à l'égard des relations avec la Grande-Bretagne et le Canada ?**

2. **Le troisième couplet utilise l'ironie, c'est-à-dire qu'il dit le contraire de ce qu'il veut laisser entendre. Explique dans tes propres mots le message du troisième couplet.**

3. a) **Au quatrième couplet, qui désigne-t-on par « ils » ?**
   b) **Quel est l'argument contre la Confédération dans ce couplet ?**

4. **Quels sentiments des Terre-Neuviens cette chanson exprime-t-elle ?**

5. **Comment les paroles de cette chanson sont-elles des preuves historiques ?**

6. **Résume en quelques phrases le ton et le message de cette chanson. Qu'est-ce que cette chanson te révèle au sujet de l'identité des Terre-Neuviens ?**

L'EXPANSION VERS L'OUEST

Dix ans avant la Confédération, le Canada-Ouest considère les plaines de l'Ouest comme un territoire à coloniser. Les bonnes terres cultivables de la Province du Canada ont déjà été colonisées. Le gouvernement paie l'expédition de Hind en 1857-1858 pour cartographier les meilleures régions agricoles des Prairies et explorer les tracés possibles des chemins de fer et des routes. En 1858, les Américains affluent par milliers vers les territoires britanniques de la côte ouest, à la recherche de l'or le long de la vallée du Fraser et dans les montagnes. Des agriculteurs et des bûcherons américains s'emparent des terres des Sioux à l'ouest du lac Michigan, au sud de la frontière. Leur avancée vers le nord n'est qu'une question de temps.

Campement de l'expédition de Hind le long de la rivière Rouge. L'expédition est guidée par des Métis. Un photographe officiel en fait partie.

L'Acte de l'Amérique du Nord britannique (AANB) reconnaît que le Canada peut s'étendre « d'un océan à l'autre » et énonce des clauses relatives à l'annexion des terres de l'Ouest à la nouvelle nation. En 1867, la Compagnie de la baie d'Hudson (CBH) domine encore une grande partie de ce territoire. Le gouvernement canadien conclut une entente avec la CBH en 1869 et s'engage à ce qui suit :

- verser aux actionnaires de la CBH trois millions de livres sterling (environ un million et demi de dollars) ;
- accorder à la CBH des milliers d'hectares autour de ses postes de traite ;
- donner à la CBH le vingtième de toutes les terres.

En une seule étape audacieuse, le Canada sextuple sa superficie.

L'adhésion du Manitoba

En 1869, environ 12 000 personnes habitent le long de la vallée de la rivière Rouge sur l'actuel territoire du Manitoba. Ces habitants, pour la plupart des Métis, cultivent la terre, font du commerce et chassent les derniers bisons. Le gouvernement canadien a l'intention de prendre possession des nouveaux territoires le plus vite possible. Macdonald, qui d'habitude ne prend pas de décisions rapides (on le surnomme « Père Demain »), ne perd pas de temps. Sans consulter les Métis, les autres colons ni les Premières nations, il envoie des **arpenteurs** mesurer et délimiter des lots pour les colons. Les Métis, dirigés par le fougueux et charismatique Louis Riel, protestent contre ces mesures. Riel proclame que son peuple est échangé comme du vulgaire bétail. Comme tu vas le lire dans le prochain chapitre, la rébellion de la Rivière Rouge est de courte durée et intense. La Loi du Manitoba est adoptée. Elle comprend un grand nombre des conditions qu'ont demandées Riel et les Métis. En 1870, le Manitoba devient une province officiellement bilingue et obtient le statut de province à part entière. Le Manitoba est représenté par quatre députés à la Chambre des communes et par deux sénateurs.

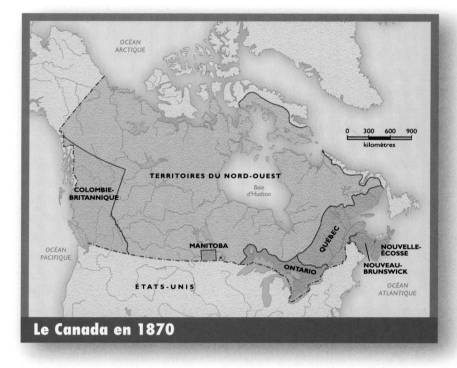

Le Canada en 1870

Où en sommes-nous ?

1. Pourquoi la Terre de Rupert et les territoires de l'Ouest sont-ils si importants pour le Canada ?

2. Qu'est-ce que les mesures du gouvernement canadien au sujet des Premières nations et des Métis révèlent au sujet des mentalités de l'époque envers ces peuples ?

3. Tu es membre des Premières nations de cette époque. Que penses-tu en apprenant que la CBH a reçu de l'argent en échange de la Terre de Rupert ? Prépare un discours que tu prononceras devant Macdonald pour expliquer ton point de vue.

Dans le feu de l'action

Aucune raison de célébrer

À la cession de la Terre de Rupert, on ne fait aucune mention des milliers d'occupants de ce territoire. Nul ne sait ni ne cherche à vérifier le nombre d'Autochtones ou de Métis qui occupent déjà ces terres. Aucune disposition n'est prise pour leur attribuer une part du territoire. On a établi un modèle pour déterminer la façon dont le gouvernement canadien traitera les Autochtones. On présume que les valeurs, les lois et les intérêts des autres Canadiens vont aussi régir l'Ouest. L'indifférence du gouvernement n'est pas surprenante. L'AANB fait référence aux Premières nations dans un seul article, où il est écrit que leur bien-être relève du gouvernement fédéral. On leur refuse le changement que la population de l'Amérique du Nord britannique a voulu pour elle-même dans la première moitié du XIXe siècle, c'est-à-dire un gouvernement responsable. Rien ne donne à penser qu'elles vont obtenir l'égalité, une association ou l'autodétermination. Les Autochtones deviennent les **pupilles** du gouvernement fédéral, c'est-à-dire des personnes confiées à la garde d'un tuteur. Cette décision a de lourdes répercussions sur l'histoire des Premières nations du Canada.

Un agent recenseur visite un village cri en 1881. Le gouvernement canadien ignore à combien s'élève la population autochtone de l'Ouest quand il prend possession de la Terre de Rupert.

L'adhésion de la Colombie-Britannique

Le Canada possède maintenant une frontière avec la Colombie-Britannique. En 1869, la population de la colonie se compose de groupes variés. En raison de la ruée vers l'or des années 1860, les Américains sont plus nombreux que les Canadiens. Le commerce nord–sud entre les États américains et la colonie britannique va de soi. Victoria est plus près de San Francisco que d'Ottawa. Pourquoi adhérer à la Confédération ?

La fin de la période d'expansion est l'une des raisons de l'adhésion de la colonie à la Confédération. Les gens s'en vont. Pendant l'essor de la ruée vers l'or, la construction des routes, par exemple, a entraîné des dépenses et la colonie a fait des emprunts pour les payer. La population, de moins en moins nombreuse, est incapable de rembourser la dette supérieure à un million de dollars. La moitié des recettes de la colonie sert à couvrir les versements d'intérêts seulement. Le gouvernement risque la faillite.

Certains citoyens, en particulier les commerçants, souhaitent que les États-Unis prennent possession de la colonie. Le gouvernement américain ne donne cependant aucun signe d'intérêt. En 1869, une pétition demandant l'**annexion** aux États-Unis circule dans toutes les régions de la Colombie-Britannique. Seulement 140 signatures sont recueillies. La colonie opte pour l'autre grande solution : l'adhésion au Canada.

Court métrage

Un périple

Le 10 mai 1870, les trois délégués envoyés à Ottawa pour négocier l'entrée de la Colombie-Britannique dans la Confédération s'embarquent à Victoria et font voile jusqu'à San Francisco, en Californie. Là, ils prennent un train transcontinental effectuant régulièrement la traversée des États-Unis depuis un an. Après un voyage de presque un mois, les délégués arrivent à Ottawa au début de juin.

Amor De Cosmos («amoureux de l'univers») dirige les forces profédéralistes. Son véritable nom est William Smith, et il est originaire de la Nouvelle-Écosse. Amor De Cosmos a été journaliste en Nouvelle-Écosse, puis photographe en Californie pendant la ruée vers l'or de 1849. Il fonde un journal, le *British Colonist*, et amène d'autres journaux à appuyer l'entrée de la colonie dans le Canada. Ses partisans forment le Parti canadien pour exercer des pressions en faveur de l'union avec le Canada.

Au printemps de 1870, la question de la Confédération aboutit. La motion présentée à l'Assemblée législative reçoit un vote unanime. Une délégation de trois hommes se rend à Ottawa pour négocier les conditions.

Les délégués obtiennent tout ce qu'ils ont demandé, et même davantage. Les conditions sont généreuses. La Colombie-Britannique obtient le statut de province. Les dettes de la colonie seront remboursées. La colonie va recevoir une subvention annuelle et administrer la plupart de ses terres publiques. Les délégués demandent la construction d'un sentier de charrettes à travers les montagnes : on leur promet la construction d'un chemin de fer qui va débuter deux ans plus tard et durer 10 ans. L'opposition à l'union disparaît. Le 20 juillet 1871, la sixième province est officiellement accueillie au sein du Canada.

Amor De Cosmos

En 1872, Moodyville, futur site de Vancouver, est déjà un port d'exportation du bois très fréquenté.

Où en sommes-nous ?

1. Pourquoi le Canada veut-il l'adhésion de la Colombie-Britannique à la Confédération ?

2. Dans un atlas, examine une carte indiquant le relief de l'Amérique du Nord. Pourquoi la Colombie-Britannique veut-elle une liaison terrestre avec le Canada ?

3. Documente-toi sur Amor De Cosmos et explique son influence sur les événements de son époque.

Hannah Maynard
UN TÉMOIGNAGE PHOTOGRAPHIQUE

Victoria n'est qu'un hameau isolé à l'arrivée d'Hannah Maynard en 1862. Les 37 bâtiments en briques de ce port de l'île de Vancouver font la fierté de sa population. Hannah écrit cependant que Victoria est une ville « de tentes, de caniveaux et de marécages, peuplée surtout de prospecteurs ». Les prospecteurs cherchent de l'or, car on en a découvert dans la rivière Cariboo. L'or a attiré les Maynard — Hannah, son mari Richard et leurs enfants — vers la colonie.

Richard est cordonnier. Il a déjà effectué un voyage de prospection qui s'est révélé une réussite. Hannah et les enfants sont restés à Belleville, dans le Canada-Ouest. C'est là qu'Hannah et Richard se sont établis après avoir émigré de l'Angleterre. En l'absence de Richard, Hannah s'occupe du magasin de chaussures ; elle réussit à convaincre le propriétaire du studio de photographie de Belleville de lui enseigner son art.

Hannah est une élève assidue et douée. Au retour de Richard, le couple décide de vendre le magasin de chaussures et de s'installer à Victoria. Richard retourne prospecter les gisements aurifères et Hannah ouvre un studio de photographie en périphérie de Victoria.

En 1863, Richard est de retour de son voyage de prospection. Un an plus tard, les Maynard déménagent le commerce dans un immeuble plus grand et ouvrent un magasin de chaussures et un studio de photographie. Richard commence à s'intéresser à la photographie. Hannah lui montre le maniement d'un appareil photo. Peu après, le couple ferme le magasin de chaussures pour se consacrer exclusivement à la photographie. Pendant 50 ans, le studio des Maynard fait partie du paysage urbain de Victoria. Hannah s'occupe surtout de la photographie. Richard parcourt la Colombie-Britannique et des contrées plus éloignées pour photographier des scènes extérieures.

Dans son studio, Hannah se spécialise dans les portraits et expérimente de nouvelles techniques dont la miniature, espèce de collage photographique populaire à l'époque. Souvent montées sur des bagues, des épingles ou des broches, les miniatures combinent plusieurs visages. La plupart des miniatures comptent trois ou quatre visages, mais Hannah perfectionne la technique. Ses miniatures comportent des centaines de visages de tous les enfants qu'elle a photographiés en une année.

Hannah expérimente la photosculpture, qui consiste à retoucher des images pour donner aux sujets l'aspect de statues. Elle produit aussi des photos humoristiques en se servant souvent de ses enfants et d'elle-même comme sujets.

Richard meurt en 1907 et Hannah poursuit l'exploitation de son studio jusqu'à sa retraite en 1912. Un grand nombre des photographies d'Hannah Maynard se trouvent aujourd'hui aux Archives de la Colombie-Britannique. Ces photos sont des documents impérissables des débuts de la province canadienne du Pacifique.

Autres personnages à découvrir

J.W. Bengough

Ernest Brown

Humphrey Lloyd Hime

Hannah Maynard

William Notman

L'ÎLE-DU-PRINCE-ÉDOUARD
RECONSIDÈRE SA DÉCISION

La population de l'Île-du-Prince-Édouard rejette six propositions de se joindre aux autres colonies entre 1858 et 1864. Après 1867, rien ne semble vouloir mettre fin à son isolement. Les insulaires ont tout ce qu'ils désirent. La réciprocité avec les États-Unis signifie la prospérité économique pour les agriculteurs et les commerçants. Le gouvernement responsable a vu le jour en 1854. Pourquoi adhérer au Canada? L'argent des impôts de la colonie risque de servir à la colonisation de l'Ouest. Vu l'éloignement de l'Île-du-Prince-Édouard, la colonisation de l'Ouest ne présente aucun avantage pour les insulaires. Les conditions financières offertes ne sont pas attrayantes. De plus, l'offre de cinq sièges à la nouvelle Chambre des communes est accueillie comme une insulte.

La prospérité est un gage de satisfaction et la pauvreté amène le changement. Même si les Américains ont mis fin au Traité de réciprocité en 1866, les agriculteurs et les pêcheurs de l'Île-du-Prince-Édouard expédient leurs produits aux **marchés** américains. On négocie même une union économique entre l'île et les États-Unis. Les pourparlers cessent quand la nouvelle se répand en Grande-Bretagne. Face à la désapprobation de la Couronne et à la crise économique persistante des années 1870, la Confédération présente un attrait de plus en plus grand.

De plus, le problème des propriétés foncières n'est toujours pas réglé. En 1767, l'île entière a été divisée en 67 localités. Les lots ont été attribués à des amis du gouvernement britannique, qui vivent à l'étranger. On espérait que ces gens attirent des colons, mais il n'en est rien. Les **propriétaires fonciers non résidents** confient à des mandataires la perception des loyers des fermiers. Ils ne visitent jamais leur propriété. Qui va racheter les terres des propriétaires fonciers non résidents? La Grande-Bretagne n'en a pas l'intention, car de nombreux propriétaires ont des relations politiques. La colonie n'a pas d'argent pour payer les terres. Le gouvernement canadien acceptera peut-être de verser les fonds nécessaires.

Le coût du chemin de fer de l'Île-du-Prince-Édouard incite finalement les insulaires à devenir Canadiens. La fièvre ferroviaire s'est propagée jusqu'au rivage de l'île pendant les années 1870. En avril 1871, le gouvernement approuve la construction d'un chemin de fer d'une extrémité à l'autre de l'île. Coût prévu du projet: 4000 $ par section de 1,6 km de voie ferrée. À l'été de 1872, les coûts estimatifs atteignent 15 000 $ par section de 1,6 km. La dette de l'île passe de 250 000 $ en 1863 à quatre millions de dollars 10 ans plus tard.

Court métrage

Le scrutin secret

La Colombie-Britannique est l'instigatrice du scrutin secret au Canada. Avec l'appui d'Amor De Cosmos, élu premier ministre de la province, l'Assemblée législative sanctionne ce projet le 10 février 1873. Un an plus tard, l'Ontario et le gouvernement du Dominion imitent son geste. Peu après, les autres provinces, dont l'Île-du-Prince-Édouard, leur emboîtent le pas. Le scrutin secret n'est cependant pas populaire dans la plus petite des provinces du Canada. En 1879, l'île abolit le scrutin secret. Cette pratique n'est réintroduite qu'en 1913.

Une campagne électorale à Charlottetown à la fin du XIXᵉ siècle. Selon toi, qui sont les gens rassemblés sur la plate-forme ? Qu'est-ce que cette illustration t'apprend au sujet de l'intérêt de la population pour les événements politiques à cette époque ?

Que va faire le gouvernement ? Les banques étrangères ne veulent pas financer une entreprise aussi risquée. Le gouvernement de la colonie risque la faillite et une hausse des impôts pour rembourser la dette peut détruire l'économie. Le Canada offre une solution. Une délégation de l'île se rend à Ottawa au début de 1873 pour négocier les conditions de l'adhésion de l'île à la Confédération.

La population obtient des conditions très intéressantes. Le gouvernement canadien accepte :
- d'acheter les terres des propriétaires fonciers non résidents en fournissant une subvention de 800 000 $;
- de rembourser les dettes de la colonie et les dettes associées à la construction du chemin de fer ;
- de financer un service de traversier et un câble télégraphique vers le continent ;
- d'accorder des subventions annuelles.

Le 1ᵉʳ juillet 1873, le septième anniversaire de la Confédération est célébré en grande pompe. L'Île-du-Prince-Édouard devient la septième province du Dominion, et la plus petite.

Où en sommes-nous ?

1 Quelles sont les raisons du changement d'attitude de l'Île-du-Prince-Édouard au sujet de son adhésion à la Confédération ?

2 Imagine que tu es rédactrice ou rédacteur en chef d'un journal de l'Île-du-Prince-Édouard à cette époque. Rédige un éditorial donnant les avantages et les inconvénients de la Confédération.

DES TERRITOIRES DEVENUS PROVINCES

La Politique nationale

En 1873, le territoire du Canada tel que nous le connaissons aujourd'hui est en place, à l'exception de Terre-Neuve et du Labrador.

Sir John A. Macdonald est premier ministre de la nouvelle nation durant ses sept premières années d'existence. En 1873, l'économie mondiale ralentit. Au Canada, des entreprises et des banques font faillite, les agriculteurs ne réussissent pas à obtenir de bons prix pour leurs récoltes et des milliers de gens perdent leur emploi. Macdonald doit donner sa démission à cause d'un scandale dont il est question au chapitre 6. Durant cinq ans, le ralentissement de l'économie maintient le statu quo au Canada.

En 1878, Macdonald est réélu grâce à la **Politique nationale**. Cette politique comporte trois volets :
- la protection des industries canadiennes ;
- la colonisation de l'Ouest ;
- l'achèvement du chemin de fer vers l'Ouest.

Des tarifs douaniers sont imposés sur les marchandises importées faisant concurrence aux produits fabriqués au Canada. Les produits de fabrication canadienne peuvent ainsi se vendre au même prix ou à un prix inférieur à celui des produits américains et britanniques. La plupart des industries se trouvent en Ontario et au Québec, et les tarifs douaniers favorisent cette partie du pays. Les colons qui s'établissent dans les plaines de l'Ouest sont appelés à acheter la machinerie agricole et les autres produits des nouvelles industries. Le chemin de fer va relier les producteurs au marché de l'Ouest.

La Politique nationale se poursuit pendant plusieurs décennies. Pour les agriculteurs de l'Ouest, cette politique semble protéger les riches industriels de l'Est, qui préféreraient acheter les produits américains, qui sont moins chers. Cette politique finit par engendrer de l'amertume dans l'Ouest.

Où en sommes-nous ?

1 Nous sommes en 1890 et tu cultives la terre dans l'Ouest. Écris une lettre à Macdonald pour lui expliquer ta position au sujet de la Politique nationale.

2 Pourquoi le chemin de fer fait-il partie de la Politique nationale ?

3 Selon toi, pourquoi Macdonald insiste-t-il pour que le chemin de fer traverse le territoire canadien, même si sa construction coûte plus cher que celle d'un chemin de fer vers les États-Unis ?

John A. Macdonald

UN PÈRE AIMANT

Quand, en 1868, Agnes Macdonald annonce à son mari qu'elle attend un enfant, Macdonald est ravi. John A. Macdonald, 53 ans, va de nouveau connaître la paternité.

La naissance de sa fille, au début de 1869, le comble de bonheur. L'accouchement est difficile, mais Agnes et le bébé survivent. Les heureux parents appellent leur fille Mary. À mesure que les mois passent, leur joie est assombrie par une inquiétude grandissante. Mary a l'air en santé, mais elle ne réagit pas comme les autres bébés. Pourquoi sa tête est-elle si grosse ? Pourquoi Mary pleure-t-elle autant ? Pourquoi Mary est-elle aussi tranquille quand elle ne pleure pas ?

Les médecins sont inquiets, eux aussi. Ils établissent enfin un diagnostic. La tête excessivement grosse de Mary est due à une accumulation d'eau autour de son cerveau. Cette affection, appelée hydrocéphalie, va ralentir son développement physique et mental. La lésion a probablement été causée pendant sa naissance difficile.

Les Macdonald sont anéantis. Cette nouvelle est particulièrement difficile à entendre pour Macdonald, car sa vie a déjà été marquée par une tragédie. Après de longues souffrances, sa première femme, Isabella, est morte en 1857. Sa mort est survenue presque 10 ans après celle de leur premier enfant, un fils prénommé John Alexander, comme son père.

Le couple a eu un deuxième fils, Hugh John, mais le souvenir du petit John A. reste très présent dans le cœur de Macdonald. Pendant des années, il conserve un coffre contenant des jouets du petit John A. : un hochet brisé, une voiturette et des animaux en bois. Macdonald ne peut s'en séparer.

Le diagnostic semble d'abord catastrophique, mais les Macdonald se font une raison. Mary ne peut marcher seule et se sert habituellement d'un fauteuil roulant. Ses parents apprennent à se réjouir de ses prouesses, et Mary s'épanouit dans un climat d'amour. À mesure que l'enfant grandit, ses parents s'efforcent de lui faire mener une vie la plus normale possible. Chaque année, par exemple, ils invitent d'autres enfants à venir célébrer son anniversaire. Macdonald fait construire un balcon au-dessus de la salle à manger de leur maison à Ottawa pour que Baboo — c'est le surnom qu'il donne à Mary — observe les jeux des autres enfants.

Mary adore les comptines et les historiettes. Souvent, après une journée mouvementée au Parlement, son père lui fait la lecture. Macdonald n'aime pas décevoir Mary.

Autres personnages à découvrir

Amor De Cosmos

Frederick Haultain

John A. Macdonald

James C. Pope

Joseph Smallwood

De nouvelles provinces dans les Prairies

En 1871, l'Ouest, à l'extérieur des provinces du Manitoba et de la Colombie-Britannique, est connu sous le nom de Territoires du Nord-Ouest. Les colons n'y sont pas nombreux à cause du ralentissement économique et de l'absence de chemin de fer. En 1885, environ 75 % des habitants sont des Métis et des Autochtones.

Le gouvernement se compose d'un lieutenant-gouverneur et du conseil qu'il a nommé. La population n'a pas de représentation. La population réclame des terres à coloniser et le droit de prendre part aux décisions, mais Macdonald et le gouvernement fédéral restent muets. En 1885, comme tu l'apprendras dans le chapitre 7, les Métis et des Autochtones se rebellent pour protester contre l'indifférence du gouvernement.

Après la rébellion de 1885, les Territoires du Nord-Ouest se voient attribuer 4 des 215 sièges à la Chambre des communes. En 1888, le gouvernement fédéral accorde à la population une Assemblée élue. Après 1897, une immigration massive commence. Le gouvernement fédéral, sous la direction du premier ministre Wilfrid Laurier, accorde à l'Assemblée un gouvernement responsable. La population de l'Ouest canadien augmente à un rythme étonnant pendant 15 ans. La population du Manitoba va plus que tripler, passant de 152 000 à 554 000 habitants entre 1891 et 1914. La population des territoires actuels de l'Alberta et de la Saskatchewan passe de moins de 100 000 habitants à plus d'un million de personnes. Le temps est venu de conclure une nouvelle entente.

Des chefs cris à Regina après la rébellion de 1885. Le lieutenant-gouverneur Dewdney apparaît à gauche des chefs. Qu'est-ce que cette photo t'apprend au sujet de la position des Autochtones à cette époque ?

En 1904, Winnipeg est déjà un centre important doté de bâtiments imposants et de tramways.

En 1904, le chef du gouvernement des Territoires du Nord-Ouest est un avocat qui a quitté l'Ontario en 1884 pour s'établir dans l'Ouest. Frederick Haultain est élu à l'Assemblée législative en 1888 et exerce des pressions en faveur d'un gouvernement responsable. Haultain veut que les chefs politiques d'Ottawa réunissent ces territoires en une seule grande province. Le premier ministre Wilfrid Laurier refuse, de crainte que cette province ne devienne trop puissante. À l'élection fédérale de 1904, les deux partis nationaux promettent la création de deux provinces, la Saskatchewan et l'Alberta. Ces provinces vont s'étendre du 49e au 60e parallèle. Les deux provinces sont créées le 4 septembre 1905. Comme le Manitoba, la Saskatchewan et l'Alberta bénéficient de tous les droits provinciaux, sauf l'administration de leurs richesses naturelles. Le gouvernement fédéral remet ce pouvoir aux trois provinces des Prairies en 1930.

Frederick Haultain

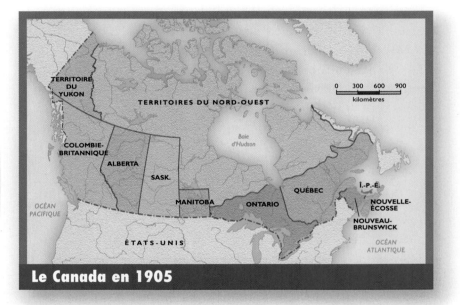

Le Canada en 1905

Où en sommes-nous ?

1 Selon toi, Haultain a-t-il raison de tenter de créer une seule province dans les Prairies ? En quoi le Canada serait-il différent aujourd'hui si son projet avait réussi ?

2 Pourquoi Laurier s'oppose-t-il à cette idée ?

Maud Montgomery

ESPOIRS PERDUS, RÊVES RÉALISÉS

Maud Montgomery, 16 ans, est folle de joie. Elle est écrivaine ! Un poème de sa composition, intitulé *On Cape Leforce*, a été publié dans le *Charlottetown Patriot*. Son ambition secrète de devenir écrivaine n'est peut-être pas insensée.

Maud est surtout heureuse de la fierté de son père. La seule ombre à son bonheur est sa belle-mère, Mary. La nouvelle épouse de son père prend ombrage des marques d'attention que celui-ci porte à Maud. La publication de son poème rend Mary encore plus jalouse.

Le problème vient de ce que Mary n'a pas voulu cette enfant ; elle désirait avoir une servante. Maud se voit obligée d'accomplir la plupart des tâches domestiques et de prendre soin de sa jeune demi-sœur et de son demi-frère, encore au berceau. Son fardeau est si lourd qu'elle s'absente de l'école pendant deux mois. De plus, Mary entre souvent dans la chambre de Maud pour lire ses lettres. C'est ce qui affecte le plus la jeune fille. Mary interdit à Maud de relever ses cheveux, comme c'est la mode. Elle se fâche quand son mari appelle affectueusement sa fille Maudie. Mary insiste pour que personne n'appelle Maud par son autre prénom, Lucy.

Malgré l'affection qu'elle porte à son père, Maud regrette son départ de l'Île-du-Prince-Édouard pour venir vivre à Prince Albert, dans le district de la Saskatchewan, avec son père et Mary.

Depuis son arrivée, Maud s'est fait des amies, mais elle est loin d'être heureuse à la maison. Ses grands-parents lui manquent parfois, malgré leur sévérité. Après la mort de la mère de Maud, atteinte de tuberculose, ils ont pris soin de Maud pendant sa tendre enfance et l'ont gardée quand son père est allé tenter sa chance dans l'Ouest.

Maud a voulu de tout son cœur aller vivre chez son père. Son souhait s'est réalisé, mais sa vie est bien différente de ce qu'elle avait espéré.

Ses rêves s'évanouissent. Maud commence à regretter l'Île-du-Prince-Édouard, sa maison, ses amis et la famille qu'elle a quittés en 1890. Un an à peine après son arrivée à Prince Albert, Maud saute dans un train pour un long voyage qui la ramène dans sa chère île.

L'espoir de Maud de trouver le bonheur dans le nouveau foyer de son père s'est évanoui, mais elle réalise son rêve d'être écrivaine. Lucy Maud Montgomery devient l'auteure de livres très populaires. Le plus célèbre de ses romans est *Anne of Green Gables* (*Anne... la Maison aux pignons verts*). L.M. Montgomery a écrit 24 autres livres pour le bonheur de millions de lecteurs.

Autres personnages à découvrir

Félicité Angers

H.R. Casgrain

Pauline Johnson

Lucy Maud Montgomery

Charles G.D. Roberts

TERRE-NEUVE ET LE LABRADOR ADHÈRENT ENFIN AU CANADA

Terre-Neuve et le Labrador sont demeurés une colonie britannique. Au cours des années 1920, les habitants vivant de la pêche ont une existence difficile. La colonie est tellement endettée qu'en 1934 la Grande-Bretagne prend le gouvernement en charge. La nouvelle Commission du gouvernement est présidée par un gouverneur britannique et compte six commissaires, dont trois sont originaires de Terre-Neuve.

La Seconde Guerre mondiale amène la prospérité, car Terre-Neuve sert de base militaire et navale aux bateaux américains et canadiens qui traversent l'Atlantique. À la fin de la guerre, en 1945, la population de Terre-Neuve et du Labrador doit prendre une décision. Trois options concernant le futur gouvernement feront l'objet d'un référendum. Ces options sont les suivantes :

- maintenir la Commission du gouvernement ;
- rétablir le régime de gouvernement existant avant 1934 en tant que colonie britannique autodéterminée ;
- adhérer au Canada.

Le gouvernement britannique s'oppose au maintien de la Commission du gouvernement, car il refuse d'assumer les dépenses. La Grande-Bretagne et le Canada sont en faveur de l'adhésion de Terre-Neuve et du Labrador à la Confédération canadienne. Le résultat du premier référendum est tellement indécis que l'on effectue un deuxième tour de scrutin. Cette fois-ci, il n'y a que deux options : adhérer au Canada ou redevenir une colonie indépendante.

Les forces profédéralistes sont dirigées par Joseph Smallwood, surnommé Joey. Smallwood est journaliste et vedette de la radio. Il se sert de son talent pour convaincre les électeurs des avantages de l'union avec le Canada. Les gens auraient des allocations familiales et ils ont la promesse qu'ils recevront des subventions pour améliorer leur niveau de vie. Le Canada s'engage à construire des routes et à améliorer la voirie, les ports et le réseau ferroviaire. Ces améliorations créeraient beaucoup d'emplois pour les Terre-Neuviens.

Le partage des voix au deuxième référendum est très serré : 52,3 % des électeurs ont voté en faveur de l'union avec le Canada, et 47,7 % ont voté pour l'indépendance. Le 31 mars 1949, Terre-Neuve devient la dixième province du Canada.

Lien Internet

www.dlc.mcgrawhill.ca

Consulte le site Web ci-dessus pour entendre quelques-unes des voix dans les débats sur la Confédération à Terre-Neuve et au Labrador. Clique sur *Matériel complémentaire/Primaire et secondaire*, puis sur *Le Canada : L'édification d'une nation*, où l'on te donnera la suite des indications.

Le Terre-Neuvien Joseph Smallwood ratifie l'entente de la Confédération en 1949.

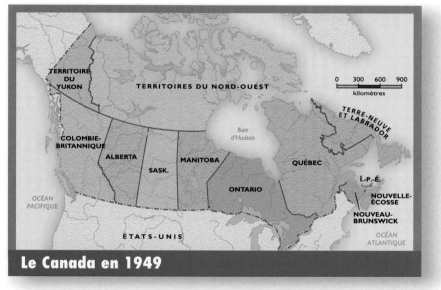

Le Canada en 1949

Où en sommes-nous ?

1 Selon toi, une majorité de 52,3 % des votes est-elle suffisante pour déterminer l'adhésion de Terre-Neuve et du Labrador à la Confédération ?

2 Fais des recherches pour déterminer comment Smallwood réussit à convaincre les électeurs d'appuyer la Confédération. Utilise tes connaissances pour commenter l'énoncé suivant : « Joey Smallwood représente un artisan de l'histoire. »

3 Pourquoi le Canada veut-il que Terre-Neuve adhère à la Confédération ? *Indice :* Réfléchis au rôle de Terre-Neuve pendant la Seconde Guerre mondiale.

La création du Canada entre 1867 et 1949 est une réalisation remarquable et, à certains égards, aussi admirable que la Confédération proprement dite. Il a fallu de la sagesse, une intuition profonde et des arguments convaincants pour surmonter la résistance et le scepticisme des Néo-Écossais. L'adhésion du Manitoba à la Confédération a lieu sans consultation populaire, d'où la résistance des occupants du territoire. La Colombie-Britannique et l'Île-du-Prince-Édouard deviennent membres de la nouvelle nation d'une manière pacifique, avec peu d'opposition. Pendant que les Prairies se peuplent de nouveaux colons, la Saskatchewan et l'Alberta se joignent à la fédération. Seule Terre-Neuve se tient à l'écart jusqu'en 1949. Une victoire acquise de justesse par les forces profédéralistes à un référendum mène à son adhésion au Canada.

Sir John A. Macdonald dirige la nouvelle nation au début de son histoire. Ses réalisations et ses erreurs font partie intégrante de l'identité canadienne.

VÉRIFIE TES CONNAISSANCES

1 Qu'est-ce qui prouve que la population de la Nouvelle-Écosse en 1868 veut :
a) se séparer du Canada ?
b) obtenir de meilleures conditions pour rester dans la Confédération ?

2 Explique pourquoi la population de Terre-Neuve et du Labrador rejette la Confédération en 1869. Donne une réponse détaillée. Tiens compte du fait que, mis à part la population de l'Île-du-Prince-Édouard, la population de Terre-Neuve et du Labrador a été le seul groupe à refuser l'union avec le Canada.

3 Imagine que tu vis en Colombie-Britannique. Quels facteurs vas-tu considérer dans la décision d'adhérer au Canada ou aux États-Unis ?

4 Fais un tableau comparant les raisons de la Colombie-Britannique et de l'Île-du-Prince-Édouard de se joindre à la Confédération. Y a-t-il plus de similitudes ou de différences ?

5 Du point de vue du centre du Canada, quelle nouvelle province est particulièrement importante pour l'avenir du pays ? Pourquoi ?

6 Parmi les trois nouvelles provinces, laquelle a obtenu les meilleures conditions ? Fournis des preuves à l'appui de ta réponse.

APPLIQUE TES CONNAISSANCES

1. Mets-toi à la place de John A. Macdonald. Que vas-tu dire à Joseph Howe pour le convaincre de maintenir la Nouvelle-Écosse dans la Confédération ?

2. Fais des recherches sur les événements survenus à Terre-Neuve et au Labrador entre leur rejet de la Confédération en 1869 et leur acceptation de la Confédération en 1949.

3. En équipe, nomme des événements importants qui ont eu une incidence majeure sur l'identité de notre pays pendant la période étudiée dans ce chapitre.

4. Rédige et prononce un discours crédible dans le style d'Amor De Cosmos.

5. Conçois un slogan ou un logo pour les factions profédéralistes et antifédéralistes en Nouvelle-Écosse, à Terre-Neuve ou en Colombie-Britannique.

UTILISE LES MOTS CLÉS

Déchiffre les mots de la colonne A, puis associe-les aux définitions appropriées de la colonne B :

Colonne A

1 ropiétreprai crenoif nno sidtenré
2 noiaxenn
3 sertinim ud ibaCtne
4 denéiitt
5 hmeaua soilé
6 queopliit tionanale
7 enpraeutr
8 Ilppuie
9 dmuéréfner

Colonne B

A) scrutin portant sur une seule question politique

B) prendre possession d'un territoire

C) personne confiée à la garde d'un tuteur

D) problème financier de l'Île-du-Prince-Édouard avant la Confédération

E) village côtier isolé de Terre-Neuve

F) représentant officiel du responsable d'un ministère

G) programme de hausse des tarifs douaniers, de construction du chemin de fer transcontinental et d'augmentation de l'immigration

H) caractère qui fait que l'on est distinct ou unique

I) métier consistant à mesurer des terrains pour établir leur superficie, leur configuration et leurs limites

Vers la Confédération

RÉFLÉCHIS

ET FAIS DES LIENS

MONTRE TA COMPRÉHENSION DES CONCEPTS

1. Parmi les enjeux divisant le Canada-Est et le Canada-Ouest entre 1850 et 1867, lesquels sont encore d'actualité au Canada? dans d'autres régions du monde? Fais un remue-méninges avec tes camarades pour trouver des solutions à ces problèmes.

2. Imagine-toi dans le rôle d'*un* des chefs politiques des années 1850 et 1860 dans la Province du Canada. Rédige un discours décrivant la position de ton parti au sujet des principaux enjeux de l'heure et la vision de l'avenir de ton parti. Ces discours peuvent ensuite être prononcés, dans des costumes d'époque, devant la classe.

3. Explique ce qu'est un régime fédéral et pourquoi les Pères de la Confédération ont voulu donner un régime fédéral à la nouvelle nation.

4. Des photographies sont des exemples de sources primaires. Dans ce module, choisis *une* photographie qui t'intéresse et note les informations historiques qu'elle contient.

DÉVELOPPE TES HABILETÉS DE RECHERCHE

1. Choisis *un* des Pères de la Confédération et dresse une liste de questions qui pourraient expliquer pourquoi il a travaillé en faveur de la Confédération. Puis fais des recherches pour déterminer à combien de questions tu peux répondre.

2. Selon toi, avec le recul de plus de 125 ans, les provinces Maritimes ont-elles bien fait d'adhérer à la Confédération? Explique ta réponse.

3. Le Canada a conservé beaucoup d'institutions et de coutumes britanniques dans son gouvernement. Avec une ou un camarade, trouve le plus grand nombre possible de coutumes et d'institutions britanniques. Fais ensuite un résumé d'un paragraphe expliquant pourquoi, selon toi, le Canada a conservé ces coutumes et ces institutions.

4. Dresse une liste des sources d'aide financière promises pour convaincre chaque colonie d'adhérer à la Confédération.
   a) Selon toi, pourquoi les chefs politiques acceptent-ils d'effectuer ces dépenses pour la Confédération?

b) Aujourd'hui, quelles sont les attentes des Canadiens à l'égard des dépenses du gouvernement fédéral ?

c) Selon toi, les colonies ont-elles pris une bonne décision en adhérant à la Confédération ?

PARTAGE TES CONNAISSANCES

1 Avec trois camarades, produis les deux pages intérieures d'un bulletin d'information de l'époque qui a précédé la Confédération. Écris un article sur *un* des événements abordés dans ce module. Rappelle-toi que ton éditorial doit exprimer une opinion sur cet événement.

2 Choisis *un* des chefs politiques dont il est question dans le module et écris-lui une lettre pour lui expliquer ce que tu penses de lui, de ses actes et de ses politiques.

3 Imagine que tu es *un* des Pères de la Confédération. Tu expliques le nouveau régime fédéral aux électeurs. Rédige un discours démontrant la nécessité d'un gouvernement central fort.

4 Indique sur une carte l'entrée des diverses régions dans la Confédération.

APPLIQUE LES CONCEPTS ET TES HABILETÉS

1 Avec une ou un camarade, trouve des solutions créatives pour résoudre l'impasse politique des années 1850.

2 Prends les journaux d'une semaine et découpe des articles sur des questions se rapportant aux décisions indiquées dans ce module. Explique leurs liens au reste de la classe.

CRÉE UN RÉSEAU CONCEPTUEL

Pour chaque catégorie figurant dans le réseau conceptuel ci-dessous, indique des énoncés montrant le rôle joué par ce sujet dans l'histoire de la Confédération.

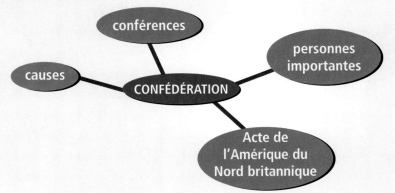

OUNGRE

1812   1871   1885

MODULE **2**

L'Ouest

PANORAMA

Voici quelques-unes des facettes de l'histoire présentées dans ce module :

- la colonisation des Prairies canadiennes en répondant aux questions qui, quoi, quand, où, pourquoi et la façon dont les Prairies sont colonisées ;
- la vie quotidienne des Premières nations, des Européens et des Métis ;
- les conflits et les changements touchant les Autochtones des Prairies, les Métis et le gouvernement canadien en 1870 et en 1885 ;
- les débuts de la Police montée du Nord-Ouest ;
- la construction d'un grand chemin de fer à travers le Canada ;
- la contribution de nombreux groupes culturels différents au développement de l'ouest du Canada ;
- deux ruées vers l'or et les récits qui s'y rapportent ;
- la façon dont les Prairies deviennent le grenier du monde.

1900

La colonisation de la Rivière Rouge

1670	1783	1811	1815-1817	1821	1826
Fondation de la Compagnie de la baie d'Hudson	Création de la Compagnie du Nord-Ouest	Les premiers colons de Selkirk arrivent à la rivière Rouge.	Un conflit éclate entre les commerçants de fourrures et les colons.	Fusion de la Compagnie de la baie d'Hudson et de la Compagnie du Nord-Ouest	Les inondations de la rivière Rouge détruisent la colonie.

ZOOM SUR LE CHAPITRE

Nous sommes en 1840. Comme chaque été, les personnes représentées dans cette peinture partent à la chasse au bison avec leurs chiens, leurs chevaux, leurs bœufs et les charrettes de la Rivière Rouge. Ce sont des chasseurs, des agriculteurs et des commerçants métis de la Rivière Rouge. Pendant deux mois, ils recueillent les peaux, la graisse et d'énormes provisions de viande de bison pour faire du pemmican.

Ces Métis voyagent sous l'immense ciel des Prairies et se sentent en terrain familier dans les herbages et les pâturages des plaines de l'Ouest. Quelques années à peine après la réalisation de ce tableau, nombre de Métis repartent, cette fois pour échapper aux changements rapides en train de survenir. Entre-temps, transporte-toi dans l'illustration. Vas-tu faire le voyage en charrette ? C'est un véhicule très bruyant et inconfortable, sans l'ombre d'un doute. Il va bientôt falloir retirer les mâts de tente des charrettes et installer un campement pour la nuit. Bonne route !

SCÉNARIO DU CHAPITRE

Dans ce chapitre, tu étudieras les sujets suivants :
- **les rivalités associées au commerce des fourrures entre la Compagnie du Nord-Ouest et la Compagnie de la baie d'Hudson ;**
- **les raisons de la venue des Européens dans la région de la Rivière Rouge au début du XIXe siècle ;**
- **quelques-uns des problèmes que les rivalités associées au commerce des fourrures causent aux premiers colons écossais ;**
- **la vie quotidienne des colons et des autres peuples de la région de la Rivière Rouge ;**
- **les luttes des Métis et des autres peuples de l'Ouest pour affirmer leurs droits quand leur collectivité devient une province canadienne, le Manitoba.**

MOTS CLÉS

amnistie
fusion
gouvernement
 provisoire
intermédiaire
métayer
pemmican
résolution
squatters

1861	**1867**	**1868**	**1869**	**1870**
Arrivée des colons des deux Canadas à la rivière Rouge	Confédération des Canadas, de la Nouvelle-Écosse et du Nouveau-Brunswick	Le Canada envoie des arpenteurs.	Le Canada établit un gouvernement provisoire dans la région de la Rivière Rouge.	• Scott est exécuté. • Le Manitoba adhère à la Confédération. • Riel quitte la région de la Rivière Rouge.

LE COMMERCE DES FOURRURES

En 1763, les plaines de l'Ouest sont en évolution rapide. La chute de la Nouvelle-France transforme la traite des fourrures. Des commerçants et des voyageurs parcourent en canot des milliers de kilomètres dans les territoires du nord et de l'ouest du Canada, à la recherche de fourrures à échanger contre des articles de traite. En peu de temps, deux grandes compagnies rivalisent pour faire le commerce des fourrures de l'Ouest.

La Compagnie de la baie d'Hudson (CBH) a la permission d'échanger la totalité des terres arrosées par les cours d'eau se jetant dans la baie d'Hudson. Son but est de s'enrichir en échangeant des marchandises d'origine européenne telles que des gamelles, des haches, des couvertures et du tabac contre des fourrures destinées à être vendues en Europe. Des **intermédiaires** cris traitent avec d'autres peuples autochtones pour obtenir des fourrures en vue de les échanger contre des articles de traite. Ils apportent ensuite les fourrures aux postes de traite de la CBH.

En 1773, les travailleurs de la Compagnie de la baie d'Hudson observent une chute énorme de la quantité de fourrures échangées à leurs postes de traite sur les rives de la baie d'Hudson. Des commerçants de Montréal entrent en contact avant eux avec les fournisseurs autochtones. La CBH envoie des commerçants et des explorateurs dans le Nord-Ouest pour construire des postes de traite. En 1780, la compagnie déclare une guerre commerciale sans pitié aux commerçants écossais de Montréal.

Des Montréalais se sont réunis en 1783 pour fonder la Compagnie du Nord-Ouest (CN-O). Ils empruntent les routes des fourrures des Premières nations entre Montréal et l'Ouest. Au printemps, de grands canots chargés d'articles de traite partent de Montréal. Des pagayeurs se rendent à Fort William, à l'extrémité du lac Supérieur, pour rencontrer les voyageurs en provenance des postes de traite de l'Ouest. De là, les articles de traite sont expédiés aux postes de l'Ouest. Les pagayeurs reviennent à Montréal chargés de ballots de fourrures. Des hivernants passent l'année entière dans l'Ouest, où ils continuent de commercer avec leurs alliés autochtones.

Dans les années 1780, des commerçants et des hivernants se hâtent de trouver de nouvelles sources de fourrures et de bénéfices, de construire des postes de traite et de supplanter leurs rivaux. Les rivalités entre les travailleurs de la CBH et ceux de la CN-O provoquent souvent des actes de violence.

Court métrage

La restauration rapide en 1780

Au XIXᵉ siècle, la traite des fourrures repose sur le pemmican. Ce terme est tiré de deux mots cris signifiant «gras fabriqué». Les femmes coupent le bison fraîchement tué en minces tranches et suspendent la viande à des séchoirs. Puis, elles réduisent la viande en poudre et la mélangent avec du gras fondu dans un sac en peau de bison. Pour obtenir un arôme particulier, elles ajoutent des baies séchées. Le pemmican se conserve pendant des années. Un kilo de pemmican représente de 4 à 8 kg de viande fraîche. Le pemmican est le principal aliment des voyageurs et des travailleurs des postes de traite.

Lien Internet

www.dlcmcgrawhill.ca

Consulte le site Web ci-dessus pour te renseigner sur la traite des fourrures et la Compagnie de la baie d'Hudson. Clique sur *Matériel complémentaire/Primaire et secondaire*, puis sur *Le Canada: L'édification d'une nation*, où l'on te donnera la suite des indications.

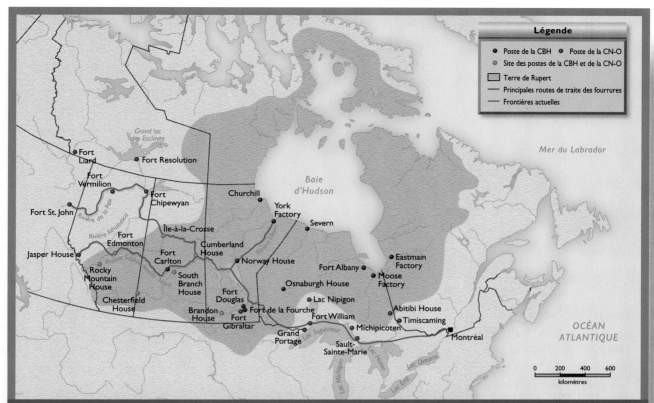

Principaux postes et routes de traite des fourrures au début des années 1800

1 Estime la distance que les commerçants de fourrures ont parcourue entre Montréal et Fort William.

2 Les voyageurs effectuent ce trajet en six semaines ou moins. Estime la distance qu'ils parcourent chaque jour.

3 Compare cette carte à une carte indiquant les villes du Canada d'aujourd'hui. Quelles villes de l'Ouest ont été à l'origine des postes de traite des fourrures ?

Musée des beaux-arts du Canada, Ottawa. Rindisbacher, Peter, 1806-1834, Canadien. Deux représentants des compagnies en canot d'écorce de bouleau manœuvré par des Canadiens, vers 1823. Peinture achetée en 1978 grâce à une subvention du gouvernement du Canada en vertu de la Loi sur l'exportation et l'importation de biens culturels.

Cette peinture montre le canot du nord, le plus petit canot servant au transport des fourrures sur les cours d'eau du nord jusqu'à l'extrémité du lac Supérieur.

Frances Ann Hopkins, artiste peintre anglaise, a illustré cette scène d'un canot de maître, canot utilisé pour transporter des marchandises en provenance de Montréal.

1 Combien de personnes y a-t-il dans le canot de maître ? et dans le canot du nord ?

2 Selon toi, pourquoi le canot de maître ne pouvait-il pas servir au transport des fourrures à l'ouest de l'extrémité du lac Supérieur ?

3 Identifie les représentants des compagnies de fourrures dans ces peintures. Comment peux-tu les reconnaître ?

4 Selon toi, pourquoi les hommes à l'arrière des canots sont-ils debout ?

Passe à l'histoire

Frances Ann Hopkins voyage vers l'ouest dans un canot de maître. Pendant l'expédition, les voyageurs doivent porter les embarcations et le matériel d'un cours d'eau à un autre. C'est ce qu'on appelle le portage. Les pagayeurs se lèvent à 3 h du matin et pagaient jusqu'au coucher du soleil. Le soir venu, ils campent sur le rivage sous leurs canots renversés qui leur servent d'abris. Tu fais partie de l'équipe. Dans ton journal, décris ce que tu as ressenti pendant le voyage et à son achèvement.

Les Cris et les Assiniboines ravitaillent les voyageurs et les commerçants des postes de traite. Les femmes autochtones jouent un rôle important dans la traite des fourrures. Plusieurs ont épousé des commerçants de fourrures. Elles fabriquent des mocassins et des raquettes, font des conserves, vont à la pêche, cueillent le riz sauvage et les petites baies, fabriquent du **pemmican**, tannent les peaux, apprêtent les fourrures ou font des coutures aux canots en cours de fabrication ou de réparation. Grâce aux talents des femmes en interprétation et en négociation, les affaires des commerçants européens et de la CN-O sont prospères. Un grand nombre de mariages sont arrangés «à la façon du pays», c'est-à-dire selon les coutumes autochtones.

En 1821, York Factory est un centre commercial important et actif. Cette peinture de Peter Rindisbacher, 15 ans, représente des bateaux de York qui quittent le fort.

Dans l'Ouest et le Nord-Ouest, on conclut deux types d'arrangements familiaux à l'issue de ces mariages. Les familles des commissionnaires de la Compagnie de la baie d'Hudson et de leur femme autochtone vivent à proximité des postes de traite de la compagnie, sur les rives de la baie d'Hudson et aux environs de la rivière Rouge. Certains commissionnaires envoient leurs enfants dans des écoles en Grande-Bretagne, mais la plupart des jeunes sont élevés dans l'Ouest. Souvent, les commissionnaires dont le père a travaillé pour la Compagnie du Nord-Ouest et dont la mère est autochtone parlent français. Ceux qui ont des parents d'ascendance autochtone et européenne sont appelés «sang-mêlé», ou Métis. Certains les désignent sous le nom de «nouvelle nation». Les Métis sont appelés à jouer un rôle clé dans l'histoire de l'Ouest entre 1800 et 1885.

Où en sommes-nous ?

1 Effectue des recherches sur la traite des fourrures dans l'Ouest. Fais ensuite un tableau comparatif pour noter les similitudes et les différences entre les systèmes de traite de la Compagnie du Nord-Ouest et de la Compagnie de la baie d'Hudson, par exemple les bureaux principaux et le transport.

2 Qu'est-ce que les Premières nations obtiennent en faisant le commerce des fourrures ? et les Européens ?

3 Comment le commerce des fourrures est-il un partenariat entre les commerçants et les Premières nations ?

4 Pourquoi le pemmican a-t-il autant d'importance dans la traite des fourrures ?

Court métrage

York Factory

Autrefois porte d'entrée de la Terre de Rupert, ce centre porte le nom anglais de *factory*, car il s'agit du lieu de résidence du *factor* (commissionnaire, ou responsable du commerce dans la région). Au milieu des années 1800, York Factory compte 30 bâtiments, dont des dortoirs, un hôpital, une bibliothèque et des entrepôts pour les fourrures et les marchandises. Quand la Compagnie de la baie d'Hudson entreprend la construction de postes de traite à l'intérieur des terres, l'importance de York Factory diminue graduellement jusqu'à ce que le centre ferme définitivement ses portes en 1957.

En 1838, une épidémie de variole qui provient des États-Unis gagne le Nord. Par chance, la Compagnie de la baie d'Hudson a fourni des vaccins frais à un grand nombre de ses postes de traite. À Fort Pelly, le commerçant William Todd commence immédiatement à vacciner les visiteurs. De plus, il donne des vaccins aux chefs autochtones et leur montre comment inoculer les membres de leur communauté. Cette mesure sauve d'innombrables vies. La maladie redoutable se répand comme une traînée de poudre, tuant jusqu'aux trois quarts des habitants des Prairies non vaccinés.

LA COLONIE DE LA RIVIÈRE ROUGE ENTRE 1811 ET 1820

En 1810, Thomas Douglas, comte de Selkirk, possède tout ce qu'un propriétaire terrien en titre d'Écosse peut désirer : un immense domaine et une grande demeure, de l'instruction, de la richesse et un droit de participation majoritaire dans la Compagnie de la baie d'Hudson. De plus, Thomas Douglas a une conscience sociale. Des milliers de **métayers** affamés et sans terre sont obligés de quitter la terre qu'ils ont cultivée. D'énormes fermes d'élevage de moutons remplacent leurs champs minuscules. Les petits fermiers meurent de faim, sans espoir de trouver du travail.

Lord Selkirk projette l'établissement de ces fermiers sur les rives de la rivière Rouge dans la lointaine Terre de Rupert. Il espère que ces fermiers cultiveront des légumes et élèveront des bœufs et des porcs pour les postes de traite de l'Ouest. Il leur promet une nouvelle vie sur la terre d'Assiniboia que lui a concédée la Compagnie de la baie d'Hudson. Lord Selkirk s'engage à leur fournir gratuitement le transport et l'outillage agricole et à leur donner des semences et des terres à cultiver. De plus, il leur promet un emploi à la Compagnie de la baie d'Hudson. La colonie sera construite aux environs du confluent des rivières Rouge et Assiniboine, au centre du grand réseau de transport et de traite de la Compagnie du Nord-Ouest. Les Nor'Westers, employés de la CN-O, avertissent les futurs colons des dangers de s'établir à cet endroit. Les colons de Selkirk menacent sérieusement les activités de traite des commerçants de fourrures de la CN-O.

Les premiers colons arrivent à York Factory, poste de traite de la CBH situé à l'embouchure de la rivière Hayes, en 1811. L'automne est trop avancé pour qu'ils se rendent à

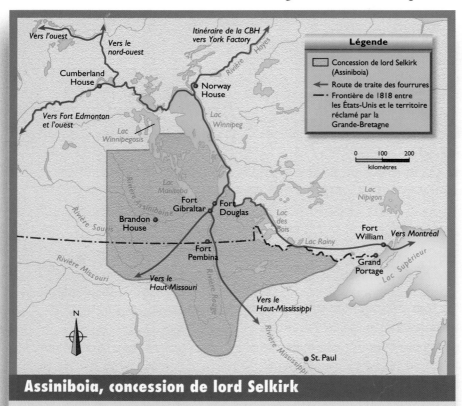

Assiniboia, concession de lord Selkirk

1 Examine la carte de la page 129. Nomme les principales routes de traite des fourrures qui traversent la concession de Selkirk.

2 En quoi cette colonie est-elle une menace pour la Compagnie du Nord-Ouest ?

Marie-Anne Lagemodière

NINGAH

Il n'existe aucune photo de Marie-Anne. On voit ici sa fille, Julie, et l'un de ses petits-enfants.

Marie-Anne Lagemodière, de Maskinongé, au Québec, sait que les commérages vont bon train. On n'a jamais vu chose pareille, dit la rumeur. Les femmes respectables n'accompagnent pas leur mari voyageur.

Marie-Anne Lagemodière a épousé Jean-Baptiste le 21 avril 1806, à 25 ans. Pendant leurs fréquentations, Jean-Baptiste lui a souvent parlé de l'époque où il vivait dans l'Ouest. Marie-Anne n'est donc pas surprise quand il lui avoue son désir de rejoindre les brigades des pelleteries. Marie-Anne souhaite le bonheur de son mari, mais elle ne peut se résoudre à se séparer de lui. La seule solution est de l'accompagner. Moins d'un mois plus tard, elle arrive à Lachine, près de Montréal, où elle s'embarque dans un canot avec Jean-Baptiste et neuf pagayeurs.

Au rythme de 50 coups de pagaie à la minute, les voyageurs se dirigent vers l'Ouest en empruntant lacs et rivières. Marie-Anne ne pagaie pas, mais elle se rend utile aux portages et au campement. L'équipage atteint finalement un camp métis près de Pembina, sur la rivière Rouge. Il s'installe là pour l'hiver.

Le premier enfant des Lagemodière, une fille, naît le 6 janvier 1807, à Pembina. Les Saulteux de la région appellent Marie-Anne « Ningah », ce qui signifie mère. Le printemps suivant, Jean-Baptiste et Marie-Anne poursuivent leur voyage vers l'ouest. Pendant le voyage, Marie-Anne met au monde un garçon. Le petit Jean-Baptiste est le premier fils de parents européens à naître sur le territoire actuel de la Saskatchewan.

Au cours des années suivantes, Marie-Anne et Jean-Baptiste continuent de s'adonner à la chasse, au piégeage et au commerce. Leur troisième enfant, un fils, naît près de Fort Edmonton. C'est le premier bébé de parents européens à naître sur le territoire actuel de l'Alberta.

En 1811, la rumeur circule qu'une colonie est en construction dans la région de la Rivière Rouge. La famille de Marie-Anne grandit. Depuis cinq ans, Marie-Anne n'a parlé à aucune femme européenne. Les Lagemodière décident de s'établir dans la colonie. À leur arrivée à Assiniboia, ils trouvent que les colons déjà présents ne sont pas du tout préparés à leur nouveau mode de vie. Le premier hiver, grâce à ses talents de chasseur, Jean-Baptiste aide un grand nombre d'entre eux à survivre. En 1816, lord Selkirk lui concède une bonne terre en récompense. Les Lagemodière bâtissent la maison où leur famille vivra pendant de nombreuses années. En 1822, Marie-Anne donne naissance à son septième enfant, une fille prénommée Julie. Vingt-deux ans plus tard, Julie donne naissance à un garçon qui, devenu homme, aura une influence durable sur l'histoire du Canada : Louis Riel.

Autres personnages à découvrir

Janet Bannerman

Thomas Douglas, lord Selkirk

Cuthbert Grant

Marie-Anne Lagemodière

Miles Macdonell

Peguis

Dans le feu de l'action

Les bateaux de York Quand la Compagnie de la baie d'Hudson entreprend la construction de postes de traite à l'intérieur des terres, elle a besoin de navires pour transporter les marchandises sur les voies de navigation à destination et en provenance de York Factory. Les canots ne sont pas appropriés. Les employés de la compagnie, pour la plupart originaires de Grande-Bretagne, n'ont pas l'habileté nécessaire pour construire ni pour manœuvrer le canot du nord, qui est difficile à manier mais que les Nor'Westers préfèrent. De plus, il y a une pénurie de matériaux nécessaires à la construction des canots à York Factory.

La solution ? Les bateaux de York. Ces bateaux doivent leur nom à York Factory, lieu où la plupart sont fabriqués. Les habitants des îles Orcades, dans le nord de l'Écosse, utilisent des bateaux de ce type depuis des siècles. La compagnie a même recruté des insulaires pour construire des bateaux.

Les bateaux de York sont gros, robustes et stables. Ils sont propulsés à l'aide de rames et d'une voile carrée. Moins faciles à manier que le canot du nord, ils transportent cependant jusqu'à trois fois plus de marchandises. De plus, ils font appel à un équipage moins nombreux et moins expérimenté, et durent plusieurs années. Les canots, plus fragiles, durent rarement un an ; ils ne survivent parfois pas à leur premier voyage.

Les bateaux de York sont lourds. Aux portages, ils sont très difficiles à manier. Les travailleurs les posent sur des rouleaux et les halent d'un cours d'eau à l'autre sur des glissoires en bois vert. Ce travail éreintant sème le mécontentement au sein de l'équipage.

Estime la dimension de ce bateau de York. À ton avis, pourquoi l'homme qui dirige l'embarcation à l'arrière est-il debout ?

leurs futures fermes dans le Sud. Les colons passent un hiver misérable dans des huttes et des tentes.

Après la débâcle du printemps, les colons entreprennent l'étape suivante de 1000 km de leur voyage en bateau de York, faisant du portage et souffrant atrocement des piqûres d'insectes. Cet automne-là, ils arrivent trop tard pour construire des maisons ou ensemencer la terre.

Peguis, le chef local des Saulteux, vient au secours des colons. Les habiles chasseurs leur montrent comment chasser le bison. Ils sauvent les nouveaux venus de la famine et du froid, et leur donnent de la viande, du pemmican, des raquettes, des tentes et des vêtements d'hiver.

La première année marque le début de multiples épreuves. La sécheresse et les larves détruisent la première récolte. À l'hiver 1813-1814, le gouverneur Miles Macdonell est soucieux du ravitaillement des colons. Il émet un ordre, la Proclamation du pemmican, interdisant l'exportation de denrées alimentaires, dont le pemmican, en provenance d'Assiniboia pendant un an. Les commerçants de fourrures de la Compagnie du Nord-Ouest et les Métis sont insultés. Le commerce des fourrures de toute l'année est en péril s'ils ne peuvent ravitailler leurs forts.

Les conflits entre les colons, les Métis et les commerçants de fourrures de la Compagnie du Nord-Ouest sont dus à leurs objectifs inconciliables. La traite des fourrures dépend de la chasse au bison, de la production de pemmican et de viande fraîche par les Métis et les chasseurs autochtones, et du libre mouvement des fourrures et des vivres entre Montréal et les hameaux isolés du Nord-Ouest. Les colons représentent une menace pour leur mode de vie. Face à l'intimidation de la CN-O, environ 140 pionniers quittent la colonie au printemps de 1815. Ils abandonnent les canots de la compagnie pour s'établir dans le lointain Canada. Ils en ont assez.

Soixante colons sont déterminés à rester dans la colonie de la Rivière Rouge. Les Nor'Westers arrêtent le gouverneur Macdonell et l'amènent à Montréal. Encouragés par les Nor'Westers, des cavaliers métis foulent aux pieds les cultures, réduisent les maisons en cendres et chassent les colons. Les colons se rendent en canot jusqu'au poste de traite de la Compagnie de la baie d'Hudson, à l'extrémité nord du lac Winnipeg, incertains de leur prochaine étape. Au printemps, un émissaire de la Compagnie de la baie d'Hudson, Colin Robertson, réussit à convaincre les colons de revenir avec lui à la colonie pour reprendre le travail.

Où en sommes-nous ?

1 Pourquoi les colons écossais quittent-ils leur patrie pour s'installer dans la colonie de la Rivière Rouge ?
2 Comment lord Selkirk espère-t-il que les colons gagnent de l'argent ?
3 Pourquoi la Compagnie du Nord-Ouest s'oppose-t-elle à ce plan ?
4 Comment Peguis et les Saulteux aident-ils les premiers colons à subsister ?
5 a) Que vise le gouverneur Macdonell avec la Proclamation du pemmican ?
   b) Pourquoi les Métis et les commerçants de fourrures sont-ils insultés par cette décision ?

Un autre désastre : Seven Oaks

Quand les colons commencent à reconstruire la colonie en 1816, un autre groupe d'Écossais arrive, dirigé par un nouveau gouverneur, Robert Semple. Les Nor'Westers encouragent les Métis à affronter les colons. Le chef métis Cuthbert Grant pense qu'il doit détruire la colonie pour protéger la traite des fourrures. En juin, les Métis, sous la direction de Grant, tentent de transporter un gros chargement de pemmican en provenance

Court métrage

Le traité de Peguis

En 1817, le chef Peguis signe un traité avec lord Selkirk. En échange de 45 kg de tabac par an, il accepte que les pionniers utilisent la terre sur une distance d'environ 3 km, des rives de la Rivière Rouge au sud du confluent des rivières à l'emplacement actuel de Grand Forks, dans le Dakota du Nord. Les pionniers peuvent aussi utiliser la terre bordant la rivière Assiniboine jusqu'à Rat Creek.

d'Assiniboia jusqu'aux lointains postes de traite de l'Ouest. Ils attaquent une petite patrouille de colons dirigée par le gouverneur Semple. À l'issue d'une courte bataille à Seven Oaks, les Métis vainquent les pionniers. Semple et 20 colons meurent, abandonnant le reste des pionniers à la peur et à l'incertitude. Un seul Métis est tué. En entendant parler des troubles, lord Selkirk quitte l'Écosse pour venir en aide aux pionniers. Il arrive au printemps de 1817, accompagné d'autres pionniers et de troupes suisses. Les colons se remettent à construire leur maison, à cultiver la terre et à aménager des fermes. Au cours des années suivantes, une guerre commerciale impitoyable a lieu dans le Nord-Ouest entre les commerçants de fourrures des deux compagnies.

La mort de lord Selkirk en 1820 offre une occasion de changement. La paix entre la Compagnie de la baie d'Hudson et la Compagnie du Nord-Ouest est rétablie en 1821 avec leur **fusion**, ou union, pour former une nouvelle Compagnie de la baie d'Hudson. La fusion transforme profondément la traite des fourrures. Le bureau principal de la compagnie est relocalisé à Londres, en Angleterre. Cet épisode met fin au rôle considérable des gens d'affaires écossais de Montréal, ainsi que des commerçants et des voyageurs canadiens-français dans la traite des fourrures.

Cette illustration des combats survenus à Seven Oaks est l'œuvre de C.W. Jefferys, peintre de l'histoire canadienne.

 D'après la peinture de Jefferys, quel groupe a commis l'agression à Seven Oaks ?

2 Selon des témoignages de source sûre, les Métis ne sont pas à cheval et ce sont les hommes de Semple qui ouvrent le feu. De plus, les Métis n'ont pas l'habitude de porter leur coiffure à plumes pour transporter le pemmican. Comment cette illustration montre-t-elle pourquoi les historiens doivent utiliser plus d'un source d'information ?

LA VIE DANS LA COLONIE DE LA RIVIÈRE ROUGE ENTRE 1820 ET 1849

Après 1821, la paix règne dans la colonie au confluent des rivières. De plus en plus de colons s'établissent dans la région. Deux groupes parlant des langues métisses habitent sur les rives des rivières Rouge et Assiniboine, près de la colonie de la Rivière Rouge. La collectivité métisse de langue française est le principal groupe de la colonie. Les habitants cultivent la terre, pêchent, chassent le bison et font le commerce du pemmican avec les compagnies de pelleteries. Des Métis de langue anglaise, descendants des commerçants de la CN-O et de la CBH et de femmes autochtones, vivent aussi dans la région. Des Cris, des Saulteux et des Assiniboines qui vivent de la pêche, de la chasse, du piégeage et du commerce avec la Compagnie de la baie d'Hudson habitent dans la région.

Les Européens forment le quatrième groupe. Les colons de Selkirk, des Écossais entêtés qui ont refusé de partir, vivent dans des fermes le long de la rivière Rouge, à Kildonan. Au fil des ans, des commerçants de fourrures à la retraite de la Compagnie de la baie d'Hudson et leur femme autochtone s'y sont installés. Ils sont originaires d'Écosse et des îles Orcades. Leur famille cultive la terre et dirige des entreprises.

Les Canadiens français installés dans la colonie sont surtout des agriculteurs francophones qui ont quitté le Bas-Canada pour s'établir dans l'Ouest. Ils vivent à Saint-Boniface. La cohabitation de la langue française et des nombreuses autres langues parlées dans la région fait de la colonie de la Rivière Rouge un creuset multilingue et multiculturel. Après 1850, des Canadiens anglophones commencent à arriver.

Les agriculteurs et les commerçants de fourrures

Les étroites bandes de terre composant les fermes des colons s'étendent sur environ 3 km à partir des rives. Le sol de la vallée de la rivière Rouge est idéal pour la culture des céréales et des légumes. L'agriculture dans les terres éloignées est cependant difficile. Des familles travaillent pour labourer et ensemencer la terre, élever du bétail et des porcs et affronter les hivers froids, les loups et les insectes, ainsi que pour récolter les céréales.

Tout le monde cultive la terre, fait des conserves et prépare les aliments de la famille. Les colons se nourrissent du poisson de la rivière Rouge, de framboises, d'amélanches et de bleuets séchés, de bannock (un pain plat sans levain), de gâteaux d'avoine, de pemmican, de bœuf, de porc et de produits laitiers.

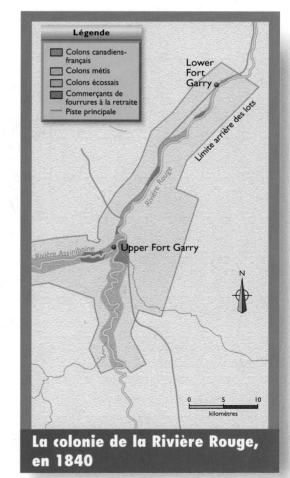

Légende
- Colons canadiens-français
- Colons métis
- Colons écossais
- Commerçants de fourrures à la retraite
- Piste principale

Lower Fort Garry

Limite arrière des lots

Rivière Rouge

Rivière Assiniboine

Upper Fort Garry

N

0   5   10
kilomètres

La colonie de la Rivière Rouge, en 1840

Le sucre et le sel sont des produits de luxe rares. Le magasin de la Compagnie de la baie d'Hudson en vend quelquefois. Les fruits frais sont presque introuvables : manger une pomme est une expérience mémorable !

En 1826, une inondation désastreuse menace de détruire la colonie. Alexander Ross, commerçant de fourrures à la retraite, décrit la scène dans son journal :

Les habitants terrifiés se sont rassemblés dans tous les endroits secs encore visibles. Des maisons, des étables, des charrettes, des meubles et des clôtures flottent dans la vaste plaine avant d'être engloutis dans le lac Winnipeg. Peu de maisons et de bâtiments résistent. Beaucoup de bâtiments ont été entièrement emportés par les eaux. À l'intérieur de certains, on aperçoit des chiens poussant des aboiements lugubres. Le spectacle le plus saisissant est une maison en flammes qui flotte à la dérive dans l'obscurité, mi-immergée. L'eau continue de monter et d'envahir la plaine.

En 1852, la colonie est victime d'une autre grosse inondation qui emporte les maisons, les étables, les champs et les magasins.

La pêche sous la glace au confluent des rivières Assiniboine et Rouge, dans les années 1820, peinte par Peter Rindisbacher. On voit ici Fort Douglas, devenu plus tard Upper Fort Garry.

1 Quel est le moyen de transport utilisé ?

2 Quels animaux la peinture représente-t-elle ?

3 Peux-tu dire, d'après les vêtements, à quels groupes culturels ces personnes appartiennent ?

4 Pourquoi cette peinture est-elle un document historique de valeur ?

Peter Rindisbacher
LE PETIT PEINTRE D'ASSINIBOIA

Novembre 1821. Peter Rindisbacher a froid, est fatigué et a faim. De plus, il se fait beaucoup de souci. Le garçon de 15 ans, sa famille et environ 170 autres pionniers sont enfin arrivés à Assiniboia. Après un voyage exténuant de six mois, ils ont hâte de commencer leur nouvelle vie.

En Suisse, l'agent de recrutement a fait un portrait enchanteur de la vie dans la colonie de la Rivière Rouge. Il n'a pas parlé du voyage. Le bateau a failli être broyé par les glaces à l'embouchure de la baie d'Hudson. Les pionniers ont dû laisser la majeure partie de leurs effets à York Factory parce qu'il n'y a pas eu assez de bateaux de York pour les transporter. Sept personnes sont mortes pendant la remontée périlleuse de la rivière Hayes jusqu'au lac Winnipeg très venteux et à la rivière Rouge. Le froid sibérien, la pluie verglaçante, le givre et la neige incitent maintenant de nombreux voyageurs à regretter la Suisse.

Cet été-là, une invasion de sauterelles détruit les récoltes dans la colonie. Les pionniers déjà établis n'ont pas de quoi se nourrir. Comment tout le monde va-t-il réussir à passer l'hiver ? Cette question préoccupe Peter.

Heureusement, les habitants accueillent les nouveaux arrivants dans leur maison et partagent leurs maigres provisions. Ils tuent du gibier quand ils le peuvent et pêchent à travers la glace. Quand la situation devient très critique, ils mangent leurs chiens et leurs chevaux. Mais le printemps arrive enfin, et les Rindisbacher peuvent bâtir leur maison et cultiver la terre.

Tout au long de ces événements, Peter dessine ce qu'il observe. Le dessin le passionne depuis son enfance. Peter réalise d'abord un croquis à la plume ou au crayon, puis il exécute l'ouvrage définitif et fait la finition à l'aquarelle. Le jeune artiste dessine les colons, les Métis et les Autochtones qui l'ont accueilli dans leur camp. Les représentants de la Compagnie de la baie d'Hudson remarquent son talent. Ils le surnomment « le petit peintre », lui achètent des pièces et lui commandent des peintures spéciales, habituellement des portraits d'eux-mêmes.

Entre-temps, la malchance poursuit les parents de Peter. Après l'inondation meurtrière de 1826, la famille entière décide d'aller vivre aux États-Unis.

Peter continue de peindre. Le choléra l'emporte à peine huit ans plus tard. Sa vie est tragiquement abrégée, mais les dessins du jeune artiste offrent aux historiens et aux géographes un témoignage durable, évocateur et exact de la vie à l'ouest des Grands Lacs.

Autres personnages à découvrir

William Armstrong

Henry Hime

William Hind

Frances Hopkins

Paul Kane

Peter Rindisbacher

Les colons des régions éloignées construisent leur maison au bord de la rivière. Voici la description d'une ferme de colons qu'un visiteur a écrite en 1823 :

C'est une cabane en rondins munie d'un toit de chaume et d'une cheminée rustique en pierres des champs. La maison compte une seule pièce, blanchie à la chaux, tout comme les murs extérieurs. Il y a un lit dans un coin et une espèce de canapé dans un autre. Une échelle mène à un palier en planches non clouées qui sert de grenier. Dans la chambre, une trappe donne sur une petite ouverture dans le sol où le lait et le beurre sont conservés au frais. Un hamac servant de berceau est suspendu à une poutre. Quelques assiettes, des couteaux et des fourchettes sont rangés sur des étagères. Deux fenêtres couvertes d'une moustiquaire laissent pénétrer la lumière. Des coffres et des boîtes sont utilisés en guise de sièges. Ici et là, de petits tonneaux servent de fauteuils. Une cheminée à foyer ouvert en argile blanchie à la chaux dégage une chaleur réconfortante. Quelques livres complètent le tout.

Les écoles et les églises sont des éléments importants de la vie de la colonie de la Rivière Rouge. Beaucoup de colons sont des chrétiens croyants et vont fréquemment aux offices religieux.

Ce croquis réalisé par Peter Rindisbacher dans les années 1820 montre quelques pionniers de la Rivière Rouge : un Allemand au centre, un Écossais des Highlands assis à droite et un Métis à l'extrême droite. La femme à gauche est originaire de Suisse. Tous portent les vêtements de leur culture d'origine et les mocassins des Autochtones des Prairies.

Où en sommes-nous ?

1 Quelles difficultés la nature représente-t-elle pour les agriculteurs dans la colonie de la Rivière Rouge ?

2 Pourquoi les commerçants de fourrures à la retraite s'établissent-ils dans la colonie ?

3 Les colons ont toujours eu du mal à vendre leurs surplus de produits agricoles. Regarde la carte de la page 132. Où est située la colonie importante la plus proche ?

Les chasseurs de bisons métis

Vers 1840, la colonie de la Rivière Rouge compte environ 4000 Métis, soit plus de la moitié de la population de la colonie. La plupart des colons métis sont des **squatters**, c'est-à-dire des gens qui occupent des terres qui ne leur appartiennent pas. Leur principale activité est la chasse au bison. Vers les années 1840, les Métis parcourent jusqu'à 400 km pour chasser le bison qui sert à la fabrication du pemmican.

Nombre de Métis travaillent aussi à bord des bateaux de York de la Compagnie de la baie d'Hudson. Ils transportent des fournitures, des vivres et du matériel en provenance du poste de traite central à Fort Garry, le long des rivières de l'Ouest jusqu'aux Rocheuses et à la baie d'Hudson. L'agriculture est une activité secondaire. Après 1850, plusieurs Métis transportent les marchandises dans les charrettes de la Rivière Rouge tirées par des bœufs sur les pistes rudimentaires reliant la colonie à St. Paul, au Minnesota.

Passe à l'histoire

Tu es une Métisse ou un Métis, et tu vis dans la colonie de la Rivière Rouge. Décris tes moyens de subsistance à une visiteuse ou à un visiteur.

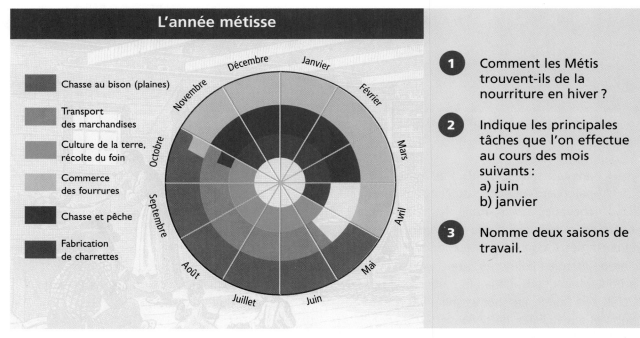

L'année métisse

- Chasse au bison (plaines)
- Transport des marchandises
- Culture de la terre, récolte du foin
- Commerce des fourrures
- Chasse et pêche
- Fabrication de charrettes

Décembre, Janvier, Novembre, Février, Octobre, Mars, Septembre, Avril, Août, Mai, Juillet, Juin

1. Comment les Métis trouvent-ils de la nourriture en hiver ?

2. Indique les principales tâches que l'on effectue au cours des mois suivants :
   a) juin
   b) janvier

3. Nomme deux saisons de travail.

Lien Internet

www.dlcmcgrawhill.ca

Consulte le site Web ci-dessus pour mieux te renseigner sur le mode de vie des Métis du Manitoba. Clique sur *Matériel complémentaire/Primaire et secondaire*, puis sur *Le Canada : L'édification d'une nation*, où l'on te donnera la suite des indications.

Paul Kane a accompagné les chasseurs métis à la chasse au bison au printemps de 1846 et a réalisé cette peinture.

Dans les années 1840, Paul Kane parcourt l'Amérique du Nord en canot, à cheval et à pied. Kane dessine ce qu'il voit : les gens, les lieux et les événements. Puis, il rapporte ses croquis à son atelier de Toronto et en fait de grandes peintures. Kane veut montrer à la population des Canadas le mode de vie des peuples de l'Ouest. La photographie est à ses débuts, et les voyages de découverte ne sont pas à la portée de la plupart des gens à cause des conditions difficiles. Les artistes d'autrefois, tout comme ceux d'aujourd'hui, ont aidé les gens à voir le monde.

Kane travaille avec beaucoup de sérieux. Il veut dépeindre le Canada et l'Ouest, représenter les Premières nations et leur mode de vie.

Jusqu'à quel point Kane est-il fidèle à la réalité dans son œuvre ? Selon un historien de l'art, « son travail documentaire est remarquable. Kane est le meilleur témoin de l'histoire du Canada. Il n'hésite cependant pas à modifier le paysage à son gré.

Son œuvre est tantôt rigoureuse sur le plan ethnographique [il peint fidèlement les peuples et les cultures], tantôt inexacte ».

INTERROGE LES FAITS

1. Qu'est-ce qui te frappe dans la peinture de Paul Kane ?

2. a) Selon toi, quels éléments de sa peinture sont exagérés ?

   b) Selon toi, pourquoi ces éléments sont-ils exagérés ?

3. Comment cette peinture est-elle une preuve valable ?

LA FIN DE L'ISOLEMENT

À la fin des années 1850, la Grande-Bretagne et les Canadas s'intéressent aux terres situées à l'ouest du lac Supérieur. Les colons parcourent les prairies américaines au sud de la frontière, et le bail de la Compagnie de la baie d'Hudson est sur le point d'expirer. Les bisons sont en déclin. Les chasseurs sont obligés d'aller de plus en plus loin pour trouver des troupeaux de plus en plus petits. Quel est l'avenir de ces grandes étendues ?

Les habitants du Canada-Ouest prétendent que leur pays va prendre possession de l'Ouest, en commençant par la colonie de la Rivière Rouge, et l'intégrer dans la Province du Canada. Dans les années 1860, de nouveaux arrivants de l'Est exercent des pressions en faveur d'un lien avec le Canada. La plupart sont des protestants anglophones sous la direction de John C. Schultz, immigrant récemment arrivé au Canada-Ouest. Des confrontations éclatent entre les partisans du Canadian Party et les Métis, au tribunal, dans les journaux, les rues et les tavernes. Les Canadiens contestent le mode de vie des Métis. Ils respectent peu la langue, la culture, les droits et la religion des peuples de la colonie de la Rivière Rouge. Tout comme beaucoup de protestants de l'époque, ils ont des préjugés contre l'Église catholique que fréquentent de nombreux membres de la colonie.

La question de la propriété des terres devient préoccupante, car les Premières nations n'ont signé aucun traité pour céder leurs droits dans la majeure partie du territoire de l'Ouest. Au fur et à mesure que les Canadiens s'établissent dans la région, ils deviennent eux aussi des squatters, c'est-à-dire qu'ils s'installent où bon leur semble. Les conflits au sujet des terres deviennent importants pour toute la colonie.

Ce croquis représentant une famille métisse dans sa maison est tiré d'un magazine canadien des années 1870. Remarque les animaux, le poêle à bois et le bébé dans le hamac.

Cette peinture de 1870 montre une maison typique de la colonie de la Rivière Rouge.

1 Suggère une raison pour laquelle les colons clôturent leur maison.

John Schultz et les nouveaux colons critiquent le régime de gouvernement de la colonie de la Rivière Rouge. Le gouvernement relève d'un petit groupe, le Conseil d'Assiniboia, composé de représentants de la Compagnie de la baie d'Hudson sous la direction d'un gouverneur. Il n'y a aucun représentant élu. La colonie doit trouver un nouveau régime de gouvernement. Mais en quoi va-t-il consister ?

En 1868, la colonie est en crise. Partout, la sécheresse, les sauterelles et le gibier peu abondant causent de graves pénuries alimentaires. Le gouverneur sollicite l'assistance du Canada, des États-Unis et de la Grande-Bretagne. Dans la colonie, tout le monde souffre ; l'incertitude règne à la Rivière Rouge. Il faut décider de l'avenir.

Il existe trois options :

- Se joindre aux États-Unis. Le commerce et les déplacements entre la colonie et St. Paul, au Minnesota, sont courants. Des routes, des cours d'eau et, plus tard, des chemins de fer relient les deux colonies des Prairies. Bon nombre d'Américains sont favorables à l'union.

- Devenir une colonie de la Couronne britannique. Cette éventualité est improbable, car le gouvernement britannique ne désire pas retirer à la Compagnie de la baie d'Hudson sa domination sur la colonie.

- Adhérer à la Confédération canadienne. De nombreux Canadiens ont des liens avec l'Ouest, car les commerçants de fourrures et les voyageurs y vont depuis plus de 200 ans. L'union de l'Ouest et du Canada peut contribuer à achever le «rêve de la Confédération» d'un océan à l'autre. Plusieurs Canadiens sont favorables à cette option.

Quels sont les choix des membres de la colonie, d'après cet extrait d'une bande dessinée tiré d'un magazine de Montréal datant de janvier 1870 ?

Où en sommes-nous ?

1 Comment les habitants de la colonie de la Rivière Rouge sont-ils gouvernés avant 1870 ?

2 Pourquoi les nouveaux arrivants des Canadas sont-ils insatisfaits de ce gouvernement ?

3 Indique les changements qui surviennent dans la colonie.

4 Dans les années 1860, quelles sont les options des habitants à l'égard de leur futur gouvernement ?

Prise de position

En décembre 1867, le nouveau gouvernement du Dominion du Canada adopte sept **résolutions** concernant l'Ouest : le Canada a décidé de payer à la Compagnie de la baie d'Hudson la Terre de Rupert, de construire une route entre le Canada et la Rivière Rouge et d'intégrer l'Ouest au Canada. William McDougall, de l'Ontario, est le premier lieutenant-gouverneur. La population de l'Ouest n'a pas été consultée. Personne n'a tenu compte de son avis. Les Canadiens vont bientôt découvrir comment la population de la colonie de la Rivière Rouge a accueilli ces décisions.

À l'été 1868, des équipes de constructeurs de routes commencent à aménager une piste vers l'est, à destination de Fort William. L'été suivant, le gouvernement envoie des arpenteurs dans la colonie pour délimiter des cantons et des lots de ferme.

Le 11 octobre 1869, un petit groupe de Métis non armés se tiennent debout sur les chaînes d'arpenteurs canadiens qui traversent une ferme métisse. Le message est clair : allez-vous-en ! Vous n'avez pas le droit de passer sur nos terres pour faire votre travail. Les arpenteurs partent aussitôt. Les Métis ont eu raison d'eux. Louis Riel fait partie des hommes qui se sont tenus debout sur les chaînes d'arpenteurs.

Louis Riel
VICTIME DU FANATISME

Un dimanche matin de la fin de juillet 1868, Louis Riel, 23 ans, arrive enfin à la maison de sa mère à Saint-Vital, sur la rive ouest de la rivière Rouge. C'est un moment de joie pour le jeune homme, qui n'a pas vu sa famille depuis l'âge de 13 ans. Marie-Anne Lagemodière, sa grand-mère, est là pour l'accueillir.

Le retour de Riel est cependant doux-amer. Pendant ses études au Collège de Montréal, son père est mort. La mort de Jean-Louis Riel crée un vide immense dans cette famille unie. Sa veuve, Julie, a lutté pour subvenir aux besoins de sa famille. La situation s'est de plus en plus détériorée l'été précédent à cause d'une invasion de sauterelles qui a détruit des cultures dans la région. La fière famille a été obligée d'accepter la charité.

Riel a mis deux ans à effectuer le voyage de retour en passant par les États-Unis. À cette époque, c'est le trajet emprunté par la plupart des voyageurs à destination de la Rivière Rouge. Ils peuvent se rendre en train jusqu'à St. Paul, au Minnesota, avant de se diriger vers le nord. Riel a effectué le voyage par étapes. Pour avoir les moyens de payer la dernière étape de son voyage et d'envoyer de l'argent à sa mère afin de l'aider à nourrir et à vêtir ses huit frères et sœurs, Riel travaille pendant un certain temps à Chicago, en Illinois, et à St. Paul.

Les difficultés familiales ne sont pas la seule cause de la tristesse de Riel. Louis est bouleversé de n'avoir pu épouser Marie-Julie Guernon, une jeune Canadienne française dont il est tombé amoureux à Montréal. Marie-Julie a accepté de l'épouser, mais ses parents se sont opposés à leur mariage. Louis compte parmi ses ancêtres une arrière-grand-mère paternelle d'origine chipewyanne. Les Guernon n'ont pas voulu entendre parler du mariage de leur fille avec un homme d'ascendance mixte et qui, de plus, est un étudiant sans le sou.

Malgré les objections des parents, le couple continue de se fréquenter en cachette. Louis et Marie-Julie s'écrivent des poèmes et des lettres d'amour et se voient le plus souvent possible. Riel trouve un emploi de commis dans un bon cabinet d'avocats de Montréal. Le jeune homme est certain que l'amélioration de son statut va inciter les parents de Marie-Julie à changer d'avis.

Il se trompe. Une fois de plus, les Guernon refusent que leur fille épouse un Métis, même promis à un brillant avenir. Marie-Julie se plie à contrecœur à la volonté de ses parents, et Louis est anéanti. Furieux et amer, il décide de retourner dans la colonie de la Rivière Rouge, où il peut être fier de son héritage métis.

Autres personnages à découvrir

Adams Archibald

Simon J. Dawson

William McDougall

Louis Riel

Donald Smith

Colonel G. Wolseley

La déclaration d'un gouvernement provisoire

En 1869, Louis Riel et ses partisans organisent une résistance aux plans du gouvernement canadien. Ils construisent un barrage à Pembina pour empêcher le lieutenant-gouverneur William McDougall d'entrer dans leur territoire. Le 2 novembre 1869, ils capturent le plus important bâtiment de la colonie, le Upper Fort Garry. Les Métis pénètrent dans le fort et s'en emparent sans le moindre acte de violence. Ils saisissent des vivres et des armes en quantité suffisante pour se défendre en cas d'attaque. Dans la colonie, cependant, un grand nombre d'habitants sont mécontents de la tournure des événements. La situation va-t-elle dégénérer en bain de sang? La prise du fort n'est-elle pas un acte criminel? Faut-il admettre McDougall et écouter la proposition du Canada? Les Métis progressent-ils trop vite?

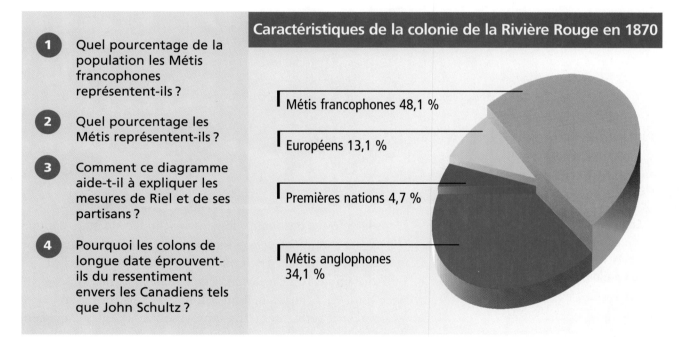

1 Quel pourcentage de la population les Métis francophones représentent-ils?

2 Quel pourcentage les Métis représentent-ils?

3 Comment ce diagramme aide-t-il à expliquer les mesures de Riel et de ses partisans?

4 Pourquoi les colons de longue date éprouvent-ils du ressentiment envers les Canadiens tels que John Schultz?

Caractéristiques de la colonie de la Rivière Rouge en 1870

Métis francophones 48,1 %

Européens 13,1 %

Premières nations 4,7 %

Métis anglophones 34,1 %

Il est temps d'apaiser les craintes des habitants et de rallier l'opposition à l'annexion au Canada. Riel convoque une assemblée de 12 représentants anglophones et 12 représentants francophones pour le 6 novembre 1869.

Pourquoi Riel prend-il cette mesure? Voici sa réponse:

S'il se produit une émigration massive du Canada, les Métis vont probablement être expulsés d'un pays qu'ils réclament comme le leur. Leurs désirs n'ont pas été pris en considération. Ils se sont opposés à l'imposition d'un gouvernement canadien sans consultation préalable. Ils ont agi non seulement dans leur bien, mais aussi dans celui de toute la colonie. Ils n'ont pas eu le sentiment de contrevenir à la loi, car ils ont agi ainsi pour défendre leur liberté.

La Déclaration des droits des Métis

1. Le droit au respect de l'ensemble des propriétés, des droits et des privilèges dont jouit la population de cette province jusqu'à son entrée dans la Confédération;

2. Le droit à l'utilisation commune du français et de l'anglais à l'Assemblée législative et dans les tribunaux;

3. Le droit d'avoir un lieutenant-gouverneur connaissant aussi bien le français que l'anglais;

4. Le droit d'avoir un juge de la Cour suprême parlant français et anglais;

5. Le droit que le territoire entre dans la Confédération en tant que province.

Les membres du gouvernement provisoire. Louis Riel a les mains sur les genoux.

Dans la colonie, beaucoup de gens sont indécis : faut-il appuyer les Métis ? Les pionniers anglophones changent d'avis quand ils entendent la Déclaration des droits des Métis de Louis Riel.

Le 7 décembre 1869, les Métis s'emparent de la maison protégée d'un chef canadien, John Schultz, et saisissent les vivres. Ces réserves sont suffisantes pour approvisionner tous les Canadiens pendant l'hiver. Le lendemain, Riel proclame un **gouvernement provisoire**, ou gouvernement temporaire, pour conclure une entente avec le Canada concernant l'avenir du territoire.

Le gouvernement provisoire adopte la Déclaration de la Terre de Rupert.

- Nous refusons de reconnaître l'autorité du Canada, car nous n'avons pas accepté la cession des terres de la Compagnie de la baie d'Hudson au Canada.
- Nous avons le droit de former un gouvernement.
- Nous sommes prêts à conférer avec le Canada pour donner un bon gouvernement à l'Ouest.

Pour le gouvernement du Canada, le temps est venu d'agir. Le premier ministre Macdonald envoie des délégués dans la colonie de la Rivière Rouge pour expliquer que le Canada est disposé à écouter et à respecter les souhaits de la population. Donald A. Smith, représentant influent de la Compagnie de la baie d'Hudson, est chargé de négocier la cession pacifique de la colonie au Canada.

Donald Smith est un négociateur expérimenté, mais il n'est pas de taille à se mesurer à Riel. Smith est censé négocier une entente entre la colonie et le Canada et, secrètement, miner le leadership de Riel. Après de dures négociations, Smith accepte la convocation par Riel d'une nouvelle assemblée représentative, la Convention des Quarante. Les hommes se serrent la main devant des milliers de personnes en liesse. Le Canada et la colonie vont conclure une entente conforme aux désirs de la population et de ses représentants.

Où en sommes-nous ?

1 Pourquoi la population de la colonie de la Rivière Rouge affronte-t-elle les arpenteurs canadiens en 1868 ?
2 Selon toi, pourquoi la plupart des habitants de la colonie appuient-ils la Déclaration des droits des Métis ?
3 Quelle est la réponse du premier ministre Macdonald au gouvernement provisoire ?

La paix est ébranlée

Certains Canadiens n'approuvent pas les événements survenus dans la colonie de la Rivière Rouge. En février 1870, un groupe d'environ 600 personnes décide d'attaquer Fort Garry, de relâcher les prisonniers capturés dans l'attaque de la maison de Schultz et, peut-être, de constituer leur propre gouvernement. Ces Canadiens se réunissent à Kildonan dans une atmosphère d'agitation, puis la plupart décident de rentrer chez eux. Sur les ordres de Riel, des cavaliers métis entourent et capturent 48 Canadiens près du village de Winnipeg. Une fois de plus, le fort est plein de prisonniers canadiens en colère et grelottants. Parmi eux se trouve un homme qui va avoir une influence sur l'histoire canadienne pendant des décennies. Il s'appelle Thomas Scott.

Scott est un ouvrier ontarien de 28 ans, bien connu pour son hostilité envers les catholiques francophones. Son nom va hanter à jamais la cause des Métis. Scott est l'homme le plus détesté des baraquements à cause de son racisme envers les Métis. Des gardiens dirigés par Ambroise Lépine exigent sa comparution en cour martiale parce qu'il a fait preuve d'insubordination et a frappé l'un d'eux. Scott est condamné à mort et exécuté le lendemain, soit le 4 mars.

Les historiens se sont demandé pourquoi Riel a permis l'exécution de Scott. Selon certains, Riel a voulu démontrer aux

Court métrage

Agitation sur le chemin Dawson

Arpentée par Simon James Dawson, cette piste entre Fort Garry et Prince Arthur's Landing, qui fait aujourd'hui partie de Thunder Bay en Ontario, assure une liaison terrestre entre le Canada et l'Ouest. Quand sa construction débute en 1868, l'équipe compte parmi ses membres un fauteur de troubles fort en gueule de l'Ontario, Thomas Scott. Scott est congédié. Au lieu de retourner en Ontario, il traîne dans la colonie de la Rivière Rouge. Sa décision de rester à cet endroit est déterminante pour l'histoire de la colonie et du Canada.

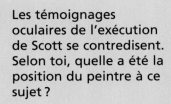

1. Les témoignages oculaires de l'exécution de Scott se contredisent. Selon toi, quelle a été la position du peintre à ce sujet ?

2. Cette illustration a été publiée dans un magazine populaire de l'époque. Comment a-t-elle pu enflammer les esprits ?

Dans cette illustration, les gardiens exécutent Thomas Scott à l'extérieur de l'enceinte de Fort Garry.

dirigeants canadiens l'importance de respecter la convention et ses chefs militaires. Il a peut-être voulu accélérer l'union avec le Canada ou maintenir l'ordre à Fort Garry. Ces mesures sèment la consternation, mais personne n'a prévu la réaction des Canadiens à l'exécution de Scott.

Des Ontariens anglophones écoutent avec horreur les récits du chef antimétis John Schultz et de ses amis. À Toronto, plus de 10 000 personnes entendent Schultz et d'autres personnes dénoncer l'exécution. Scott est dépeint comme un héros. Son exécution est un meurtre. La cour martiale de même que son verdict et sa sentence ont été irréguliers. Les Métis n'ont pas eu le droit d'emprisonner ni d'exécuter Scott.

Les Canadiens français ont une perception différente. Selon eux, Scott était un fanatique ; il a obtenu ce qu'il méritait. Au Québec, beaucoup de gens appuient les Métis qui ont en commun avec eux la langue française et la religion catholique. Riel devient un héros pour les francophones du Québec et un tyran pour les anglophones de l'Ontario.

Encore des pourparlers

Trois négociateurs quittent la colonie de la Rivière Rouge pour le Canada à la fin de mars 1870 dans l'intention de négocier avec le gouvernement canadien. Les délégués, sous la direction du père Noël-Joseph Ritchot, travaillent sans relâche à atteindre les objectifs des pionniers. Le 12 mai, l'entente finale est conclue. Le 15 juillet 1870, le Manitoba devient la cinquième province du Canada.

Sir John A. Macdonald envoie des troupes en « mission de paix » dans la colonie. Les hommes se déplacent en bateau, en canot et sur

Exigences des pionniers respectées par la Loi du Manitoba	Exigences des pionniers non respectées par la Loi du Manitoba
Une nouvelle province, le Manitoba, adhère à la Confédération le 15 juillet 1870.	Au lieu d'une immense province, la Loi crée une minuscule province du Manitoba et un grand territoire du Nord-Ouest gouvernés par Ottawa.
Les droits fonciers des Premières nations sont respectés. Des titres fonciers sont garantis.	Au lieu d'accorder aux Premières nations et aux Métis des terres de grande superficie, le gouvernement divise les 1,4 million d'acres [566 580 hectares] qui leur sont réservés en lopins.
Le gouvernement est assuré en français et en anglais.	Aucune amnistie n'est accordée aux résistants.
Les tribunaux seront administrés en français et en anglais.	
Il doit y avoir des écoles séparées pour les communautés protestantes et catholiques.	

les sentiers de charrettes rudimentaires entre Collingwood, en Ontario, et Fort Frances, à Winnipeg, puis jusqu'à la colonie.

Les troupes du Canada arrivent à Fort Garry sous une pluie battante le 24 août 1870. Beaucoup cherchent à se venger de l'exécution de Scott. Personne n'est là pour les accueillir, et Louis Riel ne les attend pas. Riel a décidé de quitter le fort. Le 10 septembre, la plupart des troupes sont de retour au Canada ; quelques-unes sont restées en Ontario.

Le 6 septembre 1870, le lieutenant-gouverneur Adams Archibald, un Néo-Écossais, entre en fonction dans la nouvelle province du Manitoba. Deux questions importantes demeurent en suspens : l'**amnistie**, ou pardon, demandée par la Convention des Quarante, et le règlement des revendications territoriales des Métis. Une amnistie complète est accordée à tous les résistants, sauf à Louis Riel, Ambroise Lépine et le chef métis William O'Donoghue. Le règlement des revendications territoriales des Métis n'est pas définitif avant 1996, soit 126 ans plus tard.

Où en sommes-nous ?

1 a) Pourquoi les Métis condamnent-ils Thomas Scott à mort ?
b) Pourquoi l'exécution de Scott cause-t-elle de tels problèmes à la colonie de la Rivière Rouge ?
2 Jusqu'à quel point les pionniers réussissent-ils à atteindre leurs objectifs à l'égard d'une nouvelle province ?
3 Pourquoi les Métis veulent-ils une amnistie ?
4 Selon toi, qui peut s'opposer à l'amnistie ?

CHAPITRE 5, PRISE 2 !

Dans ce chapitre, nous avons vu que les rivalités entre la Compagnie du Nord-Ouest et la Compagnie de la baie d'Hudson reposent sur les événements survenus à la Rivière Rouge. Les conditions de vie dans la lointaine Écosse ont des répercussions considérables dans l'Ouest canadien, car lord Selkirk parraine l'établissement des Écossais dans les environs de la rivière Rouge et de la rivière Assiniboine. Des familles ayant des ancêtres autochtones et français ou autochtones et écossais se sont jointes aux colons. Pendant les années 1860, la Compagnie de la baie d'Hudson renonce à sa domination sur la Terre de Rupert. Un nouveau pays, le Canada, se déclare intéressé à l'adhésion de cette région à la Confédération. Les représentants canadiens ne consultent pas les peuples de la colonie qui résistent à la mainmise des Canadiens sur leurs terres. En 1869, le chef métis Louis Riel et ses partisans forment un gouvernement pour la colonie de la Rivière Rouge et négocient avec le Canada son adhésion à la Confédération. Le règlement pacifique est compromis quand des gardiens métis exécutent le Canadien Thomas Scott. Après d'interminables négociations, le Manitoba devient néanmoins la cinquième province du Canada.

VÉRIFIE TES CONNAISSANCES

1. Quelles sont les causes du conflit survenu à la Rivière Rouge au début de la colonie de Selkirk ?
2. Pourquoi ce conflit se termine-t-il par la fusion de la CBH et de la CN-O ?
3. Nomme les groupes présents dans la région de la Rivière Rouge dans les années 1840. Décris leurs moyens de subsistance.
4. Pourquoi l'isolement de la colonie est-il problématique ?
5. Quels événements à l'extérieur de la région de la Rivière Rouge rendent le changement inévitable dans les années 1860 ?
6. Pourquoi les Métis craignent-ils l'avancée des Canadiens vers la Rivière Rouge ?
7. Quelles mesures les Métis prennent-ils pour protéger leurs revendications ?
8. Pourquoi certains historiens considèrent-ils l'exécution de Scott par Riel comme une terrible erreur ?

APPLIQUE TES CONNAISSANCES

1. Ce chapitre comprend de nombreux épisodes dramatiques. Choisis-en un et crée un spectacle d'une minute pour en faire le récit. Écris un texte, trouve des comédiens, fabrique des accessoires et conçois des costumes. Enregistre ton spectacle sur bande vidéo ou présente-le à la classe. Suggestions : un porte-parole de lord Selkirk invitant des Écossais à se joindre à lui ; Colin Robertson persuadant les colons de retourner à la Rivière Rouge ; Louis Riel et ses partisans arrêtant les arpenteurs canadiens.
2. Effectue des recherches pour déterminer :
   - ce qui arrive à lord Selkirk ;
   - la situation du commerce des fourrures dans le Canada aujourd'hui ;
   - la situation de la Compagnie de la baie d'Hudson dans le Canada aujourd'hui.

Paul Kane (1810-1871), Camping on the Prairies (Campement dans les Prairies), 1846, huile sur papier, 8 1/8 po x 13 3/8 po (20,6 cm x 34,0 cm), Stark Museum of Art, Orange (Texas)

Paul Kane a peint le tableau *Camping on the Prairies* (Campement dans les Prairies) en 1845.

 1   Comment les voyageurs attachent-ils leurs chevaux?

2   Comment sais-tu que cette peinture représente des Métis?

3   D'après ce que tu as appris dans ce chapitre, pourquoi cette peinture est-elle un document historique valable?

4   Imagine que tu accompagnes ces voyageurs. Rédige une lettre ou un texte dans ton journal pour décrire tes conditions de voyage et de campement dans les Prairies.

3   Tu as la possibilité de rencontrer une personne mentionnée dans ce chapitre. Choisis-en une et explique ton choix.

4   Formule une série de questions d'entrevue à poser au chef Peguis, à Louis Riel ou à Marie-Anne Lagemodière.

5   Rédige un article de journal sur les rivalités entre la CBH et la CN-O à l'égard de la traite des fourrures.

6   Réalise une illustration portant sur la traite des fourrures entre les Premières nations et les commerçants de la CBH ou de la CN-O, le travail des voyageurs ou la chasse au bison.

7   Conçois un modèle de charrette de la Rivière Rouge ou un mobile pour montrer qui est qui dans la colonie en 1860.

UTILISE LES MOTS CLÉS

À l'aide d'exemples, rédige ta propre définition de chacun des mots suivants:
- pemmican
- fusion
- résolution
- gouvernement provisoire

Les sujets du roi George s'établissent

1778
James Cook accoste dans la baie Nootka.

1842
James Douglas, commissionnaire de la CBH, construit un poste de traite qui devient Victoria, en Colombie-Britannique.

1858-1860
Les chercheurs d'or se ruent vers la vallée du Fraser et la région de Cariboo.

1866
Les colonies de la Colombie-Britannique et de l'île de Vancouver s'unissent.

1871
La Colombie-Britannique entre dans la Confédération. La construction du chemin de fer commence.

ZOOM SUR LE CHAPITRE

Jette un coup d'œil sur les personnes qui se trouvent sur cette photo. Comme tu peux le voir, ce sont tous des hommes. Ce chapitre porte surtout sur des hommes, mais tu vas aussi faire la connaissance de femmes remarquables. Les hommes – des ouvriers, des chercheurs d'or, des arpenteurs et des officiers de la Police montée du Nord-Ouest – travaillent pour la plupart à l'extérieur. Ils se mesurent à la géographie canadienne : cours d'eau impétueux, granit, montagnes, vallées, marécages et falaises.

Ces hommes construisent un tronçon de chemin de fer. Leur travail est rude, dangereux et salissant. Ils utilisent surtout des outils manuels pour façonner le roc et le bois. La voie ferrée sur laquelle ils se tiennent debout relie toutes les régions du Canada d'un océan à l'autre. Cette voie fait partie de l'immense réseau ferroviaire destiné à réaliser le «Rêve national». Ces hommes contribuent aux transformations rapides que tous les peuples de l'Ouest, en particulier les Premières nations, connaissent à cette époque.

Tu vas faire partie de l'équipe pendant quelque temps. Prépare-toi à chasser des mouches noires, à enlever une roche de ta chaussure et à prendre un repas frugal composé de biscuits et de thé. Essaie d'oublier tes muscles endoloris, le pavillon-dortoir malpropre et ton estomac vide. À chaque jour suffit sa peine dans l'œuvre d'édification du Canada.

SCÉNARIO DU CHAPITRE

Dans ce chapitre, tu étudieras les sujets suivants :
- la ruée vers l'or en Colombie-Britannique ;
- les raisons de l'adhésion de la Colombie-Britannique à la Confédération ;
- le rôle de la Police montée du Nord-Ouest dans l'ouest du Canada ;
- les traités entre les Premières nations et le gouvernement canadien ;
- les conflits et les changements dans l'Ouest, y compris les changements importants dans le mode de vie des Autochtones ;
- la construction d'un grand chemin de fer du Canada à l'océan Pacifique.

MOTS CLÉS

consortium
Loi sur les Indiens
négociateur
propriété
 commune
réserve
terminus
traité
transcontinental

1871-1877
Signature de traités entre les Premières nations des Prairies et le Canada

1873
Le scandale du Pacifique éclate. Macdonald donne sa démission.

1874
La Police montée du Nord-Ouest marche vers l'ouest. Le travail des policiers commence.

1881
Le Consortium du CP obtient le contrat de construction du chemin de fer.

1885
Le chemin de fer est achevé d'un océan à l'autre.

DES EUROPÉENS SUR LA CÔTE OUEST

Pendant des milliers d'années, les Premières nations ont vécu le long de la côte du nord-ouest de l'Amérique du Nord. Ces peuples ont commencé à subir des changements rapides après que les voiliers européens ont fait leur apparition au milieu des années 1700. En 1778, le capitaine James Cook et ses hommes jettent l'ancre dans la baie Nootka. Les navigateurs britanniques restent à cet endroit durant un mois. Ils réparent leurs mâts pourris, se reposent, se restaurent et font le commerce avec les Nootkas. Ils découvrent vite que les peaux des loutres de mer obtenues des Nootkas sont très appréciées en Chine et leur rapportent gros. En quelques années, des commerçants venus par bateau de Grande-Bretagne, d'Espagne et des États-Unis se font concurrence pour obtenir ces peaux. Bon nombre d'Autochtones meurent après avoir contracté des maladies apportées par les commerçants.

Pendant la même période, des commerçants de fourrures et des explorateurs venus de l'Est se déplacent par voie de terre en quête de fourrures. Ils ouvrent des postes de traite et se rendent jusqu'à l'océan Pacifique. Les commerçants de la Compagnie du Nord-Ouest (CNO), leurs guides autochtones et des pagayeurs se démènent pour ouvrir des routes des fourrures jusqu'à la côte. En 1793, Alexander Mackenzie atteint l'océan Pacifique. Il est le premier Européen à atteindre la côte de l'intérieur des terres.

Dix ans plus tard, les commerçants de fourrures des Canadas et de Grande-Bretagne commencent à construire des postes de traite à l'intérieur de la Colombie-Britannique, alors appelée New Caledonia. Le gouvernement britannique craint une

La côte du Nord-Ouest en 1846

Cette illustration de Fort Victoria est parue dans *The Illustrated London News*, le 26 août 1848. Le bateau à vapeur au premier plan est utilisé par la CBH. Repère Fort Victoria sur la carte.

Nous sommes en 1837. James Douglas, agent principal de Fort Vancouver, est en colère contre le premier aumônier de ce poste très actif de la CBH sur les rives du fleuve Columbia.

Le révérend Herbert Beaver et sa femme sont arrivés en septembre de l'année précédente. Le couple a aussitôt commencé à causer des ennuis. Les Beaver refusent de côtoyer les femmes des employés de la CBH. Pourquoi ? Les couples se sont mariés « à la façon du pays », c'est-à-dire que les cérémonies n'ont pas été célébrées dans une église. Cela n'a pas été possible, car il n'y avait ni église ni ministre avant l'arrivée des Beaver.

Les Beaver traitent avec mépris l'épouse de Douglas, Amelia. Le couple s'est marié à la façon du pays. Douglas est alors commis à Fort St. James. Le père d'Amelia, un Écossais, a été le patron de Douglas ; sa mère est d'origine dénée.

Douglas est très sensible au mépris des Beaver parce que ses parents se sont, eux aussi, mariés à la façon du pays. Son père, un Écossais, a été propriétaire d'une plantation en Guyane britannique, aujourd'hui appelée Guyana. Il a épousé une Afro-Américaine et ils ont eu trois enfants. James, l'aîné, a passé les six premières années de sa vie avec sa mère en Guyane britannique, puis il a été emmené en Écosse par son père pour étudier. James n'a jamais revu sa mère.

Douglas ravale sa colère et demande au révérend Beaver de bénir son mariage. Pour plusieurs autres couples du poste de traite, cette solution n'est pas possible. La plupart sont catholiques, et Beaver est ministre du culte de l'Église anglicane. Son attitude provoque l'indignation d'un grand nombre de gens, et il doit bientôt quitter le poste de traite.

Le souvenir du couple britannique hautain a peut-être eu un effet durable sur Amelia. Quand Douglas est nommé gouverneur de l'île de Vancouver en 1851 et de la Colombie-Britannique continentale en 1858, Amelia décide de rester dans l'ombre. L'une des filles du couple remplace souvent sa mère aux fêtes officielles, aux bals et aux autres activités sociales que le gouverneur est obligé d'organiser et de présider.

Amelia apparaît rarement en public. Elle devient lady Douglas quand la reine Victoria fait son mari chevalier, mais elle ne renie jamais ses racines autochtones. Des années plus tard, ses petits-enfants se souviennent des légendes et des histoires de son enfance à Fort St. James qu'elle leur a contées au coucher.

Autres personnages à découvrir

Matthew Baillie Begbie

James et Amelia Douglas

John Helmcken

Maquinna

Catherine Schubert

David Thompson

invasion américaine dans la région. C'est pourquoi il loue l'île de Vancouver à la Compagnie de la baie d'Hudson (CBH). En 1849, James Douglas, gouverneur de la CBH, s'établit à Fort Victoria.

L'existence des gens qui vivent et travaillent dans la région à l'ouest des Prairies change radicalement après 1858. La maladie et les conflits font passer de 60 000 à environ 25 000 le nombre d'Autochtones. Un ancien non identifié des Seshahts exprime ses appréhensions en 1860 :

> *Nos familles se portent bien, nos gens ont des vivres en abondance, mais pour combien de temps ? Nous voyons vos navires et nous entendons des rumeurs qui nous rendent malades d'inquiétude. On annonce l'arrivée prochaine d'autres sujets du roi George [des Britanniques] qui vont s'approprier nos terres, notre bois de chauffage et nos cours d'eau poissonneux. On dit aussi que nous allons être confinés sur une petite terre et que nous allons devoir nous plier aux caprices du roi George.*
>
> (Traduction libre)

La raison de cette transformation, c'est l'or.

Où en sommes-nous ?

1 Qu'est-ce que les Européens qui ont d'abord visité la côte du Nord-Ouest espèrent gagner ?

2 Pourquoi le gouvernement britannique loue-t-il l'île de Vancouver à la CBH ?

3 Quelles craintes l'ancien des Seshahts exprime-t-il ? S'il vivait aujourd'hui, que dirait-il, selon toi, de la situation que son peuple a subie ?

Court métrage

Pour apaiser les peurs

Pendant que les mineurs américains envahissent la région de Cariboo, les Salishs de l'intérieur ont peur d'être confinés dans des réserves. C'est ce qui est arrivé aux Autochtones pendant la ruée vers l'or dans le territoire américain de l'Oregon. Les Salishs sont prêts à se battre. Heureusement, le gouverneur James Douglas comprend leurs inquiétudes. À l'occasion d'une visite dans la région de Cariboo, Douglas avertit les mineurs bagarreurs de respecter les droits des Salishs.

La ruée vers l'or

En 1857, un groupe d'Autochtones de New Caledonia envoie quelque 800 oz (environ 23 kg) d'or à une fabrique de monnaie de San Francisco pour les vendre. Quand la nouvelle s'ébruite, des milliers d'hommes sont gagnés par la fièvre de l'or. Des mineurs de Californie prennent des bateaux à destination du nord. En quelques mois, environ 30 000 personnes quittent leur maison pour New Caledonia.

Les nouveaux venus causent de gros ennuis à James Douglas. Comment maintenir la loi et l'ordre ? Comment assurer la protection des gens et des approvisionnements à destination ou en provenance des champs aurifères ? Le 2 août 1858, le gouvernement britannique nomme Douglas gouverneur de la zone continentale et rebaptise la colonie Colombie-Britannique. Quelques travailleurs, dont le juge Matthew Baillie Begbie, viennent aider Douglas à diriger la colonie. Le juge parcourt la colonie pour maintenir la loi et administrer la justice.

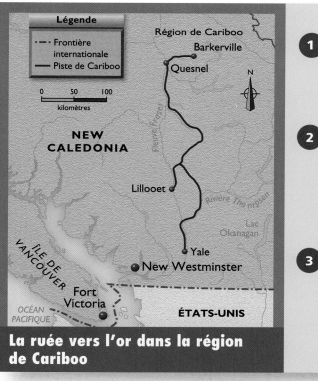

La ruée vers l'or dans la région de Cariboo

1 Estime la distance entre New Westminster et Barkerville en empruntant la piste et le chemin de roulage.

2 Compare les pistes de cette carte avec les routes indiquées sur une carte contemporaine de la Colombie-Britannique. Lesquelles sont les mêmes ?

3 Nomme les deux principales colonies de la Colombie-Britannique en 1863. Nomme les deux principales villes de cette province aujourd'hui.

Des milliers de prospecteurs remontent le fleuve Fraser. Les collectivités et les terres autochtones sont endommagées, car les prospecteurs et les mineurs s'établissent dans la région de Cariboo sans respecter les droits des Premières nations. Dans le commerce des fourrures, au contraire, les Autochtones ont été traités comme des associés par les commerçants.

À l'extrême gauche : Peinture de William Hind représentant un prospecteur en train de laver les sables à la batée pour trouver de l'or. À gauche : Bill Phinney à côté d'un balancier

Examine les deux images montrant des chercheurs d'or.

1 Explique le lien entre ces images et le thème du chapitre 6.

2 Selon toi, quelle image est la plus exacte : la peinture ou la photo ? Explique ta réponse.

La route de Cariboo a été construite entre 1862 et 1864 pour donner accès aux champs aurifères vers le nord.

Jette un coup d'œil sur les gens sur cette photographie. Ils avancent sur la route de Cariboo et se dirigent vers les champs aurifères. Glisse-toi dans la photo. Comment te sens-tu à cette altitude ? Qu'y a-t-il en bas ? As-tu eu peur quand l'autre chariot et les autres équipes ont dépassé ton chariot ? As-tu espéré que les poneys restent calmes et ne glissent pas ? As-tu ressenti de l'inconfort ? As-tu faim ? As-tu chaud ? Éprouves-tu de la fatigue et le désir de te laver ? Vaut-il la peine de faire tous ces efforts pour trouver de l'or ? Parles-en avec une ou un camarade, puis simulez un court dialogue entre deux voyageurs.

1. Selon toi, pourquoi le trottoir est-il surélevé ?

2. D'après les enseignes visibles sur cette photo, quels services un prospecteur peut-il obtenir ?

3. Comment la photographie nous aide-t-elle à comprendre pourquoi toute la ville représente un risque d'incendie ?

Court métrage

Barkerville

L'un des prospecteurs les plus prospères de la région de Cariboo s'appelle Billy Barker. Une ville importante portant son nom pousse comme un champignon. Barkerville dessert les prospecteurs qui exploitent leurs concessions à Williams Creek. Cette ville compte des *saloons*, des restaurants, des églises, des magasins, des bars, un hôpital, des salles de danse, un théâtre et des salles de jeu. De nombreux prospecteurs gagnent et perdent des fortunes en jouant aux cartes.

Les bâtiments en bois de Barkerville sont tellement rapprochés qu'en 1868 un incendie se propage des deux côtés de la rue en quelques minutes. La population reconstruit la ville en quelques jours.

Les agriculteurs s'établissent le long du bas Fraser. Des ranchs et des vergers surgissent dans la vallée de l'Okanagan. Des scieries produisent du bois pour construire les maisons, les magasins et les *saloons* à Yale, Lillooet et Quesnel. En 1871, la Colombie-Britannique se joint à la Confédération canadienne.

Où en sommes-nous ?

1. Révise le chapitre 4. Qu'est-ce qui incite la Colombie-Britannique à adhérer au Canada ?
2. Fais des recherches sur ce qui s'est passé à Barkerville quand l'or a été épuisé.
3. Pourquoi y a-t-il une « ruée » vers la région de Cariboo ? Si tu le pouvais, participerais-tu à une ruée vers l'or ? Pourquoi ?

LA POLICE MONTÉE DU NORD-OUEST

En 1870, l'immense région à l'ouest du Manitoba est le foyer des Premières nations, des familles de commerçants de fourrures et de millions de bisons et de loups. Cette région, dont la taille représente environ le quart de l'Amérique du Nord, compte moins de 50 000 personnes. Les aliments, en particulier la viande de bison,

Court métrage

sont devenus rares pendant les années 1860. Les chasseurs de bisons de la région de la Rivière Rouge commencent à s'établir plus à l'ouest sur les terres des Cris. Ces colons refoulent les Cris vers le territoire de la Confédération des Pieds-Noirs. En 1869, la guerre éclate entre les Cris et les Pieds-Noirs, et des centaines de personnes meurent de la variole au cours des années 1870.

Le changement rapide est le grand ennemi des Cris et des Pieds-Noirs. Des commerçants venus du sud de la frontière passent par les campements des Cris et des Pieds-Noirs pour se procurer des peaux de bisons. En échange, les commerçants leur offrent des mixtures d'un alcool qui rend malade, le whisky. Les commerçants construisent des forts au nord du 49e parallèle et leur donnent des noms d'alcools tels que Whoop-Up, Whisky Gap et Robber's Roost.

Les peaux de bisons servent à la fabrication de courroies destinées à la machinerie industrielle dans de nombreuses fabriques de l'est des États-Unis et du Canada. Au début des années 1870, jusqu'à 100 000 peaux de bisons sont expédiées annuellement vers l'est.

En 1870, le Canada est responsable du maintien de la paix dans l'Ouest. Le premier ministre John A. Macdonald décide de créer une force policière dans l'Ouest. En 1873, cependant, le projet de loi n'a toujours pas été adopté. La nouvelle du massacre d'Assiniboines à Cypress Hills par des trafiquants de whisky se répand dans l'Est. Les Canadiens réclament une intervention. La population craint que l'absence de lois dans les plaines de l'Ouest ne serve de prétexte aux Américains pour s'y établir. En l'espace de quelques semaines, une patrouille se rend dans l'Ouest pour imposer la loi et l'ordre. Ce sont les officiers de la Police montée du Nord-Ouest.

La Police montée du Nord-Ouest a les responsabilités suivantes :

- mettre fin au trafic de whisky ;
- patrouiller la frontière canado-américaine ;
- mettre fin à la contrebande ;
- gagner le respect et la confiance des Premières nations ;
- maintenir la loi et l'ordre.

À l'automne de 1873, les 150 premières recrues de la Police montée du Nord-Ouest se rassemblent à Collingwood, en Ontario. Certains de ces hommes ont été agriculteurs, d'autres barmans, commis, navigateurs ou policiers. Ils ont en perspective un voyage éprouvant de 1400 km jusqu'à Lower Fort Garry et un hiver au Manitoba pour préparer leur travail.

La longue marche

Le 8 juillet 1874, un défilé de 300 recrues, 310 chevaux, 142 bœufs, 114 Métis en charrettes de la Rivière Rouge, 73 chariots, 33 vaches et 3 canons de campagne quittent le Manitoba. Les chariots contiennent des provisions de sucre, de thé, de farine, de bacon, de munitions et d'aliments destinés aux animaux pour six mois. Le premier problème surgit en peu de temps : les roues et les essieux des chariots se brisent régulièrement. Tout le monde doit s'arrêter pour les réparer. Le 10 septembre, l'agent de police Fred Bagley écrit ceci :

> *Nul ne semble savoir où nous nous trouvons. Tout le monde est maussade et sans entrain. L'avenir est sombre. Il fait froid, il vente et il pleut. La pluie risque de se changer en neige. Nous avons campé en rase campagne près d'un marécage. Il n'y a pas d'eau ni de bois. Nous n'avons rien à manger.*

(Traduction libre)

Après trois semaines, la colonne a franchi seulement 430 km. Le commissaire George French divise le groupe en deux. Il envoie les hommes les plus vigoureux à Fort Whoop-Up. Les autres, surnommés le « contingent de la basse-cour », se dirigent vers le

Court métrage

Que révèle un nom ?

Beaucoup de choses, au dire de certains Américains en 1873. Quand ils apprennent que le Canada projette de patrouiller le 49e parallèle à l'aide d'une force armée, les Mounted Rifles, beaucoup sont outragés par ce nom guerrier. Pour les apaiser, le premier ministre John A. Macdonald demande une version provisoire de la loi créant cette force. Il biffe « Mounted Rifles » et écrit à la place « Police montée ». Le *Mounted Rifles Act* devient l'Acte de la police montée.

L'itinéraire de la longue marche

Dans le feu de l'action

Jerry Potts : Les Pieds-Noirs d'abord, les officiers de la Police montée ensuite

Personne parmi les Européens, les Autochtones ou les Métis ne veut avoir affaire à Jerry Potts. Ce guide et interprète métis légendaire sort toujours indemne des bagarres de bar ou de la guerre aux côtés des Pieds-Noirs, le peuple dont sa mère est issue. C'est pourquoi les Pieds-Noirs lui attribuent des pouvoirs surnaturels. Potts est convaincu qu'il doit sa chance à une amulette qu'il porte toujours sous sa chemise : la peau d'un chat.

Potts a beaucoup à offrir aux officiers de la Police montée. Vénéré par les Pieds-Noirs, il constitue un intermédiaire idéal. Comme il parle anglais et plusieurs langues autochtones, il est capable de promouvoir la compréhension en expliquant les coutumes européennes aux Pieds-Noirs et les coutumes des Pieds-Noirs aux Européens. Son sens aigu de l'orientation l'aide à guider les officiers de la Police montée dans les plaines onduleuses de l'Ouest. Pour la population de l'Est, ces plaines semblent dépourvues de points de repère.

Qu'est-ce que les officiers de la Police montée offrent à Potts en échange ? Principalement, la fin du trafic de whisky qui, selon Potts, détruit son peuple. Il aime aussi l'attitude amicale des officiers de la Police montée, qui contraste avec la brutalité de la cavalerie américaine au sud du 49e parallèle. Cependant, les allégeances de Potts demeurent toujours claires. Les officiers de la Police montée ne sont que ses employeurs. Les Pieds-Noirs sont son peuple. Ce sont eux qui occupent la première place dans son cœur.

Court métrage

La tradition des tuniques rouges débute

Pour un grand nombre d'Autochtones de l'Ouest, les soldats américains représentent l'ennemi. Les troupes en uniforme bleu les traitent souvent avec cruauté, mais les soldats britanniques en tunique rouge sont différents. C'est pourquoi les agents de la Police montée du Nord-Ouest décident d'adopter des uniformes dans la tradition militaire britannique. Un soldat portant une tunique rouge a de meilleures chances d'avoir la confiance des Premières nations.

Dans ce dessin d'Henri Julien représentant la marche vers l'ouest en 1874, les officiers de la Police montée du Nord-Ouest font triompher le bien. Ils sont en train de franchir les Dirt Hills.

nord. Le voyage jusqu'à Fort Edmonton représente 88 jours de souffrances dues à la faim, au froid, à la boue et aux insectes.

L'hiver approche. Les chevaux souffrent de la faim et du froid. Les hommes couvrent les bêtes de leurs couvertures. Le 10 septembre, ils atteignent le lieu où ils pensent trouver Fort Whoop-Up. Seul le vent est au rendez-vous. En désespoir de cause, le commissaire French se rend jusqu'à Fort Benton, au Montana, pour obtenir du ravitaillement. Un guide métis dénommé Ky-yo-kosi, ou Jerry Potts, arrive avec le ravitaillement.

Quand James Macleod, guidé par Jerry Potts, s'approche de Fort Whoop-Up, un seul commerçant ouvre les portes. Les autres ont fui ou font du commerce légalement. La Police montée du Nord-Ouest ferme les forts de contrebande du whisky, construit une base appelée Fort Macleod et patrouille le pays. La communauté grossit vite. On bâtit un *saloon*, des magasins et même un hôtel.

Lien Internet

www.dlcmcgrawhill.ca

Consulte le site Web ci-dessus pour lire le journal du voyage d'Henri Julien avec la Police montée du Nord-Ouest, relatant la longue marche. Clique sur *Matériel complémentaire/Primaire et secondaire*, puis sur *Le Canada : L'édification d'une nation*, où l'on te donnera la suite des indications.

Le travail de la Police montée

L'aspect le plus important du travail des officiers de la Police montée consiste à maintenir l'ordre. Les officiers patrouillent à cheval ou à pied pour éliminer la contrebande, arrêter les trafiquants de whisky et maintenir la paix. Ils gagnent rapidement le respect des habitants de l'Ouest. Ils livrent le courrier, assurent des services médicaux, recensent la population et livrent des vivres aux collectivités autochtones. De plus, ils combattent les feux de prairie, étouffent les émeutes et pourchassent les voleurs de bétail.

On voit sur cette photo des hommes de la Police montée du Nord-Ouest en compagnie de guides autochtones à Fort Macleod.

Où en sommes-nous ?

1 Pourquoi faut-il une force de police dans le nord-ouest du Canada ?
2 Pourquoi les agents de la Police montée du Nord-Ouest doivent-ils être de bons cavaliers ?
3 Compare le travail de la Police montée du Nord-Ouest à celui de la Gendarmerie royale du Canada. Dresse un tableau comparatif pour expliquer tes découvertes.
4 Explique comment la légende de la Police montée du Nord-Ouest s'est répandue.
5 Décris brièvement le travail de Jerry Potts, ou Ky-yo-kosi.

Les faits derrière l'histoire

La plupart des pays et des peuples ont des contes, des mythes et des légendes pour expliquer des événements passés. Au Canada, nous avons la légende des agents invincibles de la GRC qui font toujours triompher le bien.

La Gendarmerie royale du Canada est un symbole célèbre du Canada. On voit les officiers de la GRC sur des cartes postales, des chopes et des porte-clés. Ils sont très visibles à l'ouverture du Parlement et ont fière allure dans leur tunique rouge quand les nouveaux arrivants prêtent serment aux cérémonies de remise des certificats de citoyenneté. Au cours des 125 dernières années, ils ont été les vedettes d'une foule de romans et de films d'Hollywood, en particulier dans les années 1950. Dans les années 1990, une émission de télévision populaire a mis en vedette un officier de la GRC conforme à la légende. Il fait preuve de calme, d'honnêteté, de politesse et d'intelligence dans sa mission de justicier. De plus, son comportement est non violent. Cette caractéristique est aussi conforme à la légende : les officiers de la GRC ont une belle apparence, sont virils, intelligents et pacifiques.

Comment cette légende est-elle née ? Elle remonte à 1873, année où les officiers de la Police montée du Nord-Ouest ont entrepris leur voyage vers l'ouest à partir de l'Ontario. Les quotidiens de l'est du Canada regorgent de récits sur ces héros. Les officiers traversent des prairies chaudes et poussiéreuses, pataugent dans des marécages et des cours d'eau, perdent leur chemin et souffrent atrocement pour imposer la loi et l'ordre dans l'Ouest. Voici ce que dit un historien au sujet de la légende de la Police montée du Nord-Ouest :

> Le fait le plus remarquable au sujet des officiers de la Police montée du Nord-Ouest de la première génération est qu'ils sont aimés et respectés. Un voleur de trains américain fait prisonnier en Colombie-Britannique après une violente bataille à coups de pistolets fait ce commentaire reflétant l'opinion publique : « Venant de moi, ce compliment peut paraître bizarre. J'admire votre travail. » La Police montée a un succès retentissant.

Certains croient que la marche vers l'ouest qui a contribué à la réputation des officiers de la Police montée a causé des pertes de vie inutiles chez les humains et chez les animaux. Selon eux, la Police montée a été mal préparée pour l'expédition. Il s'est commis des erreurs inadmissibles : par exemple, la Police montée n'a pas prévu de gourdes et a fait d'autres bévues. Après tout, des centaines de commerçants métis ont effectué sans encombre de multiples voyages de ce genre dans les plaines.

INTERROGE LES FAITS

Un mythe ou une légende est une histoire improuvable. Pense aux légendes de Laura Secord et de Tecumseh. Ces récits nous plaisent et nous instruisent. Les légendes historiques aident les gens à comprendre leur passé.

1. De quelle preuve as-tu besoin pour montrer qu'un récit historique est un mythe ou une légende plutôt qu'un fait ?
2. Sers-toi de tes connaissances en art du langage pour expliquer pourquoi nous aimons que les mythes et les légendes nous transmettent des messages.
3. Dans le passé, les officiers légendaires de la Police montée étaient connus dans le monde entier. Penses-tu que les officiers de la GRC ont un statut semblable au Canada aujourd'hui ? Comment le sais-tu ? Quelles sont tes sources de documentation sur la GRC ? Est-ce que tes connaissances renforcent la légende ?
4. Essaie de trouver des exemples illustrant la Gendarmerie royale du Canada aujourd'hui. Va dans une boutique de souvenirs et observe ce que tu peux découvrir, ou vérifie si tu as des souvenirs chez toi. Fais un compte rendu de tes découvertes.
5. Effectue des recherches sur la GRC d'aujourd'hui. Où les agents de la GRC travaillent-ils ? Quels types d'emplois occupent-ils ? À quelles difficultés font-ils face ? Quels changements la force a-t-elle subis au cours des 10 dernières années ?

LES TRAITÉS AVEC LES PREMIÈRES NATIONS

Vers 1865, le mode de vie des Premières nations des Plaines subit des bouleversements dévastateurs. En 20 ans, les bisons disparaissent, des colons s'établissent, la guerre et la maladie détruisent des familles et les trains traversent les terres traditionnelles. Les Premières nations prennent conscience de la disparition de leur mode de vie traditionnel.

La signature de traités dans les années 1870

Les Cris et les autres peuples des Prairies savent que le gouvernement canadien a payé la Compagnie de la baie d'Hudson pour acquérir des terres dans l'Ouest. Ils savent aussi que des colons vont s'installer à cet endroit. Ils voient que les bisons sont en train de disparaître.

Le chef cri Sweetgrass exprime ses inquiétudes :

Nous avons entendu dire que nos terres ont été vendues et nous sommes très mécontents. Nous ne voulons pas vendre nos terres. Elles nous appartiennent et nul n'a le droit de les vendre. Notre pays n'est plus capable d'assurer notre subsistance. Prenez les dispositions nécessaires pour nous venir en aide pendant les années de famine… Empêchez les Américains de commercer sur nos terres.

(*Traduction libre*)

De plus en plus de colons s'établissent dans l'Ouest. Les Premières nations exercent des pressions en faveur de la conclusion de **traités** pour régler les questions des terres et des paiements du gouvernement canadien. En 1870, le colonel Wolseley et ses hommes tentent de franchir les territoires cris à l'ouest du lac Supérieur. Les Cris acceptent que les troupes passent sur leurs terres moyennant un dédommagement. En 1871, après les tentatives de certains colons pour s'établir à

Ces énormes monceaux d'ossements de bisons représentent des milliers de carcasses. Les os sont ramassés par les premiers colons et expédiés vers l'Est, où ils sont moulus pour servir d'engrais. Les cornes servent à la fabrication de boutons et de peignes. Les sabots servent à produire de la colle.

Marie-Rose Delorme

TÉMOIN DE LA FIN D'UN MODE DE VIE

La voiture s'arrête en donnant des à-coups. Marie-Rose Delorme est la première à bondir hors du véhicule. Elle se réserve quelques minutes, car elle a passé une journée chaude et poussiéreuse en compagnie de sa sœur aînée, Élise, et des bébés, Magdeleine, deux ans, et Pezzan, 10 mois.

Nous sommes en juin 1870. Les Delorme font partie d'une caravane de familles métisses qui suit la piste de Carlton de 800 km vers le nord-ouest jusqu'à Fort Carlton, sur la rivière Saskatchewan Nord. De là, ces gens vont se diriger vers Fort Pitt, puis rebrousser chemin et revenir chez eux à temps pour passer l'hiver dans leur cabane de rondins près de la rivière Assiniboine.

Pour les Métis, le voyage vise deux objectifs. Le long de leur parcours, ils chassent le bison. Ils troquent aussi leurs articles de traite contre des fourrures et des peaux de bisons dans les campements cris. Les peaux sont ensuite échangées quand la caravane s'arrête aux postes de traite de la CBH.

Marie-Rose a peu de temps pour elle-même. Il y a beaucoup à faire : les familles préparent le campement pour la nuit. On dresse les tipis. Marie-Rose et Élise ramassent des bouses de bison séchées pour le feu qui sert à faire cuire les aliments.

Avec l'aide d'Élise, la mère de Marie-Rose prépare du poulet des prairies et du bannock, un pain cuisant rapidement. Le bannock est un délice. Les provisions de farine devant durer tout le voyage, on utilise la farine modérément. Après le repas, plusieurs familles se rassemblent pour boire du thé, raconter des histoires et faire des jeux.

Les soirées sont différentes quand les hommes tuent des bisons. La caravane s'arrête pendant plusieurs jours et tous travaillent de l'aube au crépuscule. Il faut dépouiller les carcasses, fumer la viande pour qu'elle se conserve pendant les chaleurs de l'été, sécher les tendons pour la couture, tanner les peaux et fabriquer du pemmican. Marie-Rose préfère les soirées plus paisibles comme celle-ci.

Au lever du soleil le lendemain matin, les familles lèvent le camp. Les guides sont déjà sur la piste. Leur travail consiste à trouver de l'eau et un emplacement pour le campement de la nuit suivante. S'ils repèrent des huttes cries où ils peuvent échanger des articles, ils profitent de l'occasion. Ils sont aussi à l'affût des bisons et du gibier.

Marie-Rose ne le sait pas, mais cette chasse est leur dernière. Son père meurt peu après le retour des Delorme chez eux. D'autres familles restent là quelques années encore, mais elles cessent bientôt d'effectuer leur long trajet annuel. C'est devenu inutile, car les bisons ont disparu, tout comme leur mode de vie traditionnel.

Autres personnages à découvrir

Marie-Rose Delorme

Isapo-muxika (Crowfoot)

Ke We Tayash

Révérend Albert Lacombe

Maskepetoon

Mis Koo Kenew (Henry Prince)

l'ouest de la rivière Rouge, les collectivités autochtones leur interdisent de s'installer sur des terres qui ne leur appartiennent pas. Une bande de Saulteux dirigée par Yellow Quill refoule les colons cherchant à s'établir à l'ouest de Portage la Prairie. Le temps est venu de signer des traités.

À l'été de 1871, le lieutenant-gouverneur du Manitoba s'adresse aux Ojibwés rassemblés au sujet du Traité nᵒ 1. En tant que représentant de la reine Victoria, le lieutenant-gouverneur les informe que la reine veut faire d'eux des agriculteurs. Il leur promet des terres à perpétuité, sans intrusion. Il promet aussi de respecter leurs droits de chasse et de pêche ainsi que le maintien de leur mode de vie. Les promesses ne sont pas tenues et, en fait, ne sont même pas incluses dans le traité. De nombreux Ojibwés sont mécontents des résultats.

Le Traité nᵒ 3 porte sur des terres comprises entre la colonie de Selkirk et le lac Supérieur. Les Ojibwés sont inébranlables dans leurs revendications pour obtenir une indemnisation équitable. Ils exigent des laissez-passer à bord des trains traversant leur territoire et l'interdiction de vendre des spiritueux sur leurs terres, de l'outillage agricole et des animaux d'élevage, des écoles, des paiements annuels et de grandes **réserves**. Les réserves sont des étendues de terre réservées à leur usage. Les **négociateurs** du gouvernement, les agents envoyés pour conclure une entente, acceptent. Le traité est signé en 1873.

Les Traités nᵒ 4, nᵒ 5 et nᵒ 6 sont négociés au milieu des années 1870. Les Cris et les Assiniboines sont malheureux des nombreux changements intervenus dans leur mode de vie. Ils se plaignent du fait que le Canada a payé la Terre de Rupert à la Compagnie de la baie d'Hudson, et font valoir que cet argent leur appartient. Ils ont d'autres motifs d'insatisfaction. Comme le

Les cérémonies de signature des traités ressemblent à cette rencontre : apparat, nombreuses personnes, chevaux par centaines, bonne chère, longs discours, calumets de paix et officiers de la Police montée du Nord-Ouest en tunique rouge.

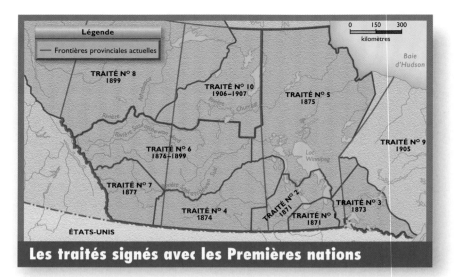

Les traités signés avec les Premières nations

Le chef des Pieds-Noirs Isapo-
muxika, ou Crowfoot, signe le
Traité n° 7. Il fait l'éloge du
travail de la Police montée du
Nord-Ouest.

dit le chef cri Poundmaker (Pitikwahanapiwiyin) : « C'est notre terre. Ce n'est pas un morceau de pemmican qu'on peut couper et nous redonner en petites quantités. Cette terre est nôtre et nous allons prendre ce que nous voulons. »

Le Traité n° 7 est l'entente finale entre les Premières nations des Prairies et le gouvernement canadien. En septembre 1877, des milliers de chevaux, des centaines de membres de la Confédération des Pieds-Noirs, des officiers de la Police montée du Nord-Ouest et des négociateurs canadiens se rassemblent à Blackfoot Crossing. Ils prient, dansent, font du commerce, festoient, négocient et signent le Traité n° 7. La police maintient l'ordre.

Avec la signature du Traité n° 7, les terres des Prairies appartiennent officiellement au Canada. Les négociateurs canadiens obtiennent les titres de propriété des terres de l'Ouest qui peuvent être vendues ou mises en valeur conformément à la décision du gouvernement. En contrepartie des titres cédés sur leurs terres, les Premières nations négocient des réserves, des paiements annuels, des habits ainsi que des droits aux soins médicaux, à l'instruction, à l'outillage agricole et à des ravitaillements. La **Loi sur les Indiens** énonce les droits et les responsabilités des Premières nations et du gouvernement du Canada.

Regard sur les traités

Quels gains les traités représentent-ils pour les Premières nations ? Savent-elles qu'elles ont cédé leurs droits sur de vastes étendues de terres ? Quels sont les gains et les pertes du gouvernement canadien ? Les négociateurs canadiens profitent-ils des Premières nations ? La population se pose ces questions depuis les années 1870. Voici quelques opinions :

• Le concept de propriété privée est nouveau pour certaines Premières nations. Elles comprennent le concept de **propriété commune**. Ce qui est propriété commune est à l'usage de tous les membres de la collectivité, mais n'appartient à personne.

- Certaines Premières nations ne se rendent pas compte qu'elles vont être confinées dans des réserves.
- Certaines Premières nations comprennent qu'elles ont cédé l'usage de leurs terres aux colons pour l'agriculture, mais elles pensent avoir encore des droits sur l'eau, le bois, les minéraux et le poisson.
- En contrepartie de l'aide permanente du gouvernement, certaines Premières nations cèdent délibérément leurs terres.
- Dans certains cas, les ententes verbales entre les Premières nations et les négociateurs du gouvernement ne concordent pas avec les ententes écrites signées par chaque partie.
- En raison des difficultés linguistiques, certaines conditions sont très difficiles à comprendre de la même manière pour les deux parties.
- Les concessions des négociateurs du gouvernement dépassent leurs prévisions initiales. Ils cèdent des droits aux soins médicaux, à l'instruction et aux semences. Les concessions de terres plus étendues ne font pas partie de leurs plans jusqu'à ce que les négociateurs autochtones les forcent à accepter.
- Les Premières nations conçoivent les traités comme des ententes appelées à être modifiées si les conditions changent. Les cérémonies de signature font partie d'une relation permanente entre les deux parties.
- Les Européens et les Canadiens conçoivent les traités comme des ententes définitives.

Les Premières nations souffrent de la faim et des bouleversements survenus dans leur vie pendant les années 1870 et 1880. On voit ici quelques Autochtones en train de recevoir des rations d'un agent.

Certains négociateurs canadiens et des membres de la Police montée du Nord-Ouest tiennent des registres détaillés de leurs observations aux cérémonies de signature des traités, mais il y a peu de dossiers autochtones. Ces registres ne sont que des comptes rendus des observations et des idées de leur auteur. Comme l'a écrit un historien : « Il est impossible de parvenir à un accord sur ce que les parties ont fait, sans compter ce qu'elles pensent avoir fait. »

Nous ne pouvons pas savoir ce que les gens qui ont signé les traités ont pensé, mais nous pouvons connaître les conséquences des traités pour la population de l'Ouest. Dans le prochain chapitre, tu vas apprendre quels ont été les problèmes, les conflits et les frustrations des Premières nations et des colons après 1877.

Où en sommes-nous ?

1   Quelles raisons les Premières nations des Prairies ont-elles de signer des traités ?
2   Quelles raisons le gouvernement canadien a-t-il de signer des traités ?
3   Dresse un tableau indiquant ce que les Premières nations ont cédé d'un côté, et ce qu'elles ont gagné de l'autre. Indique quelques problèmes possibles qui surviendront dans l'avenir.
4   Fais un remue-méninges et crée un collage de mots et d'images pour montrer les raisons de la signature des traités. Indique les éléments qui représentent les perspectives des Premières nations et ceux qui représentent les positions du gouvernement canadien.

Il faut construire des ponts et des chevalets pour faire passer la voie ferrée au-dessus de torrents impétueux, de larges rivières et de canyons profonds.

LA CONSTRUCTION DU GRAND CHEMIN DE FER

L'idée de construire un train **transcontinental** canadien semble étonnante. Pense aux distances à franchir pour relier Halifax, en Nouvelle-Écosse, à Vancouver, en Colombie-Britannique. Imagine-toi les étendues de montagnes, de forêts, de fondrières et de prairies à traverser. Le chemin de fer transcontinental sera le chemin de fer le plus long et le plus coûteux du monde. En 1867, le Canada ne compte qu'environ 3,5 millions d'habitants. Comment peut-il rêver de construire un chemin de fer ?

Les Canadiens veulent démontrer qu'ils ont le pouvoir, la force et l'habileté nécessaires pour mener à bien un projet de cette envergure. Ils veulent aussi s'assurer que les chemins de fer américains ne transportent pas les colons et les marchandises du Canada à l'Ouest, ni les produits de l'Ouest à l'Est. En 1871, le gouvernement de sir John A. Macdonald promet de construire un chemin de fer pour relier la Colombie-Britannique aux provinces de l'Est.

Le scandale du Pacifique

La construction des chemins de fer coûte très cher. Comment le gouvernement va-t-il payer les travaux ? Il n'a pas les ressources nécessaires et doit s'en remettre aux entreprises privées. En 1873, le gouvernement de Macdonald accorde le contrat du chemin de fer à Hugh Allan de Montréal et à ses associés américains. Puis le gouvernement décide que les Américains ne peuvent diriger le projet. Les associés d'Allan sont furieux. Ils accusent Allan d'acheter le contrat de construction du chemin de fer en finançant l'élection du parti de Macdonald en 1872. Peu après, les journaux publient une nouvelle renversante : des télégrammes volés dans le coffre-fort du cabinet d'avocats d'Allan semblent incriminer Macdonald lui-même. Un télégramme dit ceci : « Il me faut 10 000 $ de plus. » Cela signifie sûrement que Macdonald a demandé de l'argent à Allan pour la campagne et lui a attribué le contrat du chemin de fer en échange. On mène une enquête parlementaire et de multiples manchettes de protestations paraissent dans les journaux. Déchu, Macdonald donne sa démission.

Passe à l'histoire

Les arpenteurs travaillent en terrain accidenté. Ils mesurent et délimitent les tracés des routes, des frontières ou des chemins de fer. Mets-toi dans la peau d'un arpenteur et prends quelques notes dans ton journal pour décrire ton travail et la région où tu travailles.

Le nouveau premier ministre est sir Alexander Mackenzie. Son gouvernement n'exerce pas de pressions pour faire démarrer le projet à la hâte. Les fonds sont peu abondants pour une entreprise aussi énorme. Des arpenteurs supervisés par l'un des ingénieurs les plus créatifs de l'histoire canadienne, sir Sandford Fleming, doivent effectuer le tracé du chemin de fer. Pendant 10 ans, les équipes de Fleming travaillent inlassablement chaque fois qu'il y a assez d'argent pour les payer.

Cette équipe d'arpenteurs vient d'arriver au sommet d'un col dans les Rocheuses canadiennes. La pause sera de courte durée.

Il faut prendre une décision : où le **terminus**, ou extrémité, du chemin de fer dans l'Ouest va-t-il être situé ? À cette époque, Vancouver est un village sur la côte du Pacifique. Au cours de l'été 1878, le premier ministre Mackenzie annonce que le terminus sera situé à Port Moody. En quelques mois, Vancouver devient une petite, puis une grande ville.

Le gouvernement de Mackenzie décide de construire une ligne en Colombie-Britannique entre Port Moody et Yale, et entre Fort William, en Ontario, et Selkirk, au Manitoba. Le terrain cause de terribles problèmes de construction. À l'ouest du lac Supérieur, des fondrières engloutissent des chargements de gravier, de rails et de traverses. Les moustiques et les mouches noires empoisonnent l'existence des travailleurs. Pendant sept ans, il n'y a que 100 km de voie ferrée posée par année. Le travail est épuisant. Il est nécessaire de dynamiter des kilomètres interminables de granit. Des accidents attribuables à la nitroglycérine, l'explosif utilisé, tuent ou mutilent de nombreux travailleurs. Cette tâche exige du courage, de la résistance et beaucoup d'argent.

Après 10 ans, il reste à construire trois grands tronçons du chemin de fer, soit environ 3200 km de voie au total. Il faut trouver une compagnie pour construire et exploiter le chemin de fer. Ce n'est pas un travail pour un gouvernement sans le sou.

Où en sommes-nous ?

1 Pourquoi le gouvernement canadien veut-il construire un chemin de fer transcontinental ?

2 Explique la signification du télégramme de sir John A. Macdonald à Hugh Allan, qui a été volé.

3 Explique pourquoi la construction du chemin de fer dans le Bouclier canadien coûte si cher.

4 Écris quelques manchettes de journal sur le scandale du Pacifique.

Une grosse équipe se tient debout sur les voitures-logements pour le photographe. Ces baraquements mobiles sont utilisés dans les Prairies pour accélérer l'installation des campements.

Le projet est mis en chantier

En février 1881, le Parlement conclut une entente avec une entreprise canadienne, le Consortium, pour construire le chemin de fer. (Un **consortium** est un groupe d'entreprises ou de gens réunis pour une action commune.) Le contrat comporte les conditions suivantes :

- Le Consortium va construire et exploiter le chemin de fer entre Callander, en Ontario, et le terminus du Pacifique.
- Les travaux doivent être achevés dans 10 ans.
- La compagnie de chemin de fer Canadien Pacifique (CP) recevra 25 millions de dollars et 10 millions d'hectares de terres libres dans les Prairies. Ces terres doivent être vendues aux colons, et le CP gardera l'argent.
- Les gares, les terrains ou les autres bâtiments ne seront pas assujettis à l'impôt.

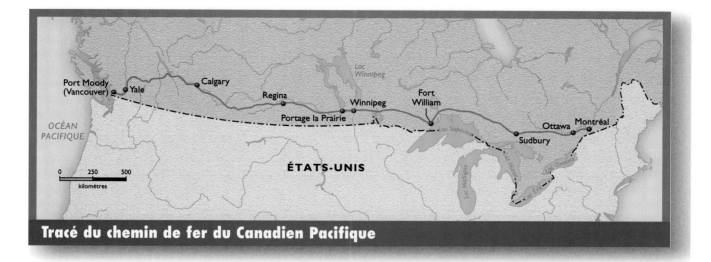

Tracé du chemin de fer du Canadien Pacifique

• Le CP sera propriétaire des chemins de fer déjà construits dans le réseau transcontinental.

• Aucune autre ligne ne sera construite au sud du CP pendant au moins 20 ans.

Ce contrat a de nombreuses conséquences. Le chemin de fer est achevé en un temps record et des villes surgissent le long de la ligne. Bon nombre d'habitants de l'Ouest, en particulier des agriculteurs, en viennent à être indignés du monopole du CP. Le CP fixe les tarifs qu'il veut pour le transport des céréales des Prairies jusqu'aux marchés.

Au cours de l'hiver de 1882, le Consortium embauche un constructeur de chemins de fer remarquable. L'Américain William Van Horne a de multiples talents : champion de poker, spécialiste de la culture des roses, violoniste, peintre et collectionneur de porcelaine chinoise ancienne. Le Consortium veut cependant le recruter pour une chose : achever la construction du chemin de fer.

Au printemps de 1882, des matériaux, tels que des traverses, des rails, des crampons, des boulons et des outils, ainsi que 4000 chevaux et 3000 travailleurs sont expédiés au Manitoba. Chaque matin à l'aube, les travailleurs sortent de leur tente et prennent le petit-déjeuner. Les cheminots donnent à manger et à boire aux chevaux. Tout le monde travaille pendant cinq heures, fait une pause pour le lunch et travaille cinq autres heures avant le repas du soir. Le travail se prolonge parfois en soirée. Certains espacent les traverses, d'autres posent les rails, d'autres encore fixent les éclisses, les boulons et les crampons. D'autres, enfin, construisent des gares distancées de 12 km le long de la voie.

À l'automne de 1882, la construction du chemin de fer dans les Prairies est interrompue. Les travailleurs ont achevé 660 km de ligne principale, posé 1,5 million de traverses, installé 52 297 t de rails d'acier et monté 1432 km de fil télégraphique. Les voyageurs se déplacent en train entre Winnipeg et Swift Current. L'année suivante, le tronçon entier des Prairies est terminé. Les rails d'acier se rendent à Calgary.

Court métrage

Le Consortium : qui sont ces gens ?

Les membres du Consortium sont riches et ont des relations avec des banquiers et des financiers internationaux. Sir George Stephen est président du CP et de la Banque de Montréal. Son cousin, Donald Smith, a été le chef de la Compagnie de la baie d'Hudson et a mené des négociations avec Louis Riel en 1870. Les autres membres du Consortium sont l'ex-commerçant de fourrures James J. Hill, né au Canada, qui a construit des chemins de fer aux États-Unis, et des banquiers d'Allemagne et de France. Ils ont entrepris le projet dans un seul but : s'enrichir en transportant des marchandises et des voyageurs en train à travers le Canada.

Une machine servant à poser la voie au Manitoba. Des groupes de travailleurs clouent les traverses et les rails transportés par l'appareil. Le travail s'effectue dans la chaleur et la poussière.

Où en sommes-nous ?

1 Pourquoi la construction est-elle plus facile dans les Prairies que dans le Bouclier canadien ?

2 Quelles qualités Van Horne doit-il avoir pour mener sa tâche à bien ?

3 Qu'est-ce que le gouvernement Macdonald (et le Canada) gagne en signant le contrat de construction du chemin de fer ? et le Consortium ?

Des difficultés incessantes

Le travail en Colombie-Britannique est particulièrement dangereux. Un ingénieur américain expérimenté, Andrew Onderdonk, est responsable de la construction. Ses responsabilités sont énormes : transporter le matériel et amener les travailleurs jusqu'au site, dynamiter des dizaines de tunnels dans les montagnes, construire 600 chevalets et ponts et respecter le budget. Il n'y a pas assez de travailleurs ferroviaires en Colombie-Britannique, aussi Onderdonk fait-il appel à environ 7000 travailleurs chinois. Ils sont infatigables, courageux et indispensables. Des centaines sont tués dans des accidents à cause de l'écroulement de talus, d'explosions et d'éboulements. Les travailleurs chinois sont payés un dollar par jour et vivent de riz, de légumes et de thé. Ils souffrent de blessures et de maladies, puis de la faim quand ils sont congédiés pendant l'hiver. Des habitants de la Colombie-Britannique les traitent mal et adoptent des lois racistes pour les décourager de s'établir après l'achèvement du chemin de fer.

Les travailleurs chinois comptent parmi les meilleurs travailleurs du CP.

Pon Git Cheng

DES RÊVES DE MONTAGNE D'OR

Quand l'occasion se présente, Pon Git Cheng, du village de Pinghong près de Canton, en Chine, est prêt. Des recruteurs mobilisent des hommes pour aider à la construction d'un chemin de fer dans la lointaine Colombie-Britannique, au Canada. Pon veut être l'un d'eux. Ce sera difficile pour lui de quitter sa femme et ses trois fils, mais a-t-il le choix? Le lopin de terre qu'il cultive est trop petit pour subvenir aux besoins de sa famille. Les impôts sont élevés et il n'y a pas d'emploi. Les Chinois meurent de faim. L'Amérique du Nord – la Montagne d'or – est riche de promesses. Des Chinois ont fait fortune dans les ruées vers l'or de la Californie et de Cariboo. La chance va peut-être sourire à Pon. Il va au moins pouvoir envoyer de l'argent à sa famille.

Pon est l'un des quelque 15 000 Chinois qui ont quitté leur pays avec les mêmes espoirs et les mêmes rêves. Ces Chinois ignorent qu'ils ne sont qu'une source de main-d'œuvre à bon marché pour la société ferroviaire. Ils ne savent pas non plus que des préjugés, de mauvais traitements, des conditions de travail brutales et même la mort les attendent.

Pon arrive au Canada en 1882 à l'âge de 32 ans. Pendant trois ans, il travaille chaque jour du lever au coucher du soleil, sauf quand le travail cesse en hiver. Il est payé un dollar par jour. Comme il ne gagne rien quand il n'y a pas de travail en hiver, sa rémunération se chiffre à environ 225 $ par an. Les travailleurs chinois sont obligés d'effectuer de nombreuses dépenses : outils, fournitures, vivres et loyer. Ils doivent aussi rembourser le prix de leur voyage au Canada. Pendant une année de travail éreintant, Pon peut tout au plus envoyer 40 $ à sa famille. Par comparaison, les autres ouvriers gagnent entre 1,50 $ et 2,50 $ par jour. Leurs conditions de vie sont meilleures et leurs outils sont gratuits.

Pon et ses compatriotes ont la réputation d'être d'excellents travailleurs. Pour les récompenser, on leur attribue les tâches les plus dures et les plus dangereuses, comme la construction de tunnels et la manipulation d'explosifs. Le travail est si dangereux et les conditions de vie sont si difficiles que plus de 600 travailleurs chinois ont trouvé la mort à l'achèvement du chemin de fer en 1885.

Une fois la construction du chemin de fer terminée, Pon perd son emploi. Il ne peut retourner en Chine, car il n'a pas l'argent du billet, soit 70 $. Sa seule possibilité est de trouver un autre travail et de continuer à soutenir sa famille. De plus, il fait de petites économies, mais il doit attendre des années avant de pouvoir retourner en Chine et ramener deux de ses fils au Canada. Les rêves de la Montagne d'or de Pon ne se réalisent jamais, mais son travail difficile et ses sacrifices améliorent les conditions de vie de sa famille.

Autres personnages à découvrir

Pon Git Cheng

Edward Mallandaine

Andrew Onderdonk

Delia Onderdonk

A.B. Rogers

William Van Horne

Passe à l'histoire

Supposons que tu travailles à la construction du chemin de fer dans la chaîne de montagnes Selkirk, au nord du lac Supérieur, ou dans les Prairies. Rédige une lettre destinée à ta famille et décris ton travail et tes sentiments.

À l'été de 1883, les constructeurs du chemin de fer font face à un gros obstacle. Il n'y a pas encore de tracé entre la ligne des Prairies et la fin du tronçon d'Onderdonk. L'achèvement des travaux d'arpentage et le choix d'un tracé nécessitent l'intervention d'un autre personnage légendaire. Le major A.B. Rogers est un bourreau de travail que stimulent le danger et les défis. Le CP le choisit pour établir le tracé du chemin de fer à travers les montagnes. Rogers fait vivre une terrible épreuve à ses arpenteurs pour trouver le col portant aujourd'hui son nom, qui devient le tracé du chemin de fer. En 1884 et en 1885, des équipes s'acharnent à construire des ponts, des chevalets et des pare-avalanches, et à poser la voie à travers la redoutable chaîne de montagnes Selkirk.

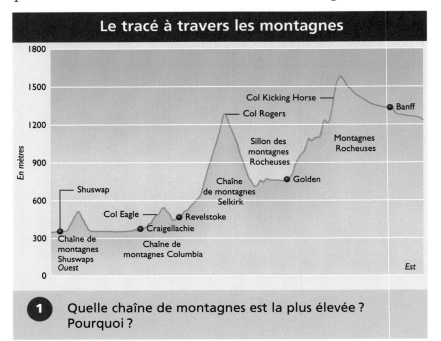

Le tracé à travers les montagnes

1. **Quelle chaîne de montagnes est la plus élevée ? Pourquoi ?**

Les travailleurs au nord du lac Supérieur doivent relever des défis aussi grands que dans la chaîne de montagnes Selkirk. Le granit du Bouclier canadien cède seulement au dynamitage. Plus de 7,5 millions de dollars sont dépensés en dynamite et en nitroglycérine pour un tronçon de 900 km de voie. Au printemps de 1885, il ne reste à construire que quelques tronçons de la ligne Montréal-Winnipeg.

Le CP est pourtant en difficulté : il est à court de fonds. Certains travailleurs n'ont pas été payés. Des Métis et des Autochtones de l'Ouest s'arment ensuite pour lutter contre le changement, comme tu vas l'apprendre dans le chapitre suivant. Des patrouilles du Canada sont envoyées d'urgence en Saskatchewan à bord du tout nouveau train du CP pour mettre fin à la rébellion de 1885. Quelques tronçons manquants de la ligne au nord du lac Supérieur offrent au Consortium l'occasion de demander au gouvernement l'argent nécessaire pour achever les travaux.

Lien Internet

www.dlcmcgrawhill.ca

Consulte le site Web ci-dessus pour en connaître davantage sur la construction du tronçon de chemin de fer dirigé par Onderdonk et pour en trouver des photographies. Clique sur *Matériel complémentaire/Primaire et secondaire*, puis sur *Le Canada : L'édification d'une nation*, où l'on te donnera la suite des indications.

Le 7 novembre 1885, une foule de travailleurs en uniforme et les propriétaires vêtus élégamment se rassemblent dans la chaîne de montagnes Selkirk. Donald Smith soulève un maillet pour enfoncer le dernier crampon. À sa première tentative, le crampon plie. Smith essaie de nouveau. Cette fois, il enfonce le crampon. C'est la fin d'un formidable projet de construction, celui du chemin de fer transcontinental. William Van Horne conclut ensuite sans cérémonies devant les travailleurs et les propriétaires : « Tout ce que je puis dire, c'est que le travail a été bien fait, à tous égards. » Des acclamations se propagent dans les canyons et se répercutent sur les pics rocheux. Un photographe saisit la scène que nous pouvons partager plus d'un siècle plus tard.

Donald Smith enfonce le dernier crampon du CP à Craigellachie. Le CP n'a pu s'offrir un crampon en or. Un crampon en acier standard va faire l'affaire. Cette photographie est l'une des photos les plus célèbres de l'histoire du Canada.

Où en sommes-nous ?

1 Indique les difficultés particulières des travailleurs pendant la construction de la ligne du CP dans les Rocheuses à partir de Yale.

2 Fais des recherches pour en savoir davantage sur les travailleurs chinois du chemin de fer. Détermine d'où ils viennent, pourquoi ils sont venus en Amérique du Nord et pourquoi beaucoup se sont établis au Canada.

3 Crée une affiche pour amener des travailleurs à participer à la construction du chemin de fer du CP.

Dans ce chapitre, tu as rencontré une foule de gens, en particulier des hommes qui ont manié des marteaux ou des haches. Ces hommes ont été attirés par les abondantes richesses naturelles de la Colombie-Britannique. Ils ont cherché de l'or ou ont participé au gigantesque projet de construction du chemin de fer transcontinental. Certains, surtout des Autochtones, ont vu leur mode de vie subir des bouleversements catastrophiques. Ils ont trouvé sur leurs terres des colons, des prospecteurs ou des arpenteurs. Des collectivités entières ont été en proie à la maladie et ont succombé à la variole ou à la rougeole. Ils ont dû signer des traités qui ont entraîné d'autres changements : l'afflux d'autres colons et la réduction de leur liberté de mouvement. Certains hommes que tu as rencontrés : des guides métis, des chefs autochtones, des travailleurs chinois du chemin de fer, des arpenteurs endurcis ou des officiers de la Police montée du Nord-Ouest, ont effectué un travail nécessitant beaucoup d'habileté ou de courage. Au début de ce chapitre, les collectivités autochtones de la côte nord-ouest font du commerce et vivent comme leurs ancêtres. Puis les explorateurs, les commerçants de fourrures, les chercheurs d'or, les gouverneurs et les juges européens arrivent. De l'autre côté de la muraille des montagnes, des agents de police et des représentants du gouvernement concluent des traités avec les Premières nations des Prairies et imposent la loi et l'ordre dans l'Ouest. Ils sont suivis de milliers de travailleurs qui construisent ensemble le grand chemin de fer.

Dans le prochain chapitre, tu vas voir comment le chemin de fer et les changements qu'il a amenés touchent la population des Prairies, et comment les Premières nations et les Métis se regroupent pour combattre les changements. De plus, tu vas lire le récit d'une autre gigantesque ruée vers l'or, cette fois vers le Yukon. Le changement va s'accélérer dans l'Ouest.

VÉRIFIE TES CONNAISSANCES

1 James Douglas est parfois appelé le « père de la Colombie-Britannique ». Donne des raisons pour expliquer ce titre.

2 Comment les ruées vers l'or changent-elles la Colombie-Britannique ?

3 Indique les épreuves que subissent les travailleurs chinois du chemin de fer.

4 Pourquoi le gouvernement canadien met-il sur pied la Police montée du Nord-Ouest ? En quoi est-ce une force militaire ?

5 Penses-tu que les Premières nations ont choisi de signer les traités ? Explique ta réponse.

6 Pourquoi est-il important pour les Premières nations d'avoir des chefs forts comme Poundmaker ?

7 Selon toi, en quoi la connaissance de ce qui se passe au sud de la frontière influe-t-elle

sur les traités ? Tu vas peut-être devoir effectuer d'autres recherches pour répondre à cette question.

8 Comment expliquerais-tu le statut de la GRC à un visiteur ?

9 Rédige un texte schématique sur ce que tu sais du style de vie des Métis et des Premières nations dans les Prairies avant 1860, et de la manière dont ils ont été dépendants du bison et de la chasse. Puis :

a) rédige un paragraphe pour expliquer :
  • les problèmes associés à la disparition du bison ;
  • le savoir-faire nécessaire pour s'adonner à l'agriculture ;
  • le matériel nécessaire.

b) Est-il réaliste de la part des responsables des traités de s'attendre à ce que les Métis et les Premières nations s'adonnent à l'agriculture ? Pourquoi ?

10 Effectue des recherches pour trouver trois tracés possibles entre Halifax et la côte du Pacifique en 1875. Illustre tes découvertes à l'aide d'une carte et de dessins.

APPLIQUE TES CONNAISSANCES

1 Il est important pour le gouvernement du Canada que les sociétés ferroviaires et les tracés des chemins de fer appartiennent aux Canadiens. Pourquoi ne veut-il pas que certaines sociétés ferroviaires appartiennent aux Américains ? Ces préoccupations ressemblent-elles à celles des Canadiens d'aujourd'hui au sujet de la propriété de nos industries, de nos journaux ou de nos stations de télévision et de radio ? Pourquoi penses-tu que certaines personnes ont ces préoccupations ?

2 Effectue des recherches et fais un compte rendu sur l'*un* des sujets suivants : le CP d'aujourd'hui, les traités d'aujourd'hui, les villes de la ruée vers l'or de la Colombie-Britannique d'aujourd'hui.

3 De nombreux épisodes dramatiques se sont produits au cours des événements décrits dans ce chapitre. Choisis l'*un* des

événements suivants et reconstitue-le :
  • Rédige et prononce un discours inaugural du chemin de fer.
  • Rédige et présente une cérémonie de signature de traités.
  • Approche-toi des portes d'un fort de trafic de whisky en tant qu'officier de la Police montée du Nord-Ouest confrontant des trafiquants de whisky.

4 Formule quelques questions à poser en entrevue à l'*une* des personnes suivantes :
  • Amelia Douglas
  • Andrew Onderdonk
  • Sandford Fleming
  • William Van Horne
  • Chef Crowfoot
  • Donald Smith

5 Crée un magazine contenant des articles, des reportages et des illustrations sur l'*un* des aspects suivants :
  • la construction du CP ;
  • les 10 premières années de la Police montée du Nord-Ouest ;
  • les traités ;
  • la ruée vers l'or dans la région de Cariboo.

6 Des milliers de bisons périssent entre 1870 et 1885. Pourquoi supposes-tu qu'aucune mesure de protection n'est prise quand il devient évident que les bisons sont en voie de disparition ?

UTILISE LES MOTS CLÉS

Lequel des mots clés suivants est associé à un des récits ? Fais le lien entre eux (mais n'écris rien dans ton manuel !). Certains mots peuvent servir plus d'une fois. Certains sont inappropriés. Prépare-toi à expliquer tes choix.

terminus	ruées vers l'or en Colombie-Britannique
consortium	traités
réserve	la Colombie-Britannique entre dans la Confédération
transcontinental	la construction du CP
négociateur	la Police montée du Nord-Ouest entreprend des travaux

Colons, rébellion et ruée vers l'or

1870	**1871**	**1871-1877**	**1872**	**1874**	**1875**
Le Manitoba adhère à la Confédération.	La Colombie-Britannique se joint à la Confédération.	Le gouvernement canadien et les Premières nations signent des traités.	Adoption de la Loi des terres du Dominion.	Les Mennonites arrivent au Manitoba.	Les Islandais arrivent au Manitoba.

ZOOM SUR LE CHAPITRE

Jette un coup d'œil sur les artefacts photographiés à gauche. Ces objets représentent quelques-uns des récits de cavaliers armés que tu vas lire. La photo montre un coussinet de selle et une gaine de pistolet.

Les Métis du Nord-Ouest canadien utilisent des selles coussinées quand ils se déplacent à cheval. Les membres des familles passent des journées entières en selle pour se rendre à la chasse au bison ou rejoindre les trains guidés de charrettes de la Rivière Rouge.

La gaine de pistolet est ornée de motifs cris. Les guerriers cris et métis, les soldats canadiens et les officiers de la Police montée du Nord-Ouest se servent de pistolets. Une rébellion contre le gouvernement canadien aboutit à des procès et à des exécutions. Les Premières nations et les Métis subissent d'autres changements et d'autres pertes à l'arrivée des colons par le chemin de fer du Canadien Pacifique. Dans le Klondike, loin dans le Nord, des officiers de la Police montée du Nord-Ouest, souvent non armés, font triompher le bien et maintiennent la paix.

Imagine que tu tiens la gaine de pistolet entre tes mains. Sens l'odeur de peau fumée. Touche les perles de verre dures et lisses dont les motifs sont cousus à la perfection. Admire les mains créatrices qui ont conçu cet objet. Puis rappelle-toi que cette gaine a servi à porter un fusil.

SCÉNARIO DU CHAPITRE

Dans ce chapitre, tu étudieras les sujets suivants :
- quelques-unes des raisons de l'arrivée de nouveaux venus pour coloniser les Prairies occidentales ;
- l'immigration et la colonisation des Prairies occidentales par les Chinois, les Européens et les Canadiens avant 1896 ;
- les conflits et les changements dans l'Ouest, en particulier ceux qui touchent les Premières nations et les Métis ;
- les causes, les événements, les personnalités et les résultats de la rébellion de 1885 ;
- la ruée vers les champs aurifères du Klondike ;
- le travail de la Police montée du Nord-Ouest dans l'Ouest et au Klondike.

MOTS CLÉS

- acte de concession
- canton
- colonie collective
- *sourdough*
- pogrom
- quart de section (homestead)
- certificat des Métis
- spéculateur
- titre de propriété

1876
Adaptation de la Loi sur les Indiens

1881-1885
Construction de la voie ferrée du Canadien Pacifique

1885
Les Métis et les Premières nations se rebellent. Riel est exécuté.

1896
Découverte de l'or dans le Klondike

1898
Des milliers de gens se ruent vers l'or du Klondike.

LES COLONS SONT RECHERCHÉS

L'arpentage des Prairies

En 1867, des Canadiens rêvent d'une contrée prospère « d'un océan à l'autre », comptant des milliers d'agriculteurs et d'éleveurs des Prairies. En 1870, la population des Prairies occidentales se chiffre à environ 50 000 habitants. La population autochtone a diminué, et un petit nombre de colons vivent à l'extérieur des colonies de la région de la Rivière Rouge. Au début des années 1870, le gouvernement du Canada commence à faire de ce rêve une réalité et à préparer l'Ouest pour l'arrivée des colons.

En 1872, le gouvernement adopte la Loi des terres du Dominion dans l'intention d'encourager les colons à s'établir dans les Prairies pour cultiver la terre. Le Canada rivalise avec l'Ouest américain pour attirer des colons. Cette loi cherche donc à être généreuse envers les nouveaux arrivants.

Des arpenteurs délimitent des lignes de base, qui leur serviront de points de départ, le long du 49e parallèle et à Fort Garry. À partir de ces lignes, ils effectuent leurs mesures à travers l'Ouest. Les arpenteurs divisent le territoire en centaines de **cantons** d'une superficie de six milles carrés (9,7 km²) chacun. Ils commencent leur système de numérotation à la frontière canado-américaine. Chaque canton est divisé en 36 sections et chaque section est subdivisée en quatre parties égales, ou quarts de section.

Dans chaque canton, on attribue des terres aux agriculteurs, au CP, aux écoles et à la Compagnie de la baie d'Hudson. Les hommes de plus de 18 ans qui veulent des terres gratuites en trouvent en abondance. Moyennant 10 $ et l'obligation de se construire une maison et de cultiver 40 acres de terre en trois ans, les colons peuvent obtenir un **titre de propriété** sur un **quart de section (homestead)**. Ils deviennent ainsi les propriétaires officiels de leur terre, et possèdent une lettre patente pour le prouver.

Ce schéma illustre le mode de division des terres dans chacun des cantons des Prairies. Le CP a le droit de faire alterner les sections dans un rayon de 39 km de la ligne de chemin de fer.

1 Imagine que ton école est au milieu d'un quart de section. Sers-toi d'une carte de ta localité pour estimer la proportion de la superficie totale occupée par le quart de section.

2 Quels problèmes le système d'arpentage des cantons peut-il causer aux premiers colons ?

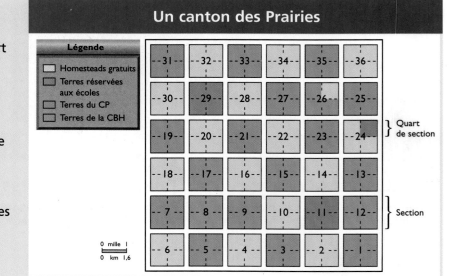

Un canton des Prairies

Légende
- Homesteads gratuits
- Terres réservées aux écoles
- Terres du CP
- Terres de la CBH

31	32	33	34	35	36
30	29	28	27	26	25
19	20	21	22	23	24
18	17	16	15	14	13
7	8	9	10	11	12
6	5	4	3	2	1

Quart de section

Section

0 mille 1
0 km 1,6

L'agriculture dans les Prairies

Les sols riches et les étés chauds offrent de bonnes conditions de croissance, surtout pour le blé. La culture du blé présente des risques : une saison de croissance de courte durée et des risques de gelées hâtives. Certaines zones sont très arides et les agriculteurs doivent utiliser des méthodes spéciales. La tourbe des Prairies est difficile à désagréger pour ensemencer la terre. Les outils manuels et les petites charrues ne suffisent pas à la tâche. Dans les années 1870 et 1880, des agriculteurs, des ingénieurs et des scientifiques apportent des améliorations qui augmentent beaucoup l'efficacité de l'agriculture dans les Prairies. Voici les améliorations apportées :

- la mise au point de grandes charrues en acier pour désagréger la tourbe ;
- l'invention de semoirs mécaniques, de faucheuses et de clôtures en barbelé pour enclore le bétail ;
- l'invention d'un procédé de mouture de la farine pour fabriquer de la farine blanche à partir du blé dur du printemps ;
- la mise au point du blé Fife rouge.

Le blé Fife rouge pousse rapidement et parvient habituellement à maturité à temps pour être récolté avant les gelées. Les premières cultures sont plantées au milieu des années 1870. Des chercheurs agricoles continuent de faire des expériences avec le blé et mettent au point le blé marquis, variété de blé résistante aux maladies qui parvient à maturité plus tôt que le blé Fife rouge. C'est le blé marquis provenant des Prairies canadiennes qui nourrit la population de la Grande-Bretagne. Au début des années 1900, les Prairies sont devenues la première région exportatrice de blé à l'échelle mondiale.

Court métrage

Le blé Fife rouge

En 1842, David Fife plante des semences de blé provenant de Pologne dans ses champs de l'ouest du Canada. Beaucoup de plants meurent et d'autres sont mangés par une vache. Les plants survivants résistent à la maladie, sont plus faciles à récolter et produisent une farine de meilleure qualité que les autres variétés. À la fin des années 1800, le blé Fife rouge se répand partout en Ontario et au Manitoba. Plus tard, il sert à la mise au point du blé marquis.

Les améliorations apportées à la machinerie agricole augmentent l'efficacité de la culture du blé. Une lieuse de gerbes comme celle que l'on voit sur la photo ci-dessus facilite la récolte des céréales dans les Prairies.

Où en sommes-nous ?

1 a) Que fait le gouvernement canadien pour préparer la colonisation des Prairies ?

    b) La CBH obtient finalement le vingtième des terres (soit plus de 2,5 millions d'hectares). Reporte-toi à la déclaration du chef Sweetgrass à la page 167. Selon toi, son opinion est-elle justifiée ? Explique ta réponse.

c) Le CP obtient 2590 hectares par tronçon de 1,6 km de voie ferrée construite. D'après ce que tu sais de la construction du chemin de fer du CP, est-ce équitable ? Explique ta réponse.

2 Indique les changements qui augmentent l'efficacité de l'agriculture dans les Prairies au cours des années 1870.

3 Pourquoi les colons ont-ils besoin de nouvelles méthodes agricoles dans les Prairies ?

DES COLONS DE NOMBREUSES CULTURES

Aujourd'hui, les Canadiens comprennent que notre pays présente une grande diversité culturelle. Le Canada est la terre d'accueil d'une population composée de nombreux groupes culturels et linguistiques. Disons que tu visites Winnipeg, au Manitoba, il y a une centaine d'années. Tu vas voir et entendre des preuves de la diversité culturelle, même à cette époque. Dans la section suivante de ce chapitre, tu vas découvrir quelques groupes qui se sont établis dans les Prairies occidentales avant 1895.

Les Mennonites

Parmi les premiers colons immigrants du Manitoba, on compte environ 500 familles mennonites. Le gouvernement invite les chefs mennonites de Russie à visiter la nouvelle province et leur offre des terres et la liberté. Le Canada veut des agriculteurs expérimentés. Les Mennonites veulent quitter la Russie. Ils sont chrétiens et s'opposent à la guerre et à la violence. Le gouvernement canadien leur promet la liberté de religion et l'exemption du service militaire. De plus, les Mennonites vont pouvoir vivre séparément des autres groupes, parler allemand, administrer leurs propres écoles et maintenir leur culture.

La région de la Rivière Rouge, en 1876

1 D'après ce que tu sais de la rivière Rouge en 1870, comment expliques-tu l'emplacement des terres occupées en 1876 ?

En 1874, les premiers immigrants d'un groupe de 7000 Mennonites arrivent. Comme ce sont des agriculteurs expérimentés, ils ont bien réussi en Russie et ont de l'argent et des ressources. Ils s'établissent dans une **colonie collective**, c'est-à-dire qu'on leur attribue un bloc de cantons contigus pour leur permettre de vivre à peu de distance les uns des autres. Les familles vivent dans des villages. Chaque famille a un lot de canton, une maison et des champs périphériques.

Les faits derrière l'histoire

Pour réunir des récits de la colonisation des Prairies, on peut consulter les registres des mémoires des colons. Le pionnier mennonite Karl Reimer décrit les difficultés que sa famille connaît à son arrivée au Manitoba en 1874. Il relate son expérience à l'occasion du 60e anniversaire de la venue des Mennonites dans l'Ouest. Comme Reimer écrit en allemand, le compte rendu ci-dessous est une traduction portant sur les débuts de sa vie au Manitoba et la construction de sa maison, ou *semlin*. Le texte que nous allons lire est très éloigné de l'expérience de son auteur. Peut-on se fier à cette information ?

Nous avons acheté les articles suivants à Duluth : un poêle, une hache, un jambon et 5 lb [2 kg] de lard. Avons pris le train jusqu'à Moorhead, puis le bateau à vapeur sur la rivière Rouge [...] Avons planté notre tente et passé la nuit sur la rive (15 sept. 1874). Mon frère [Abram] [...] et moi avons été hébergés par des Métis [...]

À notre arrivée à Steinbach, un lot avait déjà été attribué à chacun de nous. Il y avait un gros arbre sur notre lot. Sous l'arbre, nous avons planté notre tente [...] Puis mon père a suspendu le jambon et sa montre à l'arbre, et il a commencé à construire notre maison.

C'est ici qu'ont vécu notre père, sa femme malade, notre mère, et leurs huit enfants [...] à ciel ouvert à l'approche de l'hiver. Nous avons construit la maison de la façon suivante : premièrement, nous avons creusé dans la terre un trou de 30 pi [9,1 m] de longueur, 14 pi [4,3 m] de largeur et 3 pi [1 m] de profondeur. Nous avons empilé des mottes de tourbe sur les côtés à une hauteur de 3 pi [1 m], puis nous avons posé deux petites fenêtres juste au-dessus du niveau du sol. Nous sommes ensuite allés dans la forêt pour trouver du bois destiné à la fabrication de chevrons [...] Nous avons dû transporter les arbres abattus hors de la forêt. Mon père a pris l'extrémité la plus grosse et Abram et moi, l'extrémité la plus petite. Nous avons recouvert le toit de la maison de chaume. Nous avons mis des planches sous le toit sur une longueur de 15 pi [4,6 m] et laissé le reste couvert seulement par du chaume. C'était la section réservée au bétail [...]

Pendant tout l'hiver, nous nous sommes nourris de pommes de terre, de sel, de pain noir et de café à base d'orge [...]

(Traduction libre)

Des fermiers mennonites se reposent à l'extérieur de leur cabane en tourbe et en rondins. De grandes maisons permanentes remplacent bientôt les cabanes en tourbe des Mennonites. Ces cabanes leur offrent cependant des abris adéquats pour leur premier hiver dans l'Ouest.

INTERROGE LES FAITS

1. Comment la maison photographiée se compare-t-elle à la description d'un *semlin* faite par Karl Reimer ?

2. Comment sa description nous aide-t-elle à mieux comprendre la vie des pionniers des Prairies ?

3. Quels aspects de la vie dans le *semlin* trouves-tu particulièrement désagréables ?

4. Quelles autres informations sur les débuts de la vie de Karl Reimer au Manitoba te semblent utiles ?

Les collectivités mennonites croissent et prospèrent tandis que les agriculteurs produisent des céréales, du lait, du beurre, du fromage et des œufs. Des Mennonites entreprenants construisent un silo à céréales ainsi qu'un moulin à farine et à aliments pour les animaux afin de transformer le blé et l'orge qu'ils cultivent. Une scierie, une fromagerie et une forge font bientôt leur apparition. La population, le nombre d'entreprises et d'exploitations agricoles augmentent.

Sara et Johann Koop ainsi que leurs enfants dans leur jardin. Les femmes et les filles ont beaucoup de tâches ménagères et de travaux à l'étable à effectuer. Les hommes et les garçons s'occupent de la plupart des travaux des champs.

Des colons d'autres cultures

D'autres groupes s'établissent dans les Prairies occidentales. En 1875, environ 2000 Islandais s'installent sur un gros bloc de terres près de Gimli, sur la rive ouest du lac Winnipeg. Ils ont échappé à la pauvreté et à une menace naturelle, les volcans actifs. Les Islandais fondent une école, un journal islandais et des églises. Un désastre survient en 1876 : une épidémie de variole tue une centaine de personnes. La nature cause d'autres ravages en 1877 : la rivière Rouge inonde leurs collectivités. De nombreux colons quittent la région. Ceux qui restent s'efforcent de créer une collectivité prospère.

Julia Scott

Jack et Jill sont les protégés de Julia Scott, 17 ans. Les deux porcelets, un mâle et une femelle, sont précieux. Jack et Jill sont les géniteurs du futur troupeau de porcs de la mission isolée où les Scott vont bientôt refaire leur vie.

Le père de Julia, le révérend Malcolm Scott, est membre du clergé anglican. En 1886, il accepte de prêter main-forte à la mission de l'église de Fort Vermilion sur la rivière de la Paix, près de la frontière nord de l'Alberta d'aujourd'hui.

Les Scott — Julia, sa mère, son père et son jeune frère Osborne — quittent Winnipeg et entreprennent le long voyage qui va les mener à leur nouveau milieu de vie. La première étape est facile. Ils se rendent à Calgary dans un confort relatif à bord du nouveau train du Canadien Pacifique.

À Calgary, les Scott chargent leurs effets personnels, y compris les caisses contenant les porcelets, dans une charrette tirée par des chevaux. Au cours des deux mois suivants, les voyageurs vont franchir un trajet difficile de 1200 km en direction du nord. La première étape du voyage s'effectue en grande partie par voie de terre. À Athabasca Landing, au nord de Fort Edmonton, ils transfèrent leurs effets dans des bateaux de rivière. Ces bateaux les transportent en amont de la rivière Athabasca, puis vers l'ouest pour la traversée du Petit lac des Esclaves. Les Scott poursuivent leur route par voie de terre jusqu'à Peace River Landing. À cet endroit, ils construisent des radeaux en rondins et franchissent l'étape finale de 480 km en aval de la rivière de la Paix jusqu'à Fort Vermilion.

À Red Deer Crossing, entre Calgary et Fort Edmonton, la famille traverse à gué la rivière Red Deer. La traversée des cours d'eau est l'un des aspects les plus dangereux de leur voyage. Les charrettes risquent de s'embourber ou de se renverser. Les voyageurs et les marchandises risquent d'être emportés par le courant.

Pendant la traversée, les Scott rattrapent les Lawrence, une autre famille en route vers la région de la rivière de la Paix. L'une des trois lourdes charrettes des Lawrence s'est embourbée. Le père de Julia et d'autres voyageurs proposent aussitôt du renfort pour dégager le véhicule.

Jack et Jill ne sont plus à proprement parler des porcelets. Les caisses dans lesquelles ils se trouvent sont devenues trop petites. Avant que les familles se remettent en route, Sheridan, 16 ans, l'un des six fils Lawrence, aide Julia à fabriquer des caisses plus grosses pour ses bêtes.

Quatorze ans plus tard, Julia revoit Sheridan. L'adolescent est devenu un éleveur et un homme d'affaires prospère. Julia et Sheridan tombent amoureux et se marient. Ils auront 15 enfants et une descendance nombreuse. Encore aujourd'hui, leurs descendants ont des élevages de porcs dans le nord de la région de la rivière de la Paix, en Alberta.

Autres personnages à découvrir

Colons mormons

Jacob Friesen

John Palliser

Julia Scott

Passe à l'histoire

Mets-toi à la place d'un immigrant nouvellement arrivé dans l'Ouest entre 1874 et 1895. Décris les raisons de ta venue dans l'Ouest et fais des commentaires sur quelques-uns des aspects de ta nouvelle vie que tu trouves surprenants, et d'autres que tu trouves décevants.

Les Juifs russes subissent de terribles persécutions en raison de leurs convictions religieuses. Au début des années 1880, le gouvernement et la police secrète de Russie entreprennent des **pogroms** systématiques, c'est-à-dire la persécution officiellement approuvée des familles et des entreprises juives. Ils brûlent leurs maisons et leurs commerces, tuent et terrorisent des collectivités entières. Quand on leur offre la possibilité de quitter la Russie, la Pologne ou l'Empire austro-hongrois, plusieurs Juifs partent pour l'Ouest canadien. Un grand nombre de nouveaux arrivants s'établissent à Winnipeg. D'autres s'installent dans des colonies agricoles.

Les Juifs vivent dans un monde où ils ne sont jamais certains d'être acceptés. La plupart des autres habitants des Prairies sont chrétiens. La discrimination de la population canadienne est cependant préférable à la terreur et aux pogroms du vieux continent.

Après la signature des traités, des éleveurs s'établissent dans le sud de l'Alberta. Cette photographie montre un rassemblement.

Dans le feu de l'action

Un mélange explosif

En 1892, les préjugés et la peur déclenchent des actes de violence à Calgary. Un blanchisseur chinois est atteint de la variole : ses compatriotes et lui-même sont mis en quarantaine. Certains jugent cette mesure insuffisante. Cette maladie redoutable leur sert de prétexte pour expulser les Chinois de Calgary.

Le 2 août, tard en soirée, une foule en furie se rassemble. Sous le regard impuissant d'un officier de police, la foule ivre se déchaîne dans le quartier chinois. Des Chinois craignent pour leur vie et se réfugient chez un pasteur méthodiste. D'autres vont alerter la Police montée du Nord-Ouest, puis se réfugient dans les baraquements de la police.

Les jours suivants, le *Calgary Herald* entretient l'agitation en appuyant les émeutiers. Le *Tribune*, au contraire, les critique. La menace d'une autre émeute subsiste pendant plus de deux semaines. Pendant ce temps, les officiers de la Police montée patrouillent jour et nuit et continuent d'héberger les Chinois dans leurs baraquements.

Les Chinois qui s'établissent dans les Prairies ont d'abord été travailleurs des chemins de fer. En 1885, environ 15 000 Chinois, surtout des hommes, vivent dans l'Ouest. Après l'achèvement du chemin de fer du CP et le congédiement des travailleurs, la plupart des Chinois trouvent un emploi dans des blanchisseries ou des restaurants. Beaucoup d'habitants de l'Ouest sont ouvertement hostiles aux Chinois. Les lois sont discriminatoires à leur égard.

Où en sommes-nous ?

1 Nomme les groupes qui s'établissent au Manitoba dans les années 1870.
2 Selon toi, ces groupes ont-ils tendance à s'établir ensemble ?
3 Quels sont les avantages que le Canada offre aux groupes comme les Mennonites et les Juifs ?

DES TEMPS DIFFICILES POUR LA POPULATION DES PRAIRIES

Les Métis en difficulté

Au début des années 1870, les familles métisses du Manitoba éprouvent de nombreuses difficultés. Des invasions de sauterelles détruisent les récoltes, et les troupeaux de bisons disparaissent rapidement. Peu de Métis ont le titre de propriété de leur terre, et beaucoup craignent de perdre leur ferme au profit des colons de l'Est canadien en train de s'établir. Ces Canadiens sont souvent brutaux, racistes et injurieux. À maintes occasions, les Métis et les nouveaux arrivants se bagarrent dans les tavernes et les rues de Winnipeg.

Les Métis sont censés obtenir 1,4 million d'acres (près de 600 000 hectares) de terres au Manitoba. Le gouvernement du Canada permet l'utilisation du **certificat des Métis**, ou certificat provisoire, d'une valeur de 160 $. Les Métis peuvent utiliser ce certificat pour acheter des terres. Au lieu de cela, plusieurs Métis vendent leur certificat à des **spéculateurs** pour une fraction de sa valeur. Ils doivent maintenant obtenir un **acte de concession** pour leur ferme. Un grand nombre d'entre eux perdent leur terre et leur argent et décident de s'installer plus à l'ouest. En 1880, il y a environ 10 000 Métis dans le Nord-Ouest.

Les colonies grossissent autour de Fort Carlton, de Batoche, de Prince Albert et de St. Laurent. Ces colonies comptent des églises, des fermes, des magasins, des moulins et un service de traversier sur la rivière Saskatchewan Sud. À St. Laurent, un chef dénommé Gabriel Dumont établit un conseil communal. Cette initiative semble de bon augure.

Court métrage

Le brigandage

Les diligences qui transportent des voyageurs, du courrier et des marchandises entre Calgary et Fort Edmonton sont une cible de choix pour les hors-la-loi. Le 23 août 1886, le premier vol d'une diligence est commis en Alberta. Deux individus armés interceptent une diligence 24 km environ au nord de Calgary et volent les passagers. Un détachement d'officiers de la Police montée et de volontaires pourchasse les brigands en direction des Rocheuses, mais les malfaiteurs se volatilisent.

Cette famille métisse de la Saskatchewan pose pour une photographie officielle dans les années 1880.

Les conditions de vie des Métis de la Saskatchewan ne sont pourtant pas faciles. En septembre 1882, la population du district de Prince Albert envoie une pétition de droit décrivant ses difficultés à sir John A. Macdonald :

Sir, Nous soussignés [...] sommes établis sur la rive ouest de la rivière Saskatchewan [...] Nous avons été fort étonnés et perplexes d'apprendre que nous allons devoir verser au gouvernement 2 $ par acre [0,4 hectare] une fois nos terres arpentées [...] Nous sommes de pauvres gens et nous ne pouvons payer nos terres [...] Nous considérons comme raisonnable de demander au gouvernement l'autorisation d'occuper nos terres en paix [...] en accordant aux Métis du Nord-Ouest des concessions gratuites.

(Traduction libre)

À cette époque, les Territoires du Nord-Ouest sont gouvernés par une administration territoriale composée du lieutenant-gouverneur Edgar Dewdney et de son conseil de cinq membres. Dewdney est impopulaire dans le Nord-Ouest, en raison notamment de son refus de consulter la population touchée par ses décisions. De plus, les agents du gouvernement et les arpenteurs ne parlent ni français ni la langue crie, d'où la difficulté de communiquer avec la population. En 1883 et 1884, Ottawa reçoit des demandes concernant l'amélioration des conditions de vie.

Dans le Nord-Ouest, d'autres colons sont mécontents. Beaucoup ont choisi leur ferme avant 1881 en prévision du passage d'un chemin de fer dans les environs. Ils sont furieux que la nouvelle voie ferrée du CP passe à une grande distance au sud de leur ferme. De plus, la sécheresse, les sauterelles, les gelées hâtives et le faible prix des céréales rendent l'agriculture très difficile. Les colons sont mécontents qu'autant de sections soient réservées à la CBH et aux chemins de fer. Le monopole du CP les irrite. Le gouvernement ne tient pas compte des pétitions des colons ni de celles des Métis.

Les Premières nations connaissent des temps difficiles

Au milieu des années 1880, il y a environ 20 000 Autochtones dans le Nord-Ouest. La maladie et la famine ont réduit leur population. Le gouvernement du Canada, avec l'aide de la Police montée du Nord-Ouest, doit périodiquement les approvisionner en bœuf, en farine et en thé. En 1876, le gouvernement adopte la Loi sur les Indiens, qui a une incidence sur tous les aspects de la vie des Autochtones. Des agents des Indiens, des non-Autochtones désignés par le gouvernement, commencent à administrer leur vie.

Le gouvernement souhaite que les Autochtones deviennent des agriculteurs. Pour ce faire, ils ont besoin d'outillage et de semences. Les approvisionnements tardent à arriver. Les Cris et les représentants du gouvernement sont également mécontents.

Des missionnaires, des officiers de la Police montée du Nord-Ouest et des colons pressent le gouvernement d'Ottawa de prévenir une catastrophe : la population meurt de faim. Les conditions se détériorent encore plus quand le gouvernement décide de réduire les expéditions de vivres aux réserves dans le but de forcer les Autochtones à cultiver la terre. En proie à la famine, ceux-ci cèdent au désespoir.

Le chef cri Mistahimaskwa (Big Bear) veut que les gens s'unissent pour trouver des solutions à leurs problèmes. Big Bear projette de négocier avec le gouvernement. D'autres membres de cette grande collectivité crie, dirigés par les chefs de guerre Imases (Little Bad Man), fils de Big Bear, et Kapapamahchakwew (Wandering Spirit), poussent la population à se battre.

Big Bear s'adresse à son peuple à l'occasion d'un rassemblement massif au lac aux Canards. On convient de tenir un autre conseil en 1885 pour préparer les revendications territoriales et politiques. Big Bear unit les différentes Premières nations des Prairies, mais ses plans sont politiques, et non militaires.

D'autres Cris ont des idées différentes. Les guerriers de la bande de Big Bear s'emparent du magasin de la CBH à Frog Lake le 2 avril 1885. Les Cris, en colère, affamés et exaspérés, tuent neuf personnes. Leur chef, Wandering Spirit, explique le point de vue des guerriers :

> *La CBH a vendu cette terre à la Grande Dame (la reine Victoria) [...] et a reçu de l'argent. Pourquoi avoir agi ainsi ? Cette terre nous appartient. Elle n'a jamais appartenu à la Compagnie. La CBH est riche parce qu'elle a accepté une grosse somme en échange d'un bien qui ne lui appartient pas. Nous, nous sommes pauvres. Souvent, nous n'avons pas de quoi*

Le chef cri Big Bear, ou Mistahimaskwa

Ces Cris ont posé pour le photographe dans leur campement. Toutes les collectivités autochtones des Prairies sont en proie à la faim et à la maladie.

manger. C'est pourquoi nous avons repris notre terre. Si elle est de nouveau vendue, c'est nous qui allons recevoir l'argent.

(Traduction libre)

L'attaque de Frog Lake fait craindre un soulèvement violent. Partout au Canada, la population revendique l'intervention du gouvernement du Canada. La guerre paraît maintenant probable.

Où en sommes-nous ?

1 a) Indique les griefs des Métis. Selon toi, quel grief décrit dans le texte de la pétition de droit est le plus grave ?

    b) Quels sont les griefs des autres colons ?

2 Qu'est-ce que les Métis espèrent obtenir avec cette pétition ?

L'intervention des Métis

Les Métis sont à bout de patience. Ils se rappellent que le leadership de Louis Riel a permis l'adhésion du Manitoba à la Confédération en 1870. Un petit groupe de Métis se rend au Montana en juin 1884 dans l'intention de convaincre Riel de revenir en Saskatchewan. Ensemble, ils adresseront une pétition à Ottawa pour exiger des changements.

Depuis 1870, Riel a séjourné dans des asiles à Montréal, s'est marié, a eu plusieurs enfants et a travaillé au Montana. Il a maintenant la conviction d'être un prophète. Son rôle dans la rébellion sera très différent de celui qu'il a joué au Manitoba.

En décembre 1884, les Métis envoient une pétition au gouvernement de sir John A. Macdonald. Voici les doléances des Métis :

- Les Premières nations sont tellement réduites que les colons sont obligés de les nourrir.
- Les Métis des territoires n'ont pas reçu 100 hectares de terre chacun, contrairement aux promesses de la Loi sur le Manitoba.
- Les Métis qui possèdent des terres n'ont pas reçu leurs lettres patentes (preuves de propriété).
- Les Territoires du Nord-Ouest (T.N.-O.) doivent avoir un gouvernement responsable et une représentation au Parlement fédéral. Ils ont un gouvernement temporaire depuis 15 ans.
- La Saskatchewan doit devenir une province du Canada.

À l'hiver de 1884-1885, Ottawa n'a toujours pas répondu à la pétition. Riel en appelle à la résistance. Avec son adjudant Gabriel Dumont et l'aide des Métis, Riel s'empare d'un magasin d'armes à Batoche en mars 1885. Quelques jours plus tard, des guerriers dirigés par Dumont mènent à la défaite un détachement de 100 hommes au lac aux Canards. Les Métis veulent qu'on les écoute.

Le gouvernement canadien dépêche la milice dans l'Ouest pour mettre fin à la rébellion. En l'espace de deux semaines, des centaines de soldats répartis en trois colonnes marchent vers le nord à partir de la voie du CP. Ils s'acheminent vers la Saskatchewan.

Les Métis dirigés par Dumont combattent les soldats canadiens du major général Frederick Middleton à l'Anse-aux-Poissons. Le talent naturel de Dumont pour la chasse au bison et son expérience militaire acquise aux États-Unis en font un expert en matière de tactiques. Cependant, Riel intervient toujours pour déjouer les plans de Dumont. Les Canadiens se regroupent pour se battre de nouveau.

Un détachement du Canada se rend dans l'Ouest en un temps record grâce au train du CP. Entre dans l'image et imagine ton inconfort.

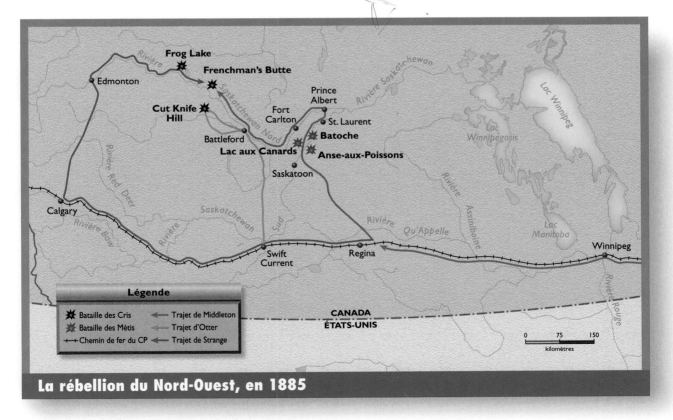

Frog Lake

Frenchman's Butte

Edmonton

Cut Knife Hill

Prince Albert

Fort Carlton

St. Laurent

Battleford

Batoche

Lac aux Canards

Anse-aux-Poissons

Saskatoon

Calgary

Swift Current

Regina

Winnipeg

Légende

- ✴ Bataille des Cris
- ✴ Bataille des Métis
- ┼─┼ Chemin de fer du CP
- ⟵ Trajet de Middleton
- ⟵ Trajet d'Otter
- ⟵ Trajet de Strange

CANADA
ÉTATS-UNIS

0   75   150
kilomètres

La rébellion du Nord-Ouest, en 1885

Cette peinture de la bataille de Batoche montre le détachement dirigé par le major général Middleton en train d'anéantir les défenses des Métis.

Les hommes de Middleton progressent vers le bastion des Métis à Batoche, leur principale collectivité. La bataille va être décisive pour les Métis pendant des générations. Leurs défenses sont fortes, mais le courage des Métis ne peut avoir raison de la supériorité numérique de la milice. Environ 300 combattants métis affrontent les 850 hommes dirigés par Middleton. Après quatre jours de combat, les Canadiens chargent les tranchées des Métis et font reculer les hommes de Dumont.

Dumont se porte au secours des femmes et des enfants métis, puis fuit aux États-Unis. Riel se rend au major général Middleton le 15 mai 1885. D'autres chefs métis et des colons rebelles sont faits prisonniers.

Où en sommes-nous ?

1 a) Fais un remue-méninges et indique les raisons pour lesquelles le gouvernement ne répond pas aux doléances des Métis.

b) Que dénote l'attitude du gouvernement envers les Métis ?

2 a) Qu'espèrent les Métis en invitant Riel à les diriger ?

b) Comment Riel nuit-il à la cause des Métis ?

3 Comment le CP influe-t-il sur le déroulement de la rébellion ?

L'intervention des Cris

Pour affronter les Cris à Battleford, un détachement dirigé par le colonel William Otter marche vers le nord à partir de Swift Current. Environ 500 réfugiés sont retenus en captivité par des guerriers cris et stoneys dans un fortin à Battleford. À l'approche des troupes d'Otter, les guerriers battent en retraite. Otter décide d'attaquer le camp de Poundmaker à la faveur de la nuit. Les guerriers déroutés encerclent bientôt les troupes d'Otter à Cut Knife Hill. Poundmaker laisse les miliciens s'échapper, puis il se dirige vers Batoche. Avant d'atteindre la colonie des Métis, les miliciens apprennent que les Métis ont déjà été vaincus. Poundmaker se rend à Middleton pour épargner à ses hommes d'autres combats et un autre bain de sang.

Le chef cri Big Bear affronte les troupes du général Thomas Strange dans une bataille à Frenchman's Butte. Les guerriers cris résistent, mais ils sont affaiblis et se replient plus au nord, où ils évitent les soldats dirigés par Strange pendant plusieurs semaines. Le 2 juin, Big Bear entre dans Fort Carlton et se rend rapidement.

Les combats sont terminés. En tout, 53 soldats, 35 Autochtones et 50 Métis sont tués. Plus de 115 hommes sont blessés. La nation métisse est vaincue. Le projet des Cris de reprendre les pourparlers s'effondre. Les chefs rebelles sont faits prisonniers ou envoyés en exil.

Lien Internet

www.dlcmcgrawhill.ca

Consulte le site Web ci-dessus pour te renseigner davantage sur la rébellion de 1885 et les personnes en cause. Clique sur *Matériel complémentaire/Primaire et secondaire*, puis sur *Le Canada : L'édification d'une nation*, où l'on te donnera la suite des indications.

Le détachement dirigé par le colonel William Otter marche vers le nord à partir de la voie ferrée pour affronter les guerriers de Poundmaker. Les hommes traversent un ruisseau près de Swift Current.

Après le combat

La population de l'Ontario et du Manitoba réclame le châtiment des rebelles. La rébellion a coûté cinq millions de dollars au gouvernement. Beaucoup de gens ont dû renoncer à leur vie passée. Quelqu'un doit payer.

En juillet, les procès commencent à Regina. Le prisonnier le plus digne de mention est Louis Riel. Ses avocats plaident la démence, mais Riel refuse d'envisager de passer sa vie dans un asile. Il est reconnu coupable de trahison et condamné à mort, malgré la demande de réduction de peine faite par le jury. Voici les explications d'un juré :

> *Nous sommes favorables à la cause des Métis parce que nous savons que leurs actes ont été justifiés [...] Nous avons imploré la clémence du tribunal envers Riel. Nous considérons que Riel est coupable et que ses actes de rébellion ne sont aucunement justifiables. Cependant, le gouvernement n'a pas rempli son devoir et n'a pas réagi aux griefs des Métis, comme ceux-ci le lui ont demandé maintes fois. Par son attitude, le gouvernement a provoqué la deuxième rébellion de Riel ainsi que le jugement et la condamnation des prisonniers.*
>
> *(Traduction libre)*

Les Canadiens français dénoncent la sentence de mort infligée à Riel. Des Québécois estiment que Riel est puni parce qu'il est catholique et francophone. Des éditoriaux, des orateurs qui prennent la parole devant d'immenses assemblées et des pétitions adressées à sir John A. Macdonald réclament l'annulation de son exécution.

Que peut faire Macdonald ? Il peut commuer la sentence ou tenir bon. Le 16 novembre 1885, Riel est exécuté. Au Québec, les protestations sont bruyantes, coléreuses et instantanées. Les chefs canadiens-français jurent de provoquer la défaite du gouvernement. Le Parti conservateur de Macdonald perd le soutien de cette province pendant des décennies. Bon nombre de journaux et d'orateurs de l'Ontario sont en faveur de l'exécution de Riel. Les Canadiens francophones et anglophones

Cette photo célèbre montre la salle d'audience où Riel est reconnu coupable et condamné à mort. Riel est debout au centre de la photo, face au jury.

Un portrait de groupe pris après la bataille de 1885 montre Poundmaker (en avant, à droite) ainsi que Big Bear et son fils cadet (en avant, à gauche).

Gabriel Dumont
À LA DÉFENSE DE SON PEUPLE

Gabriel Dumont voit pour la dernière fois son ami Louis Riel dans les bois à l'extérieur du village de Batoche au bord de la rivière Saskatchewan Sud. Après la bataille, leur petite force est dispersée. Seuls quelques hommes restent avec eux. Les guerriers métis et autochtones sont maintenant des fugitifs. Ils n'ont que leurs armes et leurs habits. Pour survivre, il leur faut de la nourriture, des couvertures et des chevaux. Dumont sort discrètement des bois pour trouver des vivres. À son retour, Riel est parti.

Les environs fourmillent de soldats. Leur mission est de capturer les rebelles. Dumont prend des risques en restant là, mais il ne veut pas partir avant d'avoir la certitude que Riel est hors de danger. De plus, l'homme des plaines aguerri connaît la région comme le fond de sa poche. À une époque plus favorable, avant la disparition des bisons, Dumont a été chef des chasseurs métis de la rivière Saskatchewan. Son habileté et son courage sont tellement respectés qu'un prêtre dit aux troupes qui le recherchent : « Vous cherchez Gabriel ? Vous perdez votre temps. Il connaît le moindre brin d'herbe des Prairies. »

Finalement, Dumont entend dire que le major général Frederick Middleton a promis de faire justice à Riel, s'il se rend. Dumont redouble d'efforts pour retrouver son ami. Il veut lui dire de ne pas se rendre, mais il n'en a jamais la possibilité. Riel se rend le 15 mars 1885, six jours après la fin des combats.

Uns fois Riel en prison, il est temps de fuir. Dumont et l'un de ses hommes volent des chevaux et se dirigent vers le sud en direction de la frontière des États-Unis. Ils ne sont armés que du fusil préféré de Dumont, qu'il appelle Le Petit. Les deux hommes savent néanmoins qu'ils peuvent compter obtenir des vivres et un abri auprès des groupes autochtones et métis qu'ils vont rencontrer en route. Une fois parvenu aux États-Unis, Dumont commence à planifier le sauvetage de Riel. Il ne peut cependant pas mettre son plan à exécution. Comme ils sont persuadés que les Métis vont tenter quelque chose, les officiers de la Police montée gardent leur prisonnier à vue.

Après l'exécution de Riel, Dumont se joint au Wild West Show de Buffalo Bill à titre de tireur d'élite. Il se rend dans des villes américaines comme New York et Philadelphie et travaille aux côtés de stars comme Annie Oakley, mais cette vie ne lui convient pas. Quand le gouvernement canadien accorde une amnistie aux hommes qui ont pris part à la rébellion du Nord-Ouest, Dumont retourne sur sa ferme. Il y meurt en 1906. Vingt et un ans après la bataille de Batoche, Dumont est presque tombé dans l'oubli, sauf chez les Premières nations et les Métis, qui se rassemblent discrètement pour rendre hommage à la vaillance de l'homme qui a voulu protéger leur mode de vie.

Autres personnages à découvrir

Edgar Dewdney

Gabriel Dumont

Kapapamahchakwew
 (Wandering Spirit)

Mistahimaskwa (Big Bear)

Pitikwahanapiwiyin (Poundmaker)

sont divisés et amers. Les événements qui se sont produits dans la lointaine Saskatchewan déclenchent une tempête.

Le gouvernement est déterminé à empêcher d'autres troubles chez les Premières nations. La Police montée du Nord-Ouest confisque les chevaux, les fusils et les charrettes des Cris et les agents des Indiens s'attribuent de nombreux pouvoirs dans les réserves.

Les membres des Premières nations qui veulent cultiver la terre sont mécontents. Le ministère des Indiens n'attribue que de petits champs aux fermes des réserves. Les agriculteurs autochtones ne peuvent se procurer de la machinerie coûteuse pour cultiver de grands champs de blé. On leur interdit d'emprunter les fonds nécessaires à l'achat de l'outillage. Des règlements les obligent à utiliser des outils manuels. Les agriculteurs ne réussissent pas à amasser des fonds supplémentaires à cause des règlements du ministère des Indiens, et ce sont eux qui sont blâmés. En 1900, plusieurs ont perdu tout espoir de réussir.

Un agriculteur pied-noir ensemence son champ à la main.

Après 1885, la plupart des Métis ont quitté la Saskatchewan. Ils se dirigent vers le nord et l'ouest dans les forêts vierges entourant la rivière de la Paix et le fleuve Mackenzie. En 1896, les prospecteurs et les mineurs attirés par l'or du Klondike empiètent de nouveau sur leurs terres et leurs droits.

Où en sommes-nous ?

1 a) Pourquoi Riel ne plaide-t-il pas la démence ?
   b) Quel est l'avis du jury concernant la sentence de Riel ? Pourquoi ?
   c) Quelle réaction l'exécution de Riel a-t-elle provoquée ?
2 Détermine ce que deviennent :
   a) les prisonniers autochtones et métis ;
   b) les collectivités autochtones et métisses.

L'OR DU KLONDIKE, EN 1896

En 1896, trois prospecteurs de longue date du Klondike, ou *sourdoughs*, trouvent de l'or à Rabbit Creek, au Yukon. Ils expédient leurs pépites à Seattle, dans l'État de Washington. En l'espace de quelques jours, une gigantesque ruée vers l'or est déclenchée. Entre 1897 et 1900, Dawson City devient la destination d'environ 43 000 hommes. Des cours d'eau sournois, de hautes montagnes, des froids sibériens, de longues distances et l'isolement représentent des défis, même pour les chercheurs d'or aguerris.

Est-il très difficile de se rendre à Dawson City en toute sécurité ? Suppose que tu sois un chercheur d'or. Quels grands défis dois-tu relever ?

- Réserve et paie ton passage à bord d'un bateau à vapeur à destination de Skagway, en Alaska. Méfie-toi des escrocs à Skagway.
- Équipe-toi pour effectuer le voyage jusqu'à Dawson City. Tu vas suivre une piste ardue dans les montagnes, puis tu vas parcourir des centaines de kilomètres en aval de cours d'eau glacés aux rapides redoutables.
- Tu vas transporter des centaines de kilos de matériel sur ton dos jusqu'au col de Chilkoot, couvert de glace. La Police montée du Nord-Ouest ne va pas te laisser t'engager dans le col si tu n'as pas assez de réserves pour un an.
- Tu vas te bâtir un bateau rustique pour transporter ton matériel en aval du fleuve Yukon jusqu'à Dawson City. Attends-toi à voir beaucoup de bateaux chavirer et à trouver les corps de chercheurs d'or noyés.
- Si tu décides de faire le trajet par voie de terre à partir d'Edmonton, il va te falloir deux ans pour atteindre les champs aurifères, et tu n'as aucune assurance d'y parvenir. Le trajet est jalonné de nombreuses tombes.

Les *sourdoughs*

Les vétérans du Klondike sont surnommés *sourdoughs* probablement parce que les crêpes, les biscuits, les muffins et le pain au levain composent l'essentiel de leur alimentation. Au lieu d'utiliser de la levure ou de la poudre à pâte pour faire lever le pain, les mineurs réservent un morceau de levain. Ce morceau de pâte, appelé en anglais *sourdough*, est l'élément de base de la fournée suivante. Le levain est souvent conservé dans une bouilloire spéciale suspendue à un clou au-dessus du poêle.

Des mineurs font l'ascension du col de Chilkoot à la file, chargés de leur matériel. Ils doivent transporter d'énormes quantités de nourriture et d'équipement au-delà du col.

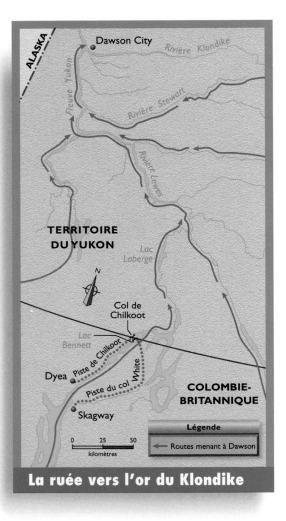

La ruée vers l'or du Klondike

Le voyage jusqu'aux champs aurifères est une véritable épreuve pour beaucoup de gens. Belinda Mulrooney franchit le col de Chilkoot en 1897. Elle décrit une partie de son voyage et la manière dont elle a sauvé la vie d'une autre femme :

Quand on commence à geler sur la piste, il faut lutter pour survivre. Il est tentant de s'allonger par terre parce que la neige ressemble à un lit de plumes. Je me rappelle [...] une femme de Seattle étendue dans la neige. Son mari l'a devancée [...] Il lui a dit d'attendre [...] mais elle est impatiente d'aller le rejoindre. Elle part seule, mal vêtue, munie d'un petit traîneau.

En m'approchant d'elle, je lui dis : « Allons ! Il faut vous lever et faire des efforts. » Elle répond : « Je me sens merveilleusement bien. » Je l'installe dans mon traîneau. Je dois l'attacher solidement [...] Puis je pousse énergiquement mon traîneau en bas de la pente jusqu'à mon campement.

Bill McPhee et un autre vétéran sont couchés en chien de fusil dans ma tente. Je leur dis : « Voici une pauvre femme. Il faut qu'elle se réchauffe. »

McPhee répond : « Belinda, mettez-la ici entre nous deux. Elle ne risque absolument rien. » J'obéis. Nous arrivons finalement sains et saufs à Dawson City, où je réussis à trouver son mari [...] Elle lui dit : « Chéri, chéri, regarde. J'ai couché avec ces hommes pendant mon voyage ! »

(Traduction libre)

Les mineurs font fonctionner un couloir de flottage pour séparer la poussière d'or et les pépites du minerai et de la boue qu'ils ont extraits de leur mine. Certains se sont enrichis, d'autres ont travaillé jour et nuit, sans grand succès.

Martha Louise Munger Black
LA CONQUÊTE DU CHILKOOT

Martha Louise Munger regarde fixement la montagne enneigée qui s'étend au loin entre elle-même et le Klondike. Elle va bientôt quitter Dyea, en Alaska, pour se joindre à la masse de gens qui s'acharnent à faire l'ascension de cette montagne sur une piste infernale. A-t-elle été stupide d'avoir quitté son mari et ses deux fils dans l'espoir de trouver de l'or... et l'aventure ? Sa vie de dame patronnesse à Chicago, en Illinois, l'a-t-elle préparée à ce qui l'attend ? Le Klondike n'est peut-être pas l'endroit idéal pour une dame.

La piste de 68 km du Chilkoot grimpe un versant de la montagne couverte de neige et de glace et descend l'autre versant en ligne droite. Martha Louise Munger frissonne de peur. Tout le monde sait que les corps de 60 personnes ensevelies sous une avalanche trois mois plus tôt n'ont pas encore été dégagés.

Le 12 juillet 1898 à midi, Martha Louise s'engage sur la piste avec son frère George et son cousin Harry. Ils ont pu verser les 900 $ demandés pour avoir des porteurs. À la fin de la première journée, l'étape la plus facile du voyage est finie. Le lendemain, ils s'attaquent au célèbre col de Chilkoot, l'étape la plus difficile de l'expédition. La neige fondante rend périlleuse la montée abrupte, parsemée de rochers, en particulier pour une dame vêtue à la mode des années 1890. « J'ai maudit mon col chaud, haut et empesé, le corset qui m'opprime, ma longue jupe en velours côtelé et mes culottes bouffantes que j'ai dû relever à chaque pas », écrit plus tard Martha Louise.

Les voyageurs atteignent finalement le sommet. Ils passent par le poste de douane établi par la Police montée du Nord-Ouest et entrent au Canada. Devant eux s'étend la piste qui mène au bas de la montagne. « L'étape la plus exténuante du voyage, écrit Martha Louise. Plus bas, toujours plus bas. Tout le poids de notre corps repose sur nos jambes tremblantes. Le poids est de plus en plus lourd, les jambes sont de plus en plus tremblantes. Des roches pointues font saigner nos mains qui cherchent à se cramponner. Des racines en forme de serpents retiennent nos pieds titubants. » Une fois sur l'autre versant, Martha Louise éprouve une satisfaction enivrante. Elle a traversé sa première grande épreuve : elle a conquis le Chilkoot. Même si 18 000 hommes ont déjà accompli cet exploit, elle n'est que la 631e femme à avoir achevé la marche.

Martha Louise Munger l'ignore à ce moment-là : elle attend son troisième enfant. Son fils naît en janvier de l'année suivante. Martha Louise ne sait pas non plus qu'elle va être envoûtée par le Yukon et décider d'y rester. Ses deux fils aînés viennent la rejoindre, et elle épouse son deuxième mari, George Black. Elle réalise son exploit le plus remarquable en 1935. Élue pour représenter le Yukon à la Chambre des communes, elle devient la deuxième députée de l'histoire canadienne.

Autres personnages à découvrir

Martha Louise Munger (Black)
Faith Fenton
Skookum Jim
Robert Service
Sam Steele

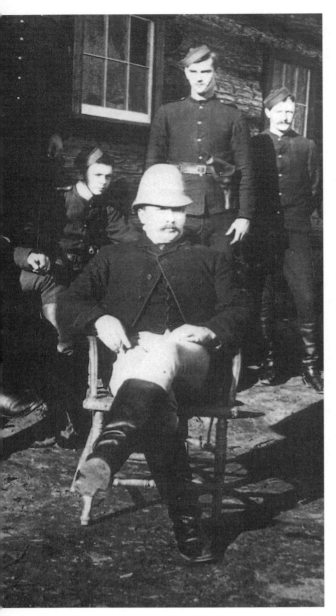

Sam Steele, un personnage légendaire, contribue au maintien de l'ordre pendant la ruée vers l'or du Klondike. Plus tard, il prend part à la guerre des Boers, puis à la Première Guerre mondiale.

Les chercheurs de fortune

Qui sont ces chercheurs d'or? La plupart sont des gens ordinaires du Canada, des États-Unis et d'Europe. D'autres sont des commerçants qui profitent des affaires créées par la ruée vers l'or. Ces commerçants ouvrent des magasins pour approvisionner les prospecteurs en matériel et en nourriture, ou ils leur vendent des chevaux et du bois. Un troisième groupe est formé d'aventuriers. La prospection ne les intéresse pas. Ils sont attirés par les jeux de hasard dans les *saloons* de Dawson City.

La Police montée du Nord-Ouest veille au maintien de la loi et de l'ordre au Yukon. Les officiers protègent aussi les gens de leur propre stupidité. Peu de gens se rendent compte des dangers qui jalonnent le voyage jusqu'aux champs aurifères. Les officiers de la Police montée patrouillent les cols et les cours d'eau jusqu'au pays de l'or et assurent une surveillance. Certains voyageurs construisent des bateaux trop légers pour affronter les eaux tumultueuses du fleuve Yukon. Les officiers de la Police montée inspectent chaque bateau, car trop de noyades se sont produites à cause d'embarcations impropres à la navigation sur le fleuve Yukon. En 1898, Sam Steele, membre de la Police montée, déclare que chacune des 30 000 personnes qui ont descendu le fleuve Yukon ont eu l'aide de la Police montée du Nord-Ouest.

Dawson City

Dawson City surgit presque du jour au lendemain. Des milliers de chercheurs d'or arrivent dans l'espoir de faire fortune. La plupart des habitants de Dawson sont des hommes, mais il y a quelques femmes. Nettie Fancher est prospectrice, Mary Thompson est hôtelière, Mme G. Lowe est blanchisseuse et voyante, et Faith Fenton est reporter pour un quotidien torontois. Plusieurs femmes travaillent dans les multiples *saloons*, tavernes et salles de danse. Une femme relate son expérience:

Lien Internet

www.dlcmcgrawhill.ca

Consulte le site Web ci-dessus pour voir d'autres photos de la ruée vers l'or du Klondike. Clique sur *Matériel complémentaire/Primaire et secondaire*, puis sur *Le Canada: L'édification d'une nation*, où l'on te donnera la suite des indications.

Mon mari [...] m'a offert de nouveaux vêtements [...] Le soir venu, il m'a emmenée dans une salle de danse. L'endroit est enfumé, des hommes jouent aux cartes, à la roulette, au pharaon et à d'autres jeux de hasard. Beaucoup d'hommes portent des habits grossiers. Il y a quelques danseuses, toutes élégantes [...] L'atmosphère est plutôt désordonnée, j'ai peur et je veux rentrer à la maison. Depuis, je ne suis jamais retournée dans une salle de danse.

(Traduction libre)

Cette photo de 1899 montre les citoyens de Dawson City célébrant le 4 juillet. Plus de 7 mineurs sur 10 sont des Américains.

La ruée vers l'or du Klondike est de courte durée. En 1904, la plupart des gens ont déserté la région. Les meilleurs ruisseaux sont épuisés et l'on a découvert de nouveaux gisements en Alaska. Les aventuriers, les mineurs, les femmes et les enfants vont s'y établir.

Où en sommes-nous ?

1 Indique les défis que les gens doivent relever pour se rendre jusqu'au Klondike.

2 a) Décris le rôle de la Police montée du Nord-Ouest pendant la ruée vers l'or du Klondike.

  b) Selon toi, la présence de la Police montée du Nord-Ouest rend-elle cette ruée vers l'or différente de celle de Cariboo ?

3 À l'apogée de la ruée vers l'or, Dawson City a l'électricité, l'eau courante, des égouts et le téléphone. Selon toi, quelle est la différence entre cette ruée vers l'or et celle de Cariboo ?

CHAPITRE 7, PRISE 2 !

Les années 1870 à 1890 amènent des changements et des catastrophes chez les Premières nations et les Métis de l'Ouest. Les colons, les arpenteurs, les chemins de fer et l'agriculture transforment leur mode de vie. Quand des solutions pacifiques aux problèmes découlant de ces changements se révèlent inefficaces, les Premières nations et les Métis se rebellent. Vaincus par la supériorité numérique des troupes canadiennes, leurs chefs sont exécutés ou emprisonnés. Un grand nombre de Métis s'établissent dans les régions boisées du Nord. Les Autochtones s'efforcent de s'adapter à leurs nouvelles conditions de vie et apprennent à cultiver la terre, mais des règlements trop stricts les empêchent de vivre de l'agriculture.

D'autres colons ont beaucoup plus de succès en agriculture. Des groupes de Mennonites et d'Islandais s'établissent au Manitoba, suivis de petits groupes d'immigrants d'Europe, de Chine et d'Amérique du Nord. En 1895, les rêveurs qui ont imaginé l'arrivée de milliers d'agriculteurs, d'éleveurs et de citadins attendent toujours. Dans une région éloignée du Nord-Ouest, des gens se rassemblent par milliers. Pendant la ruée vers l'or du Klondike en 1898, des dizaines de milliers de chercheurs d'or défient le Nord inhospitalier dans l'espoir de s'enrichir. Quelques années plus tard, la fièvre de la ruée vers l'or se dissipe et les gens retournent chez eux. Les rêveurs attendent encore que les occupants des homesteads s'établissent dans les Prairies. Tu vas lire le récit de ces gens dans le chapitre suivant.

VÉRIFIE TES CONNAISSANCES

1. Quelle influence la Loi des terres du Dominion a-t-elle sur les modes de colonisation dans les Prairies ?

2. Quels sont les avantages possibles d'une colonie collective pour un groupe comme les Mennonites ?

3. Réalise une chaîne d'événements pour montrer les causes, les événements et les conséquences de la rébellion de 1885.

4. Vérifie le sens des mots « rébellion » et « résistance ». Pourquoi peut-on dire que les événements de 1885 constituent une rébellion ? Contre quoi les rebelles se révoltent-ils ?

5. Pourquoi la Loi sur les Indiens risque-t-elle de causer des conflits ?

6. À quels dangers les gens cherchant à atteindre les champs aurifères du Klondike s'exposent-ils ?

APPLIQUE TES CONNAISSANCES

1. Visionne les *Reflets du patrimoine* portant sur Louis Riel. Explique les faits survenus avant l'histoire relatée dans la vidéo.

1 Rédige une légende pour cette photo décrivant la scène.

La piste de Skagway

2 Choisis deux personnages de cette photo et écris un dialogue imaginaire entre eux.

2 Rédige une minibiographie d'un des chefs militaires ou politiques, autochtones, métis ou canadiens de la rébellion de 1885. Réunis dans un recueil les biographies effectuées par les élèves de la classe.

3 Conçois une page Web sur la rébellion de 1885 ou une ruée vers l'or du Klondike.

4 Selon toi, Macdonald doit-il commuer la sentence de Louis Riel au lieu d'autoriser son exécution ? Quelle sentence est appropriée ?

5 Effectue des recherches sur la vie des éleveurs des Prairies avant 1896. Présente tes découvertes sous forme de murale, d'histoire en images ou de vidéo.

6 Crée un quotidien ou un magazine sur la ruée vers l'or du Klondike.

7 Effectue des recherches pour mieux te renseigner sur les changements technologiques survenus dans l'agriculture à cette époque. Comment ces changements touchent-ils les agriculteurs des Prairies ?

8 Écris une lettre ou un message à l'*un* des groupes de personnes suivants pour l'avertir de ce qui l'attend et lui faire des suggestions pour réussir : les chercheurs d'or potentiels du Klondike ; les Autochtones qui essaient de constituer des fermes ; les Mennonites ; les Islandais ; les Juifs de Winnipeg.

UTILISE LES MOTS CLÉS

1 Écris un indice pour trois des mots suivants. Remets ta liste d'indices à une ou à un camarade et demande-lui de trouver les bonnes réponses.

certificat des Métis
acte de concession
sourdough
lettre patente de homestead

CHAPITRE
8

Une terre d'accueil pour tous, entre 1896 et 1914

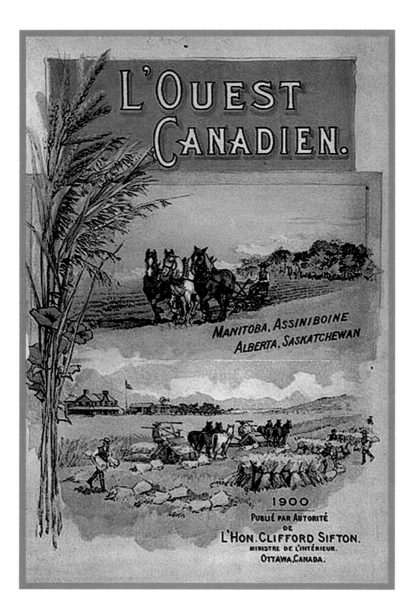

ZOOM SUR LE CHAPITRE

Regarde cette affiche qui a servi à attirer des colons dans l'Ouest. Entre 1896 et 1914, plus d'un million de personnes se rendent dans les Prairies pour s'établir sur une propriété familiale ou travailler dans les villes, ou encore dans l'espoir de s'enrichir et de repartir. L'illustration centrale évoque la promesse de fermes prospères, d'immenses champs de blé en train de mûrir et d'une abondante récolte de céréales. Les feuilles d'érable nous rappellent que ces champs se trouvent au Canada, et non dans l'Ouest américain.

Imagine que tu regardes cette affiche avec les yeux de quelqu'un qui vit en Norvège, en Russie ou à Toronto. Qu'est-ce qui t'attire dans les Prairies canadiennes? Que vas-tu y trouver? Qui habite là? Comment peux-tu améliorer tes conditions de vie? Quels sont les obstacles qui t'attendent?

SCÉNARIO DU CHAPITRE

Dans ce chapitre, tu étudieras les sujets suivants:
* **les expériences des colons à leur arrivée;**
* **les raisons qui incitent des gens de diverses parties du monde à s'établir dans les Prairies canadiennes entre 1896 et 1914;**
* **les contributions des groupes et des individus au développement de l'Ouest canadien;**
* **les tendances de l'immigration et de la colonisation dans les Prairies;**
* **la vie quotidienne de la population des Prairies dans les petites et les grandes villes, de même que dans les fermes, les mines, les camps de bûcherons et les ranchs.**

MOTS CLÉS

collectivement
ethnoculturel
facteurs
  d'attirance
facteurs
  d'incitation
migration
  en chaîne
prairie chauve
maison en tourbe
tarif du fret

1896
* Le gouvernement Laurier est élu à Ottawa.
* Sifton devient ministre de l'Intérieur.

1905
La Saskatchewan et l'Alberta deviennent des provinces.

1913
Un nombre inégalé de nouveaux arrivants, soit 400 870, s'établissent dans l'Ouest.

1914
Le début de la Première Guerre mondiale met fin à l'immigration massive dans les Prairies.

NOTRE LABEUR

1904

Nous sommes enfin arrivés à notre homestead. L'affliction qui m'a envahie est inoubliable. Nous vidons notre charrette, puis nous nous asseyons sur une caisse et nous regardons autour de nous. Pas le moindre signe de vie humaine. Pas la moindre route menant à une habitation visible, rien qu'un escarpement, de l'eau et de l'herbe. Je me rends compte que notre voyage est fini, que notre foyer est ici et que, si nous voulons un toit pour nous abriter, une étable pour nos chevaux et de l'eau potable, nous allons devoir travailler de nos mains.

Nous plantons notre tente et [...] nous installons le fourneau de cuisine au grand air. Nous fabriquons une table et [...] nous construisons une étable de fortune. Puis nous pensons à notre future maison. Nous creusons une cave, mais nous nous rendons compte que le prix du bois représente tout notre avoir [...] Nous décidons d'ériger tant bien que mal quatre murs et un toit [...]

Avec peine, nous installons le poêle dans la tente et nous faisons sortir le tuyau à l'extérieur. Je me demande maintenant comment nous avons pu surmonter ces difficultés et être heureux [...] Un jour, alors que je suis en train de faire cuire du pain, [...] nous entendons quelqu'un arriver. C'est un homme qui a vu notre tente au loin et qui est venu nous mendier un peu de pain. Il vit avec deux autres homesteaders à

Des colons des Prairies en provenance de Boston, au Massachusetts, se dirigent vers leur homestead en Alberta. Ils posent pour un photographe.

Il y a beaucoup plus d'hommes que de femmes dans les Prairies. Les célibataires recherchent des épouses, car ils ont besoin du savoir-faire et du coup de main des femmes dans les fermes. Peu d'hommes réussissent à exploiter leur ferme seuls.

environ un mille [1,6 km] d'ici. Ces hommes n'ont qu'une tente et un réchaud inutilisable [...] quand il pleut [...] Nous emballons quelques petits pains et nous disons à notre visiteur que c'est tout ce que nous avons à lui offrir. Il s'en va [...] Une demi-heure plus tard environ, il revient ; il est perdu.

Nous avons construit un toit et un plancher en bois, puis ajouté deux fenêtres, mais nous n'avons pu acheter aucun matériau pour les murs. Un voisin est venu nous aider à extraire des mottes de tourbe pour les murs [...] Les hommes ont découpé et empilé soigneusement les mottes pour construire les murs. Nous sommes heureux d'avoir emménagé dans notre maison et d'avoir commencé à la rendre le plus confortable possible [...] Pendant les mois d'hiver, nous avons couvert les murs de nos couvertures, raidies par le gel. Nous n'avons pas osé les enlever de crainte de les déchirer [...]

(Traduction libre)

Où en sommes-nous ?

1 a) Que signifie le mot *affliction* ? Pourquoi la personne qui a écrit ce texte a-t-elle éprouvé ce sentiment ?

    b) Selon toi, est-ce un homme ou une femme ? Explique ta réponse.

2 Quelles sont les qualités des colons prospères que l'auteur de ce texte démontre ?

3 Quelle est la différence entre les conditions de vie de ces gens et celles des trois célibataires du voisinage ?

4 Pourquoi ces personnes construisent-elles les murs de leur maison avec des mottes de tourbe ?

Les gens qui arrivent en charrette ou à pied dans la **prairie chauve** (c'est le nom que l'on donne aux prairies basses ou sans arbre) ont à faire face à une tâche imposante : se construire un abri rapidement. Il vente constamment. Les hivers sont très rigoureux et il y a des risques de blizzard, de vents violents et de froid glacial. Il peut geler dès la mi-août, et l'hiver ne tarde jamais. Les premières maisons sont souvent des tentes, puis des **maisons en tourbe**, c'est-à-dire des maisons aux murs en mottes de tourbe, ou des maisons en rondins.

Voici une photo du homestead des Benson dans la prairie chauve de l'Alberta, en 1910. Les homesteaders viennent de labourer le premier sillon sur leur terre. Imagine que tu es l'une des personnes de cette photo. Décris à une visiteuse ou à un visiteur ta vie ici, tes espoirs, tes rêves et tes peurs.

Les facteurs d'incitation et d'attirance

Qui sont ces pionniers ? D'où viennent-ils et pourquoi sont-ils venus dans les Prairies ? Ils construisent des étables et des maisons rustiques, et cuisinent sur des poêles à bois au grand air. Les personnages de ces récits ont des caractéristiques communes avec plus d'un million d'autres personnes arrivées dans l'Ouest entre 1896 et 1914. Tous ont décidé de s'établir dans les Prairies, à des centaines ou à des milliers de kilomètres de chez eux.

Deux séries de facteurs ont motivé leur décision : des **facteurs d'incitation** et des **facteurs d'attirance**. Ils entrent en jeu chaque fois que des gens quittent leur foyer et s'installent ailleurs. Certains facteurs incitent les gens à quitter leur maison, d'autres les attirent en un lieu particulier. Entre 1896 et 1914, plus de deux millions et demi de personnes décident de quitter leur pays pour s'établir au Canada. Près de la moitié de ces gens s'installent dans les Prairies canadiennes. Le tableau ci-dessous indique quelques-uns des facteurs qui ont influé sur cette gigantesque migration d'individus, de familles et de groupes.

Facteurs qui ont incité les gens à quitter leur foyer	Facteurs qui ont attiré les gens dans les Prairies
Persécution religieuse	Liberté religieuse
Persécution culturelle	Liberté linguistique
Fermes trop petites ou terres trop pauvres pour assurer leur subsistance	Terres gratuites pour les homesteaders
Loyers élevés	Présence de parents, d'amis et d'autres membres de leur collectivité culturelle
Impôts élevés	Transport peu coûteux et aide du gouvernement pour s'y rendre
Incapacité d'acheter leur propre terre	Protection de la Police montée du Nord-Ouest
Chômage causé par le changement technologique	Possibilités d'emploi
	Publicité
	Transport des céréales vers les marchés
	Nouveaux marchés mondiaux pour le blé des Prairies
	Améliorations technologiques touchant les céréales, l'outillage agricole et les méthodes agricoles

Mayer Hoffer

Nous sommes en 1907. C'est la pâque juive. Le train transportant Mayer Hoffer arrive enfin à Hirsch, en Saskatchewan. « Je n'ai jamais été aussi heureux de ma vie qu'à l'annonce de notre arrivée à Hirsch par le chef de train », écrit Mayer Hoffer bien des années plus tard. « Mon voyage est fini et la vie est devant moi. »

Pour ce jeune Juif de 17 ans, les 14 jours de son voyage transatlantique à partir de Liverpool, en Angleterre, ont été difficiles. Le bateau qu'il a pris, le *Siberia*, a servi autrefois à transporter du bétail. Les stalles ont été converties en minuscules cabines. Certains passagers se sont sûrement demandé si leurs conditions de voyage ont été meilleures que celles des bêtes. En proie à un violent mal de mer, Mayer passe la majeure partie de la traversée à vomir dans la cabine bondée et nauséabonde qu'il partage avec trois autres passagers.

À peine capable de manger, il est trop affaibli pour se rendre compte que l'alarme a retenti pendant la nuit. Des gilets de sauvetage sont remis aux passagers affolés qui reçoivent l'ordre de monter sur le pont. Mayer n'y va pas, car il est trop malade. Par bonheur, la crise se résorbe et l'on ne donne pas l'ordre de quitter le navire.

Une fois à terre, Mayer se rétablit vite. Le voici à Hirsch où il espère entreprendre une nouvelle vie avec son père et son frère, Israel. Après la pâque juive, Israel lui trouve un emploi chez un agriculteur juif. Pour la somme de 25 $ par mois, Mayer travaille dans cette ferme jusqu'au jour où la famille Hoffer s'établit dans un homestead.

Chacun a demandé deux quarts de section. Les Hoffer sont habitués aux petites fermes densément peuplées d'Europe. Les grands espaces de la Saskatchewan les émerveillent. Pour obtenir le titre de propriété de leur terre, ils n'ont qu'à verser une somme modeste, vivre sur leur ferme au moins six mois par an et se bâtir une maison.

Les Hoffer entreprennent la traversée des Prairies pour se rendre à leur homestead. Ils ont une charrette, un attelage de chevaux, une vache et un veau. Leur charrette transporte de la nourriture, du bois de construction, un vieux poêle, un lit, une charrue, un seau, une pioche et d'autres outils ainsi qu'un traîneau à fardeaux à patins qui peut être remorqué par des chevaux. Dans ce traîneau, ils empileront les roches et les pierres trouvées en creusant le sol. Ce travail est éreintant, mais il faut le faire pour préparer les labours.

Quand les Hoffer arrivent sur leur terre, ils commencent par décharger la charrette et la renversent. La charrette renversée leur sert d'abri.

Les herbes hautes des Prairies s'étendent à perte de vue, mais les Hoffer ne sont pas seuls. « Les gens affluent dans le district pour prendre possession de leur terre, écrit Mayer. Certains sont accompagnés de jeunes enfants ; d'autres ont des enfants déjà grands ; certains sont nantis ; d'autres sont pauvres. Tous ont une vision de l'avenir. »

Autres personnages à découvrir

Isaac Barr

Johanne Frederiksen

Mayer Hoffer

Peter Veregin

John Ware

Chacun a des raisons différentes de s'établir dans les Prairies. Certains ont été chassés de chez eux à cause du terrorisme parrainé par l'État. Par exemple, les agents de la police secrète russe brûlent des maisons, emprisonnent et tuent des gens en raison de leurs croyances religieuses. D'autres ont été incapables de gagner leur vie sur leur petite ferme en Ukraine, en Norvège, en Finlande ou ailleurs. Des anglophones ont quitté la Grande-Bretagne dans l'espoir de s'enrichir en travaillant fort.

Le gouvernement canadien espère attirer des « familles de qualité », c'est-à-dire des agriculteurs expérimentés et aguerris pour cultiver la terre dans les Prairies. Clifford Sifton, le dynamique ministre de l'Intérieur, prend la responsabilité d'attirer les colons et de faciliter leur établissement. On produit des affiches en plusieurs langues, on organise des tournées de présentation pour promouvoir les produits des Prairies, et des hommes qui présentent des spectacles de lanternes magiques montrent des photos de l'Ouest. Des agents canadiens en poste aux États-Unis travaillent fort pour attirer les agriculteurs américains expérimentés dans l'Ouest. En 1903, le surintendant canadien de l'Immigration déclare ce qui suit:

Des expositions itinérantes comme celle-ci, intitulée « Jeune fille du Canada », sont conçues pour attirer des gens dans les Prairies en plein essor. Cette publicité est utilisée en Grande-Bretagne, mais l'on fait beaucoup de publicité aussi en Europe et aux États-Unis. Quel drapeau couvre cette jeune fille ? Quelles décorations peux-tu identifier sur la bicyclette ?

Au total, nous avons traité 114 124 demandes d'information par la poste, en plus des nombreuses demandes de renseignements personnelles. Nous avons expédié à nos agents en poste aux États-Unis et en Grande-Bretagne 575 caisses contenant 637 578 brochures à distribuer. Notre production totale d'imprimés s'est chiffrée à 1 313 909 exemplaires.

(Traduction libre)

D'autres facteurs attirent les gens dans les Prairies : à mesure que le peuplement progresse, il se crée de nombreux emplois non agricoles dans le bâtiment, la construction ferroviaire et les mines.

Clifford Sifton

La vente des « derniers et meilleurs territoires de l'Ouest »

Pendant ses études, Clifford Sifton est fasciné par les sciences, qui constituent une nouvelle discipline. Brillant et instruit, il adhère au club scientifique de son collège et en devient le président. De plus, Clifford est l'un des premiers étudiants à s'inscrire à un cours postdoctoral en sciences. Tout l'incite à faire une carrière scientifique.

Une seule chose fait obstacle à l'orientation professionnelle de Clifford Sifton : son ambition. La science n'est pas jugée respectable en raison de sa nouveauté. Sifton veut choisir une carrière respectable parce qu'il aspire à faire de la politique. Le jeune homme opte donc pour le droit. Dans les années 1880, une formation en droit est la voie royale pour faire carrière en politique.

Né dans le Canada-Ouest, Sifton déménage au Manitoba avec sa famille à l'âge de 13 ans. Une maladie infantile affecte son ouïe, mais il est déterminé à ne pas laisser ce handicap nuire à sa vie. Sa famille finit par s'installer à Brandon, et c'est dans cette ville que le jeune avocat établit sa pratique et entreprend sa carrière politique. En 1888, il est candidat libéral et est élu à la législature provinciale.

En 1896, le Parti libéral remporte l'élection fédérale et Wilfrid Laurier devient premier ministre. Pour Sifton, le moment ne peut être plus opportun. Son travail a suscité l'intérêt de Laurier. Personne n'est surpris quand le premier ministre invite le jeune libéral ambitieux à se joindre au cabinet fédéral en tant que ministre de l'Intérieur. Sifton saisit l'occasion et est élu dans la circonscription fédérale de Brandon.

Sifton laisse une empreinte durable dans l'Ouest en tant que fédéraliste. En sa qualité de ministre de l'Intérieur, il est responsable des Prairies et du Nord. Le gouvernement veut attirer des colons dans les Prairies. Sifton prend des dispositions pour mener à bien cette opération.

Quelques années plus tard, il écrit que les immigrants qu'il souhaite attirer sont de « vaillants paysans vêtus de peaux de moutons, dont les ancêtres ont été fermiers durant 10 générations, qui arrivent avec une femme costaude et une demi-douzaine d'enfants ».

Pour atteindre cet objectif, Sifton cible certains groupes. Des affiches accrocheuses présentent les Prairies comme les « derniers et meilleurs territoires de l'Ouest ». Ces affiches ont été conçues pour attirer des agriculteurs américains au nord du 49e parallèle. De plus, des agents d'immigration sont payés pour recruter des familles agricoles dans certaines régions d'Europe. Pour augmenter l'attrait de la colonisation, on attribue de grands lots de terrains à des groupes tels que les Ukrainiens, les Doukhobors et les Britanniques.

Sifton donne sa démission en 1905 après un conflit avec Laurier. Cependant, son départ ne met pas fin à sa carrière d'homme public ni à son intérêt pour la politique. Sifton considère néanmoins la colonisation de l'Ouest comme sa principale réalisation.

Autres personnages à découvrir

Wilfrid Laurier

Hugh John Macdonald

Frank Oliver

Ivan Pylypiw

Rodmond Palen Roblin

Clifford Sifton

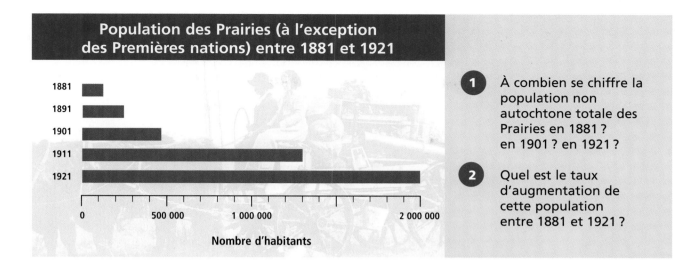

Population des Prairies (à l'exception des Premières nations) entre 1881 et 1921

1881	
1891	
1901	
1911	
1921	

0   500 000   1 000 000   2 000 000

Nombre d'habitants

1 À combien se chiffre la population non autochtone totale des Prairies en 1881 ? en 1901 ? en 1921 ?

2 Quel est le taux d'augmentation de cette population entre 1881 et 1921 ?

Où en sommes-nous ?

1 Indique les facteurs d'attirance que présentent les Prairies pour une personne voulant :
a) gagner sa vie ;   b) obtenir la sécurité.

2 Beaucoup de gens apprennent l'existence des Prairies par la publicité gouvernementale. Crée une affiche publicitaire pour attirer les colons dans l'Ouest.

3 Tout le monde au Canada n'est pas d'accord avec la décision de Sifton d'attirer des colons d'Europe de l'Est. Pourquoi, selon toi ?

Le voyage

Comment les nouveaux arrivants en provenance d'Ukraine, du sud de l'Angleterre ou de la vallée de l'Outaouais se rendent-ils jusqu'à leur homestead ? Les Européens se rendent à un port, puis s'embarquent pour effectuer le voyage transatlantique. À Halifax, en Nouvelle-Écosse, les nouveaux arrivants prennent le train à destination de Winnipeg. En 1882, Gertrude Winter décrit son voyage en train en ces termes :

> *Le train est plein d'immigrants comme nous. Des parents accompagnés d'enfants de tous les âges, pour la plupart des Canadiens des provinces de l'Est [...] À mesure que le temps passe, les enfants deviennent capricieux, les bébés pleurent, les parents sont fatigués. À l'approche de Winnipeg, une tempête de neige fait rage. La neige est si abondante que nous avançons difficilement. Le train s'arrête constamment pendant qu'on déneige la voie [...] À 22 h 30, le train arrive en gare. Nous descendons. Le froid mord nos visages, nos oreilles et nos pieds. Nous sommes heureux de nous mettre à l'abri dans la salle d'attente bondée.*

(Traduction libre)

Passe à l'histoire

Imagine que tu es un homesteader qui vient d'arriver à l'endroit où il va construire sa maison. Décris ce que tu ressens.

Cette photo montre des immigrants en route vers l'Ouest dans une voiture de train réservée aux pionniers, en 1908.

Gertrude Winter a décrit une voiture remplie de familles. Comment peut-on comparer sa description à cette photo ?

De nombreux arrivants passent quelques nuits dans les centres d'immigration ou les tentes que le gouvernement a mises à leur disposition. Certains quittent le centre d'immigration pour se présenter à un bureau des terres, où ils se renseignent ou obtiennent une lettre patente. D'autres partent à la recherche d'un travail. Beaucoup de homesteaders achètent une charrette, un attelage de chevaux ou de bœufs, du bois de construction et de la nourriture. Ils obtiennent leur lettre patente et se mettent en route dans l'espoir de réaliser leur rêve.

Où en sommes-nous ?

1 Sur une carte ou un globe terrestre, trace l'itinéraire d'une famille entre le port d'Amsterdam ou de Liverpool et Winnipeg. Refais le même exercice pour une famille en provenance de Saint-Jean, au Nouveau-Brunswick.

2 Compare ce voyage à celui des immigrants d'aujourd'hui.

3 Dessine une histoire en images accompagnée de légendes pour illustrer le voyage de Mayer Hoffer jusqu'au homestead de sa famille en Saskatchewan.

L'agriculture dans les Prairies

La plupart des gens qui s'installent dans les Prairies ont
l'intention de devenir propriétaires d'une terre et de la cultiver.
Ils ont d'immenses défis à relever : choisir un quart de section de
bonne qualité et fertile ; construire un abri ; labourer la terre ;
planter des cultures, ordinairement du blé ; défricher la couche de
tourbe en attendant que les cultures mûrissent ; faire la moisson ;
expédier les céréales aux lieux de vente ; réussir… peut-être
l'année suivante. Plusieurs années d'affilée, les gelées hâtives, les
sauterelles, la sécheresse, la grêle, les incendies qui ravagent les
Prairies ou d'autres catastrophes naturelles détruisent les récoltes.

Les nouveaux arrivants ne s'établissent pas tous dans la
prairie chauve. Bon nombre de familles ukrainiennes sont plus à
l'aise dans leur quart de section situé dans les prairies-parcs, une
ceinture de territoire qui s'étend en forme d'arc au nord des
prairies basses. Partout où elles s'installent, les familles des
fermiers luttent pour leur survie. Plusieurs utilisent le nouvel
outillage et les nouvelles techniques agricoles. La bonne vieille
charrue à soc qui trace un seul sillon est lente et difficile à
manier. Beaucoup d'agriculteurs s'en servent pour défricher la
tourbe. Dans la mesure du possible, les agriculteurs louent les
services d'une personne ayant un gros tracteur à vapeur équipé
d'une charrue. Un grand nombre de homesteaders agrandissent
leur propriété. Ils obtiennent plusieurs quarts de section en
l'espace de quelques années pour assurer leur subsistance.

Des groupes de moissonneurs
récoltent le blé. Dans cette
photo, les travailleurs
montent en quintaux le blé
lié en gerbes pour le faire
sécher dans les champs.

Des hommes transportent le blé sur des charrettes jusqu'à la batteuse, que l'on peut voir au centre de cette photo.

Les agriculteurs qui n'ont pas de machinerie embauchent des entrepreneurs pour la récolte et le battage des céréales, s'ils en ont les moyens. D'autres quittent leur ferme pour participer à la moisson pendant quelques jours et gagner un peu d'argent. Ce travail est harassant, dur et salissant. Les travailleurs se hâtent de récolter le blé avant l'hiver.

Beaucoup d'hommes en provenance du Canada-Est et des États-Unis entreprennent des « excursions de moisson » pour se joindre aux équipes de battage du blé. Les hommes coupent le blé au moyen d'un moissonneuse-lieuse servant à lier les gerbes en bottes, puis ils le montent en quintaux pour le faire sécher. Ils ramassent ensuite les bottes, les chargent sur des charrettes et les transportent jusqu'à la batteuse, énorme machine qui sépare les tiges des grains. Après les avoir passées dans la batteuse, ils versent délicatement le grain dans des sacs qu'ils expédient en charrette au silo à céréales le plus proche, d'où les sacs sont transportés jusqu'aux boulangeries de l'Est et de l'étranger.

Pendant la moisson, les femmes préparent les repas des travailleurs. Les hommes ont beaucoup d'appétit. Les fermières leur servent quatre ou cinq repas par jour pendant cette période. Certaines accompagnent les équipes de battage dans des cantines et préparent leur repas à chaque arrêt d'une ferme à l'autre.

Les fermières et leurs enfants ont beaucoup de corvées et de responsabilités journalières. Chaque membre de la famille travaille dur pour s'occuper des animaux et des cultures. Les femmes s'occupent des volailles, des porcs et des vaches laitières. Elles cultivent des potagers et font l'entretien ménager, la cuisine et les conserves pour l'hiver. De plus, les femmes fabriquent du beurre, vendent des poulets et des œufs et ont souvent recours au troc au

Dans le feu de l'action

Les personnes qui étudient cet épisode de l'histoire peuvent se réjouir, car un grand nombre de colons ont fait le récit de leur vie aux membres de leur famille et à des historiens. D'autres ont tenu un journal ou ont écrit leur journal intime. En 1980, les membres de la famille Egnatoff ont entrepris de relater leur histoire familiale de l'époque des Prairies.

Mike Egnatoff a environ 12 ans. Il aide son père à conduire une charrette chargée de sacs de grain destinés au silo à céréales le plus près de leur ferme en Saskatchewan. Le père de Mike a un attelage inhabituel : un cheval et un bœuf. La charrette est en train de descendre une pente abrupte et le poids des céréales exerce une pression sur les animaux. Soudain, l'une des bêtes s'immobilise. Un moment, les Egnatoff pensent qu'ils vont perdre les céréales, la charrette ou l'animal.

L'un des neveux de Mike Egnatoff lui a offert ce croquis en 1998, à l'occasion de ses 90 ans. D'après ce croquis, quel animal s'est immobilisé ?

magasin général local. La plupart des femmes s'occupent des travaux des champs. Quand vient le temps de défricher la tourbe ou de faire la récolte, tout le monde donne un coup de main. Souvent, en hiver, les agriculteurs quittent leur famille et se cherchent du travail dans des camps de bûcherons. Les femmes et les enfants s'occupent de la ferme pendant les mois d'hiver rigoureux. Tout le monde travaille dur physiquement.

Où en sommes-nous ?

1 Quel genre de travail de ferme les femmes font-elles ? et les hommes ? Selon toi, quelles sont les corvées réservées aux enfants ? Laquelle préfères-tu ?

2 Fais un dessin illustrant une catastrophe possible pour un homesteader. Avec tes camarades, crée une murale ou un collage à l'aide de tous les dessins.

3 Imagine que tu participes à une excursion de moisson. Rédige des inscriptions dans ton journal pour décrire ton travail et ce que tu ressens.

4 a) Pourquoi les équipes de battage sont-elles aussi nombreuses ?

   b) Qu'est-ce qui est différent aujourd'hui ?

Il existe des milliers de photos du peuplement de l'Ouest : des colons qui voyagent, défrichent leur terre, construisent des maisons à l'aide de mottes de tourbe, posent devant des mines et transportent leur blé jusqu'aux silos à céréales. Ces photos nous donnent un aperçu de la vie des colons des Prairies. Nous voyons quels vêtements ils portent, la fatigue sur leur visage, leur fierté d'avoir une maison. Nous voyons leur dur labeur, l'ampleur des travaux de défrichement à effectuer ou le nombre de sacs de grain que leur charrette contient. Nous avons un aperçu du déroulement de la moisson, de l'importance des équipes de moissonneurs et de l'énormité des machines.

La plupart des gens photographiés dans ce chapitre posent pour le photographe. Il se peut donc que l'appareil photo ne dise pas la vérité. Les familles qui envoient des photos en Ontario ou en Suède veulent montrer leur réussite dans l'Ouest au lieu de s'étendre sur leurs difficultés.

Nous pouvons être reconnaissants envers les premiers photographes qui ont pris le temps d'arrêter les travailleurs, les familles et les bœufs pendant quelques instants pour prendre une photo. Grâce à eux, nos documents historiques sont beaucoup plus riches. Grâce

De nouveaux arrivants posent à l'extérieur de leur maison en rondins inspirée du style de l'Europe de l'Est. Les murs intérieurs et extérieurs sont faits de torchis et blanchis à la chaux. Le toit comporte une charpente couverte de mottes de tourbe.

aux personnes figurant sur ces photos, nous avons une histoire !

INTERROGE LES FAITS

1. Imagine que tu es un homesteader des Prairies. Quelle scène créerais-tu dans l'intention d'envoyer une photo de ton voisinage à ta famille ?
   Dans ta photo, quels éléments représentent ta vie ? Qu'est-ce qui peut être différent en réalité ?

2. Qu'est-ce que les chercheurs doivent se rappeler quand ils utilisent les photos des colons des Prairies comme sources d'information ?

3. Selon toi, ces personnes portent-elles leurs plus beaux vêtements ? Si oui, qu'est-ce qui te fait croire cela ?

4. Réfléchis à tes préparatifs en vue d'une photo spéciale. Cela change-t-il ta perception de cette photo en tant que preuve historique ? Pourquoi ?

LE TRAVAIL À L'EXTÉRIEUR DE LA FERME

Après 1900, de plus en plus d'emplois sont offerts aux gens qui travaillent à l'extérieur des fermes. Les habitants quittent leur homestead pour les accepter. Le travail agricole est très difficile et les risques d'échec sont considérables. La solitude, l'isolement et le dur travail agricole découragent certaines familles. La population des Prairies est apparemment en mouvement constant : vers les homesteads, les villes, les mines de charbon ou les États-Unis. Un historien a estimé que seulement deux personnes sur cinq qui ont fait leurs débuts comme homesteaders vivent encore sur des fermes en 1931.

L'augmentation prodigieuse de la population, qui fait croître les fermes ainsi que les petites et les grandes villes des Prairies presque du jour au lendemain, stimule considérablement la demande de bois de construction. La main-d'œuvre est nécessaire pour construire des chemins de fer, des maisons, des étables, des ponts, des silos à céréales, des magasins, des boutiques et toutes les constructions de l'Ouest. Des familles entreprenantes de Norvège créent un commerce de matériaux de construction près de Calgary. Leur entreprise expédie des billes de bois du Nord et de l'Ouest, puis les débite en bois de sciage qui est expédié un peu partout dans les Prairies pour servir à la construction de divers bâtiments.

Un jeune homme, Theodore Strom, travaille pour l'entreprise Eau Claire. Un jour, l'acheminement des billes sur la rivière Bow tourne au désastre :

La rivière est jonchée de bois gisant et d'autres obstacles [...] L'équipe est en train de traverser la rivière dans un gros bateau au-dessus des chutes [Kananaskis], comme elle l'a fait maintes fois auparavant, mais ce matin-là le courant est beaucoup plus fort que prévu [...] Avant d'atteindre l'autre rive, l'équipe perd la maîtrise du bateau et est entraînée vers les chutes.

Il y a neuf hommes à bord. Quand ils se rendent compte de leur impuissance, ils dirigent le bateau vers les chutes. Le bateau saute les premières chutes et prend un peu d'eau. Il saute les deuxièmes chutes et prend encore plus d'eau. Quand il franchit les troisièmes chutes, il est submergé et six hommes sont éjectés du bateau et meurent écrasés contre les rochers.

(Traduction libre)

Ces bûcherons sont en train de faire leur lessive. De grands bacs à laver le linge et des bouilloires remplies d'eau les aident à éliminer une partie des insectes et de la saleté qui couvrent leurs vêtements. Pourquoi la lessive est-elle une tâche compliquée par rapport à aujourd'hui ? Tiens compte des tissus et des méthodes.

En 1910, le premier ministre sir Wilfrid Laurier enfonce le dernier chevron de l'Alberta Central Railway. Des centaines de kilomètres de voie traversent les Prairies. Les trains transportent des voyageurs, des céréales, de l'outillage agricole et des marchandises.

D'autres hommes travaillent dans les mines ; ils transportent le charbon des gisements jusqu'à la surface. Il y a d'énormes réserves de charbon en Alberta, et des réserves moins importantes en Saskatchewan et dans l'île de Vancouver. En Colombie-Britannique, les mineurs travaillent dans les gisements d'argent. Ces hommes et, dans certains cas, leur famille vivent dans des conditions difficiles dans les villes minières éloignées des autres centres. L'exploitation du charbon est un travail dangereux, salissant et peu payé.

Plusieurs travailleurs des Prairies construisent les chemins de fer. Le CP n'est que le premier des trois chemins de fer transcontinentaux construits à travers le Canada avant 1914. Des milliers de kilomètres de voie sont posés dans l'Ouest par des équipes de travailleurs immigrants. Ces travailleurs construisent des gares ou font partie d'équipes d'entretien de la voie. Ils maintiennent la voie ferrée en bon état pour que les trains circulent en toute sécurité dans toutes les conditions météorologiques. Noel Copping est encore jeune quand il se joint à une équipe d'entretien de la voie en janvier 1910. Son équipe se déplace dans une voiture découverte le long du tronçon de la voie. Les travailleurs construisent des pare-neige, serrent les boulons et rognent les rails pour les niveler. Noel Copping a des engelures au nez, aux oreilles, aux joues et aux mains quand il passe toute la journée dehors alors qu'il fait -37 °C.

Les chemins de fer sont indispensables à l'essor des Prairies et ont des répercussions sur tous les habitants de l'Ouest. Les trains transportent les voyageurs aussi bien que les marchandises. Ils expédient les céréales des Prairies aux marchés de l'Est et de l'Europe.

Bon nombre de gens sont irrités du pouvoir et des répercussions du CP. Un homme déplore «l'envahissement du CP : le café vient du CP et même les poules pondent des œufs du CP». Les agriculteurs se plaignent inlassablement des monopoles des sociétés ferroviaires et du pouvoir apparemment injuste des chemins de fer. Les agriculteurs sont mécontents des **tarifs du fret** élevés qu'ils doivent payer pour expédier leurs céréales aux marchés. En 1898, de nouveaux tarifs du fret moins élevés entrent en vigueur, mais l'expédition des autres marchandises par le train demeure coûteuse.

Où en sommes-nous ?

1 Pourquoi crois-tu que les nouveaux arrivants acceptent des conditions de travail horribles dans les mines, les chemins de fer et les camps de bûcherons ?

2 Fais une enseigne pour avertir les travailleurs des dangers des mines et de la coupe du bois.

3 Pourquoi un grand nombre de homesteaders quittent-ils leur ferme ?

De petites et de grandes villes

Les chemins de fer déterminent l'emplacement des petites et des grandes villes des Prairies : il y a une gare tous les 12 à 16 km le long de la voie. Partout où il y a une gare, une colonie voit le jour. Les petites villes des Prairies visent à répondre aux besoins des agriculteurs des environs. Dans un premier temps, chaque petite ville a un silo à céréales, une gare ferroviaire, un magasin général et un bureau de poste. Peu à peu, la population crée d'autres entreprises, construit un hôtel, fonde un journal, ouvre une école et bâtit des églises. Chaque petite ville a une rue principale quelquefois boueuse, pour permettre aux charrettes chargées de passer sans encombre. Presque tous les bâtiments de la rue principale ont une fausse façade élevée qui promet la prospérité. L'agriculture est un sujet d'intérêt général : bulletins météo, prix des récoltes, moisson, tarifs du fret, espoirs et rêves.

En 1870, Winnipeg compte environ 11 000 habitants. En 1911, c'est la troisième ville en importance du Canada ; sa population se chiffre à 136 035 habitants. Un journaliste écrit : « Tous les chemins mènent à Winnipeg. » Cette ville a joué un rôle vital dans la colonisation des Prairies. Winnipeg est l'administration centrale des banques et des chemins de fer de l'Ouest, et le blé de l'Ouest est mis en marché à la Bourse des grains de Winnipeg. Les céréales des Prairies passent par Winnipeg, où une partie de la production est transformée en farine, puis sont expédiées vers les marchés de l'Est.

De petites villes comme Wetaskiwin, en Alberta, poussent comme des champignons après la construction d'une gare. Trouve la gare et le silo. Pourquoi le photographe a-t-il mis la voie ferrée à un endroit aussi visible dans la photo ?

Au début du XXᵉ siècle, tout semble évoluer rapidement à Winnipeg. Pour aller au travail, la population fait la navette dans les nouveaux tramways de l'Electric Railway Company. En 1893, des lignes téléphoniques sont installées. Les consommateurs envahissent les grands magasins. Les familles riches se construisent une vaste demeure et embauchent des servantes et des jardiniers pour s'occuper de leur propriété. Le manque de salubrité devient un grave problème, car la construction de nouvelles habitations ne peut suivre le rythme de l'afflux des nouveaux arrivants à Winnipeg, en particulier dans le secteur densément peuplé du Quartier nord, où les familles d'immigrants pauvres et les hommes célibataires s'entassent dans des maisons insalubres sans eau courante ni égouts. La fièvre typhoïde fait de nombreuses victimes. La ville ne s'équipe d'installations d'eau courante adéquates qu'en 1920.

Winnipeg est devenue une ville très multiculturelle. Des immigrants s'établissent dans des quartiers où ils peuvent se mêler à d'autres habitants qui parlent leur langue, ont les mêmes habitudes alimentaires et comprennent leur culture. Bon nombre de nouveaux arrivants acceptent des emplois non sécuritaires et mal payés pour améliorer les conditions de vie de leur famille.

À peu près à la même époque, Calgary et Edmonton deviennent des villes rivales. Leur rivalité subsiste aujourd'hui encore. Laquelle va devenir la ville la plus grande, la plus prospère et la plus importante ? Tout comme les villes des prairies du Manitoba et de la Saskatchewan, Calgary et Edmonton ont connu un essor rapide et ont commencé à prospérer après la construction du CP et des autres chemins de fer. Pour les nouveaux arrivants, ces deux villes présentent un monde de contrastes où les maisons élégantes, les magasins et les banques avoisinent des huttes ou d'humbles magasins en bois. Des quartiers entiers, des bâtiments et des ponts imposants surgissent presque du jour au lendemain.

Un commerçant de Winnipeg pose fièrement devant son magasin en 1902. Cet homme est membre de la communauté juive en pleine croissance. Cette communauté est formée de gens venus dans l'Ouest pour échapper aux persécutions et dans l'espoir de s'enrichir.

Où en sommes-nous ?

1 Quelles sont les possibilités d'emploi dans les petites et les grandes villes ?

2 Comment la croissance rapide de la population des villes comme Winnipeg cause-t-elle des problèmes de salubrité ?

3 Quelles sont les répercussions du chemin de fer sur les petites villes de l'Ouest ?

E. Cora Hind
UNE FEMME RÉSOLUE À IMPOSER SA PRÉSENCE DANS UN MONDE D'HOMMES

« Jamais ! », dit le rédacteur en chef du *Manitoba Free Press* à Cora Hind, qui postule un emploi en 1882. « Une salle de nouvelles est un monde d'hommes, lui explique-t-il. Les femmes n'y ont pas leur place. »

La jeune femme est découragée ; elle a quitté l'Ontario pour s'installer à Winnipeg dans l'espoir de devenir journaliste. Elle trouve néammoins un emploi dans un cabinet d'avocat. La chance lui sourit : le cabinet vient d'acquérir la première machine à écrire du Manitoba. Cora Hind apprend à dactylographier. C'est un atout précieux. Plus tard, elle loue une machine à écrire et lance une entreprise de dactylographie à la pige.

Cora Hind ne renonce pas à faire carrière dans le journalisme. Elle commence à rédiger des articles qu'elle vend à des journaux et à des magazines. Ironiquement, le *Manitoba Free Press* achète ses articles avec empressement. Il en va de même pour les journaux du Canada-Est où au moins un rédacteur en chef tente de dissimuler que l'auteur est une femme en remplaçant sa signature par E.C. Hind. Cora ne veut pas en entendre parler. Plusieurs de ses articles portent sur l'agriculture, sujet également considéré comme la prérogative des hommes à cette époque. La qualité de son travail lui vaut la réputation d'être une experte en agriculture.

Au Manitoba, la culture céréalière est l'épine dorsale de l'économie. Une bonne récolte est annonciatrice de jours favorables pour tous. Une mauvaise récolte annonce le désastre. C'est pourquoi la population est agitée en 1898. Selon la rumeur, la récolte a été détruite par le gel. John Bayne Maclean, éditeur en vue, embauche Cora Hind pour faire enquête. Elle prend sa mission au sérieux.

Cora Hind parcourt des centaines de kilomètres en train et en chariot tiré par un cheval. La journaliste visite des fermes de toute la région. À chaque halte, elle va dans les champs examiner les cultures. Sa conclusion : la récolte de l'année ne s'annonce ni pire ni meilleure que d'habitude. Sa prédiction se révèle exacte. De plus, Cora retient l'attention de John Wesley Dafoe, nouveau rédacteur en chef du *Manitoba Free Press*, maintenant propriété de Clifford Sifton. En 1901, soit près de 20 ans après le refus de sa première demande d'emploi, Dafoe embauche Cora Hind comme chroniqueuse spécialisée en agriculture.

Dafoe a vu juste. Au cours des années suivantes, Cora Hind continue de prédire le rendement des cultures céréalières annuelles avec une précision étonnante. Souvent, le marché boursier monte ou descend en fonction de ce qu'elle a dit.

Cora Hind ne se limite cependant pas à produire un rapport annuel sur les céréales. Elle devient aussi la porte-parole des agriculteurs, étudie de nouvelles méthodes et exerce des pressions pour apporter des améliorations. Aucun événement agricole dans l'Ouest n'a lieu sans elle. À un congrès à Edmonton, quelqu'un demande au président à quelle heure la réunion va commencer. « Quand Cora va arriver », répond-il. Au moment où Cora Hind prend sa retraite à 82 ans, plus personne ne peut prétendre que les femmes n'ont pas leur place dans le journalisme ni dans l'agriculture.

Autres personnages à découvrir

John W. Dafoe
E. Cora Hind
Charles Noble
Charles Saunders
Joseph Tyrrell

LES COLLECTIVITÉS DE L'OUEST

Les gens qui s'établissent dans le Canada-Ouest ont souvent tendance à vivre dans des collectivités **ethnoculturelles** distinctes. Les membres d'un groupe ethnoculturel partagent une langue et une culture communes. De vastes régions sont peuplées des membres du même groupe : des Ukrainiens s'établissent à proximité d'autres Ukrainiens, des Allemands vivent à proximité d'autres Allemands, des Finlandais s'installent à proximité d'autres Finlandais. En raison de la migration en bloc et de la **migration en chaîne**, où une ou plusieurs familles s'installent dans une région et attirent par leur présence d'autres familles de leur pays d'origine, les habitants sont plus enclins à choisir un homestead dans une région déjà colonisée par d'autres membres de leur groupe. Les immigrants recherchent des visages familiers, une langue familière et s'installent dans le voisinage d'églises ou de clubs familiers. Des rassemblements de groupes particuliers forment des collectivités pouvant être identifiées sur des cartes.

Lien Internet

www.dlcmcgrawhill.ca

Consulte le site Web ci-dessus pour te renseigner sur les Doukhobors. Clique sur *Matériel complémentaire/Primaire et secondaire*, puis sur *Le Canada : L'édification d'une nation*, où l'on te donnera la suite des indications.

Origines culturelles des populations des Prairies en 1921*

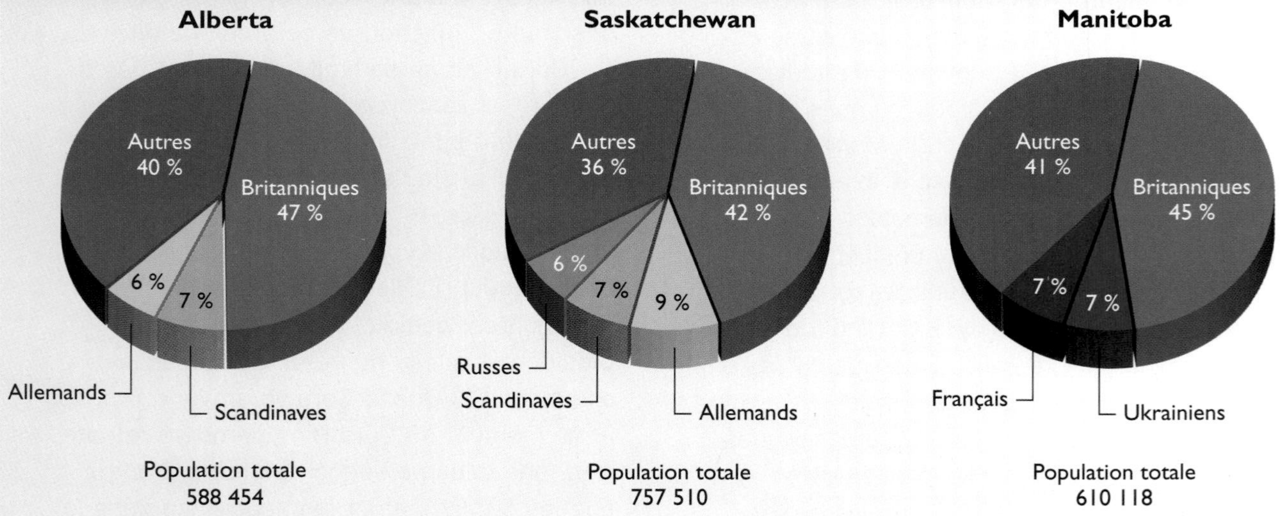

Alberta

Autres 40 %
Britanniques 47 %
6 %
7 %
Allemands
Scandinaves

Population totale
588 454

Saskatchewan

Autres 36 %
Britanniques 42 %
6 %
7 %
9 %
Russes
Scandinaves
Allemands

Population totale
757 510

Manitoba

Autres 41 %
Britanniques 45 %
7 %
7 %
Français
Ukrainiens

Population totale
610 118

---

1 Nomme la province ayant la plus forte population en 1921.

2 Nomme le pays d'origine du plus grand nombre d'immigrants de chaque province.

3 Compare les populations des provinces en 1921 et aujourd'hui. Quelle province a connu l'augmentation la plus forte depuis 1921 ?

* Remarque : Un grand nombre de Britanniques sont venus du Canada-Est.

Les Ukrainiens

Les Ukrainiens s'établissent en grand nombre au Manitoba. La première colonie ukrainienne est fondée en 1896. Au cours des 10 années suivantes, plus de 31 000 colons ukrainiens choisissent des homesteads dans les Prairies. La plupart ont été agriculteurs dans leur pays d'origine en Europe de l'Est. L'agriculture leur a permis de subvenir à leurs besoins. Plusieurs sont déçus de découvrir que leur terre est difficile à cultiver, mais ils persévèrent. Tous comptent sur leur famille, leurs écoles et leurs églises pour assurer le maintien de leurs coutumes.

Les Doukhobors

Au cours des dernières années du XIXᵉ siècle, des membres d'une secte religieuse chrétienne, les Doukhobors, se sentent harcelés et persécutés en Russie. Ces germanophones sont attirés par les Prairies en 1899 parce qu'on leur promet la liberté religieuse et la dispense de service militaire. Environ 7400 Doukhobors s'établissent dans les Prairies. Ils veulent vivre **collectivement** dans de grands lots de homesteads dont tous les membres partagent la propriété. Le gouvernement canadien désapprouve cette pratique après 1906, préférant que les homesteads appartiennent aux familles. En 1907, de nombreux Doukhobors quittent la région pour s'installer en Colombie-Britannique ou dans des homesteads séparés.

Les Afro-Américains

Des familles afro-américaines s'installent dans les Prairies dans l'espoir d'avoir des terres agricoles et de fuir la discrimination dont ils sont victimes aux États-Unis. La politique officielle du gouvernement canadien est de promouvoir l'établissement des Européens et des Blancs du Canada et des États-Unis. Quelques familles afro-américaines deviennent des homesteaders et d'autres s'établissent dans les villes des Prairies, en particulier en Alberta. Même si le nombre total de familles afro-américaines est restreint, certains Canadiens réussissent à convaincre le gouvernement de limiter l'immigration afro-américaine. Il y a cependant de belles réussites. L'éleveur John Ware et sa famille figurent parmi les Afro-Américains qui deviennent des colons. D'autres se souviennent de colons qui ont uni leurs efforts sans égard à la couleur de leur peau. Thomas Mapp, homesteader afro-américain, évoque ceci:

Des fidèles rassemblés devant une église ukrainienne à Vegreville, en Alberta, en 1906. Ces colons sont présents dans la région depuis environ 10 ans au moment où cette photo est prise.

John Ware est un éleveur afro-américain bien connu en Alberta. John, d'autres membres de sa famille et des ouvriers s'arrêtent le temps d'une photo dans le jardin du ranch de John, près de Brooks.

Mes voisins m'ont aidé à construire ma maison. Ils ne m'ont rien fait payer. Je n'ai eu qu'à leur servir à manger. À cette époque, les gens étaient plus chaleureux qu'aujourd'hui.

(Traduction libre)

Les Britanniques

Les colons d'Angleterre représentent une forte proportion de nouveaux arrivants dans les Prairies. Un grand nombre viennent de petites et de grandes villes, d'autres de régions rurales. Ils recréent les institutions et les coutumes de leur pays d'origine : des églises, des clubs, des manifestations sportives, des salles de concert, des salons de thé et des visites. Comme d'autres groupes, ils sont attirés vers des régions déjà peuplées de Britanniques. Contrairement à d'autres immigrants, ils ne sont pas préoccupés par les questions linguistiques, car l'anglais est la langue des Prairies. Un groupe important, la colonie Barr, devient la ville de Lloydminster à l'arrivée d'environ 2000 homesteaders britanniques en 1903.

Dans le feu de l'action

Les agneaux de Barr

En 1902, Isaac Barr, ancien membre du clergé, est un brasseur d'affaires animé de grandes ambitions. Profitant des politiques gouvernementales qui encouragent les colonisateurs à attirer des pionniers dans les Prairies, il imagine un stratagème pour attirer des colons dans une région alors isolée de l'ouest de la Saskatchewan. Il fait un portrait de rêve de la vie des homesteaders et recrute environ 2000 immigrants britanniques pour peupler la colonie, qu'il appelle la « petite Angleterre ».

Quand le groupe fait voile vers le Canada au début du printemps de 1903, les ennuis commencent. Barr ne tient pas ses promesses. À leur arrivée à Saskatoon, plusieurs colons sont certains d'avoir été escroqués. Ils se surnomment les « agneaux de Barr ».

Des colons rebroussent chemin, mais la plupart n'ont d'autre choix que de continuer. À court d'argent, ils ne peuvent se permettre d'abandonner la partie. Leurs charrettes tirées par des bœufs les transportent, eux et leurs effets personnels, vers l'Ouest. Ils ne peuvent qu'espérer que les homesteads promis les attendent à la fin de leur long voyage.

En fait, les terres sont l'une des quelques promesses que Barr a tenues. Les colons n'en sont pas moins soulagés de le voir partir. Leur dernière rebuffade consiste à appeler la ville qui va devenir le centre de la collectivité, Lloydminster, du nom de l'adjoint de Barr, George Exton Lloyd, qui les a aidés du mieux qu'il a pu.

Ces colons ont quitté l'Angleterre pour s'établir en Saskatchewan en 1903. Le gouvernement canadien leur a procuré des tentes, des vivres et des charrettes à leur arrivée dans les Prairies.

L'école

L'instruction est très prisée par de nombreux colons des Prairies. Les enfants vont à l'école dès que le nombre de 10 élèves est atteint. Le gouvernement finance les bâtiments et paie les enseignants à même les fonds tirés de la vente des quarts de section réservés dans chaque canton. L'anglais est la langue officielle des écoles. Des conflits éclatent parce que certains groupes d'immigrants exigent que leurs enfants reçoivent leur formation dans leur langue maternelle qui, dans de nombreux cas, n'est pas le français ou l'anglais. L'éducation officielle en français ou bilingue prend fin en 1916 dans l'Ouest, après des manifestations visant à imposer l'anglais comme seule langue d'enseignement. Les écoles sont considérées comme un outil vital de canadianisation de la nouvelle génération de Canadiens.

L'école de Wood Lake, au Manitoba, en 1896. L'école est gratuite et considérée par de nombreuses familles des Prairies comme un moyen d'aider tous les nouveaux arrivants à devenir des Canadiens.

Où en sommes-nous ?

1 Selon toi, pourquoi les colons ont-ils tendance à s'établir près d'autres membres du même groupe ethnoculturel ?

2 À quels problèmes potentiels les homesteaders afro-américains font-ils face ?

3 Suppose que l'on doive fonder une école dans une collectivité ukrainienne, russe ou allemande dans l'Ouest.

   a) Donne trois arguments en faveur de la création de classes dans la langue maternelle des élèves de la collectivité.

   b) Donne trois arguments en faveur de la création de classes en anglais seulement.

4 Selon toi, est-ce le rôle des écoles d'aujourd'hui d'aider les nouveaux arrivants à devenir des Canadiens ?

Court métrage

La question du français au Manitoba

En 1890, le gouvernement libéral du Manitoba, dirigé par Thomas Greenway, annonce une réorganisation du système d'éducation. La langue d'enseignement devient l'anglais et les seules écoles subventionnées par l'État sont neutres. C'est une violation de la Loi de 1870 sur le Manitoba, qui promettait la protection des droits linguistiques.

Le clergé catholique français, le gouvernement fédéral de sir Wilfrid Laurier et le pape Léon XIII s'impliquent dans ces querelles, qui durent de nombreuses années. Le compromis Laurier-Greenway en 1896 conserve les écoles publiques, mais permet une demi-heure d'enseignement religieux par jour après les heures de cours. L'enseignement bilingue est toléré lorsqu'il y a 10 enfants qui ne sont pas anglophones. On peut enseigner en français, mais on ne peut enseigner le français.

CHAPITRE 8, PRISE 2 !

Les années 1896 à 1914 sont caractérisées par de grands changements dans les Prairies. Des centaines de milliers de homesteaders viennent de partout pour relever le défi du travail agricole. Bon nombre réussissent et transforment les terres des Prairies en grenier à blé. D'autres s'installent dans les villes et refont leur vie dans un nouveau monde qui évolue rapidement. Des gens venus d'Europe du Nord, des États-Unis, du Canada et de Chine peuplent des collectivités urbaines ou rurales. Ils construisent des écoles, des églises, des magasins, des chemins de fer, des maisons et des étables. Quand leurs revenus s'améliorent, ils construisent des maisons, des étables et des magasins de plus grande dimension et de meilleure qualité.

Dans les villes minières et les camps de bûcherons, où la vie est rude, les travailleurs de multiples cultures luttent contre les conditions difficiles dans l'espoir de gagner leur vie. Winnipeg devient la troisième ville canadienne en importance, après Montréal et Toronto. Porte d'accès de l'Ouest, Winnipeg est un centre florissant et animé, la terre d'accueil de gens de nombreuses cultures attirés par ce territoire prometteur.

Les immigrants sont animés de l'espoir d'améliorer leur vie et d'avoir un avenir plus prospère et libre que dans leur pays d'origine. Ils s'attendent à une amélioration de leurs conditions de vie. Bientôt, la vie sera meilleure. Pour certains, l'Ouest est « le pays de l'année prochaine », l'endroit où les gens seront prospères l'année suivante, si les cultures ne sont pas détruites par les maladies ou si les sociétés ferroviaires n'imposent pas des tarifs trop élevés. Quand la réalité les déçoit, les colons repartent vers une autre ville des États-Unis ou du Canada-Est. Les collectivités de l'Ouest se déplacent constamment.

VÉRIFIE TES CONNAISSANCES

1 Mets-toi dans la peau d'un homesteader des Prairies. Crée une chaîne d'événements pour illustrer ton itinéraire à partir de ton départ de ta collectivité d'origine jusqu'à ta première bonne récolte de blé. Que dois-tu faire après la moisson ?

2 Pourquoi un aussi grand nombre de travailleurs prennent-ils part aux excursions de la moisson ? Quel rôle jouent-ils dans le développement de l'économie du blé ?

3 Les affiches et les brochures publicitaires sur l'Ouest promettent des richesses et une bonne qualité de vie aux immigrants. Pour beaucoup de gens, la réalité est très différente : c'est une lutte acharnée qui aboutit souvent à l'échec. Selon toi, les publicités du gouvernement trompent-elles délibérément les gens ? Pourquoi ?

4 Crée un réseau conceptuel illustrant le rôle du CP dans l'Ouest. Prends soin d'inclure la colonie, les villes, les emplois, les mines, le blé et les voyageurs.

5 Dresse une liste de questions d'interview pour l'*un* des personnages que tu as rencontrés dans ce chapitre : un homesteader, Clifford Sifton, Theodore Strom, Gertrude Winter, Mayer Hoffer, les homesteaders célibataires, Cora Hind, les hommes qui font leur lessive ou un membre d'une équipe de battage du blé.

APPLIQUE TES CONNAISSANCES

1 Trouve quelqu'un qui a immigré au Canada récemment ou dans un passé plus lointain.
a) Formule une série de questions d'interview pour l'interroger sur ses expériences : sa décision de s'établir au Canada, son voyage en sol canadien, la recherche d'une maison, la recherche d'un emploi, l'apprentissage du français ou de l'anglais et d'autres aspects de sa nouvelle vie.
b) Interroge cette personne sur ses expériences.
c) Compare ses expériences à celles des nouveaux arrivants des Prairies il y a une centaine d'années. Qu'est-ce qui a changé pour les nouveaux arrivants ? Qu'est-ce qui demeure semblable ?

2 Effectue des recherches sur le rôle des fermes expérimentales fédérales et leur action sur le plan de l'amélioration de l'agriculture dans les Prairies.

3 Fais des recherches sur l'*un* des groupes qui se sont établis dans les Prairies entre 1896 et 1914 : les Ukrainiens, les Doukhobors, les Finlandais, les Norvégiens, les Allemands, les Afro-Américains ou les Russes.

4 Pourquoi tant d'habitants des Prairies sont-ils mécontents du CP ? Effectue des recherches pour déterminer quelles mesures ils ont persuadé le gouvernement canadien de prendre pour améliorer la situation.

UTILISE LES MOTS CLÉS

Fais un jeu avec des mots, par exemple des mots croisés ou un jeu de mots-mystères. Utilise les mots ci-dessous :
- collectivement
- ethnoculturel
- facteur d'attirance
- facteur d'incitation
- prairie chauve
- maison en tourbe
- tarif du fret

Demande à une ou à un camarade de faire ton jeu.

L'Ouest

RÉFLÉCHIS
ET FAIS DES LIENS

MONTRE TA COMPRÉHENSION DES CONCEPTS

1 Explique quelques-unes des raisons de :
   a) la résistance de la Rivière Rouge en 1870 ;
   b) la rébellion du Nord-Ouest en 1885.

2 Crée un diagramme montrant les similitudes et les différences entre les conflits de 1870 et de 1885 entre les Métis ou les Premières nations et le gouvernement canadien.

3 Choisis *un* des sujets suivants et explique au moins deux points de vue différents de la population de l'époque :
   - les premières années de la colonie de la Rivière Rouge ;
   - l'exécution de Louis Riel ;
   - la signature des traités par les Premières nations dans l'Ouest et au Canada.

4 Explique brièvement comment chacun des facteurs ci-dessous a abouti à la colonisation des Prairies :
   a) la loi sur les homesteads de 1871 ;
   b) la production des variétés de blé Red Fife et marquis ;
   c) la fin des terres cultivables offertes aux États-Unis ;
   d) la campagne publicitaire en Europe et aux États-Unis en faveur des terres cultivables du Canada ;
   e) la nomination de Clifford Sifton au poste de ministre responsable de l'immigration.

DÉVELOPPE TES HABILETÉS DE RECHERCHE

1 Planifie et exécute un projet de recherche sur l'*un* de ces sujets : le commerce des fourrures ; la chasse au bison par les Métis ; les colons doukhobors et les colons de Selkirk.

2 Rédige une minibiographie sur l'*un* des personnages suivants. Assure-toi d'expliquer comment chacun a contribué à l'histoire du Canada-Ouest :

Louis Riel   William Van Horne
Donald Smith   Isapo-muxika (Crowfoot)
Clifford Sifton   Sam Steele
Andrew Onderdonk   Peguis (William King)
Amelia Douglas   Poundmaker

3 Fais un modèle de l'*un* des éléments suivants :
un chemin de fer sur chevalets ; une maison dans les Prairies ; une charrette de la Rivière Rouge.

4 Trouve une chanson qui évoque la colonisation des Prairies. Explique comment elle nous aide à mieux comprendre la vie des colons.

PARTAGE TES CONNAISSANCES

1 Crée une murale pour montrer l'*un* des aspects de la vie dans les Prairies : les Premières nations ; les ruées vers l'or ; les colons ; la vie dans une petite ou une grande ville ; la Police montée du Nord-Ouest.

2 Rédige un reportage sur l'*un* des sujets suivants : la colonisation des Prairies ; la marche des officiers de la Police montée vers l'Ouest ; la ruée vers l'or du Klondike.

3 Imagine un dialogue d'un des groupes de protagonistes suivants :
- Louis Riel et sir John A. Macdonald
- Sam Steele et un escroc dans le Klondike
- des membres de ta famille qui viennent d'arriver dans la prairie chauve.

4 Crée une affiche pour inciter des gens à faire un des gestes suivants :
- se joindre à la Police montée du Nord-Ouest
- se joindre aux colons de Selkirk
- construire le CP
- devenir commerçants de fourrure
- coloniser les Prairies
- se joindre à la ruée vers l'or du Klondike

APPLIQUE LES CONCEPTS ET TES HABILETÉS

1 Crée une audiodramatique sur l'exécution de Louis Riel.

2 Crée une affiche, une carte professionnelle ou une adresse de courrier électronique contenant des informations sur l'une des personnes ci-dessous :

William Van Horne   Billy Barker

Cora Hind   Jerry Potts

3 Crée un tableau comparatif des avantages et des inconvénients de l'*un* des éléments suivants : les colons de Selkirk ; la création de la province du Manitoba ; les terres agricoles des Prairies ; l'utilisation de la violence par les Métis en 1885 ; la ruée vers l'or de la région de Cariboo ou du Klondike ; l'éducation bilingue au Manitoba.

CRÉE UN RÉSEAU CONCEPTUEL

Pour chacune des catégories ci-contre, formule des énoncés montrant le rôle joué par cette catégorie dans l'histoire de l'Ouest à cette époque.

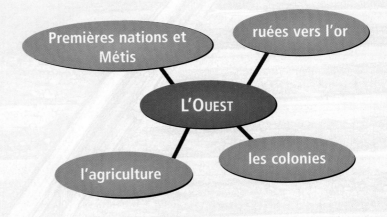

1876

1881

1914

Une société en évolution

PANORAMA

Voici quelques-unes des facettes de l'histoire présentée dans ce module :

- l'influence de la révolution industrielle sur la vie de tous les jours et le travail des Canadiens ;
- les inventions et les innovations dans le transport et les communications qui transforment le mode de vie ;
- les conséquences des politiques du gouvernement canadien sur les Premières nations ;
- les conditions de travail des Canadiens et la manière dont les individus et les syndicats s'efforcent de les améliorer ;
- la lutte des travailleurs dans le cadre de la grève générale de Winnipeg ;
- la lutte des femmes pour améliorer leur place dans la société et obtenir le droit de vote ;
- les politiques d'immigration et la façon dont elles encouragent certaines personnes à venir s'établir au Canada et en empêchent d'autres ;
- le sort des soldats canadiens qui combattent dans les tranchées pendant la Première Guerre mondiale, et ce qu'ils réalisent ;
- la manière dont les Canadiens soutiennent l'effort de guerre au pays ;
- la conscription au cours de la Première Guerre mondiale et comment cet enjeu divise le pays.

1919

CHAPITRE
9

Une ère de changement

1878

Macdonald introduit la Politique nationale.

1883

Le Canada adopte l'heure normale de Sandford Fleming.

1891

Mort de sir John A. Macdonald

1893

La première automobile électronique du Canada fait son apparition.

1896

Wilfrid Laurier devient premier ministre.

1897

La première voiture à essence du Canada fait son apparition.

ZOOM SUR LE CHAPITRE

Les deux photographies ci-contre montrent la rue Principale de Winnipeg, au Manitoba. La photo du haut a été prise en 1879 et l'autre, en 1897. Il est difficile de croire que ces deux photos représentent le même lieu. Combien de changements observes-tu? Selon toi, quels changements se sont produits que tu ne peux voir sur la photo, par exemple à l'intérieur des bâtiments?

Imagine que tu vois un tramway pour la première fois ou qu'il commence à y avoir de gros poteaux et des fils téléphoniques et électriques. À Halifax, des gens sortent à la tombée de la nuit pour couper les poteaux et les fils: ils les trouvent laids.

Presque tous les aspects de la vie changent. La cuisson des aliments et l'entretien ménager, le jardinage et l'agriculture, le transport et les communications, l'éducation, la politique, la médecine, les affaires, les sports et les arts sont touchés par une invention ou un nouveau procédé.

Comment et pourquoi tous ces changements se produisent-ils? Quel effet ont-ils sur la population canadienne? Ces questions sont intéressantes. Essaie d'imaginer ce qui arriverait si presque tout ce que tu faisais, voyais, connaissais et entendais changeait au cours des années à venir!

SCÉNARIO DU CHAPITRE

Dans ce chapitre, tu étudieras les sujets suivants:
- **les effets de la révolution industrielle sur la société canadienne;**
- **les changements dans le transport et les communications;**
- **le déplacement de la population vers les villes;**
- **la Politique nationale et la manière dont elle favorise l'essor des industries;**
- **quelques personnages qui encouragent le changement au Canada.**

MOTS CLÉS

dépression
entrepreneur
industrialisation
innovation
lettre patente
mondialisation
rural
succursales
technologie
urbain

1901	1906	1911	1914	1918
Marconi reçoit le premier signal transatlantique sans fil à Terre-Neuve.	Reginald Fessenden diffuse la première émission de radio du monde.	Emily Carr expose des œuvres d'«art nouveau» à Paris.	La Première Guerre mondiale commence.	• La Première Guerre mondiale prend fin. • Les femmes obtiennent le droit de vote aux élections fédérales.

Charles Saunders est scientifique, musicien et savant.

Emily Stowe doit aller à New York pour faire ses études de médecine, car les écoles de médecine du Canada n'acceptent pas les femmes avant 1867.

Emily Carr est écrivaine et peintre.

VERS LE CENTENAIRE DU CANADA

En 1904, le premier ministre sir Wilfrid Laurier déclare que le XXe siècle sera «le siècle du Canada». La prédiction de Laurier ne paraît pas déraisonnable. Le Canada compte plusieurs personnalités remarquables à cette époque. Tous ces gens s'affairent à relever les défis qui balaient la jeune nation.

Parmi eux figure Charles Saunders, né en 1867, année de la Confédération, qui met au point le blé marquis, une variété de blé résistante adaptée à la courte saison de croissance des Prairies. Il y a aussi Sandford Fleming, né en Écosse en 1827, qui arrive en Amérique du Nord britannique à l'âge de 18 ans, à l'époque de la *grande migration*. En sa qualité d'ingénieur, il parcourt le Canada à pied, en raquettes, derrière un attelage de chiens, en canot, en charrette, en radeau et en pirogue. Il est ingénieur en chef de deux des plus importantes sociétés ferroviaires du jeune Canada : le chemin de fer Intercolonial entre Halifax et Québec, et le Canadien Pacifique de l'Ontario au Pacifique. De plus, Fleming crée l'heure normale, c'est-à-dire la division du monde en 24 fuseaux horaires égaux.

En 1867, Emily Stowe, née en 1831, devient la première femme médecin du Canada. Elle fonde un collège de médecine pour les Ontariennes en 1883. Emily Carr naît en 1871 et impose un «art nouveau» qui rompt avec le style de peinture habituel et défie la tradition.

Ces personnes ne sont que quatre des nombreux Canadiens qui relèvent les défis de l'ère nouvelle.

Des signes de changement

En 1871, environ un Canadien sur six vit dans une ville. Edwige Allard est une citadine type de l'époque. Épouse d'un menuisier de Montréal, elle cultive un jardin de 0,4 hectare. Elle fait pousser des haricots, des pommes de terre, des oignons et des racines alimentaires pour nourrir sa famille de neuf personnes.

Dix ans auparavant, Edwige a peut-être eu des porcs. Le recensement du Canada de 1861 dénombre près de 3000 porcs à Montréal. Les historiens pensent qu'il y en a beaucoup plus. En 1874, la vie à Montréal a changé, et l'on adopte rapidement un projet de loi visant à bannir les porcs de la ville. Au tournant du siècle, la présence d'un grand potager comme celui d'Edwige est improbable à Montréal. En 1901, un Canadien sur trois vit dans une ville. Des bâtiments occupent tous les terrains. Les porcs sont interdits, et il n'y a pas de place pour les jardins de la taille de ceux des exploitations agricoles.

Sandford Fleming
LA REPRÉSENTATION DU TEMPS

En 1876, Sandford Fleming, ingénieur civil, décide de prendre des vacances en Grande-Bretagne. Le travail de Fleming consiste à arpenter les tracés du chemin de fer du Canadien Pacifique. Ce voyage lui procure un répit indispensable et déclenche une révolution dans l'enregistrement du temps.

À son premier arrêt en Irlande, Fleming rate un train à cause d'une erreur d'impression dans l'horaire des chemins de fer. Un typographe a noté que le départ a lieu à 5 h 35 de l'après-midi au lieu de 5 h 35 du matin. Fleming rate le train de 12 heures et doit attendre 12 heures avant de prendre le train suivant. Pendant son attente, Fleming réfléchit à cette erreur.

Au lieu de diviser la journée en deux périodes identiques de 12 heures, pourquoi ne pas numéroter les heures consécutivement de 1 à 24 ? C'est un moyen d'éviter de confondre le matin et l'après-midi.

Cette idée amène Fleming à réfléchir à un autre problème d'enregistrement du temps. Au Canada et dans d'autres pays, les horloges des grands centres sont réglées selon des calculs astronomiques effectués dans chaque collectivité. Quand il est midi à Halifax, en Nouvelle-Écosse, les horloges de Moncton, au Nouveau-Brunswick, indiquent 11 h 45. À Toronto, en Ontario, les horloges sont réglées à 10 h 55. Les voyageurs doivent régler leur montre à chaque halte importante du parcours du train. Certains commencent même à porter des montres à plusieurs faces, dont chacune est réglée en fonction de l'heure d'une collectivité différente.

La division du monde en 24 fuseaux horaires égaux devrait réduire la confusion, se dit Fleming. Les lignes de longitude, ou méridiens, pourraient former les lignes de division entre les fuseaux. Si les horloges partout dans un fuseau donné étaient réglées à la même heure, il serait facile de déterminer l'heure partout dans le monde.

Avec l'énergie et l'enthousiasme qui le caractérisent, Fleming se met à parler de l'heure normale à quiconque veut bien l'écouter. En 1879, il soumet son idée à l'occasion d'une allocution devant le Royal Canadian Institute for the Advancement of Scientific Knowledge.

Peu après, le marquis de Lorne, gouverneur général, lit le texte de l'allocution. L'idée de Fleming l'intéresse beaucoup et il envoie des copies du texte aux gouvernements du monde entier.

Tout le monde est séduit par cette idée. Le Canada adopte l'heure normale en 1883. En 1884, des délégués de 25 pays se réunissent au Congrès international sur le méridien d'origine à Washington D.C. Les délégués conviennent d'adopter l'heure normale internationale, encore en usage aujourd'hui. Le méridien de Greenwich, qui passe par l'Observatoire de Greenwich à Londres, en Angleterre, devient la norme pour régler les horloges partout dans le monde.

Fleming est nommé chevalier pour son œuvre et devient sir Sandford Fleming.

Autres personnages à découvrir

Alexander Graham Bell

Charles Fenerty

Reginald Fessenden

Sandford Fleming

Abraham Gesner

Wallace Turnbull

1 Nomme les cinq principales villes pour chacune des années indiquées.

2 Dans quelle partie du Canada les principales villes sont-elles situées en 1901 ?

3 a) Que se produit-il sur le plan de la croissance des villes dans
   i) les Maritimes ?
   ii) l'Ouest ?
b) Comment expliques-tu ces tendances ?

Croissance des villes entre 1871 et 1901

	Nombre d'habitants			
Ville	**1871**	**1881**	**1891**	**1901**
Montréal	115 000	155 238	219 616	382 172
Toronto	59 000	96 916	181 215	209 892
Winnipeg	241	7 985	25 639	42 340
Vancouver	–	–	13 709	27 010
Hamilton	26 880	36 661	48 959	52 634
Ottawa	24 141	31 307	44 154	59 928
Québec	59 699	62 446	63 090	68 840
Halifax	29 582	36 100	38 437	40 832
Saint-Jean	28 805	26 127	39 179	40 711

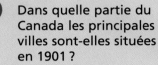

Ce changement n'en est qu'un parmi d'autres. D'autres changements marquent les 30 années allant de 1871 à 1901 :
- une hausse de 130 % du nombre de travailleurs dans les industries manufacturières ;
- la valeur de la production des industries manufacturières, qui a plus que triplé ;
- la longueur de la voie ferrée posée, qui passe de 3200 km à 27 350 km.

Où en sommes-nous ?

1 Ce travail pratique va se poursuivre tout au long du chapitre. Choisis soit Charles Saunders, Sandford Fleming, Emily Stowe ou Emily Carr comme témoin oculaire de cette période. Commence à recueillir des données sur ce personnage en vue d'effectuer les travaux suivants :
- un compte rendu de sa vie et de son rôle en cette période de changement au Canada, qui devra comprendre les photos que tu réussis à trouver.
- des notations imaginaires dans un journal en te mettant à la place de ce personnage, qui traduisent tes sentiments sur les changements en cours autour de toi. Par exemple, que ressens-tu face à la croissance des villes ?

2 Nomme les changements que tu as observés jusqu'à maintenant. Indique la cause possible de chaque changement.

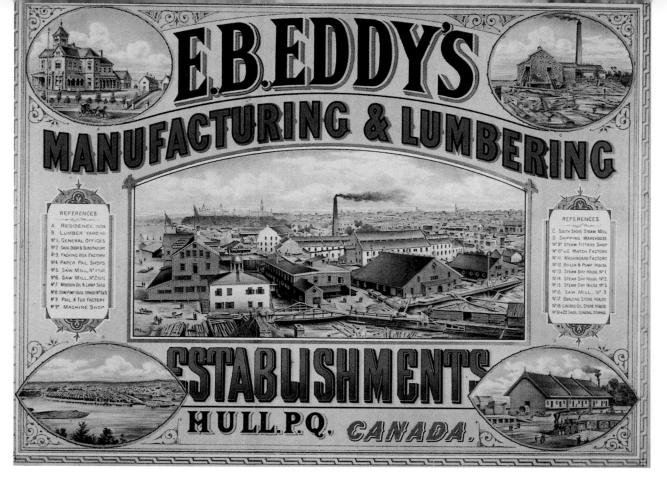

Aller de l'avant

Les changements qu'entraîne la révolution industrielle s'accélèrent à l'époque de la Confédération, en 1867. Le déclin des petites collectivités agricoles des débuts de la colonie, où la population vit de la terre, est en cours dans l'est du Canada. Dans les villes, des usines équipées de machines actionnées par des moteurs à vapeur ouvrent leurs portes. Ce transfert en faveur de l'utilisation d'outils mécanisés et d'usines pour fabriquer des produits s'appelle l'**industrialisation**.

La révolution industrielle débute en Grande-Bretagne et aux États-Unis plus tôt qu'au Canada. Par conséquent, les États-Unis se tournent vers le Canada comme source de matières premières telles que le bois de construction et les minéraux pour les usines, et en tant que marché pour leurs produits manufacturés. Ce système occasionne quelques inconvénients pour le Canada.

Le premier problème vient de ce que les matières premières se vendent moins cher que les produits manufacturés. Le second est que la majeure partie de l'activité manufacturière au Canada en 1867 s'effectue dans de petits ateliers appartenant à des familles. Ces ateliers ne peuvent pas fabriquer suffisamment de produits pour faire concurrence aux entreprises des États-Unis ou de Grande-Bretagne. Le Canada dépense souvent davantage pour les produits importés, ou venant de l'étranger, qu'il ne

L'usine et le moulin à bois de E.B. Eddy à Hull, au Québec, dans les années 1880. La population considère la fumée comme un signe d'activité industrielle et de prospérité.

Cette affiche a servi à aider le Parti conservateur à gagner l'élection de 1891. Quel message peux-tu saisir dans cette affiche?

reçoit d'argent pour les marchandises exportées, ou vendues à d'autres pays.

Cette situation peut entraîner de graves difficultés pendant une **dépression**, ou période de ralentissement économique. Pendant les périodes de ce genre, les autres pays n'achètent pas nos matières premières et nous ne pouvons nous permettre d'acheter leurs produits manufacturés.

Les autres pays deviennent aussi plus interreliés, car ils échangent de plus en plus de produits et de services. Cette tendance est un signe du début de la **mondialisation**. Le ralentissement économique dans un pays touche les autres pays avec lesquels il fait des échanges commerciaux. En cette ère de changement, certains estiment que les industries naissantes du Canada ont besoin d'être protégées pour survivre et croître.

Dans les années 1870, une grave dépression sévit. Les entreprises ne peuvent pas vendre leurs produits et sont obligées de congédier des travailleurs, et même de fermer leurs portes. Le Parti conservateur de sir John A. Macdonald fait campagne pour l'élection de 1878 en mettant de l'avant la Politique nationale. Cette politique prévoit l'imposition de tarifs sur les produits manufacturés importés pour protéger les industries canadiennes, la construction du chemin de fer du CP et l'immigration pour peupler les plaines de l'Ouest. Les conservateurs gagnent l'élection, et les conditions s'améliorent. La dépression s'achève peu après. Bien entendu, Macdonald en attribue fièrement le mérite à la Politique nationale. Ses critiques l'attribuent à la prospérité générale à l'échelle mondiale et aux bonnes récoltes.

Où en sommes-nous?

1   Dessine une chaîne d'événements simple pour montrer comment la Politique nationale est censée favoriser la prospérité du Canada. Tu peux te reporter à la page 113 du chapitre 4.

2   La révolution industrielle a amené de nombreux changements de style de vie. Fais un tableau comme celui ci-dessous. Dresse-le en lisant ce chapitre.

Changement	Avantage	Inconvénient
Exode vers les villes	~	~

3   Rédige une lettre adressée par ton témoin oculaire à une amie ou à un ami pour exprimer ton opinion au sujet des changements en cours.

L'évolution des industries manufacturières

Les petits ateliers appartenant à des familles ont tous disparu en 1900. Les fabricants qui s'enrichissent peuvent acheter de meilleures machines pour augmenter la production.

La cordonnerie est un bon exemple de changement. Dans les premiers temps de la colonie, des artisans compétents, les cordonniers, fabriquent les chaussures une à une à la main. Les cordonniers ne peuvent faire qu'environ deux paires de chaussures par jour. Ils fabriquent probablement aussi quelques autres petits articles en cuir, cultivent la terre et s'adonnent à la pêche ou exploitent une petite érablière, s'ils habitent à la campagne. Avec l'avènement des machines à coudre, des fabriques de chaussures remplacent les cordonniers. Dans une fabrique de chaussures, un travailleur peut faire une centaine de paires de souliers par jour.

Voici ce que déclare Olivier David Benoit, un cordonnier de Montréal, à la Commission royale d'enquête sur les rapports qui existent entre le chef d'entreprise et le travailleur, en 1889, quand on l'interroge sur ces changements :

> *Les fabricants de chaussures d'autrefois connaissaient la fabrication des bottines et des souliers [...] Aujourd'hui, en règle générale, tous les travailleurs des fabriques, en particulier des grandes fabriques, ne sont capables de faire qu'un seul genre de travail, [par exemple] poser un talon, coudre une semelle ou poser les tiges, car une machinerie perfectionnée a remplacé le travail manuel.*

Les chaussures fabriquées en usine coûtent moins cher ; elles sont donc plus abordables.

Court métrage

Une industrie en plein essor

La Politique nationale cause du mécontentement. Les riches n'apprécient pas l'imposition du tarif de 30 % sur les articles de luxe importés des États-Unis, par exemple. Pourtant, la politique des conservateurs produit des résultats. Au cours des trois premières années, le nombre de faillites d'entreprises diminue considérablement. Pendant la même période, les exportations augmentent. En 1878, les exportations canadiennes s'élèvent à 79 323 000 $. En 1896, les chiffres correspondants s'établissent à 121 013 000 $.

Une fonderie appartenant à une famille de Montréal. Des hommes versent le métal fondu dans des boîtes pour fabriquer des pièces métalliques. Toutes les tâches sont effectuées manuellement.

Les usines s'implantent habituellement dans des villes où il y a des travailleurs et un moyen de transport. En 1871, Toronto, par exemple, a une main-d'œuvre de 9400 personnes employées par 530 fabricants. En 1891, soit 20 ans plus tard, 26 242 travailleurs sont employés par 2401 fabricants.

De nombreux travailleurs qualifiés constatent que leur emploi est remplacé par des machines que font fonctionner des femmes ou des enfants travaillant pour aider les familles qui ne peuvent plus gagner leur vie du travail de la terre. En 1891, plus du quart de tous les employés des industries manufacturières sont des femmes. Le nombre d'enfants qui travaillent pour toucher une rémunération est tellement élevé que l'Ontario et le Québec adoptent les lois sur les manufactures au milieu des années 1880 pour interdire l'embauche des garçons de moins de 12 ans et des filles de moins de 14 ans. Une note signée par un parent de l'enfant constitue la preuve d'âge. Tu peux facilement imaginer la manière dont ces lois sont appliquées.

Seuls les travailleurs les mieux payés gagnent assez d'argent pour subvenir aux besoins de leur famille. Les emplois des travailleurs non qualifiés rapportent de moins en moins. D'une part, il existe une économie en plein essor qui peut payer la construction des canaux, des chemins de fer, des routes et des lignes télégraphiques. D'autre part, des travailleurs qualifiés perdent des emplois bien payés.

L'évolution de la cordonnerie entre 1780 et 1880. Penses-tu que les artisans approuvent ces changements ?

M930.50.5.262
1780. Deux paires par jour. La manière traditionnelle.
Musée McCord d'histoire canadienne, Montréal.

M930.50.5.142
1880. Trois cents paires par jour. La nouvelle méthode.
Musée McCord d'histoire canadienne, Montréal.

Les entrepreneurs

Les changements industriels profitent aux gens entreprenants, les **entrepreneurs**, qui démarrent leur propre entreprise. Voici les cas de deux hommes nommés Harris. L'un, James Harris, ouvre un atelier de forgeron à Saint-Jean, au Nouveau-Brunswick, en 1825. Plus tard, à la suite d'une association, il transforme son atelier en fonderie, c'est-à-dire en usine où l'on fond et coule le métal. James Harris commence à fabriquer des pièces de véhicules de chemin de fer. Pendant les années 1880, James est en mesure de financer une grande usine qui produit plus de véhicules de chemin de fer que toute autre entreprise canadienne. Il habite probablement une maison ravissante comme celle de Toronto que l'on voit sur la photo.

**Une étude de contrastes :
À gauche, la maison d'une personne à l'aise à Toronto.
À droite, un logement d'une seule pièce à Winnipeg.**

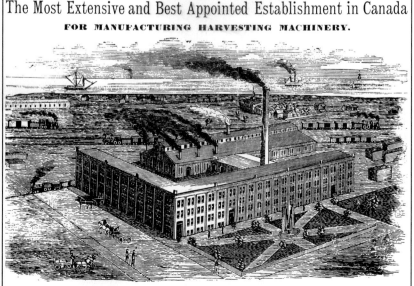

The Most Extensive and Best Appointed Establishment in Canada
FOR MANUFACTURING HARVESTING MACHINERY.

Works of The Massey Manufacturing Co., Toronto, Ont.

*L'établissement le plus grand et le mieux aménagé du Canada
Fabrication de machinerie pour la récolte*

(Traduction Libre)

Une publicité de Massey-Harris montrant l'usine principale en 1881

Une femme baratte le beurre à l'ancienne.

Le parcours d'Alanson Harris est également couronné de succès. Alanson exploite d'abord une scierie dans le comté de Brant, en Ontario. En 1857, il achète une fonderie à Beamsville et fabrique des outils et des machines agricoles.

Plus tard, il utilise le réseau ferroviaire du CP pour expédier ses machines aux agriculteurs de l'Ouest. En 1890, son entreprise fusionne avec son principal concurrent, Massey Manufacturing Company. La société Massey-Harris est issue de la fusion. En 1891, Massey-Harris est la plus importante société du Canada. Tu peux imaginer le genre de maison qu'Alanson Harris habite !

Des histoires comme celles-là montrent le genre de succès que le premier ministre Macdonald et ses sympathisants espèrent obtenir grâce à la Politique nationale. De petits ateliers deviennent de grandes sociétés. Les entreprises prennent de l'expansion avec l'aide du chemin de fer et des tarifs protectionnistes. Des entreprises américaines commencent à ouvrir des **succursales** au Canada : Coca-Cola, Singer, Gillette et Westinghouse, pour n'en nommer que quelques-unes. Ces usines appartenant à des Américains fabriquent et vendent leurs marchandises au Canada sans payer de tarifs douaniers.

Où en sommes-nous ?

1 Avec une ou un camarade, imagine que tu es un cordonnier en difficulté parce qu'une fabrique de chaussures a ouvert ses portes dans la ville voisine. L'un de vous deux est le premier ministre Macdonald. Le cordonnier écrit une lettre persuasive au premier ministre pour exprimer son désarroi. Le premier ministre répond à cette lettre pour expliquer le but de la Politique nationale.

2 La Politique nationale ne fait pas l'affaire de tout le monde. Réalise une bande dessinée contre cette politique. Adopte le point de vue d'un cordonnier.

3 Fais un diagramme ou un schéma montrant l'expansion des industries manufacturières à Toronto entre 1871 et 1891.

L'évolution de l'agriculture

La vie à la ferme et les méthodes de production des aliments et des cultures évoluent aussi. La production laitière en est un bon exemple. Avant la Confédération, les femmes s'occupent des vaches. Elles les traient et font du fromage et du beurre à la maison. La vente de leurs produits leur permet de gagner leur propre argent. Même dans les villes, certaines familles ont des vaches qui leur donnent du lait. Les vaches leur procurent même un supplément de revenu ou leur permettent d'échanger des produits avec leurs amis, leurs voisins et le magasin général.

Ce fromage géant, qui pèse 9900 kg, a été fabriqué à Perth, en Ontario, en 1893 pour l'Exposition mondiale de Chicago. On a dû utiliser un train spécial pour le transporter.

En 1864, il y a une seule fromagerie, et elle est située dans le Canada-Ouest. En 1871, le Canada compte 350 fromageries. En 1901, les exportations canadiennes de fromage se chiffrent à 20,6 millions de dollars. Le fromage représente l'exportation dominante du Canada. Les hommes prennent les affaires en mains dans les fermes et les usines.

En 1867, les machines remplacent déjà les outils manuels dans la plupart des fermes. La machinerie a été introduite dans les années 1830. La moissonneuse McCormick tirée par des chevaux, qui sert à récolter les céréales, en est un exemple, de même que les râteaux et les faucheuses mécanisés. Ces appareils sont remplacés par des machines commandées par moteur. La première batteuse à vapeur, qui sert à séparer le grain de la tige ou du tégument, a été introduite en 1877 à Woodbridge, en Ontario. Imagine l'effet que peut produire une machine pouvant abattre plus de besogne en une seule journée qu'un agriculteur moyen en une année ! Des tracteurs propulsés par des moteurs à essence transforment encore davantage l'agriculture. Ces tracteurs apparaissent dans les années 1890, mais on s'en sert peu dans les fermes canadiennes avant 1920.

Nombre et taille des fermes entre 1871 et 1921			Population urbaine et rurale entre 1871 et 1921*			
Année	Nombre de fermes (en milliers)	Superficie des fermes (en millions d'hectares)	Année	Population totale	Population rurale (en %)	Population urbaine (en %)
1871	368	15,3	1871	3 689 000	83	17
1881	464	18,2	1881	4 324 000	78	22
1891	542	24,3	1891	4 833 000	70	30
1901	511	25,5	1901	5 371 000	65	35
1911	682	44,1	1911	7 206 643	54	46
1921	711	57,0	1921	8 787 949	51	49

1 Avec une ou un camarade, calcule la taille moyenne d'une ferme pour chacune des années indiquées.

2 Rédige un court énoncé pour décrire l'évolution de la taille des fermes pendant cette période.

3 Au cours de quelles décennies la population canadienne augmente-t-elle le plus ? Nomme deux périodes.

4 Dessine un diagramme linéaire, à barres ou circulaire pour illustrer les tendances de la population urbaine et de la population rurale.

5 Les chiffres sont révélateurs. Indique les idées que t'inspirent ces deux tableaux.

*La population **urbaine** désigne les habitants des villes. La population **rurale** désigne les habitants des campagnes, soit les habitants des fermes, des villages et des petites collectivités.

Collection Granger, New York

Un grand nombre d'émigrants du Québec vont vers le sud pour travailler dans les fabriques de la Nouvelle-Angleterre.

Le progrès a un prix pour les agriculteurs. Quand ils ont tous de bonnes récoltes, les prix chutent. Les agriculteurs doivent vendre leurs produits à ce prix, sinon ils n'ont aucun revenu. Certains, qui ont fait des emprunts bancaires pour payer les semences et la machinerie, ne gagnent pas assez d'argent pour rembourser leurs prêts. Beaucoup de fermes font faillite. Au XXᵉ siècle, les nouvelles machines réduisent le nombre de fermes nécessaires pour répondre à la demande nationale et internationale d'aliments.

Certaines familles agricoles prospèrent, d'autres s'appauvrissent. Observe la situation de deux familles agricoles du Québec, les Albert et les Etmanski. Félix Albert est devenu agriculteur après s'être marié et avoir fondé un foyer. John Etmanski a quitté la Pologne dans son enfance pour venir vivre au Québec. Sa femme d'origine polonaise, Mary Kiedrowski, et lui ont eu 12 enfants. Sa famille habite un logement de deux pièces et s'adonne à l'agriculture et à la coupe du bois.

En 1881, les Albert renoncent à l'agriculture. Le mauvais temps, la rouille de la tige du blé, champignon qui a détruit les cultures de blé, et les faibles revenus que Félix touche dans le chantier de scierie des environs les incitent à s'établir aux États-Unis. Ils ne sont pas seuls. Environ 700 000 Canadiens français du Québec prennent la route des États-Unis. De leur côté, les Etmanski poursuivent l'agriculture et la coupe du bois. En 1895, ils peuvent embaucher un menuisier polonais pour construire une grande maison à deux étages sur leur propriété.

Comme tu l'as appris au chapitre 8, au début le nouvel outillage agricole ne joue pas un grand rôle dans la vie quotidienne des plus pauvres immigrants des Prairies. Maria Adamskova, immigrante ukrainienne, décrit la manière dont sa mère et elle-même défrichent la terre à l'aide d'une bêche et d'une hache. Au cours des années marquées par l'avènement des vols d'avion et du modèle T de Ford, Maria et sa famille creusent, fauchent, récoltent et ratissent à la main. Plus de 75 ans après l'apparition des moissonneuses au Canada, son père n'a pas les moyens d'en acheter une.

Où en sommes-nous ?

1 Crée un document visuel pour illustrer l'évolution des fermes. Tu peux réaliser un dessin, une bande dessinée ou un collage.

2 Plus d'un million de gens quittent le Canada pour s'établir aux États-Unis entre 1870 et 1900. Imagine que tu fais partie de ce groupe. Quelles raisons donnes-tu à tes amis pour expliquer ta décision ?

3 Quelle est l'opinion de ton témoin oculaire au sujet des changements survenus dans le Canada rural ?

Melvin Ormond Hammond

L'ABANDON DE LA FERME FAMILIALE

En 1890, Melvin Ormond Hammond, 14 ans, accepte volontiers d'aider ses parents sur leur ferme familiale située près de Clarkson, en Ontario. Les machines aident les agriculteurs à exécuter certains travaux, comme couper le foin, faire des meules, lier le foin et les céréales, mais le travail demeure très difficile. Quand vient le temps de lier les céréales en gerbes, par exemple, Melvin aide à préparer la lieuse. Cette corvée prend une journée entière.

Au cours de l'été 1890, Melvin tient un journal dans lequel il note son emploi du temps. Le 26 juin, par exemple, il charge, décharge et épand des engrais du matin au soir. L'épandage d'engrais est indispensable pour produire des récoltes saines. Le 30 juin, il cueille 92 kg de fraises. Personne n'a encore inventé une machine pour éliminer ce travail éreintant !

Melvin se sent utile et travaille le cœur joyeux. Comme il est fils unique, il se demande comment ses parents vont se tirer d'affaire après son départ. Melvin est bien déterminé à partir, car il veut devenir journaliste.

Si les parents de Melvin sont déçus que leur fils ne prenne pas la relève, ils ne le montrent pas. Beaucoup d'autres garçons de son âge ont déjà quitté l'école, mais les parents de Melvin l'encouragent à faire des études pour réaliser ses ambitions. Ils lui permettent même d'emprunter l'un des chevaux de labour de la ferme pour se rendre à l'école secondaire d'Oakville, où il obtient d'excellents résultats.

Une fois diplômé, Melvin devient l'un des nombreux jeunes Canadiens à quitter la ferme pour vivre à la ville. Il s'inscrit à une école de commerce à Toronto, où il apprend la sténographie et la dactylographie, des connaissances indispensables aux journalistes.

Melvin décroche un emploi de bureau dans une société de crédit de Toronto, mais ce travail lui déplaît. Il persévère dans son intention de faire du journalisme. Une occasion se présente finalement et il la saisit. Melvin devient le secrétaire attitré du directeur-rédacteur en chef du *Globe*, journal torontois fondé par George Brown. En l'espace d'un an, il se joint au service des informations et délaisse son prénom, qu'il ne trouve pas assez percutant. Il adopte M.O. Hammond et, dès lors, tout le monde l'appelle par ses initiales seulement.

M.O. Hammond est voué à une brillante carrière journalistique. Pendant de longues années, il est reporter parlementaire pour le *Globe* à Ottawa. Il côtoie les grands de ce monde et des personnalités moins prestigieuses dans les coulisses du pouvoir.

Hammond devient un citadin invétéré, mais il n'oublie pas ses racines rurales. Pendant des années, il planifie ses vacances de manière à retourner à la ferme familiale pour aider ses parents à faire les récoltes.

Autres personnages à découvrir

Robertine Barry

Kathleen (Kit) Coleman

Sara Jeanette Duncan

Melvin Ormond Hammond

Margaret Marshall Saunders

NOUS AVONS LA TECHNOLOGIE

L'invention de nouveaux appareils est au cœur des changements qui accompagnent la révolution industrielle. Parfois, une invention dans un pays donné est rapidement adoptée dans d'autres pays. La mise au point du moteur à vapeur en est un exemple. C'est aussi un bon exemple d'une **technologie** appliquée à un grand nombre d'usages différents : la propulsion des navires à vapeur, des trains, de l'outillage agricole, des premières automobiles ainsi que des machines servant à l'abattage et à l'exploitation minière. Parfois, plusieurs personnes pensent simultanément à des progrès semblables. La personne qui est reconnue comme l'auteur d'une invention est celle qui, la première, a présenté une demande de **lettre patente**, ou qui a obtenu l'autorisation de l'État de fabriquer, d'utiliser et de vendre une invention dont elle est propriétaire. Charles Fenerty, de la Nouvelle-Écosse, par exemple, met au point le procédé de fabrication du papier journal à partir de la pâte à papier. Au moment où il fait connaître sa découverte, d'autres ont déjà obtenu des lettres patentes. Il perd donc le titre d'inventeur.

D'autres inventeurs, tel Alanson Harris, achètent des lettres patentes d'autres pays. Cela signifie qu'ils détiennent les droits canadiens pour produire au Canada les inventions d'autres personnes. Harris est reconnu pour avoir apporté des **innovations**, soit des changements et des améliorations, à plusieurs des lettres patentes qu'il a achetées.

La technologie du transport

Dans le transport terrestre, le remplacement de la marche à pied ou du cheval-vapeur par le train a des répercussions énormes au Canada. Le train aide à relier la nation. Le train incite beaucoup de Canadiens à croire que la technologie peut surmonter tous les obstacles et changer tous les aspects de la vie.

Les tramways électriques sont les premiers grands utilisateurs d'électricité. Le Canada joue un rôle de premier plan dans leur mise au point en présentant des tramways électriques à l'Exposition industrielle de Toronto de 1884 (connue aujourd'hui sous le nom d'Exposition nationale canadienne). Imagine le choc que peuvent ressentir les visiteurs de l'exposition arrivés à pied, à cheval ou en charrette !

Un très petit nombre de ces visiteurs imaginent même les changements que vont amener l'automobile, le camion, le tracteur diesel et l'avion. Pour le citoyen moyen de l'époque, les

Lien Internet

www.dlcmcgrawhill.ca

Consulte le site Web ci-dessus pour te documenter sur les inventions canadiennes. Clique sur *Matériel complémentaire/Primaire et secondaire*, puis sur *Le Canada : L'édification d'une nation*, où l'on te donnera la suite des indications.

Court métrage

Une idée lumineuse

Deux jeunes Torontois, Henry Woodward et Matthew Evans, savent qu'ils ont fait une découverte importante en inventant une ampoule électrique en 1873. Ils poursuivent leurs expériences, mais se retrouvent sans le sou. Découragés, ils vendent leur lettre patente à un inventeur américain fortuné, Thomas Edison. En 1879, six ans après que Woodward et Evans ont eu cette idée, Edison annonce qu'il a mis au point une ampoule électrique. Les noms des deux inventeurs torontois tombent dans l'oubli.

innovations du transport sont des expériences intéressantes. Pour la plupart des gens, elles sont inabordables.

Dans un premier temps, plusieurs sont peu impressionnés par l'automobile, qu'ils trouvent bruyante, coûteuse et peu fiable. La formule « Achetez un cheval ! » devient une protestation populaire contre l'automobile. L'Île-du-Prince-Édouard rend même les automobiles illégales pendant un certain temps. Cependant, on ne peut arrêter le vent de changement. Henry Ford implante sa première succursale au Canada en 1904. En 1920, l'industrie automobile au Canada produit 94 144 automobiles et camions et

Dans le feu de l'action

Plus qu'un engouement

En 1900, la société McLaughlin Carriage Works à Oshawa, en Ontario, vend 25 000 voitures tirées par des chevaux en Amérique du Nord et dans le monde. Cependant, Sam McLaughlin, fils du fondateur de l'entreprise Robert McLaughlin, est fasciné par une nouvelle invention : la voiture sans attelage.

Son père estime que ces nouveaux engins font l'objet d'un engouement passager. Sam est persuadé que les voitures sont là pour rester. Son frère George et lui-même persuadent leur père d'essayer de fabriquer des voitures comme activité secondaire. Ils ont cependant un problème. L'entreprise peut fabriquer les carrosseries, mais il leur faut un moteur fiable.

McLaughlin communique avec William Durant, propriétaire de la Buick Motor Company à Flint, au Michigan. Durant accepte de fournir des moteurs Buick pour la construction des voitures McLaughlin. En 1907, la première McLaughlin-Buick sort de l'atelier de voitures d'Oshawa. L'objectif de McLaughlin est de fabriquer 200 voitures par an.

Entre-temps, Durant achète des moteurs d'autres fabricants automobiles américains, soit Oldsmobile et Cadillac. En 1909, ces entreprises fusionnent en une seule, General Motors. En 1918, Durant achète l'entreprise de McLaughlin. McLaughlin en demeure le président, mais le nom de sa famille disparaît quand la nouvelle entreprise est constituée en société sous la dénomination General Motors du Canada.

Cette affiche fait partie d'une campagne antiautomobiles lancée par McLaughlin Carriage Works. Quel message lance-t-elle au sujet de l'automobile ?

Les images derrière l'histoire

Toujours plus vite

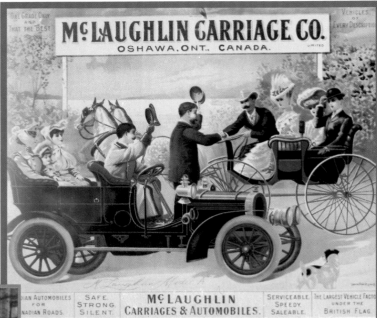

▲ Une publicité sur la voiture McLaughlin

▼ Le Silver Dart, conçu et fabriqué par une équipe dirigée par Alexander Graham Bell, effectue son premier vol au Canada en février 1903.

▲ Le tramway a transformé les villes.

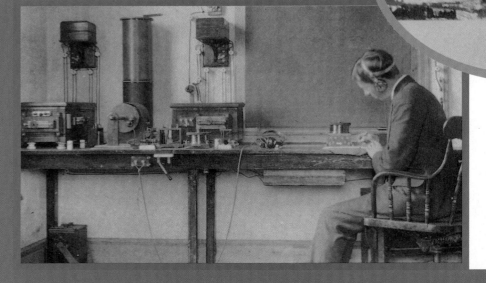

◄ Les premiers appareils télégraphiques sont portatifs et se transportent facilement d'une gare à une autre.

Des bateaux à vapeur dotés d'une coque en acier remplacent les voiliers pour les traversées de l'Atlantique.

◄ **Dans les années 1890, la bicyclette est un moyen de locomotion économique. La bicyclette procure aussi aux femmes la liberté de sortir sans chaperon.**

▲ **Le premier signal radio transatlantique est reçu par l'inventeur italien Gugliemo Marconi à Signal Hill, à St. John's, Terre-Neuve, le 10 décembre 1901.**

◄ **La livraison gratuite du courrier dans les régions rurales commence au début du XXe siècle.**

▲ **L'un des premiers modèles de téléphone dans les années 1880**

emploie plus de 8000 travailleurs. Les prix diminuent. Presque tout le monde peut espérer acheter le modèle T de 1921 pour 300 $. L'avènement de l'automobile a un autre effet : la population réclame et obtient de meilleures routes.

L'évolution des communications

Dès les années 1840, des lignes télégraphiques transmettent des messages pour relier des villes de l'est du Canada à des villes des États-Unis. Imagine les progrès que permet le télégraphe. La population avait l'habitude d'entendre les nouvelles avec un décalage de plusieurs mois. Il n'existait auparavant aucun moyen d'envoyer ni de recevoir des messages urgents plus vite que ne le permettait la vitesse d'un cheval ou d'un navire.

Il n'est pas facile d'installer des lignes télégraphiques à l'échelle du pays ni de poser des câbles sous l'océan Atlantique. Une fois les lignes installées, une révolution des communications débute. C'est peut-être la première étape de la transformation du monde en un village global, où chacun peut capter les nouvelles dans les minutes suivant leur diffusion au moyen de la radio. La révolution des communications n'est pas encore terminée.

Le téléphone, inventé par Alexander Graham Bell en 1876, représente un énorme progrès dans la technologie des communications.

Le film est en train de devenir un important médium au début du XXᵉ siècle. Mary Pickford, à droite sur la photo, est l'une des premières stars américaines. Elle est née à Toronto en 1893, et son nom véritable est Gladys Smith.

L'invention de la radio fait progresser les communications et en fait aussi un divertissement. Le 23 décembre 1900, Reginald Fessenden, né au Canada, envoie un message vocal sur les ondes : « Un, deux, trois, quatre. Neige-t-il là où vous êtes, M. Thiessen ? Si oui, télégraphiez-moi et faites-le-moi savoir. » Fessenden entreprend de démontrer la radiodiffusion de la première émission de musique en 1906. Il finit par obtenir 500 lettres patentes pour diverses inventions.

En 1919, la société canadienne Marconi crée la première station de radio du monde, XWA, à Montréal. Peu à peu, les obstacles de la distance tombent. Les Canadiens entrent en contact les uns avec les autres ainsi qu'avec le monde. L'ère des médias commence.

La station de radio XWA à Montréal, qui a entrepris la radiodiffusion en 1919

Où en sommes-nous ?

1 Conçois une murale pour démontrer les progrès importants de la technologie des transports.
2 Au début du XXe siècle, beaucoup de gens s'opposent à l'automobile, tout comme aujourd'hui. Dresse deux listes des raisons de s'opposer à la technologie automobile, l'une pour 1900 et l'autre pour aujourd'hui.
3 Quelle est l'opinion de ton témoin oculaire au sujet des changements survenus dans les communications ? Rédige un article ou une lettre à l'intention du rédacteur en chef d'un quotidien.

En 1869, Timothy Eaton ouvre un magasin sur la rue Yonge à Toronto. Le magasin Eaton a des politiques assez inhabituelles pour l'époque.

- Les prix ne sont pas négociables. Ils sont au plus bas et sont fixes.
- Les paiements doivent être effectués en argent comptant. Le crédit et le troc ne sont pas acceptés.
- Une politique prévoit le remboursement si la marchandise est insatisfaisante.

En 1884, Timothy Eaton lance le Catalogue Eaton. Ce catalogue est distribué dans tous les foyers canadiens. Au début du XXe siècle, on dit souvent en plaisantant que le seul livre plus populaire que ce catalogue au Canada, c'est la Bible. L'éventail et la variété des produits offerts défient presque l'imagination. Il devient même possible de commander un chalet d'une seule pièce et une école d'une seule classe prêts à monter.

Les politiques du magasin et le service du catalogue révolutionnent les anciennes habitudes de consommation qui font une large place au troc et au crédit. La famille Eaton demeure le propriétaire-exploitant d'un grand réseau de commerces de détail jusqu'en août 1999, date de la fermeture des magasins pour cause de faillite.

Couvertures du catalogue Eaton

INTERROGE LES FAITS

1. Examine les couvertures ci-dessus du Catalogue Eaton. Imagine que tu es la ou le graphiste qui a conçu ces couvertures. Explique le choix de ces images et de ces textes. Quels consommateurs veux-tu séduire ? Ces couvertures sont-elles attrayantes dans le contexte d'aujourd'hui ?

2. Imagine que tu es une ou un jeune vivant sur une ferme isolée de l'ouest du Canada en 1904. Tu t'apprêtes à feuilleter un nouveau catalogue. Qu'espères-tu y trouver ? Qu'est-ce que ta mère souhaite y trouver ? et ton père ? Qu'est-ce qui intéresse tes frères et tes sœurs ? Note dans ton journal tes réflexions sur la joie que cause l'arrivée du catalogue.

3. Explique comment ces couvertures de catalogue t'aident à comprendre la vie au Canada au début du XXe siècle.

La Première Guerre mondiale

Le changement s'accélère pendant la Première Guerre mondiale entre 1914 et 1918. L'effort de guerre au Canada consiste à produire des millions de tonnes d'aliments et pour des millions de dollars de munitions. C'est tout un exploit, si l'on considère la taille de la population et le fait qu'il existe une seule usine de munitions au début de la guerre. L'utilisation des machines se répand dans les fermes. Le gouvernement canadien élimine le tarif douanier sur les tracteurs et négocie une entente avec une entreprise américaine pour abaisser le prix des tracteurs.

En Ontario et au Québec, les provinces les plus industrialisées, l'essor industriel est fantastique. De plus en plus de gens s'établissent dans les villes pour y travailler. En Colombie-Britannique et dans le Canada atlantique, l'exploitation minière et la construction navale sont les activités économiques les plus touchées par l'effort de guerre. On a besoin de métaux pour fabriquer des douilles d'obus, de l'équipement et des navires. Pour suivre le rythme de la croissance, les villes doivent fournir de meilleurs services d'approvisionnement en électricité et en eau ainsi que d'autres services, et l'on effectue des travaux de voirie.

Des changements sociaux se produisent également au cours de cette période. Les syndicats ouvriers prennent de l'expansion en réaction aux bas salaires, aux longues heures de travail et aux conditions non sécuritaires. Les revendications féminines concernant le droit de vote et les changements apportés aux lois touchant les femmes s'intensifient. La population commence à réclamer que l'État réponde aux besoins des électeurs.

Le portrait de la société par les artistes et les auteurs change aussi. Les œuvres des représentants de l'« art nouveau » comme Emily Carr et le Groupe des Sept sont uniques en leur genre. La notion de spectacle au Canada est transformée à jamais par la première projection d'un film à Ottawa, en 1896. Des films muets sont d'abord présentés dans des salles communautaires. Des cinémas permanents surgissent bientôt partout au Canada. Le premier cinéma ouvre ses portes à Vancouver en 1902. À l'époque de la Première Guerre mondiale, les films deviennent sonores et l'on diffuse les actualités filmées de la guerre.

Les loisirs évoluent également. L'amélioration des transports permet aux équipes sportives de se déplacer pour prendre part à des matchs à l'extérieur de leur collectivité. Grâce à l'éclairage électrique, les arénas, les patinoires, les pistes et les gymnases peuvent prolonger leurs heures d'ouverture à longueur d'année. La popularité des sports d'intérieur augmente dans les villes. Le hockey et le football professionnels deviennent des événements courants au Canada, et la couverture des sports devient une chronique dans les quotidiens canadiens.

Court métrage

La renommée sportive du Canada

James Naismith, d'Almonte, en Ontario, met au point le basket-ball en 1891. Il fait connaître ce sport alors qu'il enseigne l'éducation physique à l'École d'entraînement du YMCA à Springfield, au Massachusetts. Les Grads d'Edmonton sont une équipe féminine de basket-ball créée en 1915 à Edmonton, en Alberta. De 1915 à 1940, les Grads parcourent plus de 160 000 km partout en Amérique du Nord et en Europe, remportant 93 % des parties.

William Peyton Hubbard
L'ÉCLAIRAGE DE TORONTO

À l'aube du XXᵉ siècle, la nouvelle technologie de l'électricité promet de transformer la vie de la population. Un débat fait rage : l'électricité doit-elle être contrôlée par le secteur privé ou par l'État ? L'un des partisans les plus connus de l'intervention de l'État est un homme politique torontois, William Peyton Hubbard.

À cette époque, l'éclairage électrique n'est pas nouveau. Les rues de Toronto, de Montréal et de Winnipeg sont éclairées par des lampes à arc depuis 1883. En 1890, Victoria, Vancouver, Halifax, St. John's et Moncton s'éclairent de la même façon. Les lampes à arc ne peuvent cependant être utilisées qu'à l'extérieur. En 1879, l'inventeur américain Thomas Edison met au point une ampoule électrique destinée à être utilisée à l'intérieur. Il faut attendre quelques années de plus pour perfectionner le système d'approvisionnement des maisons en courant électrique.

Les gens d'affaires se rendent vite compte qu'ils peuvent s'enrichir grâce à l'énergie électrique. Bientôt, des entreprises d'électricité privées se font mutuellement concurrence pour approvisionner les maisons en courant électrique. Ces entreprises doivent demander aux administrations locales l'autorisation d'installer les poteaux et les lignes électriques servant au transport de l'énergie. Les entreprises qui obtiennent ce droit remportent le contrat d'approvisionnement en électricité de la collectivité.

À Toronto et partout ailleurs, l'attribution des contrats déclenche un débat fiévreux. L'entreprise sélectionnée exerce un monopole. Deux factions se forment : d'un côté, ceux qui estiment que cette situation est juste ; de l'autre, ceux qui, comme Hubbard, sont convaincus que l'électricité doit être produite et distribuée par une société d'État. Selon eux, il en résulterait une baisse des tarifs pour les utilisateurs.

Cette position est typique de Hubbard. Hubbard est le premier Canadien d'origine africaine élu au conseil municipal de Toronto. C'est un réformateur, peut-être parce qu'il a connu la pauvreté et la discrimination raciale. Sa mère et son père, un ancien esclave afro-américain émancipé, ont une ascendance mixte. Après leur mariage, ils se sont établis à Toronto, où William et ses sept frères et sœurs sont nés. À l'époque, les Canadiens d'origine africaine ont souvent du mal à trouver des emplois bien payés, et la vie est parfois difficile pour les familles nombreuses.

Avec l'appui de nombreux résidents de Toronto, Hubbard et d'autres hommes engagés dans la politique municipale mènent une croisade fructueuse. En 1908, ils créent une société publique, Toronto Hydro, pour approvisionner la ville en énergie électrique.

Malheureusement pour Hubbard, la victoire lui coûte sa carrière politique. Un grand nombre d'électeurs sont des gens d'affaires fortunés opposés à l'intervention de l'État. À l'élection suivante, ils font campagne contre lui et le défont.

Hubbard a néanmoins dû éprouver une vive satisfaction le 2 mai 1911. Cette date marque l'inauguration officielle de l'électricité dans les foyers torontois. Sa vision d'un service public est devenue réalité.

Autres personnages à découvrir

Thomas Ahearn

Adam Beck

Alanson Harris

William Peyton Hubbard

Hart Massey

Samuel McLaughlin

Des terres réservées pour qui ?

La plupart des groupes peuvent trouver des avantages au développement rapide du Canada. Il y a cependant des tensions chez les Premières nations. Les terres situées dans les réserves, qui sont censées être protégées, sont prises pour bâtir des usines, des routes et des lignes de chemin de fer. En 1906, la Loi sur les Indiens, qui sert à protéger les terres des réserves, est modifiée pour faciliter les conditions de vente. Pendant la Première Guerre mondiale, l'État retient l'argent jusqu'à ce que la Première Nation des Gens du Sang, dans le sud de l'Alberta, vende des portions importantes de ses terres. Cette situation se produit même si le nombre de soldats autochtones qui ont pris part à l'effort de guerre est beaucoup plus élevé que la proportion de la population qu'ils représentent.

Il devient de plus en plus acceptable pour les jeunes filles de faire du sport. Ici, l'équipe de hockey des jeunes filles de Rossland, en Colombie-Britannique, pose sur la patinoire locale.

Où en sommes-nous ?

1 Selon plusieurs historiens, le train a été le facteur de progrès le plus important au Canada pendant cette ère de changement. Explique pourquoi tu es d'accord ou tu n'es pas d'accord. Selon toi, quel a été le deuxième facteur de progrès ?

2 Imagine un monde sans cinéma. Décris la réaction de ton témoin oculaire au visionnement de son tout premier film.

3 Effectue des recherches sur l'histoire de Timothy Eaton et des magasins Eaton. Tu es journaliste et tu vis au XIXᵉ siècle. Écris un article sur Eaton et la nouvelle manière de vendre des marchandises.

CHAPITRE 9, PRISE 2!

Est-il vrai que le xxe siècle a été le siècle du Canada? Cela reste à voir. Cependant, on ne peut nier que le dernier demi-siècle a complètement transformé le Canada. Les Canadiens quittent les fermes à un rythme croissant pour s'installer dans les villes en plein essor. Les fermes grossissent même si un nombre moins grand de travailleurs effectuent une quantité de travail plus considérable en raison de la disponibilité des machines. Les agriculteurs dépendent, pour leur subsistance, des récoltes et des produits qu'ils cultivent et vendent.

Les Canadiens qui abandonnent la terre s'efforcent de trouver du travail dans les villes. La révolution industrielle est en train de transformer le milieu de travail au fur et à mesure que des usines remplacent les activités artisanales. Au début, les femmes et même les enfants travaillent dans les usines. Par la suite, des lois viennent restreindre le travail des enfants. Le Parti conservateur instaure la Politique nationale pour protéger les industries naissantes. À l'époque de la Première Guerre mondiale, les industries canadiennes deviennent assez importantes pour que notre pays joue un rôle significatif dans l'approvisionnement des soldats outre-mer en munitions et en d'autres matières. Il y a une énorme division dans la richesse entre les entrepreneurs qui réussissent et les ouvriers et les travailleurs que ces entrepreneurs emploient.

Le changement est également amené par l'invention et l'adoption de nouvelles technologies, en particulier dans le transport et les communications. Les voitures, les téléphones et la radio sont inconnus à l'époque de la Confédération. En 1920, ils se sont répandus. D'autres inventions comme l'électricité transforment les villes et les industries.

La croissance provoque des difficultés grandissantes. La nation n'est pas encore entièrement développée, mais les efforts du Canada et les résultats obtenus pendant la Première Guerre mondiale en particulier élèvent son statut à celui d'une nation.

Le chapitre suivant examine d'un peu plus près les travailleurs du Canada et le mouvement ouvrier. D'autres changements et des conflits s'annoncent.

Vérifie tes connaissances

1 a) Explique pourquoi les villes du Canada prennent de l'expansion entre 1867 et 1920.

b) Trace une ligne du temps représentant les changements survenus entre 1867 et 1920. Prends soin d'inclure des détails tels que les inventions.

2 Tu es journaliste pour le *Your City Examiner*. En 1889, on t'affecte à la couverture de la Commission royale sur les relations entre le travail et le capital au Canada. D'après les réactions du cordonnier, rédige une manchette. N'oublie pas de tenir compte des cinq interrogations : qui, quoi, quand, où et pourquoi.

3 Imagine qu'on t'a commandé la conception d'une couverture de livre pour un roman sur la vie en ville. Cela se passe en 1900. Crée un titre et conçois la couverture avant et la couverture arrière du livre. N'oublie pas que la couverture arrière d'un livre présente ordinairement un résumé de l'intrigue ou un extrait du roman.

4 Fais des recherches sur *une* invention ou une innovation technologique. Rédige un compte rendu sur sa mise au point et son incidence en cette ère de changement.

5 Crée un jeu de type Cent arpents de pièges, appelé *L'ère du changement*. Tu peux considérer les inventions, les inventeurs, les innovations, les difficultés grandissantes et les dates comme des catégories possibles.

6 Crée une publicité sur l'une des inventions ou des innovations mentionnées dans ce chapitre.

Applique tes connaissances

1 Même les mots que nous prononçons portent l'influence de la révolution industrielle. « Embouteillage » en est un exemple. En équipe, fais une liste de nombreux autres mots et expressions associés à l'automobile.

2 Parfois, le Canada rend hommage à des personnages ou à des événements marquants en émettant un timbre. Conçois un timbre en l'honneur d'une personne ou un symbole associé à cette période.

3 Nous continuons d'expérimenter le changement technologique et l'innovation. Choisis une percée technologique récente et rédige un court compte rendu sur cette percée et son effet sur la société.

4 Que faut-il inventer aujourd'hui ? Dessine ou construis un modèle d'une invention ou d'une innovation utile de nos jours.

5 Termine le compte rendu et le journal de ton témoin oculaire.

6 Choisis l'une des « premières » mentionnées dans ce chapitre et imagine que tu es là. Que penses-tu de ce que tu viens juste de voir ou d'entendre ? Quels effets cela a-t-il sur ta vie ? Prépare-toi à formuler tes observations et tes réactions oralement, comme à un groupe d'amis que tu viens de rencontrer au magasin général.

7 Quelle invention ou quel inventeur ton témoin oculaire déteste-t-il ? Rédige une notation dans son journal en te mettant à sa place.

Utilise les mots clés

Un pictogramme est une image d'un objet qui représente un mot ou une idée. Un écriteau représentant une zone scolaire en est un exemple. Dessine un pictogramme pour chacun des mots clés suivants :

- entrepreneur
- succursale
- industrialisation
- innovation
- mondialisation
- rural
- technologie
- urbain

CHAPITRE 10

La masse ouvrière,
entre 1867 et 1920

1872
- La Loi des unions ouvrières (maintenant la Loi sur les syndicats ouvriers) légalise les syndicats ouvriers.
- Le Regroupement pour la journée de neuf heures se forme.

1873
Création de l'Union ouvrière canadienne

Années 1880
Les Chevaliers du travail tentent d'organiser les travailleurs.

1884
Adoption de la Loi sur les manufactures en Ontario

1887
- Nomination de la Commission royale d'enquête sur les rapports qui existent entre le chef d'entreprise et le travailleur
- Création du Congrès des métiers et du travail (CMT)
- La Loi sur les manufactures met fin à l'emploi des garçons de moins de 12 ans et des filles de moins de 14 ans.

ZOOM SUR LE CHAPITRE

Ces hommes du nord de l'Ontario sont des mineurs de la région de Porcupine-Cobalt. Ils marchent pour montrer leur appui au mouvement syndical. Cette photographie a été prise vers 1910. Beaucoup d'hommes sont des immigrants de fraîche date, comme tu peux le voir sur une pancarte. Peu de travailleurs au Canada sont syndiqués, et la plupart des syndiqués sont perçus comme des fauteurs de troubles. As-tu le courage de marcher avec eux ?

À cette époque, un grand nombre d'emplois sont si mal payés que les travailleurs ne gagnent pas assez d'argent pour subvenir aux besoins de leur famille. Si la maladie les empêche de travailler, ils ne sont pas payés. Pendant la majeure partie de la période comprise entre 1867 et 1920, les personnes blessées au travail ne sont pas indemnisées. Quand les travailleurs deviennent vieux, ils ne touchent aucune pension. Dans ce chapitre, tu vas en apprendre davantage sur les conditions des salariés et les mesures prises pour les améliorer.

MOTS CLÉS

briseur de grève
camp
  de bûcherons
capitaliste
exploitation
  patronale
grève
  de solidarité
grève générale
industrie primaire
One Big Union
Regroupement
  pour la journée
  de neuf heures
syndicat
  de métier
syndicat ouvrier
ville fermée

SCÉNARIO DU CHAPITRE

Dans ce chapitre, tu étudieras les sujets suivants :
- les conditions des travailleurs ;
- les rôles des femmes et des enfants dans la main-d'œuvre ;
- la manière dont les travailleurs s'organisent et les mesures qu'ils prennent pour améliorer leurs conditions ;
- les événements de la grève générale de Winnipeg.

1894
La fête du Travail devient une fête nationale.

1900
Création du ministère fédéral du Travail

1914
Adoption de la Loi sur l'indemnisation des travailleurs (*Ontario Wokmen's Compensation Bill*) en Ontario

1919
- Création du One Big Union
- La grève générale de Winnipeg a lieu en mai et en juin.

LE LIEU DE TRAVAIL

La sécurité au travail

Entre 1867 et 1920, l'un des principaux problèmes de nombreux travailleurs est la sécurité au travail. Les dangers sont grands dans les **industries primaires** telles que l'agriculture, la pêche, l'exploitation forestière et les mines, ou dans les industries manufacturières en pleine croissance. Peu de règlements protègent les travailleurs, et peu d'inspecteurs sont présents pour les faire respecter. Les travailleurs du secteur forestier risquent constamment d'être blessés par les arbres abattus et les outils tranchants. En Colombie-Britannique, une machine servant à retirer les arbres des pentes des montagnes est surnommée la « faiseuse de veuves ». Dans la vallée de l'Outaouais et le long des cours d'eau des Maritimes, le danger le plus grand pour les travailleurs de l'industrie du bois de sciage est la formation d'embâcles causés par les billes de bois

Lien Internet

www.dlcmcgrawhill.ca

Consulte le site Web ci-dessus pour te documenter sur les gens, la vie et la coupe du bois dans le secteur forestier de la côte ouest et sur l'exploitation minière au Cap-Breton. Clique sur *Matériel complémentaire/Primaire et secondaire*, puis sur *Le Canada: L'édification d'une nation*, où l'on te donnera la suite des indications.

Souvent, il faut dégager une bille pour briser un embâcle. Cette estampe montre un travailleur en train de risquer sa vie pour disperser des billes.

acheminées aux scieries ou aux lieux de ramassage.

L'extraction du charbon est particulièrement dangereuse. Certains types de charbon dégagent des gaz qui s'enflamment facilement. En 1891, une explosion souterraine causée par des gaz de houille à Springhill, en Nouvelle-Écosse, tue 125 mineurs. Certains sont tués par la charge, d'autres sont empoisonnés par les gaz toxiques. Un puits d'aération relie deux gradins, ou niveaux de travail, et les gaz ont pénétré dans les deux gradins. Les tragédies de ce genre mènent à l'amélioration graduelle des mesures de sécurité.

Les usines ne sont pas sécuritaires. Les travailleurs ne se protègent ni la tête ni les yeux. Selon des modifications apportées à la Loi sur les manufactures en 1904, des dispositifs de sécurité doivent être ajoutés à tout équipement dangereux. Cependant, les sanctions sont trop faibles pour inciter les employeurs à agir. La plupart des usines ont une ventilation inadéquate et sont malpropres. Les travailleurs inhalent les substances chimiques toxiques présentes dans les émanations et la poussière. Des maladies très contagieuses telles que la variole et le choléra se répandent rapidement dans ces milieux.

Des chevaux et des chiens sont utilisés dans quelques mines de la Nouvelle-Écosse. Les animaux tirent des wagons chargés de charbon sur des rails jusqu'aux gradins. De là, les chargements sont transportés jusqu'à la surface. Ces animaux vivent dans les mines.

MP-0000.2082.2 Atelier, International Manufacturing Company, Montréal (Québec), 1914-1918. Musée McCord d'histoire canadienne, Montréal.

Les travailleurs peuvent facilement s'emmêler dans la masse de câbles, de poulies et de courroies qui servent à actionner les machines dans les usines. Des accidents surviennent quand les travailleurs tombent sur les machines.

Les faits derrière l'histoire

Voici le témoignage de John Gale, qui a travaillé dans une scierie, aux membres de la Commission royale d'enquête sur les rapports qui existent entre le chef d'entreprise et le travailleur en 1887.

Q. *Je vois que vous avez perdu un bras.*
R. *Oui, le droit.*

Q. *Comment cela est-il arrivé ?*
R. *J'ai eu un accident dans une scierie.*

Q. *À quel âge ?*
R. *Entre 11 et 12 ans.*

Q. *Au moment de votre accident, y avait-il d'autres garçons d'à peu près votre âge qui travaillaient à cet endroit ?*
R. *Oui.*

Q. *Quel était votre salaire ?*
R. *Seulement 25 cents par jour.*

Q. *Quel travail faisiez-vous quand vous avez perdu votre bras ?*
R. *J'étais en train d'enlever des blocs de la scie circulaire.*

Q. *Les scies étaient-elles grosses ?*
R. *Oui.*

Q. *De quelle dimension ?*
R. *Environ 2 pi [60 cm] de diamètre.*

Q. *Vous avez bien dit deux pieds ?*
R. *Oui.*

Q. *Les autres garçons faisaient-ils le même travail que vous au moment où vous avez perdu votre bras ?*
R. *Oui.*

Q. *Votre employeur n'a rien fait pour vous ?*
R. *Non.*

Q. *Dans votre état actuel, pouvez-vous gagner votre vie ?*
R. *Non. Pas à moins que je n'apprenne un métier, que je ne m'instruise.*

Q. *Connaissez-vous d'autres garçons victimes d'accident ?*
R. *Oui. Environ deux mois après mon accident, un garçon qui travaillait à la scierie s'est fait couper les deux jambes et les deux bras.*

En 1884, le gouvernement de l'Ontario adopte la Loi sur les manufactures qui rend illégal le travail en usine des garçons de moins de 12 ans et des filles de moins de 14 ans. On entend par « usine » un établissement occupant plus de cinq employés. La plupart des scieries n'ont pas assez de travailleurs pour répondre à cette définition.

1-78999, Scies circulaires, Wright, Bason & Currier Mills, rivière des Outaouais, Ont.-Qué., 1872. Musée McCord d'histoire canadienne, Montréal.

▌ **La scie circulaire se trouve au centre de la photo.**

INTERROGE LES FAITS

1. **Nomme trois impressions que tu as ressenties en prenant connaissance des preuves que John Gale a fournies à propos des conditions de travail à la scierie où il a travaillé pendant son enfance.**

2. **Imagine que tu es membre du comité. Quelles sont tes recommandations pour améliorer les conditions de travail ?**

3. **Imagine que tu es propriétaire d'une scierie qui accorde beaucoup d'importance à la sécurité. Aucun accident ne s'y est produit.**
   a) **Quelle est ta réaction à ce témoignage ?**
   b) **Souhaites-tu reformuler des questions ? Si oui, lesquelles ?**
   c) **Formule trois autres questions que tu voudrais poser.**

4. **Sachant que la plupart des scieries n'ont pas plus de cinq employés, tes réactions aux mesures prises par l'employeur de John Gale sont-elles différentes ? Explique ta réponse.**

Les conditions de vie au loin

Les travailleurs des industries primaires doivent souvent vivre dans des régions isolées pendant de longues périodes. Ils habitent dans des habitations fournies par leur employeur ; ces maisons sont habituellement crasseuses et de dimension réduite. En hiver, les travailleurs des forêts vivent dans des cabanes en bois rudimentaires, les **camps de bûcherons**, pendant la saison de la coupe du bois. Le camp loge entre 30 et 135 travailleurs. Ses dimensions sont d'environ 11 m sur 12 m.

Le cuisinier est responsable du camp. Il alimente le feu et fait la cuisine dans une grande cheminée. Le feu ne doit jamais s'éteindre, car il procure de la chaleur, de la lumière et permet de sécher les vêtements. Les repas composés de porc salé, de thé, de haricots secs, de mélasse et de pain sont servis à 5 heures, à midi (il s'agit souvent d'un repas froid pris sur le lieu de travail) et à 18 heures.

À la fin de mars, quelques travailleurs quittent les camps de bûcherons pour retourner dans leur ferme. Ils utilisent leur paie, pouvant atteindre un dollar par jour, pour acheter des provisions. Les autres travailleurs restent au camp jusqu'au flottage des billes en aval des cours d'eau.

Peinture représentant un camp de bûcherons en 1879. Les camps de ce genre logent plus de 40 hommes.

Passe à l'histoire

Imagine que tu vis et travailles dans un camp de bûcherons dans la forêt. Écris une lettre à ta famille pour lui raconter ta vie.

Ces hommes sont des travailleurs de la construction des chemins de fer rassemblés dans le baraquement où ils dorment. La plupart sont des immigrants de fraîche date. Ils viennent de travailler au moins 10 heures.

Le baraquement loge jusqu'à 60 hommes. C'est une cabane en rondins exposée aux courants d'air. Les poteaux du toit sont couverts d'une toile goudronnée et il y a souvent des infiltrations d'eau. Personne ne marche pieds nus sur le plancher non fini. Un poêle à bois procure de la chaleur.

Imagine-toi parmi ces travailleurs. Ce soir, tu vas dormir sur un matelas rempli de foin en espérant qu'il ne loge pas de poux ni de puces. Les vêtements sales de tes compagnons dégagent une odeur forte. Parle avec tes compagnons des raisons de ta présence ici et des avantages que tu espères obtenir en vivant et en travaillant dans ces conditions.

Dans le feu de l'action

Toujours endetté

En 1887, Alexander McGillvray, de Glace Bay, en Nouvelle-Écosse, décrit la vie dans une ville fermée à la Commission royale d'enquête sur les rapports qui existent entre le chef d'entreprise et le travailleur.

Q. Regardez ce document. C'est le relevé de vos gains de juillet 1887, n'est-ce pas?
R. Oui.

Q. Le total est de 35,13 $, n'est-ce pas?
R. Oui.

Q. Un loyer de 1,50 $ et 25 cents pour du charbon ont été retranchés de cette somme?
R. Oui.

Q. On vous a facturé 80 cents pour le combustible?
R. Oui.

Q. Et 3,24 $ pour de la poudre?
R. Oui.

Q. On vous a facturé 15 cents pour l'école?
R. Oui.

Q. Et 40 cents pour le médecin?
R. Oui.

Q. Et 30 cents pour vos achats à tempérament?
R. Oui.

Q. Votre compte au magasin s'est élevé à 28,49 $?
R. Oui.

Q. Donc, les crédits et les débits du mois s'équilibrent parfaitement, ce qui fait 35,13 $ dans les deux cas, n'est-ce pas?
R. Oui.

Q. Vous n'avez reçu aucun argent ce mois-là?
R. C'est exact.

Q. À la fin du mois, vous arrive-t-il souvent de ne rien recevoir?
R. Oui, c'est fréquent.

Les **villes fermées** sont souvent construites par les exploitants miniers, car les mines sont habituellement situées à une certaine distance des villes existantes. Ces villes comptent des maisons, des écoles, des magasins et des services pour les travailleurs et leur famille. Les propriétaires louent des maisons aux travailleurs. De plus, les propriétaires possèdent les magasins et peuvent fixer les prix de toutes les marchandises. Souvent, les mineurs et leur famille sont lourdement endettés envers les propriétaires.

Où en sommes-nous?

1 a) Suggère une explication de la pauvreté des camps de bûcherons et des baraquements.

b) Fais une liste de règlements pour améliorer ces conditions de vie.

2 Avec une ou un camarade, simule une rencontre entre un employeur et un travailleur vivant au loin. L'employeur explique pourquoi il ne peut offrir de meilleures conditions d'héberge-ment, et le travailleur explique pourquoi il faudrait qu'il le fasse.

3 a) Quelle preuve laisse entendre que les propriétaires des villes fermées essaient délibérément de maintenir leurs travailleurs dans l'endettement?

b) Pourquoi est-il avantageux pour les propriétaires de maintenir les mineurs dans l'endettement?

Assurer sa subsistance

En 1914, le ministère fédéral du Travail décide qu'une famille de cinq personnes dépense au moins 14,59 $ par semaine pour la nourriture, le combustible, l'éclairage et le logement. Il est difficile, même pour des travailleurs qualifiés, de gagner cette somme. Des mouleurs très qualifiés de Hamilton, par exemple, gagnent 19,25 $ pour une semaine de 55 heures. Un grand nombre de travailleurs non qualifiés ne gagnent pas assez d'argent pour subvenir aux besoins d'une famille ayant un niveau de vie standard. Les ouvriers des industries manufacturières de l'Ontario gagnent en moyenne 12,21 $ par semaine. Les fileuses de coton gagnent en moyenne 7,40 $ par semaine. Même les travailleurs qualifiés n'épargnent pas assez d'argent pour se mettre à l'abri du besoin en cas de maladie ou de chômage. Il n'y a pas de régime gouvernemental d'assurance-maladie. L'assurance-chômage n'est créée qu'en 1942.

Les salaires dans certains secteurs d'activité, en 1914

Profession	Salaire horaire
Mouleur (Hamilton)	35 cents
Mouleur (Toronto)	29 cents
Machiniste (Hamilton)	32 cents
Ouvrier (moyenne pour l'Ontario)	21 cents
Fileuse	13 cents

La maladie du soutien de famille peut être désastreuse.

Le gouvernement fédéral commence à se préoccuper du nombre d'enfants qui travaillent pour toucher un salaire dans les années 1880. En 1886, les 43 511 travailleurs des usines du Canada comptent 104 garçons et 69 filles de moins de 10 ans, et 1263 garçons et 823 filles de 10 à 14 ans. Beaucoup de ces enfants n'ont d'autre choix que de travailler de longues heures dans des conditions non sécuritaires. Leur famille a tellement besoin d'argent que les enfants utilisent souvent de faux documents indiquant un âge supérieur à leur âge réel. Les enfants peuvent être punis au travail parce qu'ils ont crié, ri ou couru. Un retard ou une absence est un délit encore plus grave. On leur administre la fessée, on les enferme dans des caves obscures et on leur fait payer une amende s'ils ont une conduite qui, selon les dirigeants, nuit à la production. En 1892, l'Ontario adopte la Loi sur la fréquentation scolaire obligatoire qui oblige tous les enfants âgés de 14 ans et moins à aller à l'école.

Cogwagee
LE CYCLONE DE CALEDONIA

Pour Cogwagee, 12 ans, les quelques kilomètres qui séparent sa maison située dans la Réserve des Six-Nations de son école à Brantford, en Ontario, paraissent très longs. Le jeune Onandaga subit comme une épreuve sa vie de pensionnaire à l'Institut mohawk, l'école de la mission anglicane des Premières nations.

À la maison et à l'école de la bande qu'il a fréquentée dans son enfance, Cogwagee a parlé sa langue. Les enseignants l'obligent maintenant à utiliser l'anglais. Ils veulent aussi l'obliger à abandonner la religion de la longue maison.

Les élèves sont censés travailler dans les champs de la mission après l'école. Cogwagee estime de son devoir d'aider sa mère plutôt que les missionnaires. Depuis la mort de son père il y a sept ans, sa mère lutte sans cesse pour subvenir aux besoins de sa famille sur sa petite ferme. Un jour, Cogwagee en a assez : il s'enfuit. Les enseignants le rattrapent et le punissent. Il fait une autre fugue. Cette fois, il réussit à se rendre à la ferme d'un oncle qui accepte de le cacher. Il ne retourne plus jamais à l'école.

Été de 1899. Cogwagee vient d'avoir 13 ans. Comme un grand nombre de jeunes de famille pauvre, Cogwagee occupe les emplois mal payés qu'il réussit à trouver et il travaille de longues heures. Ses gains l'aident à subvenir aux besoins de sa famille. Cogwagee travaille tantôt dans des fermes, tantôt dans des conserveries des villes voisines. D'un emploi à l'autre, il se rend compte que plusieurs villes organisent des fêtes sportives annuelles. Une course de longue distance est souvent un événement qui attire l'attention, et

Cogwagee est rapide comme l'éclair. En voyant les autres coureurs collectionner les médailles et les prix, il lui vient une idée. Pourquoi pas lui ? Les prix peuvent être un autre moyen d'aider sa famille.

Cogwagee décide de tenter sa chance. Il s'inscrit à la course annuelle de la fête de la Reine dans la ville voisine de Caledonia. À mi-chemin de la course de 8 km, il a une bonne longueur d'avance. Puis il commence à se sentir fatigué. Un autre coureur le dépasse et gagne la course. Cogwagee finit deuxième et remporte un prix modeste. Cette expérience est l'étincelle dont il a besoin. Cogwagee commence à s'entraîner. Il court chaque jour, s'efforçant toujours d'augmenter sa distance et sa vitesse. L'année suivante, il s'inscrit à nouveau à la course de Caledonia. Dès le départ, il a une longueur d'avance imposante. Cette fois, personne ne le rattrape. On le surnomme le « Cyclone de Caledonia ».

C'est la première d'une série de victoires qui fait de Cogwagee, que l'on appelle également Tom Longboat, le coureur le plus célèbre du Canada. Le Cyclone de Caledonia n'est que l'un des surnoms admiratifs que les journalistes donnent au coureur qui s'est illustré, entre autres, au marathon de Boston de 1907 et au championnat mondial des marathoniens professionnels de 1909.

Autres personnages à découvrir

George Beers

Cogwagee

Louis Cyr

Edward (Ned) Hanlan

George Orton

Des jeunes travaillent comme camelots, cireurs de chaussures ou coursiers chargés de livrer des télégrammes. Ces tâches peuvent être effectuées avant ou après l'école.

Journée de travail type d'un adolescent de 14 ans dans une usine de textile du Québec en 1905	
5 h	Lever, déjeuner, départ pour le travail
6 h 15	Début de la journée de travail à l'usine
12 h 15 – 12 h 30	Lunch
12 h 45 – 17 h 30	Travail
18 h 30	Souper
18 h 30 – 21 h	Corvées domestiques
21 h	Coucher

Où en sommes-nous ?

1 Pourquoi les employeurs embauchent-ils des enfants pour travailler dans les usines à la fin du XIXᵉ siècle ?

2 Explique pourquoi les pouvoirs publics rendent l'école obligatoire pour les enfants.

3 Décris une journée type de ta vie actuelle. Compare tes notes à la journée type d'un ouvrier du textile de 14 ans. Qu'est-ce qui a changé pour les jeunes de 14 ans entre 1905 et aujourd'hui ?

Les travailleuses

Les femmes issues de familles à faible revenu ont peu de possibilités d'emplois. Elles occupent les emplois dédaignés par les hommes ou des emplois que les patrons réservent à la main-d'œuvre à bon marché. Les salaires des femmes sont souvent inférieurs de 40 % à ceux des hommes. Au XIXe siècle, la plupart des femmes travaillent comme servantes dans les maisons et les usines de vêtements. L'industrie de l'habillement au Québec emploie des milliers de femmes qui travaillent à la maison ou dans de petits ateliers. Elles sont payées à la pièce, c'est-à-dire pour chaque vêtement cousu. Beaucoup d'ouvrières ont une machine à coudre et les autres en louent. Il n'est pas rare de travailler 60 heures par semaine pour quelques dollars seulement. C'est pourquoi le travail à la pièce est appelé de l'**exploitation patronale**. L'exploitation patronale permet aux femmes ayant de jeunes enfants de combiner un emploi payé avec les tâches ménagères et les soins prodigués aux enfants.

Pour les jeunes femmes, le travail domestique, c'est-à-dire le travail dans des maisons privées, est moins attrayant que les emplois dans les ateliers ou les usines. Les servantes ont de longues heures de travail et sont mal payées. Dans les années 1880, c'est souvent le seul type d'emploi que les jeunes femmes réussissent à obtenir quand elles quittent leur ferme pour la ville. Peu à peu, les possibilités d'emploi changent. Au début du XXe siècle, la demande d'employés de bureau augmente rapidement. En 1920, les employés de bureau représentent presque 7 % de la population active. Les femmes occupent jusqu'à 41 % de tous les emplois de bureau en 1920, comparativement à 14 % seulement en 1891. Leur salaire demeure cependant nettement inférieur à celui des hommes occupant des postes semblables.

Des trempeuses de chocolat à l'œuvre dans une usine d'Edmonton

LES RÈGLEMENTS EN MILIEU DE TRAVAIL

- La durée d'une journée de travail est de 10 heures.
- Du 1er avril au 30 septembre, tous les employés qui travaillent à la semaine doivent se présenter à 7 heures et 13 heures. Les portes demeurent ouvertes pendant 15 minutes pour les travailleurs à la pièce.
- Il est interdit d'arrêter de travailler pendant les heures de travail.
- Tous les employés doivent être fouillés avant de quitter l'usine.
- Il est strictement interdit de parler à haute voix ou de jurer.
- Tous les employés qui gaspillent du tabac ou en échappent par terre paient une amende pour chaque délit.
- Il est interdit de laisser du tabac sur les tables après le travail.
- Le non-respect de ces règlements entraîne une amende.
- Il est interdit de se coiffer dans l'usine.
- Personne n'est autorisé à quitter le service.

Avec quelques camarades, réponds aux questions suivantes :

 Pourquoi le propriétaire de la fabrique de cigares impose-t-il chacun de ces règlements ?

 Suppose que tes camarades et toi travaillez dans cette usine. Classe les règlements par ordre décroissant de gravité. Prépare-toi à justifier ce classement. Ces règlements s'appliquent à une fabrique de cigares qui emploie surtout des femmes.

Le travail de standardiste
dans un environnement
propre est considéré comme
une amélioration par rapport
au travail en usine.

Comme beaucoup de travailleuses qui témoignent devant la Commission royale d'enquête sur les rapports qui existent entre le chef d'entreprise et le travailleur, Elizabeth M choisit de dissimuler son identité. Sa décision n'est pas surprenante. Les travailleurs qui prennent la parole risquent d'être étiquetés de fauteurs de troubles ou d'être congédiés. Les travailleurs congédiés sont souvent sur la liste noire des autres propriétaires d'usine. Cela peut signifier la disette pour les familles qui dépendent de leur salaire.

À l'adolescence, dit M aux commissaires, elle n'a pas voulu interrompre ses études pour travailler à l'usine de chocolat Moir's de Halifax, en Nouvelle-Écosse. M n'a cependant pas eu le choix. Son père, un policier, a été tué en essayant de sauver une famille dans l'incendie d'une maison. Même s'il est mort en héros, son décès a signifié l'interruption de sa paie ; sa famille s'est retrouvée sans revenu. Pour subvenir à ses besoins, les trois sœurs aînées de M sont allées travailler à l'usine de chocolat. Quand M a été assez grande, on lui a trouvé du travail à l'usine.

M a passé les deux premières années en formation comme trempeuse de chocolat. Les trempeuses sont assises à de longues tables. Leur travail consiste à tremper la crème, le fudge et les centres de noix dans l'enrobage de chocolat. Le travail consistant à apporter les centres aux femmes et à rapporter les chocolats enrobés est réservé aux hommes, et il est mieux payé. Ce type de division du travail n'est pas inhabituel à la fin des années 1800 et au début des années 1900. Les emplois qualifiés, mieux payés, sont souvent interdits aux femmes. Pour beaucoup d'entre elles, le moyen le plus sûr d'obtenir une augmentation de salaire est de faire du travail à la pièce. Plus elles produisent de pièces, plus leur paie hebdomadaire est élevée. C'est le plan de M. À la fin de son apprentissage, elle est certaine d'être assez rapide pour gagner plus d'argent comme travailleuse à la pièce. Cependant, les dirigeants de l'entreprise exercent un contrôle rigoureux sur le nombre de travailleurs à la pièce. Ils lui attribuent le travail mal payé. Déçue, M leur écrit une lettre leur demandant de reconsidérer cette décision. Devant le refus des dirigeants, M donne sa démission.

Pendant huit ans, M travaille comme commis dans des magasins de Halifax. Elle finit par retourner chez Moir's. Pourquoi ? À l'usine, la semaine de travail compte cinq jours. Dans les magasins, elle était obligée de travailler six jours par semaine.

Elizabeth M est l'une des quelque 1800 personnes, dont seulement 102 femmes, qui témoignent devant les commissaires. Comme elle a opté pour l'anonymat, nous ne pouvons pas connaître son identité. En fin de compte, le rapport de la Commission n'est pas pris en considération. Pourtant, le témoignage de M et des autres qui ont eu le courage de parler de leurs conditions de travail fournit aux historiens une mine de renseignements sur le travail en usine à la fin des années 1800.

Autres personnages à découvrir

Helen Armstrong

John Flett

John Hewitt

William Lyon Mackenzie King

Elizabeth M

Alexander Whyte Wright

Un petit nombre de gens ont tout ce dont les travailleurs rêvent : ce sont les **capitalistes**, les propriétaires d'usine, de banque, de commerce, de mine et d'autres lieux de travail. Ils ont de la nourriture en abondance, des maisons de luxe et des domestiques pour agrémenter leur vie. Leurs enfants fréquentent les meilleures écoles, ont beaucoup de loisirs et de l'argent de poche. Les travailleurs sont conscients de ces différences. Ils commencent à chercher des moyens d'améliorer leurs salaires et leurs conditions de travail.

1 Nomme les deux groupes illustrés dans la bande dessinée.

2 Comment le bédéiste montre-t-il les différences de niveau de vie entre les deux groupes ?

Cette bande dessinée porte sur les emplettes préparatoires à l'Action de grâces.

Où en sommes-nous ?

1 a) Suggère des raisons pour lesquelles les employeurs préfèrent embaucher des femmes dans les usines quand cela est possible.

b) Détermine la différence entre le salaire moyen des hommes et celui des femmes aujourd'hui. Comment expliques-tu cette différence ?

2 a) Fais la liste de toutes les raisons pour lesquelles les travailleurs sont mécontents de leur situation. Classe ces raisons par ordre décroissant de gravité. Explique tes choix.

b) Qu'est-ce que ces travailleurs auraient pu faire pour tenter d'améliorer leur situation ?

LES TRAVAILLEURS S'ORGANISENT

Les débuts des syndicats ouvriers

Les **syndicats ouvriers** sont des organisations formées par des travailleurs qui s'unissent pour améliorer leurs conditions de travail. Les premiers syndicats sont nés en Grande-Bretagne et en Europe, et plusieurs organisateurs des premiers syndicats au Canada sont des immigrants britanniques et européens. Ces premiers syndicats du Canada sont de petites organisations locales qui ne durent pas longtemps. Souvent, les syndicats sont opposés à la loi. En 1816, en Nouvelle-Écosse, la loi interdit aux travailleurs de se syndiquer sous peine d'emprisonnement.

Dès le début, les employeurs font tout pour saboter les syndicats. Quand les travailleurs demandent de négocier des augmentations de salaire ou des changements à leurs conditions de travail, l'employeur refuse souvent, ferme l'usine ou le lieu de travail, et les met à pied. Les patrons peuvent congédier les travailleurs syndiqués, car beaucoup de chômeurs peuvent les remplacer.

Il n'est pas surprenant que la croissance des syndicats soit lente. Ceux qui réussissent à prendre de l'expansion ont conclu des alliances avec d'autres syndicats. L'un des premiers exemples est l'Union nationale de typographes, créée en 1852 par des imprimeurs de l'ensemble du Canada. En 1863, des syndicats ouvriers de Hamilton forment une assemblée de métiers pour traiter les enjeux communs. Les **syndicats de métier** de Toronto, composés de travailleurs qualifiés, en font autant en 1871.

L'enjeu des neuf heures

En 1871, les travailleurs de Grande-Bretagne réussissent à obtenir une journée de travail de neuf heures dans la plupart des secteurs d'activité. Il est prouvé qu'un grand nombre d'accidents du travail se produisent pendant la dernière heure de la journée parce que les travailleurs fatigués sont moins prudents. Les syndicats et les travailleurs canadiens visent une journée de travail de neuf heures. Les imprimeurs du *Globe* en font un motif de grève. Tous les imprimeurs des autres quotidiens torontois se joignent à eux.

George Brown, éditeur du *Globe*, incite les autres éditeurs de journaux à s'unir contre les grévistes et le **Regroupement pour la journée de neuf heures**. Dix-sept éditeurs se joignent à sa lutte. Les chefs de la grève sont arrêtés et inculpés en vertu d'une loi rarement invoquée qui rend illégale la formation de syndicats. Brown invite les **briseurs de grève** à prendre les emplois des grévistes. En réaction, 10 000 sympathisants marchent pour appuyer les grévistes. La grève prend fin sans que les travailleurs obtiennent la journée de neuf heures. Les chefs subissent un procès et sont condamnés pour conspiration.

Court métrage

Un changement politique

Le premier ministre John A. Macdonald et les conservateurs doivent se battre énergiquement à l'élection de 1887. Le pays est en période de récession et beaucoup de Canadiens français sont encore en colère contre l'exécution de Louis Riel. Une stratégie consiste à promettre une commission royale pour étudier les conditions de travail. Les conservateurs remportent l'élection, mais ne tiennent pas compte des observations de la Commission royale d'enquête sur les rapports qui existent entre le chef d'entreprise et le travailleur. Une seule recommandation, la proclamation de la fête du Travail congé national pour les travailleurs, est finalement exécutée en 1894.

Le 15 mai 1872, 1500 travailleurs défilent dans les rues de Hamilton, en Ontario. Ils font la grève pour obtenir une semaine de travail de 54 heures et de meilleurs salaires. Selon toi, les personnes qui regardent le défilé appuient-elles les grévistes ?

L'intervention de Brown rappelle au public que les syndicats sont encore illégaux et que les pouvoirs publics appuient les employeurs. Plus tard, cette année-là, le Parlement adopte la Loi sur les syndicats ouvriers, qui légalise les syndicats et élimine la menace de futures arrestations de grévistes pacifiques. Les syndicats doivent s'enregistrer à l'État et acceptent d'assumer la responsabilité des dommages matériels occasionnés pendant une grève. Peu de syndicats choisissent de s'enregistrer.

Les dirigeants syndicaux envisagent alors la création d'un syndicat ouvrier pour représenter les travailleurs à l'échelle du Canada. L'Union ouvrière canadienne, créée en 1873, représente 31 syndicats. Malgré son nom, seuls les syndicats de métier ontariens sont représentés. D'autres groupes tels que les Chevaliers du travail, un syndicat américain, commencent à créer des filiales au Canada. Les Chevaliers du travail veulent que tous les travailleurs de chaque secteur d'activité, indépendamment de leurs qualifications, adhèrent à un seul syndicat. Les syndicats de métier s'opposent à cette idée et, en 1886, forment le Congrès des métiers et du travail du Canada (CMT). Cette scission affaiblit les syndicats au cours des années ultérieures. Entre 1880 et 1910, les syndicats représentent au plus 10 % des travailleurs rémunérés des secteurs d'activité.

Où en sommes-nous ?

1 Pourquoi les employeurs veulent-ils empêcher la formation de syndicats ?

2 Des briseurs de grève sont souvent utilisés pour mettre fin aux grèves pendant cette période. D'après ce que tu as appris jusqu'à maintenant, pourquoi certains travailleurs sont-ils préparés à remplir des postes de briseurs de grève ?

3 À qui la grève des imprimeurs de 1871 profite-t-elle : aux éditeurs ou aux grévistes ? Justifie ton opinion.

Les conditions se détériorent

Au début du XX\ :superscript:`e` siècle, l'augmentation du nombre de grèves incite le gouvernement fédéral à intervenir pour empêcher une rupture des relations entre les travailleurs et les employeurs. En 1900, le gouvernement crée le ministère du Travail pour résoudre quelques-uns des problèmes. De plus, il adopte l'Acte de conciliation qui lui accorde le pouvoir de régler les différends si les travailleurs et les employeurs demandent son aide. Une longue grève des travailleurs des chemins de fer à l'échelle du pays aboutit à la *Railway Dispute Act*. Cette loi interdit les grèves des chemins de fer, car le train est considéré comme un service essentiel. En 1907, le gouvernement obtient des pouvoirs similaires pour intervenir dans les conflits qui touchent les mines, le téléphone, le télégraphe et le transport. William Lyon Mackenzie King, ministre du Travail et futur premier ministre, remet un rapport qui expose les conditions de travail misérables dans les usines de fabrication d'uniformes militaires pour l'État. Une loi est adoptée pour garantir des salaires équitables pour les contrats du gouvernement fédéral. En 1914, le projet de loi sur l'indemnisation des accidents du travail *(l'Ontario Workmen's Compensation Bill)* est adopté. Les travailleurs accidentés reçoivent une pension du gouvernement et une assurance financée par leur employeur.

En 1919, les relations entre les employeurs et les travailleurs se sont détériorées. Les prix montent, mais les salaires restent inchangés. Les hommes qui ont fait la guerre sont de retour et ne trouvent pas d'emploi. Le gouvernement ne fait rien pour aider les nombreux chômeurs.

En 1906, les travailleurs des tramways de Winnipeg tentent de former un syndicat. Quand des bâtiments sont détruits par des citoyens favorables aux grévistes, le maire de Winnipeg demande une intervention militaire. Aux yeux des travailleurs, le gouvernement prend le parti des employeurs.

Exemples de mesures de grève

1909-1910	Grève dans les mines du Cap-Breton. Les membres de l'Union des mineurs sont chassés des maisons appartenant aux entreprises, et les magasins des entreprises leur sont interdits. Le clergé qui les abrite reçoit l'ordre de cesser de le faire.
1912-1913	Grève dans les mines d'or de Timmins. Des hommes de main, armés de fusils par l'entreprise, patrouillent les rues. Le gouvernement de l'Ontario leur ordonne de cesser leurs agissements lorsqu'une personne est blessée.
1912-1913	Grèves dans les mines de charbon à Extension, en Colombie-Britannique. Les grévistes mettent le feu à une concession minière et aux maisons des briseurs de grève. Des miliciens armés interviennent. Deux cents grévistes sont arrêtés, et l'un meurt en prison faute d'avoir reçu les soins requis.
Juillet 1918	Grève des travailleurs des postes à l'échelle du pays. Des soldats sont envoyés pour protéger les gens d'affaires qui ont pris en charge le tri du courrier.

1 Choisis une de ces grèves et documente-toi sur les raisons pour lesquelles les travailleurs sont en grève et ce qu'ils retirent de leurs mesures.

Dans le feu de l'action

La prospection de l'or noir

À la fin des années 1800, le charbon est de l'or noir pour Robert Dunsmuir. Le propriétaire et dirigeant de Dunsmuir, Diggle and Company s'est enrichi grâce aux profits tirés de ses mines de charbon. Connu comme le roi du charbon en Colombie-Britannique, il dirige Wellington, ville fermée de l'île de Vancouver, avec une poigne de fer.

La stratégie d'enrichissement de Dunsmuir est simple : elle consiste à embaucher la main-d'œuvre la moins chère possible, à facturer des prix élevés aux magasins de l'entreprise où les employés sont obligés d'aller s'approvisionner, à ne pas tenir compte de la sécurité et à faire obstacle aux tentatives de formation des syndicats ouvriers. Dunsmuir réduit les salaires et hausse le prix de la poudre qu'utilisent les mineurs comme explosif souterrain. Les travailleurs sont payés en fonction du poids du charbon extrait. Les directeurs de la mine faussent le poids du charbon en réglant les balances de manière à leur faire indiquer un poids moins élevé. Les travailleurs protestent. Ce stratagème n'est qu'un autre moyen de réduire les salaires.

En 1877, les travailleurs créent la Miner's Mutual Protective Association et ferment la mine en faisant la grève. Dunsmuir embauche des briseurs de grève et essaie d'évincer les travailleurs des maisons appartenant à l'entreprise. Lorsque les travailleurs refusent de partir, Dunsmuir utilise son influence auprès des hommes politiques de Victoria pour persuader le gouvernement de faire appel à la milice. Les mineurs sont forcés de reprendre le travail. En 1883, les travailleurs ferment à nouveau la mine. Dunsmuir écrase une autre fois la grève. Les grévistes ne réussissent pas à changer les conditions de travail dans les mines de Dunsmuir. Cependant, les grèves marquent bel et bien le début de la longue histoire de l'organisation des mineurs en Colombie-Britannique.

En 1913, le gouvernement de la Colombie-Britannique ordonne à la milice de réprimer une grève des mineurs à Extension après que la mine a été endommagée. Sur cette photo, des soldats sont en route vers Extension avec une mitrailleuse.

Où en sommes-nous ?

1 Explique pourquoi le gouvernement canadien crée le ministère du Travail en 1900.

2 Explique pourquoi le gouvernement fédéral permet aux troupes d'intervenir dans les situations de grève.

3 Imagine que tu prends part à une grève au début du XXᵉ siècle et que des troupes interviennent pour mettre fin à la grève. Écris une lettre à un rédacteur en chef de journal pour exprimer ton opinion sur cette intervention.

Un seul gros syndicat

En mars 1919, les dirigeants syndicaux de l'Ouest se rassemblent à Calgary. Ils ne sont pas d'accord avec le Congrès des métiers qui préconise l'organisation des syndicats par métier. Leur but est de créer le **One Big Union** (OBU). Ce syndicat représentera tous les travailleurs, même les travailleurs non qualifiés qui n'ont jamais été syndiqués.

Certains travailleurs d'usine et propriétaires d'entreprise, en particulier, n'aiment pas l'OBU, qui représente, selon eux, une menace pour la société. En 1917, pendant la Première Guerre mondiale, le gouvernement corrompu de Russie est renversé par une révolution menée par les bolcheviks. Les nouveaux dirigeants sont communistes et promettent que les travailleurs vont bientôt gouverner la Russie. Les délégués au congrès de la OBU transmettent leurs vœux au nouveau gouvernement russe. Certains en concluent que le gros syndicat est dirigé par des communistes. Ils annoncent que l'adhésion au syndicat entraînera une révolution semblable à celle qui s'est déroulée en Russie. La plupart des Canadiens ont peur du communisme.

La One Big Union est résolue à dire son mot au sujet des conditions de travail des Canadiens. Les **grèves générales** constituent un moyen de montrer aux patrons que les travailleurs sont puissants et que l'on doit les écouter. Une grève générale a lieu quand la totalité ou la plupart des travailleurs se mettent en grève en même temps. La grève générale la plus importante de l'histoire du Canada est organisée à Winnipeg en 1919.

La ONE BIG UNION est tout simplement du bolchevisme.

Voici une reproduction du titre d'une affiche posée par les adversaires de la One Big Union. Qu'est-ce que le bolchevisme ?

LA GRÈVE GÉNÉRALE DE WINNIPEG

En 1919, Winnipeg est la ville la plus grande et la plus active de l'ouest du Canada. Le 1er mai 1919, 2000 travailleurs du bâtiment et de la métallurgie, membres du Metals Trades Council, font la grève. Les travailleurs veulent des salaires plus élevés (85 cents l'heure), des heures moindres (44 heures par semaine au lieu de 60) et la reconnaissance en tant que syndicat. Les employeurs refusent de négocier avec les grévistes.

Les travailleurs interjettent appel devant le Winnipeg Trades and Labour Council, qui représente les syndicats de la ville. Cet organisme demande à tous les travailleurs syndiqués de Winnipeg de déclencher une grève de solidarité envers les travailleurs de la métallurgie le 15 mai. Un vote a lieu : 11 000 se prononcent en faveur de la grève, et 600 contre.

Les travailleurs créent un comité central composé de leurs chefs pour coordonner les mesures d'action. À 11 heures, le 15 mai, les tramways retournent dans leur garage et les travailleurs des chemins de fer quittent leur emploi. En l'espace d'une heure, les télégraphistes, les téléphonistes et les travailleurs des postes s'en vont. Les trains continuent de circuler, mais il n'y a pas d'express, de service de transport des marchandises ni de service de manutention des bagages. Les journaux ne sont pas publiés et il n'y a pas de livraison de lait ni de pain. Les 12 000 grévistes sont rejoints par 23 000 autres travailleurs. Les services essentiels tels que l'éclairage et l'eau ne sont pas touchés par l'arrêt de travail. La police municipale répond à la demande du comité de la grève et demeure en poste pour protéger les immeubles.

Des employeurs mettent sur pied le Citizens' Committee of 1000 pour sévir contre les grévistes. Les dirigeants veulent assurer le maintien des services essentiels dans la ville. Quand le comité central autorise la livraison du pain et du lait, le Citizens' Committee accuse les grévistes d'essayer de renverser le gouvernement. Ce comité prédit que la grève générale va aboutir à une révolution communiste au Canada. Il exhorte le gouvernement canadien d'emboîter le pas. Comme il sait que la police est favorable aux grévistes, il persuade la municipalité de licencier le service au complet et son chef. Des bénévoles sans formation et des suppléants les remplacent à des tarifs beaucoup plus élevés que ceux que reçoivent les services de police ordinaires.

D'anciens combattants de la Première Guerre mondiale s'opposent à la grève. Ici, ils se réunissent pour écouter les chefs de l'opposition. Lis les pancartes. Qui, selon eux, dirige la grève ?

Des travailleurs d'autres régions du Canada veulent montrer leur appui aux grévistes. Ils quittent leur poste pour faire des **grèves de solidarité**. À Toronto, près de 12 000 travailleurs quittent leur emploi et 10 000 se mettent en grève à Vancouver.

Après environ un mois, des grévistes de Winnipeg sont prêts à reprendre le travail. Ils ne peuvent se permettre de perdre plus d'argent. Un règlement pacifique est possible, mais le gouvernement canadien intervient. Le Citizens' Committee exerce des pressions en faveur de la cessation de la grève. Le gouvernement fait intervenir d'autres membres de la Police montée du Nord-Ouest. Le maire interdit toutes les marches publiques.

J.S. Woodsworth
LE CHAMPION DES TRAVAILLEURS

Au début des années 1900, le quartier nord de Winnipeg est devenu un bidonville. Des pauvres, dont beaucoup sont des immigrants de fraîche date qui n'ont trouvé que des emplois mal payés, s'entassent dans des maisons délabrées qui ont été converties en logements malpropres. La malnutrition et la maladie se répandent.

Avec sa nouvelle épouse, Lucy Staples, James Shaver Woodsworth arrive dans le quartier nord en 1904 en tant que surintendant de la All Peoples' Mission, organisme de charité de l'Église méthodiste créé pour aider la population de ce secteur. Le jeune pasteur est sur le point d'entrer dans le creuset qui va déterminer sa vie. Beaucoup plus qu'une église, la mission offre des cours pour renseigner les immigrants sur le Canada et les aider à apprendre l'anglais. La mission offre de la nourriture, des vêtements, des soins médicaux et une aide juridique aux personnes qui en ont besoin. Des offices spéciaux ont lieu dans la langue maternelle des immigrants. Les travailleurs animent des classes de maternelle qui ne sont pas offertes dans les écoles de Winnipeg, ainsi qu'une colonie de vacances.

Lucy et lui travaillent avec acharnement. Woodsworth est de plus en plus soucieux du sort des travailleurs. Il acquiert la conviction que la charité des particuliers et de l'église ne suffit pas. Pour aller à la racine du problème, il estime que la société doit changer : il faut remplacer le capitalisme concurrentiel par une propriété coopérative.

En 1916, Woodsworth est directeur du Bureau de recherche en sciences sociales, un organisme public. La Première Guerre mondiale fait rage. Le gouvernement fédéral est apparemment sur le point d'imposer la conscription. Woodsworth, un ardent pacifiste, publie une lettre qui s'oppose au service militaire obligatoire. Il refuse de promettre à son employeur de garder ses opinions pour lui-même, et il est congédié.

Ce n'est pas la première fois que Woodsworth exprime ses opinions avec fermeté. En 1921, il entre dans la course à l'élection fédérale sous la bannière du Parti travailliste indépendant. Il remporte la victoire dans la circonscription du centre-nord de Winnipeg. En 1933, il devient le premier chef de la nouvelle Fédération du Commonwealth coopératif (FCC), précurseur du Nouveau Parti démocratique d'aujourd'hui. Sa carrière politique est consacrée à la promotion de la cause des travailleurs.

La Deuxième Guerre mondiale approche. Les principes pacifiques de Woodsworth sont une fois de plus mis à l'épreuve. Quand le Canada déclare la guerre en septembre 1939, Woodsworth est le seul député à s'opposer à cette mesure. Sa position est impopulaire même parmi ses collègues de la FCC, mais il y tient. Renoncer à ses convictions signifie abandonner tout ce qui lui importe dans la vie.

Autres personnages à découvrir

Ginger Goodwin

Daniel O'Donaghue

A.W. Puttee

R.B. Russell

J.S. Woodsworth

Le samedi sanglant

Le 17 juin, les dirigeants de la grève sont tirés du lit à la pointe du fusil et menés au pénitencier de Stony Mountain. Les travailleurs de tout le Canada sont indignés. À quelles lois ces personnes ont-elles contrevenu? Le 21 juin, les événements culminent quand un groupe de soldats, de retour de la Première Guerre mondiale, décide qu'en dépit de l'ordre du maire ils feront une marche de protestation. Ils guident les grévistes dans la rue Main à Winnipeg. Les matraques et les pistolets des officiers de la Police montée les accueillent. Deux personnes meurent dans l'émeute qui s'ensuit. Des policiers bénévoles patrouillent les rues, armés de mitraillettes. Les protestataires sont matés, mais le samedi sanglant demeure vivace dans l'esprit des travailleurs canadiens. Plus que jamais, ils sont déterminés à obtenir leurs droits.

En haut : **Le 21 juin 1919, les manifestants en colère renversent un tramway. Malgré la grève, les voitures ont repris le service. Décris les manifestants. Comment leur tenue vestimentaire indique-t-elle qu'ils ne sont pas venus à cet endroit avec l'idée de commettre des actes de violence?** *À droite :* **La Police montée fonce sur la foule des sympathisants de la grève.**

Une semaine plus tard, le comité central met fin à la grève. Sept membres du comité sont accusés d'avoir comploté contre le gouvernement et sont condamnés à des peines de prison allant jusqu'à deux ans. Cinq d'entre eux ne subissent jamais leur procès et trois sont acquittés. L'un des hommes arrêtés pour avoir publié des éditoriaux en faveur des grévistes est J.S. Woodsworth, qui sera député au cours des 21 années suivantes. Trois des hommes emprisonnés sont élus à la législature du Manitoba pendant leur emprisonnement.

Après la grève

Les grévistes et les sympathisants des syndicats croient que leurs efforts n'ont rien donné.

- Un grand nombre de grévistes et leur famille sont lourdement endettés à cause de la perte de leur salaire.
- Pour récupérer leur emploi, plusieurs grévistes doivent signer des contrats qui leur interdisent d'être syndiqués.
- Bon nombre de grévistes n'ont plus d'emploi. Les employeurs ne les réembauchent pas parce qu'ils sont considérés comme des fauteurs de troubles.
- En juillet 1919, le gouvernement du Canada adopte une loi spéciale qui permet la saisie des biens des manifestants soupçonnés de violence et les expose à l'emprisonnement. Cette loi est maintenue jusqu'en 1936.

La ville de Winnipeg ne profite pas non plus de la grève. Les secteurs d'activité en cause perdent une partie de leur clientèle pendant la grève, certains d'une manière définitive. Les employeurs continuent de verser de faibles salaires. Certains historiens croient que les industries de la ville ont beaucoup souffert. La municipalité accumule des dettes énormes pour payer les services de police supplémentaires qu'elle a dû offrir pendant la grève. L'amertume qu'engendre la grève dure longtemps.

Le gouvernement crée une autre commission royale pour faire enquête sur la grève. Les conclusions du rapport sont favorables aux travailleurs. Le rapport révèle que la grève n'a pas été une tentative de révolte comme les représentants municipaux l'ont prétendu, mais plutôt une réaction aux différences relatives aux avantages et aux conditions de vie entre la classe ouvrière et les propriétaires qui exercent une mainmise sur les secteurs d'activité.

Des points de vue différents

Contre la grève	Pour la grève
C'est une grève illégale qui a été planifiée plusieurs mois auparavant.	Le droit de faire la grève est fondamental sur le plan des droits des travailleurs.
Ce n'est pas une grève, mais plutôt un complot communiste pour renverser les institutions britanniques au Canada.	Les travailleurs n'ont pas le choix. C'est la grève ou la famine.
Il faut maintenir la loi et l'ordre.	Il est nécessaire de prendre des mesures énergiques pour amener les employeurs à améliorer les conditions de travail.

1 Résume les différents points de vue exprimés au sujet de la grève.

2 Quel serait ton point de vue personnel concernant la grève si tu étais :
a) propriétaire d'une petite entreprise ?
b) travailleuse ou travailleur d'usine ?

Où en sommes-nous ?

1 Pourquoi les travailleurs de Winnipeg font-ils la grève ?

2 Quels groupes de Winnipeg s'opposent aux grévistes ?

3 Selon toi, une grève générale comme la grève générale de Winnipeg de 1919 est-elle une tactique efficace pour les syndicats ?

4 Selon toi, les grévistes retirent-ils quelque chose de la grève générale ?

CHAPITRE 10, PRISE 2 !

Pour la plupart des travailleurs de la période allant de la Confédération à 1920, les heures de travail sont longues et la paie est mince. La plupart des gens occupent des emplois qui exigent de la force physique et de l'endurance. Les hommes construisent les voies ferrées, ensemencent et récoltent les cultures, travaillent dans des usines, abattent des arbres, pêchent et travaillent dans des mines. Les femmes travaillent dans leur maison, dans des usines et comme servantes. Peu de lois protègent les travailleurs ou régissent la sécurité en milieu de travail.

Peu à peu, les travailleurs des usines et des villes se syndicalisent pour améliorer leurs conditions salariales et leurs conditions de travail. Le mouvement syndical est divisé entre les organisateurs qui pensent que tous les travailleurs d'un secteur d'activité doivent adhérer au même syndicat, et les organisateurs qui veulent créer des syndicats en fonction des métiers. La grève devient l'arme ultime des travailleurs pour amener le changement. Le progrès est lent, mais l'État intervient en réglementant le milieu du travail et en accordant une certaine protection aux travailleurs.

La grève générale de Winnipeg représente la principale tentative des travailleurs pour améliorer leurs conditions. Cette grève aboutit à l'intervention de la Police montée du Nord-Ouest, ce qui crée une amertume durable. Les chefs sont emprisonnés et les conditions de travail s'améliorent peu.

VÉRIFIE TES CONNAISSANCES

1. Quels sont les principaux problèmes des travailleurs au XIXe siècle et au début du XXe siècle ?
2. Pourquoi est-il possible aux employeurs de verser de faibles salaires ?
3. Observe les éléments visuels de ce chapitre et indique lesquels illustrent des conditions de travail non sécuritaires. Choisis-en un et décris comment il illustre des conditions non sécuritaires.
4. Qu'est-ce que les travailleurs qui adhèrent aux syndicats espèrent accomplir ?
5. Pourquoi faut-il du courage pour adhérer à un syndicat pendant cette période ?
6. Examine la ligne du temps des principaux événements qui touchent les travailleurs canadiens entre 1867 et 1920. Comment ces événements contribuent-ils à améliorer les conditions aujourd'hui ?

APPLIQUE TES CONNAISSANCES

1. Crée une bande dessinée politique pour illustrer le problème le plus grave, selon toi, pour les travailleurs de cette époque.
2. Imagine que tu travailles dans l'*un* des secteurs d'activité décrits dans ce chapitre. Fais une liste de recommandations pour améliorer les conditions des travailleurs. Essaie de déterminer quand ces améliorations ont été apportées.
3. Avec quelques camarades, rédige un texte et simule *une* des situations décrites ou

illustrées dans l'une des photos de ce chapitre.

4 Vérifie le titre de ce livre. Cherche le sens de l'expression « l'édification d'une nation ». Quels éléments visuels de ce chapitre présentent des scènes semblables à celles des pays en développement d'aujourd'hui ?

5 Interroge un membre d'un syndicat sur les conditions de travail et les avantages sociaux d'aujourd'hui. Demande à cette personne si elle a déjà été en grève. Dans l'affirmative, quels ont été les enjeux de cette grève ?

6 Fais des recherches pour déterminer les principaux enjeux du travail aujourd'hui, et si certains sont identiques aux enjeux des travailleurs entre 1867 et 1920.

UTILISE LES MOTS CLÉS

Fais les mots croisés suivants pour vérifier si tu comprends tous les termes. Ton enseignante ou ton enseignant va te remettre une copie des mots croisés.

Horizontal

1. personne qui continue de travailler pendant une grève ou accepte un emploi en remplacement de grévistes
4. ville construite par une entreprise pour les travailleurs
5. actionnaire ou propriétaire d'une usine ou d'une entreprise importante
6. syndicat ouvrier de travailleurs qualifiés
7. grève de l'ensemble ou de la plupart des travailleurs dans une industrie ou à l'échelle d'un pays ou d'une région
8. organisation formée de travailleurs qui se sont unis pour améliorer leurs conditions de travail
9. industrie reposant sur les ressources naturelles

Vertical

2. syndicat créé en 1919 dans l'ouest du Canada pour représenter tous les travailleurs, même les travailleurs non qualifiés qui n'ont jamais été membres de syndicats
3. cabanes en bois rudimentaires servant à loger les travailleurs de l'industrie de la coupe du bois

LES TRAVAILLEURS

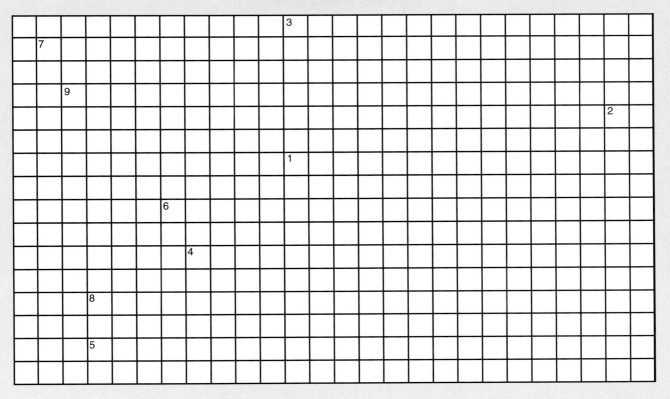

CHAPITRE
11

Les droits de la personne

1876

Adoption de la
Loi sur les Indiens

1884

La Loi sur les Indiens
est modifiée. Les
cérémonies culturelles
des Autochtones sont
interdites.

1885

Les immigrants chinois
sont assujettis à
un impôt de 50 $
par habitant.

1891

John J. Kelso fonde
la Société d'aide
à l'enfance.

1893

Création du Conseil
national des femmes
du Canada

ZOOM SUR LE CHAPITRE

Ces femmes travaillent dans une ferme du Manitoba au début du XXe siècle. Leur travail a l'air éreintant. Regarde les poteaux et les fils à l'arrière-plan. Cette photo a été prise au cours de l'ère de changement décrite au chapitre 9. Imagine que tu es l'une de ces femmes. Aujourd'hui, tu as déjà préparé et fait cuire le pain, préparé le déjeuner et le dîner, ramassé les œufs, trait les vaches, fait le beurre et la crème et lavé les vêtements à l'aide de ta planche à laver toute neuve. Il te reste encore à cueillir les tomates, à faire le souper, à t'occuper des enfants et à leur attribuer des tâches, et à raccommoder le pantalon propre de ton mari qui ira à la ville demain pour voter, alors que toi, tu resteras à la maison. Les femmes n'ont pas le droit de vote. De plus, les fermières n'ont aucun droit sur la ferme familiale, à moins que leur mari ne leur en attribue la propriété. Dans ce chapitre, tu vas voir comment les femmes se sont organisées pour faire changer les lois de ce genre. Les femmes ont été l'un des nombreux groupes qui ont fait des efforts pour relever les défis de leur époque.

SCÉNARIO DU CHAPITRE

Dans ce chapitre, tu étudieras les sujets suivants :
- l'évolution du rôle des femmes pendant cette période ;
- quelques-unes des personnalités qui ont aidé à façonner les changements dans la société ;
- l'évolution du rôle des enfants dans la société ;
- la Loi sur les Indiens et son influence sur les Premières nations ;
- la politique d'immigration du Canada à cette époque.

MOTS CLÉS

activiste social
assimilation
boycotter
impôt
  par habitant
Indien inscrit
mouvement
  social
pensionnat
potlatch
prohibition
règle
  de l'interdiction
  d'arrêt
suffrage

1904
L'impôt par habitant perçu auprès des Chinois passe à 500 $.

1912
Promulgation du règlement 17

1915
Les femmes obtiennent le droit de voter et d'exercer des charges au Manitoba, en Saskatchewan et en Alberta.

1916
Les femmes obtiennent le droit de vote en Ontario et en Colombie-Britannique.

1917
- Les femmes peuvent voter et faire de la politique en Nouvelle-Écosse.
- Les femmes peuvent voter aux élections fédérales.

1918
Les femmes sont autorisées à poser leur candidature aux élections fédérales. Elles obtiennent le droit de vote au Nouveau-Brunswick.

La belle époque a-t-elle été si belle ?

Ci-dessus : Adelaide Hoodless et ses enfants en 1887. Plus tard, Adelaide fonde le Women's Institute, fait la promotion du Victorian Order of Nurses, rédige un manuel d'art ménager et crée une école pour former les enseignantes en art ménager.
Ci-dessous : Cette clinique de Toronto enseigne aux mères à prendre soin de leurs enfants.

Aujourd'hui, nous avons tendance à romancer la vie d'autrefois sous prétexte qu'elle était plus simple. Est-ce bien vrai ? Imagine que nous sommes en 1889.

Nellie Mooney, qui va devenir la célèbre Nellie McClung, a 16 ans. Nellie fait ses débuts comme enseignante dans une école rurale de Somerset, au Manitoba. Comme beaucoup d'autres jeunes femmes, elle opte pour l'enseignement en raison de l'augmentation des inscriptions à l'école publique. Nellie sait qu'elle sera payée moins cher que les hommes : son salaire représentera la moitié de celui d'un enseignant. Pendant sa première année d'enseignement, elle ne touche pas le moindre sou. Les récoltes de la région ont été détruites par la grêle. La collectivité n'a donc pu recueillir l'argent pour payer son salaire. Nellie a été logée et a pris ses repas chez le pasteur méthodiste de la localité.

Nellie est jeune et énergique. À la récréation, elle joue au football avec ses élèves. Les parents s'y opposent. Le football n'est pas un jeu convenable pour les femmes, mais Nellie fait la sourde oreille. Quelques années plus tard, la jeune femme épouse le fils du pasteur, Robert Wesley McClung, et doit renoncer à l'enseignement ; les femmes mariées n'ont pas le droit d'enseigner dans les écoles publiques.

En 1889, Adelaide Hunter Hoodless, de Hamilton en Ontario, est mère de quatre jeunes enfants. Son benjamin, John, meurt à l'âge d'un an et demi après avoir bu du lait contaminé. Adelaide est anéantie. Quand le médecin lui apprend que John est mort parce qu'on n'a jamais dit à Adelaide de couvrir le lait pour éloigner les mouches, la jeune mère est furieuse. Pourquoi les écoles publiques n'enseignent-elles pas des notions aussi vitales ? Les écoles ne sont-elles pas censées enseigner les nouvelles découvertes ? Ne faut-il pas réformer l'instruction publique ?

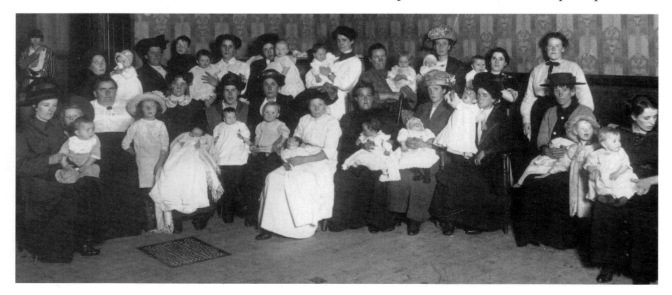

À Toronto, des centaines d'enfants travaillent dans les rues comme c'est la pratique depuis des années. Ces enfants balaient le pavé, cirent les chaussures et vendent des crayons, des fruits ou des journaux. Souvent, les familles comptent sur ce revenu. John Joseph Kelso est l'un de ces enfants. En 1889, devenu adulte, il présente une requête à la Commission des services de police de Toronto pour réglementer la vente ambulante au moyen de permis. Son but est d'empêcher les enfants de moins de huit ans de travailler dans les rues.

En Colombie-Britannique, en août 1889, Hemasak, un Kwakiutl, est condamné à six mois de prison pour avoir organisé un **potlatch**. Pour les groupes autochtones de la côte du Nord-Ouest, le potlatch est une cérémonie traditionnelle importante. Cette cérémonie comporte des danses, des chants et l'offrande de présents aux invités. Hemasak sait que le gouvernement canadien a adopté de nombreuses lois qui influencent sa vie. Ces lois visent-elles vraiment à interdire le potlatch ? Sa condamnation est finalement renversée, car la loi contre la tenue des potlatchs ne précise pas la nature de ces cérémonies.

On fonde le Vancouver Trades and Labour Council pour aider les ouvriers. Cet organisme est aussi le centre des activités anti-Chinois : les Chinois ne sont pas appréciés surtout parce qu'ils acceptent de bas salaires. À la fin de 1889, cet organisme collabore à la conclusion d'une entente entre la municipalité et un homme désireux d'ouvrir une raffinerie de sucre. La municipalité accorde à l'entrepreneur un allégement fiscal s'il recrute seulement des travailleurs blancs. Puis l'organisme **boycotte** les blanchisseries chinoises en refusant d'utiliser leurs services et en tentant d'empêcher les clients d'y aller.

Court métrage

Une société plus humaine

J.J. Kelso participe à la fondation de la Toronto Humane Society en 1887. Il s'agit d'un organisme de charité créé pour empêcher la cruauté envers les enfants... et les animaux. Ses objectifs sont de protéger les enfants contre les mauvaises influences, d'empêcher les mauvais traitements infligés aux animaux, de promouvoir de meilleures méthodes pour ferrer les chevaux, d'interdire aux conducteurs de surcharger les tramways et les charrettes tirés par des chevaux et de faire travailler les vieux chevaux, et d'encourager tout le monde à mettre en pratique et à enseigner la bonté envers les animaux et les autres créatures.

Le quartier chinois dans le port de Victoria, en Colombie-Britannique. Quels sont, s'il y en a, les avantages de vivre en groupe, indépendamment de la mauvaise qualité des logements ?

L'organisme assure aussi l'application stricte d'une loi interdisant l'ouverture des entreprises le dimanche pour faire du tort aux Chinois. L'organisme exerce aussi des pressions sur le gouvernement fédéral pour augmenter l'**impôt par habitant** que les immigrants chinois doivent payer pour recevoir le droit d'établissement au Canada. En 1904, l'impôt par habitant passe de 50 $ à 500 $. La communauté chinoise est presque impuissante face à ce type d'activité, car les Chinois n'ont pas le droit de voter en Colombie-Britannique.

Où en sommes-nous ?

1 Prépare-toi à répondre à une personne qui affirme que la vie au Canada était plus simple il y a un siècle.

2 Choisis un personnage ou un groupe mentionné dans cette section pour l'étudier plus en détail.

3 La rédaction de lettres et les pétitions sont deux formes populaires de protestation en 1889, au Canada. Imagine que tu es le personnage ou un membre du groupe que tu as choisi à la question n° 2. Rédige une lettre ou envoie une pétition pour protester contre ta situation ou un enjeu qui te touche.

LES LUTTES FÉMININES

En 1890, quand une femme se marie, elle est dépossédée de ses biens et de son salaire. Tout son avoir appartient à son mari. Une femme mariée n'a pas le droit de signer des contrats ; il lui est donc difficile de faire des affaires en son nom personnel ou sans la collaboration de son mari. La femme ne peut poursuivre son mari en justice s'il la maltraite. Les enfants sont considérés comme la propriété du père. La mère n'a pas de droits de garde légaux. Dans l'Ouest, les femmes n'ont pas le droit de recevoir des héritages. Il existe au moins un cas documenté d'une femme qui s'est déguisée en homme après la mort de son mari pour continuer de s'occuper des chevaux et de la ferme familiale dans les Prairies.

La femme a le devoir d'être une épouse dévouée et une mère aimante. Pour beaucoup de femmes, cependant, la réalité est différente : elles doivent aussi gagner leur vie. Dans les années 1890, à Montréal, par exemple, le tiers environ des femmes de plus de 40 ans sont veuves et doivent assurer leur propre subsistance. En 1891, les femmes occupent plus de 25 % de tous les emplois dans l'industrie manufacturière du Canada. La plupart des domestiques, des membres du personnel infirmier et des enseignants sont des femmes. À cette époque, les couvertures des magazines populaires montrent des images idéalisées de la maternité. Des articles proclament que la seule et unique place de la femme est dans son foyer.

Court métrage

Une auteure à succès

Dans les années 1890, beaucoup de gens continuent de croire que le métier d'écrivain ne convient pas aux femmes. C'est pourquoi Margaret Saunders décide d'utiliser son deuxième nom — Marshall — quand elle écrit *Beautiful Joe*, le récit d'un chien sauvé de mauvais traitements. L'écrivaine a la conviction que son livre obtiendra plus de succès si le public croit qu'il a été écrit par un homme. A-t-elle raison ? À sa publication, en 1894, *Beautiful Joe* devient le premier livre d'un auteur canadien à se vendre à plus d'un million d'exemplaires.

Cet extrait des journaux de Lucy Maud Montgomery date de 1905. Il relate la situation de sa grand-mère après la mort de son grand-père.

Oncle John et Prescott se sont honteusement servis de grand-mère pendant tout l'été. En résumé, ils ont essayé de la dépouiller de ses biens (le testament absurde de grand-père la livre entièrement à leur merci...) Ce sont des hommes égoïstes, dominateurs et cupides. Grand-mère a refusé de quitter la maison où elle vit et travaille depuis 60 ans. Depuis, oncle John ne lui adresse plus la parole et ne lui rend plus visite...

La situation de la grand-mère de Lucy n'est pas unique. Lucy vit avec sa grand-mère, âgée de plus de 80 ans, pour prendre soin d'elle. Lucy a risqué, elle aussi, d'être chassée de la maison familiale.

INTERROGE LES FAITS

1. **Quelles raisons peuvent inciter un homme à laisser sa ferme à ses fils plutôt qu'à sa femme ou à ses filles ?**
2. **Rédige ta version personnelle de la conversation de la grand-mère de Lucy avec son fils John au sujet de son départ de la maison.**
3. **Quelles sont tes impressions au sujet de la société de cette époque, d'après cet extrait ?**
4. **Explique pourquoi un journal est, ou n'est pas, une preuve historique valable. Ton journal va-t-il un jour représenter un document historique valable ?**

L'avocate Clara Brett Martin a dû se battre longtemps et durement pour être autorisée à pratiquer le droit.

Lien Internet

www.dlcmcgrawhill.ca

Consulte le site Web ci-dessus pour te documenter sur l'une des femmes mentionnées dans ce chapitre. Clique sur *Matériel complémentaire/Primaire et secondaire*, puis sur *Le Canada: L'édification d'une nation*, où l'on te donnera la suite des indications.

M. Jackson et ses compagnons pêchant près d'une chute à Lanark (Ontario) en 1889. Musée McCord d'histoire canadienne, Montréal.

Ci-dessus : **Compare la couverture de ce magazine avec les photos présentées au début du chapitre et à la page 275. Comment expliques-tu les contrastes ?** *À droite :* **Une excursion de pêche en 1889. Établis une comparaison entre les vêtements des hommes et ceux de la femme et de la jeune fille du point de vue de leur adaptation à la situation.**

Les femmes doivent lutter contre un ordre social dominé par les hommes. Des médecins affirment que les études nuisent à la santé des jeunes filles. Goldwin Smith, journaliste de Toronto, écrit que le droit de vote, ou **suffrage**, est une menace pour la vie familiale. Smith quitte son poste à l'Université Cornell, aux États–Unis, pour protester contre la décision de l'université d'accepter les femmes.

Où en sommes-nous ?

1 a) Définis les attitudes à l'égard des femmes et la place des femmes dans la société à cette époque.

   b) Avec tes camarades, fais un débat pour savoir si ces attitudes subsistent aujourd'hui.

2 Que penses-tu des images présentées sur les couvertures des magazines aujourd'hui ? Certaines couvertures te rendent-elles mal à l'aise ? Pourquoi ? Peux-tu t'identifier à certaines couvertures ? Pourquoi ?

3 Crée un montage pour illustrer la relation entre les couvertures des magazines et la réalité actuelle.

La solidarité

Les femmes du Canada se sont toujours organisées pour s'entraider et aider les gens dans le besoin. Certaines femmes de la classe moyenne, qui ont plus de temps libre, mettent sur pied des groupes de femmes. Ces groupes font partie d'un **mouvement social** plus étendu. Beaucoup de gens travaillent ensemble pour apporter des changements qui vont profiter à toute la société. Ces gens sensibilisent la population à des enjeux comme la réforme des prisons, la santé publique et la nécessité d'avoir de meilleures écoles. Plusieurs font partie de groupements à caractère religieux et font du bénévolat.

Certains groupes féminins militent en faveur de l'égalité des droits. Les D^res Emily Howard Stowe et Eliza Ritchie et Anna Leonowens sont des **activistes sociales** qui luttent contre toutes les lois et les attitudes injustes et discriminatoires envers les femmes. Ces femmes font partie d'un mouvement international en faveur de l'égalité de la femme.

Passe à l'histoire

Mets-toi à la place d'une femme mariée vivant au Canada à la fin du XIXe siècle. Rédige un article de journal décrivant ton opinion au sujet de ton rôle dans la société et ce qu'il faut faire, selon toi, pour changer la situation.

Nellie McClung, Alice Jamieson et Emily Murphy unissent leurs efforts pour obtenir le droit de vote pour les femmes.

Nellie McClung
À LA DÉFENSE DES DROITS DES FEMMES

27 janvier 1914. Nellie McClung est en colère. De son perchoir dans la salle des visiteurs, la populaire romancière, également mère de cinq enfants, écoute Rodmond Roblin. Le premier ministre conservateur du Manitoba s'adresse à l'Assemblée législative exclusivement masculine. Roblin explique pourquoi il est dangereux d'accorder aux femmes le droit de suffrage, ou droit de vote, aux élections provinciales.

> Je suis persuadé que le suffrage des femmes [...] détruira les foyers. Les enfants seront abandonnés aux mains des servantes. La majorité des femmes sont émotives et, très souvent, animées d'un enthousiasme mal dirigé. Le droit de vote va être néfaste plutôt que bénéfique.

Roblin lance un défi aux Manitobaines, mais Nellie McClung et les autres suffragettes, y compris la journaliste Cora Hind, sont à la hauteur de la situation. Le lendemain soir, elles louent une salle de théâtre et mettent en scène une audience fictive de l'Assemblée législative dont tous les membres sont des femmes.

Les femmes forcent la note, au grand amusement de l'assistance. Nellie McClung, dans le rôle du premier ministre, livre une interprétation mémorable. Un groupe d'hommes réclament le droit de vote et elle réagit en parodiant Roblin. L'auditoire se tord de rire quand Nellie McClung déclare :

> L'ennui, c'est que, si les hommes commencent à voter, ils vont voter à l'excès. La politique déstabilise les hommes. Résultat : comptes impayés, meubles cassés, promesses non tenues et divorces [...] Si les hommes prennent l'habitude de voter, qui sait ce qui peut arriver ! Il est déjà assez difficile de les garder à la maison. L'histoire regorge d'exemples malheureux d'hommes dans la vie publique : Néron, Hérode, le roi John [...]

Deux ans plus tard, les femmes du Manitoba, de la Colombie-Britannique, de la Saskatchewan et de l'Alberta obtiennent le droit de vote. Entre-temps, l'ardente féministe s'est établie à Edmonton avec sa famille. En Alberta, Nellie McClung est élue à l'Assemblée législative provinciale, où elle continue de promouvoir des réformes pour rendre les femmes égales aux hommes.

La lutte la plus célèbre de Nellie McClung est cependant à venir. À la fin des années 1920, en compagnie d'Henrietta Muir Edwards, de Louise McKinney, d'Emily Murphy et d'Irene Parlby, elle forme les Famous Five. Ces cinq Albertaines luttent avec succès pour que les femmes deviennent des « personnes » aux yeux de la loi. Elles veulent que les femmes siègent au Sénat.

Cette lutte, appelée l'affaire « personne », n'est pas la dernière lutte de Nellie McClung. Nellie poursuit sa croisade en faveur des droits des femmes jusqu'à sa mort en 1951.

Autres personnages à découvrir

Nellie McClung

Louise McKinney

Agnes Campbell Macphail

Emily Murphy

Irene Parlby

Eliza Ritchie

Des membres de la Winnipeg Political Equality League recueillent des signatures pour cette pétition pour appuyer l'octroi du droit de vote aux femmes.

Deux des organisations féministes les plus importantes de l'époque sont la Young Women's Christian Association (YWCA) et la Women's Christian Temperance Union (WCTU). La YWCA est un organisme de charité de premier plan qui forme beaucoup de femmes de la classe ouvrière, ordinairement pour travailler comme domestiques dans des maisons privées. Adelaide Hunter Hoodless collabore avec la YWCA au début de sa croisade en faveur de la sensibilisation à la santé publique.

Letitia Youmans fonde la WCTU à Picton, en Ontario, en 1874. Elle a assisté à la réunion de fondation de la WCTU américaine et a l'idée de démarrer un groupe semblable à Picton. Comme un grand nombre de femmes, Letitia Youmans a été témoin des effets tragiques de l'alcoolisme. Elle fait le récit d'hommes ivres qui sont morts de froid dans les bancs de neige ou qui ont perdu des membres à cause d'engelures.

En 1891, plus de 9000 Canadiennes se joignent à des groupes locaux de la WCTU. La WCTU est en faveur de la **prohibition**, ou loi interdisant la vente et la consommation d'alcool. Ses progrès sont modestes. Bon nombre de femmes au sein de l'organisation en viennent à croire qu'elles doivent obtenir le droit de vote et faire de la politique pour changer les lois et la société.

Court métrage

Le mouvement pour la tempérance

À la fin des années 1800, la population attribue à l'alcool tous les types de maux sociaux: la pauvreté, l'éclatement de la famille, la maladie, le crime et la violence. Le mouvement pour la tempérance culmine en 1915, année où la Saskatchewan devient la première province à mettre fin à la vente d'alcool. D'autres provinces lui emboîtent bientôt le pas. La prohibition est cependant de courte durée. Elle est abolie après la Première Guerre mondiale. Depuis, ce mouvement a peu à peu disparu.

	Des progrès graduels
1872-1907	Toutes les provinces, sauf l'Alberta et le Québec, adoptent des lois sur les biens des épouses. Cela signifie que les biens personnels et les revenus d'une femme mariée lui appartiennent.
1873	La Colombie-Britannique permet aux femmes propriétaires de voter aux élections municipales.
1875	L'Université Mount Allison accorde un baccalauréat en sciences à Grace Lockhart, première femme de l'Empire britannique à recevoir un diplôme universitaire.
1883	On fonde des collèges de médecine pour les femmes à Toronto et à Kingston. La fille de la D^{re} Emily Stowe, Augusta, est la première femme à recevoir un diplôme de médecine au Canada.
1884	Des femmes sont admises à l'Université de Toronto. En Ontario, les femmes célibataires propriétaires obtiennent le droit de voter aux élections municipales. Les femmes mariées sont autorisées à signer des contrats relativement à leurs propriétés.
1897	Clara Brett Martin devient la première femme à pratiquer le droit dans l'Empire britannique. Le premier ministre de l'Ontario, Oliver Mowat, a exercé des pressions sur le barreau ontarien pour obtenir l'admission des avocates au barreau.
1910	L'Alberta adopte la *Married Women's Relief Act* qui accorde aux veuves une partie, fixée par le tribunal, de la succession de leur mari, si elles ne sont pas héritières.
1916	Emily Murphy devient la première magistrate de l'Empire britannique. Sa nomination est souvent contestée par les avocats, car les femmes ne sont pas légalement considérées comme des « personnes ».
1916-1922	Toutes les provinces, sauf le Québec, accordent aux femmes le droit de vote.
1917	La Colombie-Britannique devient la première province à adopter des lois sur la garde des enfants, qui accordent aux mères les mêmes droits qu'aux pères à l'égard de leurs enfants. La Loi des électeurs militaires accorde le droit de vote aux infirmières qui ont servi pendant la guerre. La Loi des élections en temps de guerre accorde le droit de vote aux élections fédérales aux femmes apparentées, à titre d'épouses, de veuves, de mères, de sœurs ou de filles, aux soldats qui ont servi, ou servent, dans l'armée canadienne ou britannique.
1918	Toutes les citoyennes âgées de plus de 21 ans obtiennent le droit de voter aux élections fédérales.

En 1893, les nombreuses organisations féminines s'unissent pour former le Conseil national des femmes du Canada. Tous les groupes et toutes les femmes ne sont pas d'accord avec leurs objectifs mutuels. Adelaide Hoodless, par exemple, n'appuie pas l'idée que les femmes doivent obtenir le droit de vote. Pourtant, l'union des femmes au sein du Conseil national les rend puissantes. Les femmes apprennent comment attirer la publicité et parler en public. Leurs dirigeantes exercent des pressions sur les décideurs au moyen de campagnes de lettres, de pétitions, de défilés et de délégations. En 1910, le Conseil national fait sienne la cause du droit de vote féminin.

Une ambulancière. L'apport des femmes à l'effort de guerre au cours de la Première Guerre mondiale est très apprécié. Il devient difficile de leur refuser le droit de vote.

L'obtention du droit de vote est une victoire importante pour les Canadiennes. La campagne est longue, mais elle n'est pas tout à fait terminée. Les femmes ne sont pas encore considérées légalement comme des « personnes ». La situation ne va changer qu'en 1929. Une foule d'autres inégalités sont contestées tout au long du XXe siècle. Connais-tu des inégalités que le mouvement féministe du Canada a corrigées récemment ?

Où en sommes-nous ?

1   Consulte une source extérieure pour découvrir quand les femmes ont obtenu le droit de vote à l'échelle provinciale au Québec et à Terre-Neuve.

2   Si les femmes n'ont pas été des « personnes » avant 1929, il se peut que certains de tes camarades ou toi-même ayez des grands-mères ou d'autres parentes qui n'étaient pas des « personnes » à leur naissance. Recueille leurs opinions à ce sujet.

3   Explique le lien entre la réforme sociale et le mouvement féministe à cette époque.

Dès 1910, l'inquiétude règne dans les écoles ontariennes : on craint pour l'excellence de l'éducation dans les écoles bilingues. En 1912, le Parti conservateur ontarien promulgue le règlement 17 selon lequel l'instruction sera donnée en anglais excepté pour l'enseignement du français comme matière. Le français pourra être la langue parlée pour les enfants de cinq à sept ans. L'enseignement du français devra être limité et l'enseignante ou l'enseignant devra connaître suffisamment l'anglais. Les Franco-Ontariens se sentent menacés et protestent. Un peu partout, mais surtout à Ottawa, c'est l'insoumission et la confrontation ; à Sudbury, c'est le compromis. Les évêques, les journaux, les politiciens fédéraux et provinciaux, les chefs politiques du Québec, le gouvernement de Londres et même le pape s'en mêlent. Le conflit dure jusqu'en 1925 et, en 1927, le règlement 17 est aboli.

Des élèves d'une école de Toronto sont en rang pour subir un examen périodique de la part de l'infirmière du Bureau d'hygiène. Imagine que tu es l'une ou l'un de ces élèves. Comment te sens-tu ?

L'ÉVOLUTION DU RÔLE DES ENFANTS

Certaines féministes s'efforcent de modifier les conditions des enfants. Emily Murphy fait campagne pour obtenir des terrains de jeux publics et des réformes scolaires. Nellie McClung milite en faveur de la fréquentation scolaire obligatoire et de la modification des lois injustes envers les femmes et les enfants. La D^re Helen MacMurchy fait la promotion de la santé et du bien-être des nouveau-nés. En 1919, elle devient chef de la Division du bien-être des enfants du ministère de la Santé. Des succursales de la Société d'aide à l'enfance s'ouvrent un peu partout et le travail des enfants est peu à peu restreint.

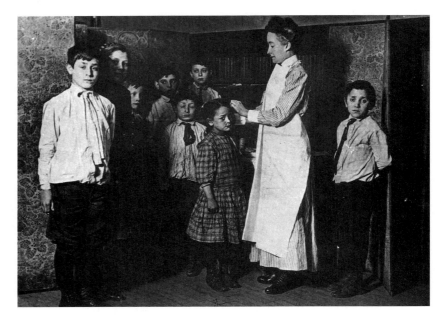

La fréquentation scolaire

En vertu de l'Acte de l'Amérique du Nord britannique de 1867, l'instruction est du ressort des provinces. En 1905, toutes les provinces, sauf le Québec, ont des lois qui prévoient la gratuité scolaire. En 1871, en Ontario, les enfants de moins de 14 ans sont tenus par la loi de fréquenter l'école. Des réformateurs exercent des pressions en faveur du recrutement de meilleurs enseignants et d'écoles plus grandes et meilleures. La demande de nouvelles écoles est si grande que la compagnie T. Eaton propose une école prête à monter dans son catalogue de 1917-1918.

Les enfants des régions rurales s'absentent souvent de l'école quand leurs parents ont besoin d'aide pour effectuer les travaux de la ferme. La distance que beaucoup d'enfants doivent parcourir pour aller à l'école est aussi un obstacle dans certaines régions. La discipline scolaire est très stricte, et certains enfants éviteraient d'aller à l'école s'ils le pouvaient. En 1921, seulement 25 % des jeunes de plus de 14 ans fréquentent l'école secondaire.

Dans les années 1890, la population souhaite que le nombre de matières enseignées dans les écoles augmente. L'éducation physique, l'entraînement militaire, le chant et l'enseignement de matières telles que la menuiserie, l'art ménager et les arts sont ajoutés au programme scolaire. Les réformateurs sociaux sont convaincus qu'il est possible d'enseigner la bienséance aux enfants, c'est-à-dire la propreté, le jardinage, les connaissances techniques et l'art ménager. L'instruction est perçue comme un outil d'amélioration des conditions de vie et d'adaptation à l'ère industrielle.

Chez les filles, l'art ménager répond à ces objectifs. « Éduquez un garçon et vous éduquez un homme, mais éduquez une fille et vous éduquez une famille », déclare Adelaide Hoodless. À cette époque, ce message est bien accueilli. L'art ménager est enseigné dans la plupart des provinces.

Dans le feu de l'action

Il n'est pas mort en vain

En 1895, le nom de George Everitt Green est connu au Canada et en Grande-Bretagne. Le garçon de 15 ans fait la manchette en raison non pas de la façon dont il a vécu, mais de la façon dont il est mort.

George est né à Londres, en Angleterre, de parents très pauvres. George n'a que 14 ans à la mort de son père. Sa mère est complètement démunie. La seule solution est de placer George et son frère plus jeune dans une maison de charité qui accueille les enfants pauvres ou orphelins et les envoie outre-mer travailler comme ouvriers agricoles et domestiques.

Peu après leur arrivée en Ontario, les frères sont séparés. George est placé dans une ferme située près d'Owen Sound. Sept mois plus tard, il meurt. Une enquête établit que sa mort est due à la négligence et aux mauvais traitements. Les plaies couvrant son corps émacié révèlent qu'il a été battu. De plus, George a la tuberculose et la gangrène.

La propriétaire de la ferme est accusée d'homicide involontaire, mais le procès prend fin parce que le jury est dans l'impasse. La cause est abandonnée, mais George n'est pas mort en vain. J.J. Kelso et d'autres personnes prennent en main la cause des enfants immigrants. Plusieurs provinces, dont l'Ontario, adoptent des lois pour protéger ces jeunes qui sont arrivés seuls dans un pays étranger.

Entre 1864 et 1924, plus de 80 000 enfants sont envoyés au Canada.

John Joseph Kelso
L'ami des enfants

John Joseph Kelso, 11 ans, doit gagner de l'argent. L'emploi mal payé de son père ne rapporte pas assez pour que celui-ci puisse subvenir aux besoins de la famille. De plus, son père cherche refuge dans l'alcool ; cela aggrave les difficultés de la famille infortunée. Pour payer le loyer de leur maison délabrée et acheter de la nourriture, la mère de John a déjà dû vendre quelques beaux meubles.

Il a été dur pour sa mère de renoncer à son mobilier. Ces objets sont les derniers souvenirs d'une époque où la vie a été meilleure pour les Kelso. Dans leur jeunesse à Dundalk, en Irlande, John et ses huit frères et sœurs ont eu une vie agréable. Chacun avait un domestique. Un jour, la fabrique de fécule de leur père a été rasée par un incendie. En quelques instants, la famille a été plongée dans la misère.

Projetant de recommencer leur vie, les Kelso immigrent à Toronto. En 1875, les perspectives ne sont pas bonnes. Incapable de trouver un emploi à la hauteur de ses attentes, le père de John noie dans l'alcool les espoirs de sa famille.

C'est pourquoi John se réjouit à la vue d'une enseigne dans la vitrine d'une librairie de Toronto : on demande du personnel. Malgré son jeune âge, John réussit à convaincre le libraire de l'embaucher pour un dollar par semaine. C'est peu, mais John sait qu'il va aussi recevoir des pourboires s'il rend de menus services aux clients, comme leur faire des livraisons ou leur tenir la porte ouverte.

John ne se fait pas de souci pour l'école, qu'il n'aime d'ailleurs pas beaucoup. Les enfants âgés de 7 à 12 ans sont obligés de fréquenter l'école quatre mois par an, mais la loi est rarement appliquée.

À 13 ans, John quitte l'école. Il passe d'un emploi à un autre, essayant de trouver un travail mieux payé pour aider sa famille. John est finalement embauché comme imprimeur apprenti à la Ryerson Press. Il poursuit son apprentissage au *Mail*, l'un des quatre journaux de Toronto.

En observant les reporters du *Mail*, John décide de devenir journaliste. Pour ce faire, il lui faut plus d'instruction. John passe ses temps libres à la bibliothèque publique dans l'espoir de s'instruire.

À force de travail et grâce à la chance, John atteint son objectif à l'âge de 20 ans. À ses débuts, il écrit souvent des articles sur le sort des enfants pauvres de Toronto. John découvre qu'il ne lui suffit pas d'écrire. La misère de sa propre enfance l'incite à faire davantage. En 1891, il dirige la fondation d'un organisme de charité voué à la lutte contre la cruauté envers les enfants. La Société d'aide à l'enfance de Toronto devient le premier organisme de cette nature au Canada. John a cependant d'autres ambitions. Surnommé l'« ami des enfants », John Joseph Kelso joue un rôle clé dans la fondation d'autres sociétés d'aide à l'enfance à l'échelle du Canada.

Autres personnages à découvrir

Adelaide Hoodless

John Joseph Kelso

Anna Leonowens

Clara Brett Martin

Letitia Youmans

Une nouvelle enfance

La conception de l'enfance change entre 1867 et 1920. En 1867, dans un grand nombre de familles, l'enfant est perçu comme une paire de bras supplémentaire. En 1920, l'enfant devient un être qu'il faut protéger. Avec l'avènement des appareils électroménagers, on croit que les mères auront plus de temps pour s'occuper du bien-être de leurs enfants.

C'est peut-être la réalité dans certaines familles de la classe moyenne et de la classe supérieure. Pour les familles ouvrières et agricoles, cependant, les enfants sont des travailleurs et ont des responsabilités d'adultes. Même dans les familles de la classe moyenne, les enfants sont rarement dispensés de travailler. La vie dans une maison dépourvue d'électricité ou d'eau courante et couverte de la suie provenant de la combustion du charbon ou du bois occupe toute la famille.

Des enfants recueillent des résidus de charbon dans une cour de triage. Ce charbon servira probablement à chauffer leur maison.

On s'efforce de venir en aide aux enfants nécessiteux. Des programmes envoient même les enfants à l'étranger. En Angleterre, Thomas Barnardo conçoit un plan pour envoyer des milliers d'enfants britanniques dans le besoin dans des foyers australiens et canadiens. Malheureusement, ces plans bien intentionnés ne sont pas toujours un succès. Beaucoup de familles d'accueil maltraitent les enfants. Une fillette inscrite à un programme de relocalisation d'enfants écrit à sa famille en 1896 :

> *Vous m'avez laissée aux mains de gens qui ne m'envoient pas à l'école et me maltraitent [...] À 15 ans, je me suis sauvée [...] Il me tarde de vous revoir.*

Malgré les bévues et les abus, la situation des enfants s'améliore réellement. Ces mesures contribuent jusqu'à un certain point à l'amélioration de la santé des enfants et à de plus grandes possibilités pour eux.

Où en sommes-nous ?

1 Fais trois colonnes sur une feuille. Dans la première, nomme les difficultés possibles des enfants à cette époque. Dans la deuxième, donne quelques solutions envisagées. Dans la troisième, indique dans quelle mesure les solutions semblent efficaces.

2 Avec une ou un camarade, imagine une conversation entre John Joseph Kelso et Adelaide Hunter Hoodless sur leurs objectifs à l'égard des enfants.

Un pensionnat catholique dans le nord du Canada vers 1890. Qu'est-ce que cette photo te révèle au sujet des pensionnats ?

LES LUTTES AUTOCHTONES

À peine neuf ans après la Confédération, la Loi sur les Indiens de 1876 est adoptée. En vertu de cette loi, seuls les Autochtones inscrits auprès du gouvernement fédéral bénéficient des droits énoncés dans la Loi sur les Indiens. Ce sont les **Indiens inscrits**.

Cette loi doit être temporaire. Le gouvernement fédéral s'attend à ce que les Autochtones des Prairies cultivent les terres des réserves et vivent comme les nouveaux colons et, plus tard, qu'ils renoncent à leur statut d'Indien. Ils subiraient l'**assimilation**, c'est-à-dire qu'ils perdraient leur identité dans la collectivité. Toutefois, l'assimilation n'a pas lieu. Au fil des ans, on apporte de nombreux changements à la Loi sans consulter les Premières nations.

Les **pensionnats** sont un autre outil de l'État pour assimiler les Autochtones. Ces écoles s'implantent partout au Canada. Les enfants autochtones qui vivent dans les pensionnats, loin de leurs parents, sont obligés de renoncer à leur culture. Le gouvernement confie la responsabilité de leur éducation aux grandes Églises chrétiennes du Canada.

Une journée d'été type, les garçons et les filles, dont certains n'ont que six ans, se lèvent à 5 heures, rangent leur dortoir, puis étudient leurs leçons en classe jusqu'à 7 heures. Ils prennent le déjeuner et effectuent des corvées jusqu'à midi. Ils dînent et sont libres jusqu'à 13 heures. Puis ils font d'autres corvées, souvent dures et harassantes, jusqu'à 18 heures. Après le souper, ils vont en classe jusqu'à 20 heures. Enfin, ils récitent leurs prières et vont se coucher. À 21 heures, tout le monde dort.

Tous les enfants reçoivent un nouveau nom, car les enseignants ont de la difficulté à prononcer leur nom d'origine.

De plus, les missionnaires et les chefs religieux qui dirigent les écoles n'aiment pas les noms autochtones. Les enfants doivent parler anglais — ou français, s'ils vivent au Québec — dès leur arrivée. Il leur est interdit de parler leur langue autochtone. Souvent, ils sont punis quand ils parlent leur langue. Les enfants sont obligés d'aller à l'église et d'apprendre les croyances chrétiennes. Les enfants qui n'ont jamais été réprimandés ou qui n'ont jamais subi de châtiments corporels à la maison subissent maintenant ces traitements s'ils sont désobéissants. Nous savons aujourd'hui qu'un grand nombre d'enfants autochtones ont été victimes de mauvais traitements. Plusieurs s'ennuyaient tellement qu'ils se sont enfuis.

Les parents souffrent, eux aussi, et certains refusent d'envoyer leurs enfants à l'école. Souvent, les parents se battent pour garder leur famille unie, mais la plupart n'ont pas le choix. Pour faire instruire leurs enfants et leur permettre de s'adapter à la société nouvelle, ils doivent les envoyer dans des pensionnats. Les uniformes, les leçons et les règles strictes font partie du plan conçu pour amener les Autochtones à abandonner leur culture.

Un Autochtone en compagnie de trois de ses enfants qui vivaient dans des pensionnats en Saskatchewan aux environs de 1900

Dans le feu de l'action

La destruction des traditions autochtones

En 1886, un an après la rébellion du Nord-Ouest, le gouvernement fédéral adopte une loi qui touche les Autochtones des Prairies. Celle-ci les oblige à avoir un laissez-passer pour se déplacer à l'extérieur des réserves. Les laissez-passer doivent être signés par l'agent des Indiens et le formateur agricole, c'est-à-dire le fonctionnaire chargé de montrer aux Premières nations à cultiver la terre. Ces deux personnes exercent un contrôle absolu sur les déplacements des Autochtones. La loi rend les Autochtones prisonniers des réserves.

En 1895, une autre loi interdit la Danse du Soleil. Ce rassemblement traditionnel des Premières nations des Prairies a lieu au milieu de l'été. Souvent, la Danse du Soleil comporte jusqu'à huit jours de cérémonies religieuses, de bonne chère et de danses. Les gouvernants veulent interdire ce festival annuel, car il nuit à l'agriculture. Un Autochtone est condamné à trois mois de prison pour avoir organisé une danse. Un autre, âgé de 90 ans, est condamné à deux mois de

durs travaux, mais obtient une réduction de sentence à la suite de protestations de la part de la population. En 1906, la loi est de nouveau modifiée pour interdire toutes les danses traditionnelles des Premières nations.

Des cérémonies traditionnelles comme celle-ci sont interdites par la Loi sur les Indiens.

Certaines écoles forment les élèves autochtones pour en faire des domestiques et des ouvriers non qualifiés. Ces écoles perdent du terrain à compter de 1907, car les immigrants fournissent une main-d'œuvre bon marché pour ces emplois. L'éducation évolue. Les élèves autochtones sont maintenant initiés à la vie dans les réserves. Pourtant, les agents des Indiens du gouvernement fédéral nuisent souvent aux efforts des Premières nations. Les Ojibwés de Cape Crocker, dans le sud de l'Ontario, par exemple, veulent ouvrir une scierie. L'agent des Indiens rejette leur demande, mais permet à des non-Autochtones de couper des arbres dans leur réserve.

Où en sommes-nous ?

1 Explique pourquoi les fondateurs des pensionnats pensent qu'ils participent à la réforme sociale.
2 Imagine que tu es une ou un jeune Autochtone que l'on envoie dans un pensionnat. Explique les contrastes entre l'école et ta vie familiale.
3 Imagine que tu es un parent autochtone qui a été obligé d'envoyer ses enfants dans un pensionnat. Écris une lettre de protestation au premier ministre.

La perte des terres

De plus en plus de colons s'établissent dans les Prairies. Le gouvernement canadien commence à convoiter les meilleures terres des Premières nations. Ces terres ne peuvent être vendues sans le consentement des Autochtones des réserves. En 1906, Frank Oliver, ministre de l'Intérieur, facilite l'obtention du consentement des Premières nations. La loi est modifiée de sorte que, au lieu de recevoir seulement 10 % des fonds tirés de la vente des terres, les Premières nations peuvent en obtenir 50 %. Le gouvernement Laurier achète les terres autochtones à un rythme accéléré. Entre 1896 et 1909, le gouvernement achète, puis vend presque 300 000 hectares pour à peine un peu plus de deux millions de dollars.

En 1911, Oliver modifie de nouveau la Loi sur les Indiens. Les municipalités peuvent utiliser les terres des réserves pour construire des routes et des chemins de fer si le gouvernement fédéral accorde son autorisation. L'État détermine le montant à payer pour acheter les terres. De plus, les réserves situées près d'une ville de 8000 habitants ou plus peuvent être déplacées. On ne consulte pas la population de la réserve. Les occupants d'une réserve micmaque située à l'extérieur de Sydney, en Nouvelle-Écosse, en appellent à un juge quand le gouvernement fédéral décide de déplacer leur réserve. Le juge prononce un jugement en faveur de l'État, car le déplacement de la réserve est dans l'intérêt général.

Court métrage

Une mauvaise entente

En 1907, Frank Pedley, surintendant délégué des Affaires indiennes, est responsable de la vente de la réserve St. Peter's, située près de Selkirk, au Manitoba. Les hommes politiques locaux soutiennent que le Ministère soudoie les Autochtones de la réserve. Les Autochtones vendent les terres à l'État le cinquième de sa juste valeur marchande.

Frederick Loft
LE PORTE-PAROLE DES PREMIÈRES NATIONS

Même s'il travaille très fort, Fred Loft a l'impression de ne pas progresser. Il est comptable dans un institut provincial pour les malades mentaux de Toronto. Sa femme Affa a heureusement le sens des affaires. Affa achète et vend des maisons, prend des locataires et détient des actions. Le couple vit donc à l'aise et envoie ses deux filles dans l'une des meilleures écoles de Toronto.

Malgré son emploi mal payé, Loft se bâtit une bonne réputation dans la collectivité. Il va régulièrement à l'église et il est membre de la milice, de la Loge maçonnique et de la United Empire Loyalist Association. En 1917, il ment au sujet de son âge (il a 56 ans à cette époque) pour s'enrôler dans l'armée et se battre outre-mer pendant la Première Guerre mondiale.

Toutes ses réalisations n'ont apparemment aucune importance pour les responsables de l'asile. Loft est un employé exemplaire depuis des décennies, mais la direction refuse d'augmenter son salaire ou de lui accorder des promotions. Pourquoi? Parce qu'il est mohawk, pense Loft. Né et élevé dans la réserve des Six-Nations, près de Brantford, en Ontario, il est fier de son patrimoine. Il retourne souvent à la maison de son enfance. De plus, il donne des conférences et rédige des articles sur les enjeux qui touchent les Premières nations. Son travail est apprécié au point que le Conseil des Six-Nations le nomme chef de l'Arbre de paix. C'est l'un des honneurs suprêmes de la Confédération iroquoise.

Loft sait que les Indiens inscrits des réserves n'ont pas obtenu les droits promis dans les traités. Son expérience professionnelle lui a aussi montré que la vie hors des réserves ne signifie pas la fin de la discrimination.

Pendant que Loft se bat outre-mer, il réfléchit longuement aux moyens d'améliorer le sort des Premières nations. Peu après son retour en 1918, il crée la Ligue des Indiens du Canada. Ce groupe se consacre à la promotion des objectifs communs des Premières nations, soit obtenir le droit de vote, rétablir les terres des réserves, abolir les restrictions relatives à la chasse et au piégeage, améliorer les possibilités d'études et essayer de mettre fin à l'anéantissement de leurs langues et de leurs coutumes.

Des fonctionnaires du ministère des Affaires indiennes ne veulent rien entendre de cette nouvelle organisation. Ils la jugent subversive et font tout en leur pouvoir pour harceler et discréditer Loft. Ils essaient sans succès de révoquer son statut d'Indien. Puis ils menacent de porter des accusations criminelles contre lui s'il essaie de mobiliser des fonds en faveur des revendications territoriales des Premières nations.

Loft vieillit. Sa mauvaise santé l'empêche de poursuivre son œuvre. À sa mort, en 1934, la ligue tombe déjà dans l'oubli. Son souvenir ne s'éteint cependant pas tout à fait. En 1968, les Autochtones de tout le Canada raniment la vision de Loft en créant la Fraternité des Indiens du Canada. Ce groupe est le précurseur de l'Assemblée des Premières nations, organisation nationale qui représente aujourd'hui les Premières nations.

Autres personnages à découvrir

Joseph Francis Dion

Pauline Johnson

Frederick Loft

Andrew Paull

Les Premières nations contre-attaquent

Les Premières nations s'opposent aux événements, mais il leur est difficile de combattre un système puissant dans une langue étrangère. Pour exprimer leur opposition, ils refusent d'envoyer leurs enfants à l'école et continuent d'organiser des cérémonies de potlatch et de Danse du Soleil. Ils adressent des lettres tantôt aux fonctionnaires, tantôt aux journaux. Les chefs autochtones s'organisent. Un Grand conseil des Indiens de l'Ontario a lieu. En 1906, le chef de la bande de Capilano en Colombie-Britannique se rend en Angleterre pour remettre une pétition au roi Édouard VII. En 1915, on crée l'Alliance des tribus de la Colombie-Britannique.

Le gouvernement canadien continue de croire que l'assimilation des Autochtones est la solution idéale. En 1885, il a offert aux Autochtones vivant à l'est du lac Supérieur le droit de voter à la condition de renoncer au statut d'Indiens. Très peu d'Autochtones ont accepté cette proposition parce qu'une fois qu'ils auraient renoncé à leur statut, ils n'auraient pu le récupérer.

Après la Première Guerre mondiale, les Autochtones qui se sont battus obtiennent le droit de voter aux élections fédérales sans perdre leur statut d'Indiens. Les Autochtones des réserves n'obtiennent ce droit qu'en 1960.

Les expériences de guerre des Autochtones éveillent leur conscience politique et les incitent à refuser d'être traités comme des citoyens de deuxième classe dans leur pays.

Où en sommes-nous ?

1 a) Quel est le principal but de la Loi sur les Indiens de 1876 ?

b) Cette loi permet-elle au gouvernement d'atteindre ses objectifs ? Si oui, pourquoi ? Sinon, pourquoi ?

2 Imagine que tu es le chef de la bande de Capilano et que tu envoies une pétition au roi Édouard. Que veux-tu lui faire comprendre au sujet de la situation des Autochtones ? Que souhaites-tu ?

3 Explique pourquoi le gouvernement :

a) s'oppose aux efforts de Frederick Loft ;

b) refuse le droit de vote aux Autochtones.

LA SÉLECTION DES IMMIGRANTS

Le recensement de 1901 révèle que 88 % des Canadiens sont d'origine britannique ou française. Les Canadiens d'origine britannique apprécient le fait que la culture britannique domine au Canada. Les francophones craignent déjà de disparaître dans un océan anglophone et sont réticents à l'arrivée d'autres groupes culturels.

De 1867 à 1920, la politique d'immigration du gouvernement canadien s'appuie sur deux idées : la nécessité de permettre une immigration massive pour développer le pays ; la nécessité d'accorder la préférence aux immigrants facilement assimilables.

Comme dans le cas des autres politiques de l'époque, les idées qui servent de base à la politique d'immigration permettent un traitement différent selon la race ou le sexe.

La plupart des mesures d'exclusion sont dirigées vers les peuples non européens. Les non-chrétiens ne sont pas les bienvenus non plus. Les immigrants juifs se voient souvent refuser des logements et des emplois à cause de leur religion. En 1907, les Doukhobors de Russie sont dépossédés de la moitié de leurs terres en Saskatchewan, même s'ils les cultivent depuis 1899. Leur religion leur interdit de prêter serment à la Couronne britannique et de s'enrôler dans l'armée. De plus, il y a de la discrimination. Dans le Canada-Ouest, des enseignes dans les vitrines des magasins dissuadent les Britanniques de postuler un emploi. Lorsque la Première Guerre mondiale éclate, des colons d'Allemagne et des pays d'Europe centrale sont harcelés. Certains sont détenus dans des camps d'internement, comme tu vas le voir au chapitre 12.

Le titre de ce dessin humoristique est : « Je veux des colons, mais je n'accepte pas de rebuts. » Que te révèle ce dessin au sujet de la politique d'immigration au début des années 1900 ?

Ces gens se voient refuser l'entrée au Canada pour diverses raisons. Certains ont des handicaps physiques ou mentaux. D'autres sont classés comme criminels ou sont tellement pauvres qu'ils représentent un fardeau pour la société. Entre 1903 et 1920, près de 14 000 personnes se voient refuser l'entrée au Canada après leur arrivée.

Passe à l'histoire

Mets-toi à la place d'une personne qui n'a pas été autorisée à entrer au Canada. Rédige une lettre destinée à un journal local pour raconter ton histoire.

Quelques-unes des politiques des lois sur l'immigration canadienne de 1906 et 1910 consistent :
- à accepter les agriculteurs européens ;
- à accepter des personnes très instruites en provenance des États-Unis et du Royaume-Uni ;
- à accepter les orphelins du Royaume-Uni pour les faire travailler dans des maisons et des fermes canadiennes ;
- à exclure les non-Européens ;
- à refuser tous les immigrants d'Asie ;
- à refuser toutes les personnes jugées inaptes physiquement, moralement ou mentalement ;
- à refuser toutes les personnes qui risquent de ne pas s'adapter à la vie au Canada ;
- à accorder la préférence aux immigrants qui parlent un peu l'anglais ;
- à refuser toutes les personnes susceptibles de s'établir dans les centres urbains déjà très peuplés.

L'expérience asiatique

Comme les autres colons, les Asiatiques qui arrivent au Canada sont prêts à travailler dur pour améliorer leurs conditions de vie. La plupart font face à l'hostilité et doivent endurer des épreuves. Dans presque tous les cas, les Asiatiques sont beaucoup moins payés que les Européens. Des milliers de Chinois sont attirés au Canada pour construire le chemin de fer du Canadien Pacifique et reçoivent un salaire très bas. Les immigrants japonais qui arrivent au Canada en 1877 travaillent dans les pêcheries ou cultivent la terre dans la vallée du Fraser. Comme les Chinois, ils n'ont pas le droit de voter ni d'exercer des professions libérales. Les premiers immigrants d'Asie du Sud sont des sikhs de l'Inde arrivés en Colombie-Britannique en 1903. En tant que sujets britanniques, ces immigrants ont des atouts. Beaucoup parlent

Les passagers du *Komagata Maru* attendent d'entrer au Canada.

l'anglais et connaissent la culture anglaise. Ils sont néanmoins victimes de discrimination.

Avec le temps, les travailleurs européens réclament l'exclusion des Asiatiques qui acceptent de bas salaires et de mauvaises conditions de travail. Le gouvernement canadien crée des barrières politiques pour empêcher l'entrée au Canada de ces immigrants. L'impôt par habitant, d'abord perçu auprès des immigrants chinois en 1885, décourage beaucoup d'immigrants qui rêvent de faire venir des membres de leur famille au Canada. En 1910, tous les Asiatiques doivent avoir 200 $ en leur possession pour s'établir au Canada. Pour les Chinois, cette somme s'ajoute à l'impôt par habitant.

La **règle de l'interdiction d'arrêt**, adoptée le 8 janvier 1908, constitue un deuxième obstacle. À cette époque, les Britanniques ne permettent pas au Canada de percevoir un impôt par habitant auprès des sujets britanniques de l'Inde qui veulent venir au Canada. La règle de l'interdiction d'arrêt stipule que les immigrants doivent effectuer le voyage de leur pays au Canada sans s'arrêter ailleurs. Pour les Asiatiques originaires de l'Inde, il est impossible de respecter cette règle.

Quelques Asiatiques du Sud immigrent au Canada en se rendant d'abord aux États-Unis, puis en traversant la frontière. Bon nombre des premiers immigrants quittent le Canada à destination des États-Unis ou de l'Inde pour rejoindre leur famille. En 1919, le gouvernement canadien permet aux épouses et aux enfants d'Asie du Sud de rejoindre les hommes qui ont immigré plus tôt. La population canadienne originaire d'Asie du Sud tombe à 1000 personnes à peine avant l'abolition de la règle de l'interdiction d'arrêt en 1947.

Court métrage

L'incident du *Komagata Maru*

En 1914, Gurdit Singh, un dirigeant sikh, affrète le *Komagata Maru* pour effectuer un voyage sans escale de l'Inde à Vancouver. Le navire transporte 376 candidats à l'immigration. À son arrivée, les fonctionnaires de l'immigration canadienne interdisent aux hommes de quitter le navire.

Après deux mois de négociation, seulement 20 hommes sont autorisés à rester au Canada. Les autres passagers doivent demeurer à bord du navire. Le *Komagata Maru* est escorté en mer à destination de l'Inde. Il s'agit de la première intervention officielle de la nouvelle Marine royale du Canada.

Où en sommes-nous ?

1 Énumère les moyens de discrimination contre les immigrants chinois.

2 Même les non-Asiatiques pensent que l'incident du *Komagata Maru* est discriminatoire. Le gouvernement estime cependant que ses mesures sont justifiées. Avec des camarades, imagine et note des déclarations publiques possibles de la part de chacune des personnes suivantes :
a) le ministre de l'Intérieur ;
b) le premier ministre ;
c) le président du Conseil national des femmes du Canada ;
d) Nellie McClung.
Prépare-toi à expliquer les déclarations que tu as choisies.

3 Imagine que tu es une femme, un enfant ou un parent qui attend que son mari, son père ou son fils paye son passage au Canada. Écris une note dans ton journal comme si tu en étais à ta quatrième année d'attente.

Les années entre la Confédération et la Première Guerre mondiale sont fertiles en défis. Le Canada a besoin d'une réforme sociale pour s'adapter aux changements qu'apportent l'industrialisation et l'urbanisation. Les conditions de vie et de travail dans les villes nécessitent des améliorations. Beaucoup d'activistes sociaux s'efforcent d'apporter des changements.

Rappelle-toi « la belle époque » de 1889. En 1920, Nellie McClung peut voter et les femmes sont admises dans les programmes de médecine et de droit des universités canadiennes. Adelaide Hoodless obtient l'inclusion de cours d'art ménager, et la population est mieux informée au sujet de l'hygiène. Moins d'enfants travaillent dans les rues et la fréquentation scolaire a augmenté. Par ailleurs, l'organisation de potlatchs est encore illégale. Les Premières nations ont perdu une grande partie des terres de leurs réserves, et leurs enfants continuent d'aller dans des pensionnats. De moins en moins d'Asiatiques entrent au pays, et ceux qui résident au Canada subissent une discrimination continuelle. Des progrès ont été accomplis, mais il reste encore beaucoup à faire.

VÉRIFIE TES CONNAISSANCES

1. Réfléchis aux changements en cours au Canada à cette époque. Fais une caricature pour illustrer l'effet de ces changements sur la société.

2. Réalise une murale pour montrer les effets de la Loi sur les Indiens sur les Autochtones du Canada. N'oublie pas d'inclure les modifications à cette loi.

3. Tu es reporter pour un journal et tu dois tracer le portrait d'hier et d'aujourd'hui d'un groupe d'immigrants dont il est question dans ce chapitre. Un bon article nécessite des recherches et des entrevues avec des personnalités contemporaines. N'oublie pas les cinq questions de base : qui ? quoi ? quand ? où ? pourquoi ?

4. Le 18 octobre 1929, les femmes sont officiellement déclarées des « personnes ». Conçois une carte de la Journée de la personne pour une connaissance.

APPLIQUE TES CONNAISSANCES

1. Les Premières nations du Canada continuent d'être assujetties à des lois qui ne tiennent pas compte de leur place unique dans la société canadienne. Prends un sujet de conflit récent et propose une solution.

2. Conçois un timbre ou une pièce de monnaie en l'honneur d'une Canadienne influente et de son rôle unique dans le passé du Canada.

3. Les Métis et les Inuit n'ont pas été inclus initialement dans la Loi sur les Indiens. Choisis l'un de ces groupes et rédige un

rapport sur son histoire à partir de la Confédération.

4 L'instruction publique est-elle un outil de contrôle social ou d'équité pour tous ? Mets en scène un débat sur cette question. Ton enseignante ou ton enseignant te donnera des informations sur les règles et les modalités du débat.

5 Quelle est la réforme sociale la plus nécessaire aujourd'hui ? Rédige une lettre destinée à ta députée ou à ton député pour lui expliquer pourquoi cette réforme va faire du Canada un meilleur pays.

6 Rédige un compte rendu sur la personne ou le groupe de la belle époque de ton choix. Dans ton texte, indique les questions pour lesquelles tu veux obtenir des réponses et les éléments graphiques que tu peux fournir.

7 Avec tes camarades, prépare un montage à afficher, intitulé *L'immigration au Canada aujourd'hui*. Tiens compte des besoins, des statistiques, des rapports de témoins oculaires de la nouvelle expérience canadienne, de l'assistance disponible, des perspectives et de tout autre élément associé à l'immigration aujourd'hui.

8 Les Premières nations ont fait d'énormes progrès pour être respectées au Canada, mais beaucoup estiment que la lutte n'est pas finie. Recueille des articles de journaux et de magazines qui font état des principales préoccupations des Autochtones d'aujourd'hui. Tu peux consulter d'autres sources, dont le site Web de la Commission royale sur les peuples autochtones. Prépare-toi à communiquer tes découvertes à tes camarades.

Lien Internet

www.dlcmcgrawhill.ca

Consulte le site Web ci-dessus pour trouver des informations sur la Commission royale sur les peuples autochtones. Clique sur *Matériel complémentaire/Primaire et secondaire*, puis sur *Le Canada : L'édification d'une nation*, où l'on te donnera la suite des indications.

UTILISE LES MOTS CLÉS

Conçois un jeu, par exemple une charade, pour jouer avec les mots de la liste des mots clés.

Le Canada en guerre, en 1914-1918

28 juillet 1914
La Première Guerre mondiale éclate.

4 août 1914
Le Canada se joint à la Première Guerre mondiale.

Octobre 1914
Le corps expéditionnaire canadien débarque en Angleterre.

Février 1915
Les premières troupes canadiennes arrivent au front.

Avril 1915
Les Canadiens livrent bataille à Ypres.

ZOOM SUR LE CHAPITRE

Nous sommes le 12 avril 1917. Des soldats canadiens du 29ᵉ Bataillon d'infanterie traversent des terres agricoles autrefois fertiles dans le nord de la France. Certains sont en France depuis trois ans et survivent, bataille après bataille. D'autres sont là depuis peu. Certains ne vont jamais revenir au Canada : ils vont trouver la mort dans la boue quelques jours plus tard. Ce sont tous de jeunes hommes en route pour prendre la crête de Vimy. Les Allemands contrôlent la crête depuis trois ans, mais ces Canadiens s'apprêtent à s'en emparer. Personne ne croit cet exploit possible. Rétrospectivement, certains estiment aujourd'hui que cette bataille a été un point tournant dans l'histoire canadienne. Cette victoire a donné à la nation un sentiment de fierté et de confiance.

Pourquoi le Canada participe-t-il à la Première Guerre mondiale en Europe ? Quels genres de sacrifices la jeune nation fait-elle pour se battre dans cette guerre ?

MOTS CLÉS

alliés
armistice
conscription
convoi
front
guerre
   de tranchées
no-man's-land
obligations de
   la Victoire
Parti unioniste
patriotisme
puissances
   centrales
Société
   des Nations
sujet ennemi
Triple Alliance
Triple Entente

SCÉNARIO DU CHAPITRE

Dans ce chapitre, tu étudieras les sujets suivants :
- les raisons qui ont poussé le gouvernement et la population du Canada à participer à la Première Guerre mondiale ;
- les rôles joués par les Canadiens et les Canadiennes dans la guerre, au pays et à l'étranger ;
- la facon dont des enjeux comme la conscription et l'internement des Canadiens divisent le pays ;
- les répercussions de la guerre sur les soldats, leur famille et le Canada tout entier ;
- la manière dont la guerre aide le Canada à obtenir son indépendance en tant que pays.

Avril 1917
Les Canadiens se battent sur la crête de Vimy.

28 août 1917
Proclamation de la conscription au Canada

11 novembre 1918
L'armistice met fin aux combats.

28 juillet 1919
Signature du traité de Versailles

LE CHEMIN VERS LA GUERRE

Au tournant du XXe siècle, les rivalités entre les grandes puissances incitent déjà l'Europe à faire la guerre. Tous les grands pays sont armés et préparés. La guerre semble inévitable.

En 1914, l'Europe est divisée en deux camps. D'un côté se trouve la **Triple Alliance**, composée de l'Allemagne, de l'Italie et de l'Empire austro-hongrois. De l'autre côté se trouve la **Triple Entente**, soit une alliance entre la Grande-Bretagne, la France et la Russie. La Grande-Bretagne est le pays le plus puissant de l'Entente. Elle a l'appui de l'Empire britannique, qui comprend le Canada, l'Australie, la Nouvelle-Zélande, l'Inde et une grande partie de l'Afrique.

1. Explique pourquoi l'Allemagne et l'Autriche-Hongrie sont également appelées **puissances centrales**.

2. Quels sont les pays neutres en 1914?

3. Compare cette carte à une carte de l'Europe d'aujourd'hui. Quels pays occupent maintenant le territoire occupé par l'Empire germanique et l'Empire austro-hongrois en 1914?

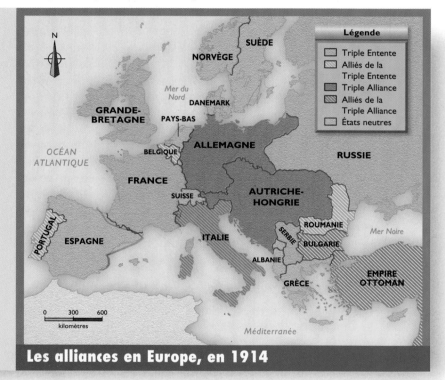

Les alliances en Europe, en 1914

Légende
- Triple Entente
- Alliés de la Triple Entente
- Triple Alliance
- Alliés de la Triple Alliance
- États neutres

* Notons que même si l'Italie fait partie de la Triple Alliance, ce pays demeure neutre quand la guerre éclate. Le 23 mai 1915, l'Italie se dissocie de la Triple Alliance et déclare la guerre à l'Autriche-Hongrie.

Il suffit d'un incident pour déclencher le conflit. Cet incident survient le 28 juin 1914. L'archiduc Ferdinand, héritier du trône d'Autriche, et son épouse Sophie sont assassinés par un nationaliste serbe. Quelques jours plus tard, la Première Guerre mondiale éclate.

Le Canada, en tant que pays membre de l'Empire britannique, est en guerre contre l'Allemagne dès que la Grande-Bretagne déclare la guerre. Il appartient cependant au gouvernement canadien de décider de la nature de l'intervention des Canadiens. La réaction de la population canadienne est forte: le **patriotisme** balaie le pays. Le Canada doit appuyer l'Empire britannique. La Grande-Bretagne et la France sont des pays

alliés, et sont aussi les mères-patries des deux principaux groupes ethniques du Canada. L'attaque de l'Allemagne contre la Belgique neutre est perçue comme une agression non provoquée. Les journaux du Canada, y compris ceux du Québec, encouragent à l'unisson la participation des Canadiens à la guerre. Personne ne pense que cette guerre durera longtemps.

Les Canadiens répondent à l'appel

Le 12 août 1914, moins de 10 jours après que la Grande-Bretagne a déclaré la guerre, au moins 100 000 Canadiens se portent volontaires pour aller au front. Pourquoi un aussi grand nombre de Canadiens s'enrôlent-ils ?

Soixante-cinq pour cent des premières recrues sont des immigrants de fraîche date originaires de Grande-Bretagne. Leurs liens avec leur pays d'origine sont encore forts. Autre raison : beaucoup d'hommes sont en chômage. Les soldats sont payés un dollar par jour, repas compris. La plupart des Canadiens n'ont aucune expérience de la guerre, et certains sont attirés par l'aventure.

Les recruteurs sont très sélectifs. Les femmes qui veulent s'enrôler outre-mer sont automatiquement exclues. Plus de 3000 femmes qui veulent servir leur pays se joignent aux services d'infirmerie de l'armée canadienne. Les Canadiens d'origines asiatique et africaine sont généralement exclus. Les chefs militaires, tous de la majorité blanche, estiment que leurs hommes risquent d'être mal à l'aise à l'idée de se battre aux côtés de gens différents d'eux et cela risque de rendre les unités moins efficaces. Dans un premier temps, les membres des Premières nations ne sont pas admis. Mais à l'automne 1915, cette règle est abolie en partie parce que plusieurs Autochtones se sont portés volontaires. Sur la côte ouest, l'Association canado-japonaise enrôle 227 hommes qui se sont entraînés à leurs frais, puis se sont portés volontaires. Face à la diminution des recrues, les militaires deviennent moins sélectifs et admettent des Asiatiques.

Une file d'attente à l'extérieur de l'immeuble Jarvis, à Toronto, qui a servi de station navale de recrutement en 1914.

Court métrage

Les Forces armées canadiennes en 1914

En 1914, l'armée canadienne compte 3110 soldats de la force régulière. De plus, 74 213 hommes appartiennent à une milice locale à temps partiel et ont reçu un entraînement d'une durée moyenne de quatre jours. La marine possède seulement deux navires désuets. Il n'y a pas d'armée de l'air.

Plus de 3500 Autochtones font partie du corps expéditionnaire canadien. Des membres de la colonie autochtone File Hills en Saskatchewan posent avec leurs parents avant leur départ pour l'Angleterre.

Dans le feu de l'action

Le rôle d'un homme Quand la guerre éclate, certaines campagnes de recrutement visent expressément les athlètes. On croit qu'ils vont faire de bons soldats. «Pourquoi se contenter d'être spectateur quand on peut jouer pleinement son rôle d'homme outre-mer?», clame une affiche. Le marathonien Tom Longboat fait partie de ceux qui se sentent obligés de s'engager. En janvier 1916, il s'inscrit.

Envoyé outre-mer, Longboat prend part à des courses contre des troupes d'autres pays alliés. Le coureur est finalement envoyé en France pour expédier des dépêches. Bravant les tirs ennemis, Longboat se fraie un chemin à travers les tranchées et les trous d'obus, les barbelés et les terrains vagues transformés en bourbiers. Blessé à deux reprises, Longboat est aussi déclaré mort par erreur.

Longboat et d'autres Autochtones qui ont servi pendant la Première Guerre mondiale obtiennent le droit de vote. Il faut attendre une quarantaine d'années avant que les Inuit obtiennent le droit de vote aux élections fédérales, et une cinquantaine d'années avant que tous les Autochtones bénéficient de ce droit.

Longboat (à droite) en France pendant la Première Guerre mondiale

Les sujets ennemis

En 1914, le gouvernement canadien adopte la Loi sur les mesures de guerre. Cette loi lui confère des pouvoirs très étendus pour protéger les citoyens canadiens. En réponse à l'opinion publique — certains parlent d'hystérie collective —, le gouvernement prend des mesures contre les citoyens originaires d'Allemagne, d'Autriche-Hongrie et d'autres pays ennemis. Ces personnes ont la réputation de menacer l'effort de guerre. À la fin de 1915, plus de 7000 hommes sont emprisonnés dans 24 camps.

De plus, 80 000 personnes originaires des puissances centrales sont classées comme **sujets ennemis**. Un grand nombre perdent leur emploi. Ces gens doivent se rapporter régulièrement à la police. Leurs journaux sont censurés et doivent publier des articles bilingues. Leurs écoles et certaines de leurs églises sont fermées. Toute personne devenue citoyenne du Canada après mars 1902 perd le droit de vote, et les autres se voient refuser la citoyenneté canadienne jusqu'à la fin de la guerre.

Où en sommes-nous ?

1 Imagine que tu es un jeune Canadien vivant en 1914. Fais un compte rendu pour expliquer les facteurs qui t'incitent à te joindre ou non au corps expéditionnaire canadien dépêché en Europe.

2 Crée une affiche de recrutement pour inciter de jeunes hommes à se joindre au corps expéditionnaire canadien.

3 Crée une caricature politique pour montrer que, même en temps de guerre, certains Canadiens ne sont pas traités équitablement.

4 Quels pouvoirs additionnels le gouvernement exerce-t-il au début de la guerre ? Détermine si ces pouvoirs sont nécessaires.

Court métrage

Une décision indépendante

Le conseil de la réserve des Six-Nations de la rivière Grand, en Ontario, refuse de participer à l'effort de guerre. Raison : en tant que nation souveraine, disent leurs chefs, les Iroquois ne sont pas liés par la déclaration de guerre de la Grande-Bretagne. Ils ne participeront aux combats qu'à la demande du roi. Malgré cette position officielle, de nombreux résidents de la réserve participent à l'effort de guerre et plusieurs jeunes hommes s'enrôlent dans l'armée canadienne.

Les prisonniers de guerre sont obligés de construire des camps, s'il n'y en a pas. De plus, ils construisent des routes, abattent des arbres, défrichent et construisent des chemins de fer.

"C" BATTERY R.C.H.A.

ORIGINAL

ATTESTATION PAPER.

No. 349348
Folio.

CANADIAN OVER-SEAS EXPEDITIONARY FORCE.

QUESTIONS TO BE PUT BEFORE ATTESTATION.

(ANSWERS.)

1. What is your surname?	Bruce	
1a. What are your Christian names?	David Alexander	
1b. What is your present address?	9 Bassett Street, Montreal, Que.	
2. In what Town, Township or Parish, and in what Country were you born?	Montreal, Que.	
3. What is the name of your next-of-kin?	Mrs. Jean Bruce	
4. What is the address of your next-of-kin?	9 Bassett St., Montreal, Que.	
4a. What is the relationship of your next-of-kin?	Mother	
5. What is the date of your birth?	8th. August 1898	
6. What is your Trade or Calling?	Clark	
7. Are you married?	No	
8. Are you willing to be vaccinated or re-vaccinated and inoculated?	Yes	
9. Do you now belong to the Active Militia?	No	
10. Have you ever served in any Military Force? If so, state particulars of former Service.	No 4 mths. McGill C.O.T.C.	
11. Do you understand the nature and terms of your engagement?	Yes	
12. Are you willing to be attested to serve in the CANADIAN OVER-SEAS EXPEDITIONARY FORCE?	Yes	

DECLARATION TO BE MADE BY MAN ON ATTESTATION.

I, David Alexander Bruce, do solemnly declare that the above are answers made by me to the above questions, and that they are true, and that I am willing to fulfil the engagements by me now made, and I hereby engage and agree to serve in the Canadian Over-Seas Expeditionary Force, and to be attached to any arm of the service therein, for the term of one year, or during the war now existing between Great Britain and Germany should that war last longer than one year, and for six months after the termination of that war provided His Majesty should so long require my services, or until legally discharged.

David Alexander Bruce (Signature of Recruit)

Date 12th. September 1916   *E.M. Hughes* (Signature of Witness)

OATH TO BE TAKEN BY MAN ON ATTESTATION.

I, David Alexander Bruce, do make Oath, that I will be faithful and bear true Allegiance to His Majesty King George the Fifth, His Heirs and Successors, and that I will as in duty bound honestly and faithfully defend His Majesty, His Heirs and Successors, in Person, Crown and Dignity, against all enemies, and will observe and obey all orders of His Majesty, His Heirs and Successors, and of all the Generals and Officers set over me. So help me God.

David Alexander Bruce (Signature of Recruit)

Date 12th. September 1916.   *E.M. Hughes* (Signature of Witness)

CERTIFICATE OF MAGISTRATE.

The Recruit above-named was cautioned by me that if he made any false answer to any of the above questions he would be liable to be punished as provided in the Army Act.

The above questions were then read to the Recruit in my presence.

I have taken care that he understands each question, and that his answer to each question has been duly entered as replied to, and the said Recruit has made and signed the declaration and taken the oath before me, at Kingston, Ont. this 12th. day of September 1916.

Will Sand (Signature of Justice)

M. F. W. 25.
600M.—9-16.
H. Q. 1772-39-841.

> Chaque recrue doit répondre aux questions de ce formulaire.

Dans toute organisation, il y a des formalités administratives à remplir. L'armée canadienne n'échappe pas à la règle. Les volontaires qui se joignent au corps expéditionnaire canadien (comme on appelle la nouvelle armée) sont interrogés à l'endroit où ils s'enrôlent. On pose les mêmes questions à chaque recrue de sorte que les militaires ont un dossier sur chaque soldat. C'est ce qu'on appelle des feuilles d'engagement. Ces documents sont établis en triple exemplaire, dont un est remis à la recrue envoyée outre-mer. Cet exemplaire est versé au dossier de la recrue au ministère des Forces armées outre-mer du Canada à Londres, en Angleterre.

Les feuilles d'engagement de tous les soldats qui ont servi pendant la guerre sont conservées aux Archives nationales du Canada.

INTERROGE LES FAITS

1. Quelles informations sur la recrue sont notées sur les feuilles d'engagement ?
2. Explique pourquoi chaque élément d'information est nécessaire.
3. Selon toi, est-il nécessaire d'établir ces documents en triple exemplaire, ou est-ce un exemple de lourdeurs administratives ? Explique ta réponse.
4. Comment un historien peut-il se servir des feuilles d'engagement ?

L'effort de guerre au Canada

La plupart des Canadiens essaient de participer à l'effort de guerre. Les femmes tricotent des chaussettes, des gants et des écharpes, et fabriquent des pansements. Elles recueillent des fonds pour envoyer des friandises et des extras aux soldats. De plus, les femmes préparent des colis à envoyer outre-mer. Les écoliers ramassent la ferraille qui peut être utilisée pour produire du matériel et des munitions.

Les femmes occupent les emplois laissés vacants par les hommes partis au loin. Il est courant de voir des conductrices de tramway et des travailleuses d'usine. Plus de 30 000 femmes travaillent dans les usines de munitions seulement. Entre 5000 et 6000 femmes occupent un poste à la fonction publique, et d'autres travaillent dans les banques et les bureaux. En général, les femmes sont moins payées que les hommes. Elles sont censées quitter leur emploi à la fin de la guerre.

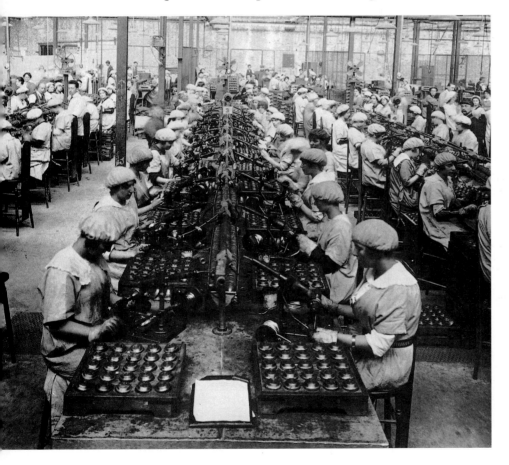

Des travailleuses dans une usine de munitions à Peterborough, en Ontario. En 1917, le tiers des obus utilisés par les armées de l'Empire britannique est fabriqué au Canada.

En 1915, l'économie canadienne est en plein essor et tout le monde peut trouver du travail. Les usines exécutent les commandes d'uniformes, de matériel militaire, de navires, d'avions et d'obus d'artillerie. De plus en plus de travailleurs adhèrent aux syndicats et les salaires augmentent, mais les hausses salariales ne compensent pas la hausse du coût de la vie.

Le prix des aliments et des vêtements augmente de plus de 60 %. La vie coûte cher au Canada.

La guerre crée des pénuries. Les armées canadiennes et alliées ont besoin de vivres. Les agriculteurs canadiens s'efforcent de relever le défi. La production de blé double, et les exportations de viande augmentent encore plus. Il y a une pénurie d'ouvriers agricoles, et les enfants les plus grands sont dispensés d'aller à l'école pour travailler dans les fermes. Les récoltes des agriculteurs sont insuffisantes pour répondre à la demande. En 1917, le contrôleur des vivres du Canada distribue une brochure de huit pages exhortant les familles à se rationner.

Une publicité sur les obligations de la Victoire en 1917. Avec des camarades, fais un remue-méninges pour déterminer les messages que véhicule cette affiche aux soldats au front. Est-ce un bon slogan ?

Des citadines comme celles-ci sont recrutées pour faire les moissons.

En 1918, la guerre coûte environ un million de dollars par jour au gouvernement canadien. En 1917, l'impôt sur le revenu est créé en tant que mesure provisoire visant à mobiliser des fonds pour payer les dettes de guerre du Canada. Les impôts ne rapportent que 15 % environ des recettes nécessaires. Le gouvernement émet alors des **obligations de la Victoire**. Les personnes qui achètent ces obligations prêtent de l'argent à l'État. En contrepartie, un intérêt non imposé leur est garanti à l'échéance des obligations. Les banques, les compagnies d'assurances et les Canadiens fortunés achètent les quatre cinquièmes de ces obligations.

Où en sommes-nous ?

1 Fais une liste des changements que la guerre a apportés dans la vie des familles des soldats. Parle des femmes qui veulent entrer sur le marché du travail, et des enfants.

2 Décris les avantages que les organisations et les Canadiens riches peuvent tirer de la guerre.

3 a) Pourquoi y a-t-il des pénuries pendant la guerre ?
   b) Pourquoi le coût de la vie augmente-t-il ? Qui cela touche-t-il le plus ?

LE CHAMP DE BATAILLE

Au début d'octobre 1914, plus de 25 000 hommes, 8000 chevaux, des milliers de canons de campagne, des fusils, des fournitures médicales et d'autres articles sont chargés et expédiés en Europe. Cent une infirmières voyagent avec les troupes. Après un entraînement en Grande-Bretagne, la 1re Division canadienne est dépêchée en France en février 1915. Peu après, les soldats s'engagent dans la **guerre de tranchées**.

Passe à l'histoire

Imagine que tu es membre du corps expéditionnaire canadien et que tu te rends à l'étranger. Écris tes états d'âme pendant la traversée de l'Atlantique. Tu peux parler des raisons qui t'ont incité à t'enrôler et de ton opinion sur la guerre.

Le chargement de l'artillerie et de chevaux à Montréal

La guerre de tranchées

Les troupes ennemies se livrent bataille le long d'une ligne d'évitement, le **front**, qui s'étend sur près de 1000 km, de la mer du Nord à la Suisse. Les deux camps construisent des réseaux de tranchées et de tunnels pour fortifier leurs positions et protéger leurs soldats. Les tranchées ont au moins 2 m de profondeur et sont renforcées à l'aide de lourds sacs de sable. L'eau s'accumule dans les tranchées et des planches recouvrent le fond pour permettre aux hommes de se déplacer. Des lignes de tir sont creusées en forme de zigzag pour empêcher les tirs ennemis d'atteindre les soldats. À certains endroits, les tranchées ennemies se trouvent à moins de 110 m de distance. Pendant la journée, quand tout est calme, les soldats peuvent entendre les troupes ennemies.

Une deuxième et une troisième ligne de tranchées sont également construites derrière les lignes de front. Ces tranchées servent à déplacer le ravitaillement et les troupes vers la ligne de front. Un réseau téléphonique relie les tranchées.

Les troupes se relaient dans les tranchées. Souvent, les soldats passent une semaine ou plus à la fois sur la ligne de front. Pendant la plus grande partie de la nuit, les soldats réparent les

Court métrage

Winnie l'ourson

Une ourse noire de White River, en Ontario, part à la guerre avec son maître, le capitaine Harry Colebourn. Quand Colebourn est appelé au front, il fait don de l'ourse, appelée Winnipeg, au zoo de Londres. Winnie, comme la surnomment les visiteurs du zoo, vite conquise, a inspiré à l'écrivain A.A. Milne les récits de Winnie l'ourson.

Court métrage

Des messagers ailés

Les pigeons voyageurs ont été des héros invisibles de la Première Guerre mondiale. Au plus fort de la guerre de tranchées en 1915, les transmetteurs canadiens envoient une centaine de pigeons chaque jour pour transporter des messages entre les unités. Ces messagers ailés sont si importants qu'un service spécial est mis sur pied pour s'occuper des 20 000 oiseaux utilisés par les compagnies de transmission canadiennes.

tranchées, construisent d'autres fosses et creusent des tunnels. Les équipes réparent les barbelés ou reconstruisent les tranchées détruites par les tirs d'artillerie. Des soldats vont chercher de la nourriture, de l'eau, des munitions et d'autres articles de ravitaillement dans les tranchées de réserve et de communication. D'autres transportent les blessés aux postes de campagne ou enterrent les morts. Souvent, les rations sont épuisées ; il est dangereux de boire l'eau, car elle se contamine facilement. Les repas sont souvent composés de bœuf salé en conserve, de pain ou de biscuits et de thé chaud. Les hommes dorment où et quand ils le peuvent. Souvent, ils dorment debout contre les sacs de sable des tranchées.

Voici comment un ancien combattant décrit la vie dans les tranchées :

Le mot « tranchée » est trop romantique [...] « Fosse » est plus juste. Au bout d'un certain temps, il n'y a plus de collecte des ordures ni d'égouts [...] [nous] devenons crasseux. On jette par-dessus le parapet tout ce dont on ne veut pas. Si l'on est à un endroit d'où [...] l'on peut voir les tranchées, on aperçoit une étrange bordure de monceaux de déchets qui sillonnent le paysage aussi loin que le regard peut porter. Ces fossés dégagent une odeur âcre, masquée en hiver par celle du gaz de coke [...]

Des casques d'acier sont fournis aux soldats en 1916, après de nombreuses pertes de vie causées par des blessures à la tête. Au début, seulement 50 casques par bataillon sont fournis aux soldats ; ceux-ci doivent se les partager.

1 Quelle est la largeur approximative de cette tranchée ?

2 Comment les hommes s'occupent-ils ?

3 Indique pourquoi les hommes ne passent pas beaucoup de temps dans les tranchées de la ligne de front en dehors des périodes de combat.

Les rats sont si nombreux qu'on ne peut exagérer leur nombre [...] Partout où l'on va, le jour ou la nuit, on entend les cris aigus de ces bêtes énormes et monstrueuses qui vivent dans les déchets [...]

La tension ne se relâche jamais [...] On ne sait jamais quand l'un de ces sons parfaitement absurdes [...] va nous atteindre [...] Dans cette guerre, nous sommes sujets à des traumatismes dus aux bombardements [...] Les victimes éprouvent une immense lassitude, pas tant à cause des combats que des longs intervalles passés dans ces conditions [...]

(Traduction libre)

Consignes de l'armée pour se débarrasser des poux

Changer de vêtements le plus souvent possible.

Le brossage et le repassage des vêtements sont les deux meilleurs moyens de détruire les œufs.

Brûler ou enterrer les vêtements infestés qui ne sont pas nécessaires.

Porter des sous-vêtements en soie.

Les poux meurent de faim en une semaine dans les vêtements mis au rebut.

Dans un cantonnement de repos, ces hommes inspectent les coutures de leurs vêtements pour déceler des poux. Ces insectes transportent des maladies comme le typhus et la fièvre des tranchées.

Où en sommes-nous ?

1 Quelles sont les conditions dans les tranchées qui rendent la propagation des maladies réellement dangereuse ?

2 Des officiers censurent les lettres des soldats au front. Donne la raison de cette censure.

3 D'après ce que tu as appris, quelle est la probabilité que les soldats au front se débarrassent des poux en observant les consignes de l'armée ?

Entre les deux lignes de front des tranchées se trouve une zone neutre, le **no-man's-land**. Des lacis de barbelés parcourent cette zone. Le son des tirs de fusils et de mitrailleuses emplit l'air chaque fois que des mouvements sont détectés dans cette zone non revendiquée. C'est un endroit très dangereux.

Avant une tentative pour capturer les tranchées ennemies, l'artillerie tire des obus dans les lignes ennemies pendant plusieurs jours, puis les officiers ordonnent aux troupes de sortir des tranchées. Voici le récit d'un ancien combattant datant du 15 septembre 1915 :

Le lendemain matin, on nous a annoncé notre sortie des tranchées à 5 h 06 du matin [...] Un coup de sifflet a retenti, le jour commençait à poindre et les premiers chars à parcourir le no-man's-land ont traversé les tranchées [...] Nous avons dû nous entraider pour gagner la tranchée de la ligne de front. Entre-temps, l'artillerie allemande s'est emparée d'une ligne de nos tranchées et a fait feu sur nous [...] J'ai vu un homme blessé, hurler comme un cheval [...]

(Traduction libre)

Imagine que tu es l'un de ces soldats. Décris ce que tu vois et ce que tu ressens en traversant le no-man's-land.

Derrière les lignes

Chaque unité combattante a besoin d'un hôpital de campagne pour soigner ses blessés. À la fin de la guerre, le cinquième environ de tous les médecins canadiens, ainsi que 2854 infirmières autorisées, ambulancières et aides-infirmières se sont joints à l'armée. Des chercheurs canadiens travaillent à leurs côtés pour trouver des traitements aux nouveaux maux comme les brûlures de gaz toxiques et le traumatisme dû aux bombardements, une maladie mystérieuse qui provoque le repli sur soi.

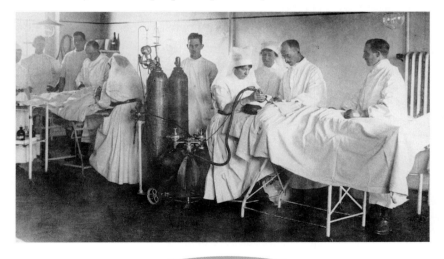

Après une bataille importante, les médecins et les infirmières travaillent 24 heures sur 24 pour secourir les soldats blessés.

Lien Internet

www.dlcmcgrawhill.ca

Les soldats ne sont pas autorisés à prendre des photos au front, mais la famille de Jack Turner envoie des films à ce dernier. Tu peux voir les photos de Turner et te documenter à son sujet en consultant le site Web ci-dessus. Clique sur *Matériel complémentaire/Primaire et secondaire*, puis sur *Le Canada : L'édification d'une nation*, où l'on te donnera la suite des indications.

Katherine Wilson

Le quart de nuit au service des horreurs

À la fin de son long quart de nuit au poste d'évacuation sanitaire nº 44 près de la Somme, la première lieutenante Katherine Wilson est trop épuisée pour se soucier des insectes omniprésents dont elle a horreur. Katherine s'écroule, à bout de forces, sur le mince matelas étendu sur le sol de sa tente. Elle veut juste dormir.

À la déclaration de la guerre, la jeune infirmière d'Owen Sound, en Ontario, éprouve un élan de patriotisme et le goût de l'aventure. Katherine Wilson se porte aussitôt volontaire auprès du service de santé. Elle adopte avec enthousiasme l'uniforme réglementaire, une robe de coton bleu ciel qui descend jusqu'aux chevilles. Cet uniforme vaut aux infirmières le surnom d'« oiseaux bleus ». Elle est très fière des deux étoiles qui ornent ses épaulettes. Ces étoiles signifient qu'elle est première lieutenante, le rang attribué à toutes les sœurs infirmières. On les appelle ainsi parce que les premières infirmières qui ont servi pendant la guerre appartenaient à des ordres religieux. Leur voile blanc symbolise la tradition créée par les religieuses.

Trois ans après son arrivée, sœur Wilson n'a pas le temps de penser à ces traditions. Chaque jour, des ambulances déversent leur flot de soldats blessés du front, situé à 8 km à peine de là. Le rôle des infirmières et des médecins au poste d'évacuation sanitaire consiste à stabiliser l'état des blessés avant leur transport à un hôpital de la base situé plus loin derrière la ligne. Trop souvent, c'est une cause perdue. Les antibiotiques sont inconnus. Les soldats qui ne sont pas tués sur le coup trouvent souvent la mort quand l'infection se déclare. Katherine Wilson estime que sur les 48 patients soignés en permanence dans son service, une dizaine seulement vivent assez longtemps pour voir l'hôpital de la base. « C'est le service des horreurs ! », écrit l'infirmière.

Un soir, un prisonnier allemand grièvement blessé est amené au poste. Katherine proteste à l'idée de secourir un ennemi, puis son attitude change. Le soldat est encore un tout jeune homme. Il est clair que cet Allemand est terrifié et que sa vie tient à un fil. Katherine fait l'impossible pour le sauver, mais le soldat meurt peu avant l'aube. « J'ai compati avec une mère allemande, écrit-elle plus tard. Un prêtre plein de bonté a été au chevet de ce garçon jusqu'à la fin, et mon cœur n'a éprouvé pour lui que de la compassion. L'impuissance et le jeune âge de ce soldat ont dissipé ma haine. »

Katherine Wilson survit à la guerre, se marie et revient au Canada, mais il lui est difficile d'oublier les horreurs qu'elle a vues. « Le souvenir du poste d'évacuation sanitaire est gravé dans ma mémoire, écrit-elle des années plus tard. Je suis restée de longues heures étendue, éveillée, à penser à cette époque. Je n'ai pas pu tourner cette page de ma vie. »

Autres personnages à découvrir

John McCrae

Margaret Clothilde MacDonald

Cluny Macpherson

Edith Anderson Monture

Georgina Pope

Katherine Wilson

Au champ d'honneur

Au champ d'honneur, les
Coquelicots
Sont parsemés de lot en lot
Auprès des croix ; et dans l'espace
Les alouettes devenues lasses
Mêlent leurs chants au sifflement
Des obusiers.
Nous sommes morts,
Nous qui songions la veille encor'
À nos parents, à nos amis,
C'est nous qui reposons ici,
Au champ d'honneur.
À vous, jeunes désabusés,
À vous de porter l'oriflamme
Et de garder au fond de l'âme
Le goût de vivre en liberté.
Acceptez le défi, sinon
Les coquelicots se faneront
Au champ d'honneur.

Le 8 décembre 1915

John McCrae, poète et médecin canadien, travaille dans un hôpital près du front. Il a composé ce poème peu avant sa mort. *Au champ d'honneur* est devenu le poème le plus célèbre à la mémoire des hommes morts au combat.

Lien Internet

www.dlcmcgrawhill.ca

Tu peux lire la vie de John McCrae en consultant le site Web ci-dessus. Clique sur *Matériel complémentaire/Primaire et secondaire*, puis sur *Le Canada : L'édification d'une nation*, où l'on te donnera la suite des indications.

Où en sommes-nous ?

1 Pourquoi les infirmières, les médecins, les ambulanciers et les commis des postes sont-ils importants pour les troupes au front ?

2 Les personnes qui travaillent derrière le front doivent démontrer autant de courage et d'audace que les hommes au combat. Quelles preuves as-tu pour appuyer cette affirmation ?

3 Selon toi, pourquoi *Au champ d'honneur* est-il devenu un poème célèbre ? Que dit ce poème au sujet des soldats qui ont sacrifié leur vie ?

La bataille d'Ypres, en 1915

La deuxième bataille d'Ypres est l'une des premières batailles horribles où les soldats canadiens jouent un rôle capital. Environ 6000 Canadiens meurent dans cette bataille. L'attaque

Court métrage

Les Blue Puttees

Au début de la guerre, les bandes molletières font partie de l'uniforme des soldats canadiens et britanniques. Les bandes molletières sont des bandes de laine enroulées autour de la jambe à partir de la cheville jusqu'au genou. Quand vient le temps d'équiper le Régiment de Terre-Neuve, les réserves de laine kaki sont épuisées. On utilise à la place un tissu de drap bleu, d'où le surnom donné au régiment: les Blue Puttees. Plus tard, des guêtrons en cuir remplacent les bandes molletières.

commence le 22 avril 1915 et dure une semaine. Les Canadiens sont aux prises avec une arme nouvelle, très dangereuse. Environ 100 000 Allemands les attaquent en utilisant un gaz mortel, le chlore gazeux. Les Canadiens leur tiennent tête et tentent de récupérer le territoire perdu. Même s'ils sont légèrement dispersés et, parfois, attaqués de trois côtés, les Canadiens résistent aux soldats allemands et les immobilisent.

Un Canadien, le Dr Cluny McPherson, crée le premier masque à gaz très primitif. Les masques à gaz deviennent l'équipement requis pour les hommes et les chevaux après la bataille d'Ypres. Comment l'utilisation du chlore gazeux aide-t-elle les troupes à capturer les tranchées ennemies? Quelles conditions naturelles peuvent rendre l'utilisation de ce gaz dangereuse pour l'utilisateur ainsi que pour les troupes ennemies?

Dans le feu de l'action

Le fusil Ross, une arme redoutable

À leur arrivée outre-mer, les soldats canadiens portent le fusil Ross de fabrication canadienne. Excellent pour le tir de cibles, ce fusil est très apprécié des tireurs d'élite. Au combat, cependant, ce fusil est d'une inefficacité désastreuse. Il mesure 30 cm de longueur, pèse un demi-kilo et coûte plus cher que le fusil Lee-Enfield de fabrication britannique. Ce qui est plus grave, le fusil Ross s'enraie facilement et s'étrangle souvent quand il part trop vite. «Il est meurtrier d'envoyer nos hommes au combat avec cette arme», écrit un officier indigné. Des soldats canadiens commencent à se débarrasser de leurs fusils Ross et prennent les fusils Lee-Enfield des soldats britanniques blessés.

Le fusil Ross a été sélectionné par le ministre de la Milice, Sam Hughes, qui refuse obstinément d'autoriser un changement d'armes. Quand le commandant de l'une des divisions canadiennes arme ses troupes de fusils Lee-Enfield après la deuxième bataille d'Ypres en 1915, Hughes est furieux. Le désaccord divise les rangs supérieurs de l'armée. Un général qui a appuyé Hughes menace de punir les membres de sa division trouvés en possession d'un Lee-Enfield. À l'été de 1916, le fusil Ross est retiré. Les soldats canadiens sont finalement équipés d'armes fiables. Peu après le retrait du fusil Ross, Hughes part lui aussi. Le fiasco du fusil Ross est l'une des raisons qui incitent le premier ministre Robert Borden à congédier Hughes en novembre 1916.

La bataille de la crête de Vimy

La bataille peut-être la plus décisive livrée par les Canadiens est celle de la crête de Vimy, à Arras, en France. Les Allemands capturent la crête en 1914 et l'occupent pendant trois ans malgré les attaques des troupes françaises et britanniques. De leur position fortement armée sur la crête, les Allemands peuvent contrôler la région avoisinante. Le 9 avril 1917, le corps d'armée canadien, sous le commandement de l'officier britannique sir Julian Byng, accomplit un exploit que les autres troupes n'ont pu réaliser : la capture de la crête de Vimy.

Pour la première fois, quatre divisions canadiennes combattent ensemble. Leur attaque est un modèle de planification, de préparation et d'entraînement. Les fusils, le territoire et les prisonniers ainsi gagnés sont plus importants que dans toutes les autres offensives britanniques. Beaucoup se rappellent la fureur de la bataille. Un jeune transmetteur, E.L.M. Burns, décrit le bruit : « Imaginez le coup de tonnerre le plus fort que vous ayez entendu, multiplié par deux et prolongé indéfiniment. »

À partir de ce moment, les troupes canadiennes forment une unité. Les soldats gagnent le respect des troupes ennemies et des Alliés. Après cette grande victoire, le roi George V fait chevalier l'officier canadien Arthur Currie. Currie est bientôt promu lieutenant général et devient le premier commandant du Corps d'armée canadien à être né au Canada.

Légende
— Ligne de front, 31 décembre 1914
···· Ligne de front, 18 juillet 1918
— Ligne de front, 15 octobre 1918
-- Ligne de l'armistice, 11 novembre 1918
— Frontière internationale

La zone de bataille en France, en 1914-1918

1 Utilise l'échelle de la carte pour estimer la distance entre le front en décembre 1914 et le front en octobre 1918 à son point le plus large.

2 Selon toi, pourquoi est-il difficile pour les troupes de progresser et de gagner le front ?

Où en sommes-nous ?

1 La plupart des pays conviennent de ne pas utiliser le chlore gazeux comme arme de guerre après la Première Guerre mondiale. Pourquoi prend-on cette décision ?

2 a) Depuis combien de temps les troupes canadiennes font-elles la guerre quand elles se battent sur la crête de Vimy ?

b) Décris à l'aide d'une illustration, d'un poème ou d'un texte en prose pourquoi la bataille de la crête de Vimy est un exploit pour les troupes canadiennes.

3 Les Britanniques introduisent des chars pour aider les fantassins. Effectue des recherches pour déterminer pourquoi, au début, ces chars ne sont pas d'une grande efficacité.

La guerre sur la mer et dans les airs

La puissance maritime est cruciale pendant la Première Guerre mondiale. Les Britanniques et les Allemands tentent d'intercepter les marchandises avant leur arrivée aux ports ennemis par voie de mer. Des navires marchands se déplacent en groupes nombreux, appelés **convois**. Les convois comprennent des

Arthur Currie
UN HOMME REMARQUABLE

En août 1918, le lieutenant général Arthur Currie fait des 102 372 soldats du Corps d'armée canadien une force combattante exemplaire. L'année où Currie prend le commandement après la victoire de la crête de Vimy, sa mission consiste à créer une armée mobile, bien entraînée et bien préparée, prête à relever n'importe quel défi. Ses troupes sont maintenant confrontées à ce défi. Peu avant l'aube, le 8 août 1918, les soldats sont en position près d'Amiens, en France. Leur mission? Ces hommes ont été choisis avec les troupes australiennes pour lancer une offensive générale contre la ligne allemande.

Grâce aux soldats australiens et canadiens, le plan connaît un succès retentissant. Les Canadiens écrasent les troupes allemandes sur leur passage et gagnent presque 13 km ce jour-là. Les Australiens progressent de plus de 11 km. Sur les flancs des forces coloniales, les Français avancent de 8 km environ. Les Britanniques gagnent environ 5 km. Dans une guerre où le succès se mesure parfois en mètres, cette percée est inédite. Les Canadiens ont orchestré la défaite la plus cuisante de l'armée allemande. Personne ne le sait à ce moment-là, mais cet événement marque le point tournant de ce qu'on appellera plus tard « les 100 jours du Canada ». Il s'agit de la période, de 96 jours en fait, comprise entre le 8 août et le 11 novembre 1918, jour de la déclaration de l'**armistice**, ou cessez-le-feu.

Il y a des reculs pendant ces 100 jours, mais ceux-ci ne mettent pas fin à la progression des troupes. Avant le 11 novembre, les troupes canadiennes affrontent et mènent résolument à la défaite une cinquantaine de divisions allemandes, soit environ le quart des forces armées allemandes sur le front occidental.

Currie n'entreprend pas sa carrière dans l'armée. Né en Ontario, en 1875, il migre vers l'Ouest à l'adolescence et enseigne à Victoria, en Colombie-Britannique. Puis il change de carrière et vend des polices d'assurance et des immeubles. Comme un grand nombre de jeunes hommes, Currie se joint à la milice et obtient des promotions avant de prendre le commandement de son régiment. Sous son commandement, le régiment remporte de nombreux prix dans les compétitions de la milice. Currie est remarqué à Ottawa. Quand la guerre éclate, il est tout naturellement désigné pour devenir officier supérieur du corps expéditionnaire canadien.

En tant qu'officier, Currie se démarque. Il croit qu'il est nécessaire de se préparer et de s'entraîner minutieusement. De plus, il dirige de main de maître les troupes qu'il commande et il se bat pour faire respecter ses hommes. Les soldats du Corps d'armée canadien lui rendent hommage en le surnommant respectueusement « Guts and Gaiters » (littéralement : du cran et des guêtres).

Autres personnages à découvrir

Robert Borden

Henri Bourassa

Arthur Currie

Joseph W. Flavelle

Samuel Hughes

croiseurs bien armés pour protéger la flotte. La principale fonction de la Marine royale du Canada consiste à aider les Britanniques à escorter les troupes et le ravitaillement pendant la traversée de l'océan Atlantique. À la fin de la guerre, en 1918, la Marine royale du Canada compte 112 bâtiments de guerre et 5500 officiers et soldats.

L'avion est une nouvelle invention en 1914. Au début, les avions servent à des missions d'espionnage : ils volent au-dessus du territoire ennemi pour repérer les troupes, les armes utilisées et les déplacements. Souvent, les pilotes prennent des photos qui sont examinées à leur retour à la base. Les cockpits sont ouverts pour donner aux pilotes un champ de vision dégagé. Les avions sont mal équipés pour le combat. Les premières armes des pilotes sont des fusils et des pistolets à main. Ces armes sont vite remplacées par des mitrailleuses montées sur affût. L'étape suivante consiste à armer les avions de bombes pour attaquer les lignes ennemies.

La guerre aérienne est extrêmement dangereuse pour les aviateurs. Un pilote dont l'avion est abattu a peu d'espoir de survivre, car les parachutes n'existent pas encore. Observant des combats aériens du haut des airs, Edward Foster remarque de minuscules points qui tombent d'un avion en flammes. Foster explique que ce sont « des hommes qui ont choisi de sauter plutôt que de brûler ». Environ 1563 Canadiens meurent dans l'effort de guerre aérien. Le tiers de tous les pilotes des services aériens britanniques qui abattent une trentaine d'avions ennemis sont des Canadiens.

Cette photo montre Billy Bishop, le célèbre sous-officier canadien qui a remporté la Croix Victoria, dans son avion équipé d'une mitrailleuse montée sur affût.

Où en sommes-nous ?

1 En équipe, fais un remue-méninges pour déterminer pourquoi il est important de contrôler les mers pendant la Première Guerre mondiale.
2 Quels talents un pilote doit-il avoir pour faire la guerre ?
3 Visite un musée militaire ou lis des récits de la guerre de 1914–1918 et choisis un récit que tu communiqueras à la classe.

LA CRISE AU PAYS

Quand la guerre éclate, personne ne soupçonne sa durée ni sa gravité. En 1917, le nombre de recrues volontaires ne compense pas les morts ni les blessés. C'est pourquoi l'enrôlement devient obligatoire : c'est la **conscription**. Le premier ministre Robert Borden sait que la conscription est impopulaire auprès de certains Canadiens.

Quel contraste par rapport aux séances de recrutement du début de la guerre !

La résistance est particulièrement forte au Québec où Henri Bourassa mène le mouvement contre la conscription. Des rédacteurs de journaux tels que *Le Devoir* déclarent que cette guerre est européenne et doit être livrée par les Européens. Plusieurs Canadiens sont déjà morts dans cette guerre. De nombreux Canadiens français se rappellent les mesures prises par Hughes à l'époque où il était ministre de la Milice. Hughes a provoqué leur colère en envoyant des recruteurs anglophones au Québec et en plaçant la plupart des volontaires francophones du Québec dans des régiments anglophones au lieu de former des régiments séparés pour ces volontaires. De plus, Hughes a refusé de nommer à des postes d'autorité des officiers canadiens-français même plus compétents que les officiers anglophones. La plupart des Canadiens français, en particulier au Québec, s'opposent avec véhémence à la conscription.

Les agriculteurs sont de ce nombre. Ils estiment qu'ils font déjà leur part en produisant des récoltes pour les troupes. Certaines personnes sont pacifistes et croient que toutes les formes de violence, y compris la guerre, sont mauvaises. Les Quakers, les Mennonites, les Huttérites et les Doukhobors sont les principaux groupes pacifistes. Ils ont été dispensés du service militaire à leur arrivée au Canada comme immigrants.

Les journaux d'expression anglaise sont généralement en faveur de la conscription. Selon eux, le Canada s'est engagé dans la guerre et doit maintenant la finir. Les adversaires de la conscription sont complices des Allemands et des puissances centrales. Il faut aider les Canadiens et les Canadiennes déjà en poste outre-mer. La conscription n'est pas un choix : c'est une nécessité.

Le pays est divisé sur cette question. En 1917, le premier ministre Borden convoque une élection générale pour déterminer si la conscription doit avoir lieu ou non. Avant l'élection, le gouvernement prend des mesures pour assurer sa victoire. Il forme une coalition avec des membres d'autres partis politiques favorables à la conscription. Cette coalition est le **Parti unioniste**. Celui-ci adopte une loi qui abolit le vote des immigrants, car ceux-ci risquent de s'opposer à la conscription, et accorde le droit de vote aux soldats. Pour la première fois, les femmes qui comptent

Des infirmières vont voter. Une infirmière, Ella Mae Bongard, note dans son journal, le 9 décembre 1917 : « J'ai assurément voté pour la conscription malgré la politique des partis, car je ne veux pas que le Canada se retire à cette étape-ci. »

des soldats dans leur famille peuvent voter. Cette loi garantit aussi aux soldats et au personnel médical outre-mer le droit de voter sur cette question.

Après une campagne amère où les adversaires s'accusent mutuellement, on dépouille le scrutin. Les partisans de la conscription gagnent. Les votes des soldats font pencher la balance en leur faveur. Le prix de la victoire est cependant élevé. Borden et les unionistes remportent seulement trois sièges au Québec. Le Québec est contre le reste du Canada. L'amertume subsiste pendant des années.

Où en sommes-nous ?

1 Quelles mesures le gouvernement prend-il pour s'assurer de remporter l'élection de 1917 ?

2 Tiens une assemblée publique dans ta classe. Demande aux parties adverses d'exposer des arguments pour et contre la conscription.

3 a) Quel autre enjeu dont il a été question dans ton manuel a divisé le Canada ?

b) D'après ce que tu sais du Canada d'aujourd'hui, quel conseil donnerais-tu à Borden, si tu pouvais lui parler avant l'élection ?

Les dernières années

En 1917, l'Allemagne entreprend des offensives sous-marines générales contre tous les navires qui traversent l'océan Atlantique avec du ravitaillement destiné à la Grande-Bretagne. Face à des attaques possibles contre les navires américains, le président Woodrow Wilson déclare la guerre à l'Allemagne le 6 avril 1917.

L'entrée des États-Unis dans la guerre insuffle un regain d'énergie aux forces alliées usées par la guerre. Par ailleurs, les puissances centrales commencent à se lasser de la guerre et des nombreuses épreuves que celle-ci inflige à leurs soldats et à leurs citoyens. La Turquie, la Bulgarie et l'Autriche se retirent de la guerre en raison des tentatives de leurs citoyens pour renverser leur gouvernement. L'Allemagne veut aussi mettre fin à la guerre. Finalement, ces pays trouvent un motif de reddition. Le Kaiser allemand abandonne son trône et trouve refuge en Hollande, un pays neutre. Sans leur chef, les Allemands n'ont plus aucune raison de poursuivre les combats.

À 10 h 55, le 11 novembre 1918, soit cinq minutes avant l'entrée en vigueur de l'armistice, un tireur d'élite allemand tue le soldat George Price près de Mons, en Belgique. Price, qui fait partie du 28e Bataillon du Nord-Ouest, est le seul Canadien tué ce jour-là.

Court métrage

L'explosion de Halifax

Halifax, en Nouvelle-Écosse, est le principal port canadien de la Marine royale. Le 6 décembre 1917, le vaisseau de secours belge *Imo* heurte accidentellement le transporteur de munitions français *Mont Blanc*, qui renferme près de 2766 tonnes d'explosifs à son bord. Un incendie éclate. Environ 25 minutes plus tard, les flammes atteignent les explosifs. L'explosion qui en résulte détruit une grande partie de la ville, faisant plus de 1600 morts, 9000 blessés et des milliers de sans-abri.

Thomas Ricketts
UN SOLDAT VALEUREUX

Pendant que la bataille de Courtrai fait rage le 14 octobre 1918, le soldat Thomas Ricketts, 17 ans, et les hommes de la Compagnie B du Régiment royal de Terre-Neuve risquent d'être victimes de leur propre succès. Les Blue Puttees ont repoussé la ligne allemande. Ce faisant, ils se sont éloignés de la couverture de leur artillerie lourde. Ils sont maintenant à bout de ressources, cloués au sol par les tirs foudroyants d'un canon de campagne allemand. Ils ne peuvent ni avancer ni se replier. Le peloton est en train d'être massacré. Leur seul espoir d'arrêter les tirs meurtriers est de transporter un fusil Lewis, c'est-à-dire une mitrailleuse légère, assez proche pour attaquer les Allemands à partir du flanc. Ainsi, ils vont peut-être pouvoir les chasser de leurs retranchements.

Quand le chef du peloton de Thomas Ricketts accepte cette dangereuse mission, le jeune soldat propose de l'accompagner. Dès qu'ils s'éloignent de la couverture, l'ennemi comprend leur plan. Déterminés à le faire échouer, les artilleurs allemands lâchent une grêle de balles de mitrailleuse et d'artillerie sur les deux valeureux Terre-Neuviens. Les balles sifflent près de leurs silhouettes vêtues de kaki, et les obus qui explosent projettent des éclats partout. Le vacarme est assourdissant. Par miracle, les deux hommes ont la vie sauve. Ils courent en se courbant, puis se précipitent derrière la moindre couverture. Chaque fois qu'ils se cachent, les deux soldats tirent une rafale avec leur fusil Lewis. Pendant que les Allemands esquivent les tirs, les deux Canadiens bondissent et franchissent quelques mètres de plus. Peu à peu, ils s'approchent de la batterie.

Leurs munitions diminuent. Parvenus à environ 275 m de leur but, ils sont à court d'obus. Thomas sait qu'il doit faire quelque chose, sinon tous seront perdus. Affrontant les balles et les obus, il regagne sa compagnie à la course et fait provision de munitions. Il refait ensuite le parcours inverse.

Les Terre-Neuviens recommencent à faire feu, et les Allemands se réfugient dans des bâtiments agricoles des environs. Les soldats de la Compagnie B profitent du retrait des Allemands pour se ruer sur la batterie, dont ils s'emparent. Sans subir de pertes, ils s'emparent de quatre mitrailleuses et d'un canon de campagne, et capturent huit soldats allemands.

Pour le courage qu'il a démontré ce jour-là, Thomas, qui s'est enrôlé à 15 ans à peine, devient non seulement le plus jeune Canadien, mais aussi le plus jeune ressortissant de l'Empire britannique, à obtenir la Croix Victoria, la plus haute distinction remise par la Grande-Bretagne pour bravoure. Cette médaille prestigieuse, qui est coulée dans le bronze et attachée à un ruban rouge, porte cette simple inscription : Pour bravoure.

Autres personnages à découvrir

William Barker

William (« Billy ») Bishop

Francis Pegahmagabow

Thomas Ricketts

Jack Turner

Cinq ans jour pour jour après l'assassinat qui a déclenché la Première Guerre mondiale, des dirigeants et des délégués se réunissent à la Conférence de paix de Paris, en France, pour signer le traité mettant fin officiellement à la Première Guerre mondiale. Les Allemands sont exclus des pourparlers. On leur présente simplement la version finale du traité et on leur ordonne de la signer. Le traité de Versailles énonce les dispositions suivantes :

- L'Allemagne perd 10 % de son territoire et de sa population, principalement au profit de la France et de la Pologne.
- L'Allemagne doit payer les dommages causés à la France et à la Belgique.
- La totalité des troupes et des armements doivent être retirés de la zone comprise entre l'Allemagne et la France, appelée Rhénanie.
- L'armée allemande est réduite à 100 000 hommes.
- Il est interdit à l'Allemagne de construire des avions militaires, des véhicules blindés ou des sous-marins.

Le traité institue aussi un nouvel organisme, la **Société des Nations**. Son objectif est de promouvoir la paix par le dialogue à l'échelle internationale plutôt que par la confrontation. Un fait de guerre contre un membre vise tous les membres, et une riposte de tous les pays membres est alors prévisible. Le premier ministre du Canada, Robert Borden, et trois autres Canadiens font partie de la délégation britannique présente à la Conférence de paix de Paris et signent le traité de Versailles indépendamment de la Grande-Bretagne. Par ce geste, le Canada affirme son autonomie grandissante dans le domaine des affaires étrangères.

Des soldats canadiens célèbrent leur victoire.

Où en sommes-nous ?

1 Rédige une lettre destinée à ta section locale de la Légion royale canadienne pour suggérer des moyens d'encourager les écoliers à observer le jour du Souvenir. Mentionne dans ta lettre pourquoi il est important que les élèves respectent ce jour.

2 Imagine que tu fais partie d'une famille accueillant un soldat de retour de la guerre. Exprime tes sentiments dans un poème, une carte de souhaits ou une illustration.

3 a) Pourquoi est-il important que le Canada signe séparément le traité de Versailles ?

   b) Selon toi, comment les Allemands perçoivent-ils le traité de Versailles ?

L e Canada emboîte le pas à la Grande-Bretagne et déclare la guerre aux puissances centrales en 1914. Un grand nombre de volontaires s'enrôlent pour aller au combat, mais certains sont d'abord exclus à cause de leur race. Le gouvernement canadien adopte des lois pour contraindre et même emprisonner les sujets originaires des puissances centrales. Les Canadiens au pays appuient les troupes et l'effort de guerre. Ils travaillent dans des usines, augmentent la production alimentaire et achètent des obligations de la Victoire.

Les combats au front ont lieu sur un petit territoire. Des milliers d'hommes sont tués ou blessés à chaque tentative de progression vers le camp ennemi à partir des tranchées. Les troupes canadiennes s'illustrent dans de nombreuses campagnes, en particulier dans la bataille de la crête de Vimy. Les pertes sont tellement élevées qu'en 1917 le gouvernement décide de recourir à la conscription. Une élection a lieu qui divise le pays. Le gouvernement obtient la victoire en partie en accordant le vote aux femmes qui comptent des soldats dans leur famille. Le ressentiment et la colère engendrés par cette question persistent pendant des années après la fin de la guerre.

La guerre accélère l'industrialisation du Canada. Les femmes occupent des emplois traditionnellement masculins. Leur rôle dans la société change à jamais. Les travailleurs trouvent des emplois, mais les prix augmentent aussi vite ou plus vite que les salaires. L'impôt sur le revenu est créé.

À la fin de la guerre, le Canada, en raison de son énorme effort de guerre, signe le traité de paix en tant que pays indépendant, et non comme membre de l'Empire britannique.

VÉRIFIE TES CONNAISSANCES

1. a) Explique pourquoi les Canadiens appuient la Grande-Bretagne et la France dans cette guerre.
   b) Selon toi, les Canadiens appuieraient-ils une guerre de ce genre de nos jours ? Pourquoi ?
   c) Le Canada est-il préparé à participer à la Première Guerre mondiale ?
2. Comment la guerre touche-t-elle les travailleurs au Canada ? Rappelle-toi la matière du chapitre 10 et rédige une note expliquant l'évolution des conditions de travail après la guerre.
3. Au moment où la guerre éclate, le service militaire est obligatoire depuis de nombreuses années en Allemagne. Simule une discussion entre des soldats canadiens sur les problèmes qu'ils risquent d'affronter au combat.
4. Crée une saynète pour montrer comment le statut de la femme au Canada a été touché par la guerre.

5 Plus de huit millions de militaires et six millions de civils ont été tués dans cette guerre. Crée un collage de mots et d'images pour expliquer ces nombres élevés.

6 La conscription et le traitement des sujets ennemis divisent le pays. Laquelle de ces questions a l'effet à long terme le plus important ? Rédige un exposé de position pour appuyer ton point de vue.

7 Comment la Première guerre mondiale a-t-elle aidé le Canada à obtenir une reconnaissance et son indépendance ?

APPLIQUE TES CONNAISSANCES

1 Avec une ou un partenaire, choisis l'*une* des personnes mentionnées dans ce chapitre qui ont joué un rôle clé dans la Première Guerre mondiale, au pays ou sur le champ de bataille. Documente-toi sur cette personne et prépare des questions et des réponses pour faire ressortir son rôle dans la guerre. Prépare-toi à communiquer les résultats de ton interview à tes camarades. L'un de vous effectuera l'entrevue pendant que l'autre répondra aux questions en se mettant à la place du personnage historique.

2 Imagine que tu es l'un des Canadiens qui ont servi outre-mer en Angleterre. Crée une carte postale que tu enverras à ta famille au Canada. Au recto, dessine une scène qui te montre à l'action ou représente une scène de la vie au front ou en mer. Au verso, explique brièvement à ta famille la signification de l'illustration.

3 Le Canada a participé à de nombreuses batailles en plus des deux batailles décrites dans ce chapitre. Ce sont les batailles de Courcellette, de la côte 70, de la Somme, de la Marne, de Passchendaele, du canal du Nord et de Cambrai. À l'aide d'Internet et d'autres sources, documente-toi et écris sur le rôle du Canada dans l'*une* de ces autres batailles.

4 Prépare la première page d'un quotidien résumant la contribution du Canada à la Première Guerre mondiale. Ton journal doit comprendre des articles, des interviews, des statistiques et des illustrations portant sur le plus grand nombre possible d'aspects de la guerre.

UTILISE LES MOTS CLÉS

Fais les mots croisés suivants pour vérifier si tu comprends tous les termes. Ton enseignante ou ton enseignant va te remettre une copie de la grille à compléter.

VERTICAL

1. no-man's-land
2. ligne d'évitement de tranchées qui s'est étendue sur presque 100 km pendant la Première Guerre mondiale
5. flotte de navires marchands accompagnés de bâtiments de guerre

HORIZONTAL

3. enrôlement volontaire dans les forces armées
4. le 11 novembre 1918, date de la fin des combats de la Première Guerre mondiale
6. alliance entre la Grande-Bretagne, la France et la Russie avant la Première Guerre mondiale
7. partisans de l'Empire britannique et personnes qui se sont battues contre l'Allemagne et l'Autriche au cours de la Première Guerre mondiale

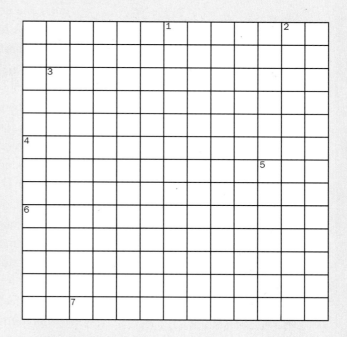

Une société en évolution

RÉFLÉCHIS ET FAIS DES LIENS

MONTRE TA COMPRÉHENSION DES CONCEPTS

1. Crée une affiche pour montrer comment *un* groupe ou *un* individu a contribué à l'édification du Canada entre 1867 et 1920.

2. Choisis l'invention qui, selon toi, a le plus transformé la société canadienne entre 1867 et 1920. Crée une campagne publicitaire afin de promouvoir cette invention. Veille à noter son importance du point de vue de l'édification du Canada.

3. Rédige un article de journal pour expliquer comment les changements sociaux ont touché la société canadienne entre 1867 et 1920. N'oublie pas d'inclure des informations sur les personnes qui ont contribué à ces changements.

4. Crée un mobile pour illustrer les principaux conflits et changements survenus au Canada, de la Confédération à 1920. Chaque élément du mobile doit inclure une illustration et quelques mots pour définir le conflit ou le changement.

DÉVELOPPE TES HABILETÉS DE RECHERCHE

1. Choisis *une* des personnes mentionnées dans ce module et explique comment elle a contribué à l'évolution du Canada ou du monde.

2. Forme une équipe dont certains membres sont des travailleurs dans une entreprise comme une mine, une société forestière ou une usine à la fin du XIXe siècle, et trois membres sont les propriétaires. Les travailleurs et les propriétaires doivent exposer leurs priorités et leurs préoccupations à une assemblée publique.

3. Joue le rôle d'*une* des personnes suivantes pendant la Première Guerre mondiale : un soldat, un pilote d'avion de chasse, une ambulancière outre-mer, une infirmière outre-mer, un agriculteur, un Ukrainien interné dans un camp de prisonniers, un propriétaire d'usine, une femme travaillant dans une usine de munitions, un écolier et une épouse au foyer. Fais des recherches sur les répercussions de la guerre sur ton personnage. Prépare-toi à communiquer tes découvertes à tes camarades.

4. Dans ce module, choisis un sujet que tu souhaites approfondir. Dresse une liste de questions que tu peux utiliser pour te documenter. Inclus des questions factuelles, comparatives et spéculatives. Utilise ensuite ces questions comme outils de recherche pour en apprendre davantage sur le sujet.

PARTAGE TES CONNAISSANCES

1 Imagine que tu as 10 ans en 1867. En 1920, tu accordes une interview et l'on te demande de parler des changements que tu as observés dans ta vie quotidienne, la société, les transports et les communications et le milieu de travail.

2 Conçois un site Web ou un projet informatisé pour enseigner aux autres élèves en quoi a consisté le mouvement féministe à cette époque. Voici quelques sujets possibles : les inégalités dans la main-d'œuvre ; les inégalités au foyer ; les mesures prises par les dirigeantes du mouvement ; les personnalités du mouvement ; les changements importants.

3 Simule une conversation entre Frederick Loft et un représentant du gouvernement sur la politique fédérale d'assimilation des Autochtones, les pensionnats et l'interdiction des cérémonies autochtones traditionnelles.

4 Prépare une bande audio d'un bulletin d'informations sur l'*un* des événements suivants de la Première Guerre mondiale : l'internement des sujets ennemis ; l'attribution de la Croix Victoria à Thomas Ricketts ; la campagne électorale fédérale de 1917 et la conscription ; la bataille de la crête de Vimy.

APPLIQUE LES CONCEPTS ET TES HABILETÉS

1 Dresse une liste des changements dans la vie de la population attribuables aux technologies décrites dans ce module. Rédige ensuite un exposé de position sur les effets des changements technologiques dans ta vie actuelle et sur la société canadienne d'aujourd'hui.

2 Établis une liste des droits des travailleurs d'aujourd'hui que les travailleurs de la fin du xixe siècle et du début du xxe siècle n'ont pas eus. Comment les efforts des individus de cette époque ont-ils aidé à obtenir ces droits ?

3 En classe, crée avec tes camarades un album de personnalités d'origines asiatique et non européenne qui ont apporté une contribution importante au Canada.

4 Pourquoi est-il important d'inclure différents points de vue dans une recherche historique ? Choisis un enjeu local digne d'intérêt dans ta collectivité. Décris les différents points de vue des divers membres de la collectivité.

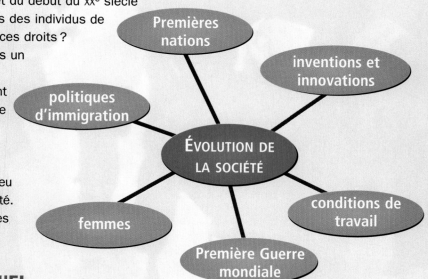

CRÉE UN RÉSEAU CONCEPTUEL

Pour chacune des catégories du réseau conceptuel, indique des énoncés qui montrent le rôle joué par ce sujet dans les années 1867 à 1920.

L'histoire aujourd'hui

1931
Promulgation
du Statut de Westminster

1936
Création de la Société
Radio-Canada (SRC)

1949
Terre-Neuve se joint
à la Confédération.

1959
Bombardier produit
la première motoneige.

1973
Le Canada accepte
de négocier un traité
avec la Première nation
nishga.

ZOOM SUR LE CHAPITRE

Le 1er avril 1999, des centaines de Canadiens visitent la minuscule capitale du nouveau territoire du Nunavut, au Canada. Le premier ministre Jean Chrétien et le gouverneur général Roméo LeBlanc applaudissent Paul Okalik, premier chef d'État du Nunavut, lorsque celui-ci prononce un discours. Des groupes locaux présentent un festival de chants, de danses et de tambours. Des feux d'artifice illuminent le ciel nocturne.

Le Nunavut est le premier nouveau gouvernement formé au Canada depuis 50 ans. Ce territoire, qui compte une Assemblée législative de 19 sièges, assure aux Inuits un droit de regard sur leurs terres ancestrales, soit la région de l'Arctique de l'Est du Canada.

L'histoire du Canada se poursuit. Notre régime de gouvernement permet la création de provinces et de territoires nouveaux. Ces changements nous renforcent. Ce sont des événements à célébrer ! Beaucoup d'autres histoires qui datent des débuts du Canada demeurent importantes aujourd'hui. Dans ce chapitre, nous allons évoquer l'histoire récente de cinq thèmes que tu as étudiés.

SCÉNARIO DU CHAPITRE

Dans ce chapitre, tu étudieras les sujets suivants :
- **les nouveaux traités du Canada avec les Premières nations ;**
- **l'évolution des schémas d'immigration et leur incidence sur le caractère de plus en plus multiculturel du Canada ;**
- **les chefs de file canadiens dans les domaines de la science et de la technologie, et l'adoption de nouvelles technologies ;**
- **les défis de notre voisinage avec la nation la plus puissante de la planète ;**
- **les efforts pour renforcer le régime fédéral et tenir compte de la nécessité pour le Québec de sauvegarder sa culture.**

MOTS CLÉS

Accord de
  Charlottetown
Accord Meech
procédure de
  modification
multiculturalisme
séparation
véto

1982
Le Canada rapatrie la Constitution en adoptant la Loi constitutionnelle.

1983
Création de l'Agence spatiale canadienne

1988
Adoption de la Loi sur le multiculturalisme canadien

1999
- Création du territoire du Nunavut
- Le traité nishga est approuvé à la Chambre des communes.

Les Premières nations

Le nouveau territoire du Canada

À ses débuts, le gouvernement canadien impose aux Premières nations des conditions qu'aucun autre Canadien n'a à respecter. Avant 1920, les Autochtones du Canada semblent condamnés à l'assimilation ou à la vie dans des réserves sans bénéficier des droits des autres Canadiens. Le système des réserves encourage la pauvreté, le chômage et la maladie. Il y a cependant des signes d'évolution.

Les Inuit de l'Arctique de l'Est font partie des Autochtones du Canada qui détiennent encore la propriété de leurs terres ancestrales. En 1973, le gouvernement du Canada entame des négociations pour signer des traités avec ces peuples. Les Inuit réclament la reconnaissance de la propriété de leurs terres ancestrales par voie de traité. De plus, ils négocient un gouvernement distinct de celui des Territoires du Nord-Ouest. Les Inuit estiment que l'administration territoriale de la lointaine ville de Yellowknife ne représente pas leurs intérêts. La question fait l'objet d'un référendum territorial, et la majorité de la population du nord du Canada se prononce en faveur de la création du Nunavut.

Les revendications territoriales des Inuit sont réglées et les frontières du Nunavut sont établies par des lois du Parlement canadien en 1993. Les résidents du Nunavut votent pour établir leur capitale à Iqaluit, une ville de 4000 habitants dans l'île de Baffin. En février 1999, la population du Nunavut élit pour la première fois les représentants de la nouvelle administration territoriale. Les 19 membres de l'Assemblée législative désignent Paul Okalik chef du nouveau territoire. Le territoire le plus récent du Canada occupe le cinquième de la masse continentale totale du pays, et moins de 25 000 personnes y vivent.

Célébration de la naissance du Nunavut au son des tambours traditionnels

Le Canada en 1999

La réparation des torts du passé

La Première nation nishga vit dans la vallée de la rivière Nass, dans le nord-ouest de la Colombie-Britannique. Le peuple nishga occupe ce territoire depuis au moins 1500 ans.

En Colombie-Britannique, à l'arrivée des premiers colons européens, le gouvernement conclut quelques traités avec les Premières nations. En règle générale, les nouveaux arrivants prennent possession du territoire. À cette époque, on croit que l'assimilation ou les maladies vont faire disparaître les Premières nations.

La majeure partie du territoire des Nishga'as passe aux mains des colons, des bûcherons et des prospecteurs. Les Premières nations ne peuvent accéder à leurs anciens territoires que pour pêcher et chasser. On leur attribue de petites terres autour de leurs anciens villages en guise de réserves.

Les Premières nations de la Colombie-Britannique essaient d'obtenir des gouvernements du Canada et de la Colombie-Britannique le paiement de leurs terres perdues. Certaines font appel aux tribunaux. D'autres tentent d'amener le gouvernement à négocier un règlement. Les Nishga'as sont les premiers Autochtones à opter pour la négociation.

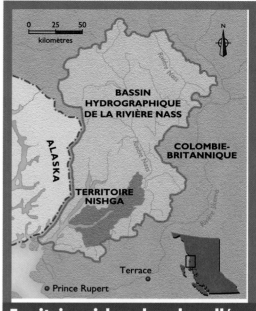

Territoire nishga dans la vallée de la rivière Nass

Étapes du règlement des revendications territoriales des Nishga'as	
1887	Les chefs se rendent à Victoria pour rencontrer le premier ministre et sont exclus de l'Assemblée législative.
1913	Les chefs remettent une pétition au tribunal de la plus haute instance, le Conseil privé, à Londres, en Angleterre. Ils demandent un traité, un prix équitable pour leurs terres et des réserves plus grandes. Leurs demandes sont rejetées.
1915 et 1916	Les délégués se rendent à Ottawa pour exposer leurs revendications au gouvernement. Leurs demandes sont rejetées.
1923	Les délégués présentent leur cause devant un comité mixte du Sénat et de la Chambre des communes du Canada. Le comité déclare que les délégués n'ont aucun droit de revendiquer la propriété de ces terres.
1927	Le gouvernement du Canada adopte un projet de loi selon lequel même le recours à un avocat par les Premières nations pour faire des revendications territoriales est un délit.

Ce comité de Nishga'as se réunit à New Aiyansh en 1913 pour préparer une pétition destinée au gouvernement canadien.

Dans les années 50, une nouvelle génération de Nishga'as prend les revendications en mains. En 1967, ces Autochtones remettent une pétition aux tribunaux. Leur cause est entendue par la Cour suprême du Canada en 1971. Les Nishga'as demandent au tribunal de se prononcer sur deux questions fondamentales :

- Les Premières nations avaient-elles la propriété de leurs terres à l'arrivée des Européens ?
- Si les Européens n'ont pas conquis ni acheté ces terres, les Premières nations n'en sont-elles pas encore propriétaires ?

Les juges sont divisés sur la deuxième question, mais ils sont d'accord sur la première : les Premières nations étaient bel et bien propriétaires de leurs terres à l'arrivée des Européens.

En 1973, le gouvernement du Canada accepte enfin de négocier un traité avec les Nishga'as. Le gouvernement de la Colombie-Britannique se joint aux pourparlers en 1990. En 1998, les deux gouvernements signent le premier traité établi sur la côte de la Colombie-Britannique depuis 1854.

Dans un discours à l'Assemblée législative de la Colombie-Britannique, le chef James Gosnell, président du conseil tribal des Nishga'as, déclare :

Le traité des Nishga'as prouve au monde entier que des gens raisonnables peuvent s'asseoir et réparer des torts historiques. Cela prouve qu'une société moderne peut rectifier les erreurs du passé. En tant qu'habitants de la Colombie-Britannique, en tant que Canadiens, nous devons tous être très fiers. Le traité prouve hors de tout doute que les négociations, et non des poursuites, des blocus ou la violence, sont le moyen le plus efficace et le plus honorable de résoudre les questions autochtones dans ce pays.

Lien Internet

www.dlcmcgrawhill.ca

Consulte le site Web ci-dessus pour en apprendre davantage sur la nation nishga et le traité. Clique sur *Matériel complémentaire/Primaire et secondaire*, puis sur *Le Canada : L'édification d'une nation*, où l'on te donnera la suite des indications.

Une quête de la vision et un nouveau début

Dans sa jeunesse, Roy Henry Vickers, Autochtone de la Colombie-Britannique, veut adhérer à la Gendarmerie royale du Canada. Il devient plutôt un artiste illustre et sombre dans l'alcoolisme. Des années plus tard, après avoir renoncé à l'alcool, Vickers décide d'ouvrir un centre de réadaptation pour alcooliques et toxicomanes. Il veut que cet endroit soit propice à la guérison. Le centre s'appellera VisionQuest, nom évoquant une quête, ou recherche, spirituelle traditionnelle. Vickers parle à ses amis de la GRC, qui acceptent de l'aider à entreprendre une collecte de fonds.

La campagne de VisionQuest commence par un voyage. À l'été 1997, 50 pagayeurs autochtones et membres de la GRC

franchissent 1600 km sur les voies de navigation ancestrales. Vickers conçoit et fabrique des canots sur le modèle des canots traditionnels du peuple de son père, les Tsimshians, mais il se sert de fibre de verre et de Kevlar. Son canot, qu'il baptise *Many Hands*, est noir ; des mains peintes en rouge en ornent les côtés. Les pagayeurs commencent leur voyage sur la rivière Skeena et parcourent en moyenne 50 km par jour pendant 32 jours. Leur voyage prend fin à Victoria.

Longtemps avant leur arrivée, les pagayeurs découvrent que ce voyage vise un autre but. Dans chaque village autochtone, ils exécutent un rituel traditionnel et demandent au chef hiérarchique la permission de débarquer. Les pagayeurs tiennent leur pagaie à la verticale pour démontrer leurs intentions pacifiques.

Au cours de cérémonies d'accueil, les deux groupes s'engagent à mettre fin à leurs nombreux conflits. L'officier supérieur de la GRC déclare que les agents regrettent d'avoir violé le droit de propriété des Premières nations. Un chef répond que c'est la première fois qu'un porte-parole du gouvernement canadien offre des excuses à son peuple.

Où en sommes-nous ?

1 Quelles sont les similitudes entre le traité des Nishga'as et le traité des Inuit qui crée le Nunavut ? Quelles sont leurs différences ?

2 a) Combien de temps faut-il aux Nishga'as pour obtenir un règlement territorial ? Pourquoi penses-tu qu'il a fallu tout ce temps ?

   b) Quelles conclusions peux-tu tirer au sujet des Nishga'as à partir de cette histoire ?

3 Pourquoi la quête de la vision est-elle un événement important pour tous les intéressés ?

ICI, ON ENCOURAGE LA DIVERSITÉ

Les enseignes de différents secteurs de Toronto reflètent souvent la composition culturelle de la communauté locale. Ces enseignes se trouvent dans l'avenue Spadina, au cœur du quartier chinois.

Le Canada est un vaste pays relativement peu peuplé. L'immigration a aidé sa croissance à des étapes décisives de son histoire. Aujourd'hui, plus que jamais, la politique d'encouragement de l'immigration modifie le caractère de notre pays.

Toronto est peut-être la ville de l'avenir. Près de la moitié de sa population se compose d'immigrants de tous les pays. En devenant un carrefour mondial, Toronto a acquis un caractère unique. Des douzaines de quartiers reflètent la diversité des origines de ses résidents. On compte une cinquantaine de communautés culturelles sur le territoire de 632 km^2 de la ville, dont des Autochtones, des Portugais, des Grecs, des Antillais, des Espagnols, des Italiens, des Vietnamiens, des Chinois, des Hongrois, des Coréens, des Polonais, des Ukrainiens, des Russes, des Tamouls et des Indiens. À Toronto, comme partout au Canada, différentes races et cultures se côtoient. Le mélange unique de races et de cultures à Toronto forme une « mosaïque ».

Dans cette région métropolitaine de plus de 4,6 millions d'habitants, les conflits raciaux sont remarquablement limités. Pourquoi ? Les spécialistes de l'histoire sociale ont étudié les quartiers en constante évolution de Toronto. Ceux-ci remplissent une fonction utile. Dans un quartier habité par des résidents d'une même culture, il est possible de trouver des services dans sa propre langue. Il est possible aussi d'acquérir les connaissances et les aptitudes nécessaires pour vivre et travailler dans une culture canadienne, tout en conservant des liens avec sa culture d'origine. Il est possible de se sentir chez soi dans un nouveau pays.

① Quelle est l'origine de la plupart des immigrants arrivés entre 1961 et 1970 ? et depuis 1991 ?

② Selon toi, quelles peuvent être les raisons de ces changements ?

③ Quelles conclusions peux-tu tirer au sujet des changements apportés aux politiques d'immigration du Canada au fil des années ?

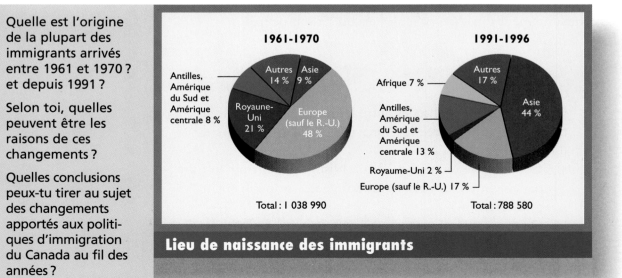

1961-1970
- Autres 14 %
- Asie 9 %
- Antilles, Amérique du Sud et Amérique centrale 8 %
- Royaume-Uni 21 %
- Europe (sauf le R.-U.) 48 %

Total : 1 038 990

1991-1996
- Afrique 7 %
- Autres 17 %
- Asie 44 %
- Antilles, Amérique du Sud et Amérique centrale 13 %
- Royaume-Uni 2 %
- Europe (sauf le R.-U.) 17 %

Total : 788 580

Lieu de naissance des immigrants

À l'exception des Premières nations, tout le monde au Canada a immigré ou a des ancêtres ayant immigré au cours des 400 dernières années. Au fil des ans, le Canada a encouragé l'immigration pour se procurer la main-d'œuvre nécessaire à l'édification du pays, que ce soit pour construire des canaux, cultiver le blé ou travailler dans les usines de haute technologie.

Pendant longtemps, seuls les Européens de quelques pays ont été autorisés à immigrer au Canada. Le gouvernement canadien a même adopté des lois pour exclure les ressortissants d'origines différentes. Aujourd'hui, le Canada encourage l'immigration de tous les gens ayant d'excellentes compétences et d'autres qualités utiles. Ces nouvelles politiques d'immigration ont pour effet de créer un pays d'une grande diversité culturelle.

Les gouvernements du Canada reconnaissent que ce pays se compose de gens de nombreuses origines différentes. En 1971, le

Lien Internet

www.dlcmcgrawhill.ca

Consulte le site Web ci-dessus pour visualiser un site Web d'images conçu par des élèves, qui montre des vitrines de magasins multiculturels dans les différents quartiers de Toronto. Clique sur *Matériel complémentaire/Primaire et secondaire*, puis sur *Le Canada: L'édification d'une nation*, où l'on te donnera la suite des indications.

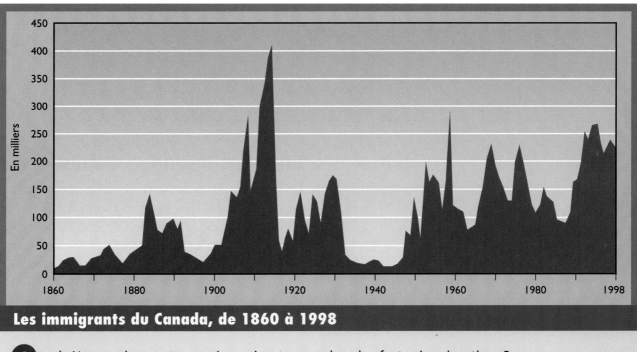

En milliers

Les immigrants du Canada, de 1860 à 1998

1 a) Nomme les quatre années qui ont connu les plus fortes immigrations?
b) Quel est le nombre approximatif d'immigrants arrivés au cours de ces quatre années?
c) Explique les raisons de ces fortes immigrations.

2 Selon toi, quelles sont les raisons de la chute soudaine de l'immigration après ces quatre années?

3 a) Quelle est la tendance de l'immigration entre 1990 et 1998?
b) Comment le nombre d'immigrants pendant cette période se compare-t-il au nombre d'immigrants des périodes antérieures?

gouvernement fédéral annonce une politique de promotion du **multiculturalisme**. Dans une société multiculturelle, un certain nombre de groupes culturels distincts coexistent dans un même pays. La politique de multiculturalisme du Canada comporte trois objectifs pour nos nombreux peuples :

1. favoriser un sentiment d'appartenance et d'attachement au Canada ;
2. encourager les citoyens actifs à participer au façonnement de notre avenir ;
3. assurer un traitement juste et équitable.

En 1988, le gouvernement du Canada a donné force de loi au multiculturalisme en adoptant la Loi sur le multiculturalisme canadien. Le Canada a été le premier pays à légiférer dans ce domaine.

Où en sommes-nous ?

1 Effectue des recherches sur les célébrations des communautés ethnoculturelles (par exemple, le Nouvel An chinois) dans ta collectivité. Fais un calendrier de ces célébrations dans ta collectivité.

2 Selon toi, la diversité culturelle renforce-t-elle ou affaiblit-elle une collectivité ? Explique ta réponse.

LA TECHNOLOGIE CANADIENNE

L'histoire en marche dans l'espace

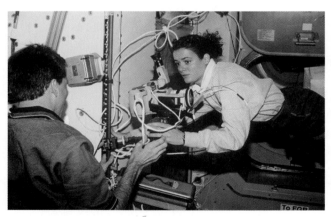

L'astronaute canadienne Julie Payette représente l'Agence spatiale canadienne dans la mission à bord de *Discovery*. Sur cette photo, elle travaille dans l'espace avec Kent Rominger.

Les progrès des transports jalonnent l'édification du Canada. Dans un premier temps, les Premières nations fixent de l'écorce de bouleau sur un cadre en bois. Plus tard, les voyageurs parcourent en canot les bassins hydrographiques du Canada jusqu'aux confins du territoire. Puis les constructeurs de canaux, de bateaux à vapeur et de chemins de fer transportent des millions d'immigrants au cœur du pays pour s'y établir et cultiver la terre. Plus récemment, des pilotes de brousse donnent accès aux étendues du Nord. Aujourd'hui, les astronautes du Canada repoussent les frontières encore plus loin.

Julie Payette naît à Montréal en 1963. À l'âge de 10 ans, la fillette observe les premiers astronautes en train de conduire un chariot sur la Lune. Dès lors, elle veut devenir astronaute.

Ingénieure de formation, Julie Payette est en train d'effectuer des recherches sur la parole artificielle à Montréal quand elle lit une offre d'emploi de l'Agence spatiale canadienne. Julie est l'une des 5300 candidats à quatre postes offerts dans le cadre du Programme des astronautes. Le rêve de Julie d'aller dans l'espace devient réalité en 1999. Julie Payette est l'une des sept astronautes à bord de la navette spatiale *Discovery* de la NASA qui décolle de Cape Kennedy, en Floride, le 29 mai. Julie Payette est la huitième astronaute canadienne à aller dans l'espace.

Le lendemain, *Discovery* s'amarre à la Station spatiale internationale, tournant en orbite à 400 km au-dessus de la Terre. Il s'agit du premier amarrage d'une navette à la nouvelle station spatiale. Le principal objectif du vol orbital 153, d'une durée de 10 jours, est de livrer plus de trois tonnes d'outils et d'équipement pour les spécialistes appelés à travailler plus tard dans la station spatiale. La construction d'une station spatiale, explique Julie Payette, se compare à la construction d'un navire, à partir de zéro, au milieu de l'océan pendant une tempête. Les travaux vont durer cinq ans. Il s'agit du projet d'ingénierie le plus complexe de l'histoire.

Quand on lui a demandé quels ont été les aspects de son voyage qu'elle a préférés, Julie Payette a répondu qu'elle a surtout aimé voir la Terre d'en haut et faire fonctionner le bras spatial canadien.

L'astronaute Julie Payette manie le télémanipulateur (RMS) de fabrication canadienne dans le poste de pilotage arrière de *Discovery*. Des moniteurs de télévision lui montrent deux angles de la soute.

En tant que Canadienne, j'ai grandi avec ce projet. Le bras canadien fait partie de mon patrimoine. Cette technologie s'est révélée excellente depuis le début du Programme de la navette spatiale.

La Station spatiale internationale n'est qu'une étape de l'évolution normale de l'humanité. Nous avons toujours repoussé nos frontières. Notre frontière aujourd'hui, c'est l'espace. À bien y penser, nous ne sommes pas rendus loin. Pourquoi devons-nous aller de l'avant? Pourquoi devons-nous explorer? L'exploration est un élément de notre passé, de notre présent et de notre avenir.

Pendant plusieurs années, nous serons en mesure de faire de la photographie documentaire de notre environnement à partir de la Station spatiale internationale. Nous sommes maintenant plus de six milliards d'humains qui habitent sur la Terre, produisent des déchets et utilisent les ressources. Nous sommes en train de transformer notre planète, et nous avons accompli plus en ce sens au cours des 150 dernières années que tout au long de notre histoire. Nous soumettons notre environnement à des expériences dont le contrôle nous échappe.

Nous devons continuer d'observer et de surveiller de très près ces phénomènes. Il en va de notre survie. La Terre est notre seul vaisseau spatial. C'est le seul endroit où nous pouvons vivre.

(*Traduction libre*)

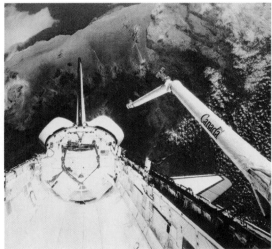

Le bras canadien mesure 15 m de longueur et sert à exécuter des travaux à l'extérieur de la station spatiale.

Une nation d'inventeurs

Les Canadiens excellent dans l'invention de véhicules de transport. La motoneige en est un exemple remarquable. L'inventeur Joseph-Armand Bombardier grandit à Valcourt, au Québec. À 15 ans, il conçoit la première motoneige à l'aide d'un traîneau, d'un moteur de voiture et d'une hélice d'avion. À 19 ans, il est propriétaire d'une station-service. Puis une tragédie frappe sa famille. Le deuxième fils des Bombardier, Yvon, a une appendicite aiguë au milieu d'une tempête d'hiver. Toutes les routes sont bloquées à cause de la neige. Yvon meurt parce que ses parents ne peuvent le conduire à l'hôpital. Peu après, Armand redouble ses efforts pour inventer un véhicule apte à se déplacer dans les pires conditions hivernales.

Une reconstitution de l'auto-neige originale de Bombardier, que celui-ci a conçue et fabriquée à l'âge de 15 ans

En 1937, Bombardier obtient le premier brevet d'un véhicule doté d'une transmission à chenilles (semblable à celle d'un bulldozer) et dirigé par des skis à l'avant. Sa première motoneige peut transporter sept personnes dans une cabine. Cette année-là, il fonde une entreprise, L'Auto-Neige Bombardier. Son invention est vite utilisée couramment dans l'industrie et les écoles.

Bombardier poursuit ses travaux pour mettre au point une version plus petite, inventée pendant son adolescence. Le résultat est un véhicule qu'il appelle « Ski-Dog ». Une erreur de transcription donne « Ski-Doo », et ce nom est adopté. Le Ski-Doo est mis en production en 1959. Bombardier est loin de se douter de la popularité à venir de son invention. L'entreprise qu'il a fondée dans un garage devient Bombardier inc., un important fabricant de wagons de métro et d'autres types de véhicules.

Un prototype du Ski-Doo, la motoneige miniature extrêmement populaire que Bombardier a lancée en 1959

Le Canada se classe parmi les pays les plus avancés sur le plan technologique. Les Canadiens sont des chefs de file dans les domaines des technologies des transports et des communications. Les Canadiens sont à l'avant-garde de la révolution des communications. Les résultats de cette révolution sont visibles dans la plupart de nos foyers.

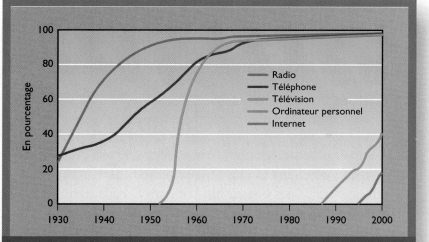

En pourcentage

- Radio
- Téléphone
- Télévision
- Ordinateur personnel
- Internet

L'adoption des innovations dans les communications au Canada

1 Quand la radio devient-elle populaire ? et la télévision ? Laquelle est devenue populaire le plus rapidement ?

2 Quelle est la popularité de l'ordinateur personnel et d'Internet ? Selon toi, pourquoi la popularité de l'ordinateur est-elle plus lente que celle de la télévision ?

Ce graphique montre comment les moyens de communication sont devenus partie intégrante de nos vies quotidiennes. Commençant au bas du graphique, chaque ligne illustre l'augmentation de l'utilisation d'un médium. Une innovation qui rejoint 100 % des ménages est illustrée par une ligne horizontale. Dans ce graphique, tu peux voir la rapidité avec laquelle chaque médium est devenu populaire.

Où en sommes-nous ?

1 Utilise tes connaissances historiques pour expliquer les raisons possibles du succès des inventeurs canadiens dans les domaines des transports et des communications.

2 Dessine et annote un schéma pour illustrer l'importance du travail d'équipe pour diriger un canot, construire un canal ou faire fonctionner une navette spatiale.

3 En quelques mots, résume le point de vue de Julie Payette en faveur de l'exploration spatiale. Selon toi, quelles autres raisons avons-nous d'explorer l'espace ? Peux-tu nommer des raisons de ne pas explorer l'espace ?

LE CANADA EST-IL VRAIMENT CANADIEN ?

La Gendarmerie royale du Canada n'est-elle pas le symbole par excellence du Canada ? Sais-tu qu'une entreprise étrangère détient les droits d'utilisation des images de la GRC ? En 1995, la Gendarmerie royale du Canada conclut une entente avec Walt Disney Canada Ltd., propriété du mégacomplexe de divertissements américain Walt Disney Company.

Les agents de la GRC sont devenus un symbole du Canada.

Cette entente confère à Disney le pouvoir de gérer la fabrication sous licence de tous les produits représentant des agents de GRC. Les gens protestent au Canada. On affirme que l'on vend notre patrimoine aux États-Unis. L'entente prend fin en 1999, mais la GRC touche encore des fonds pour l'utilisation de son image.

Les États-Unis ont une influence énorme sur nous tous depuis plus de 200 ans. La plupart des Canadiens vivent à une distance d'au plus 400 km de la frontière américaine, qui est la frontière non défendue la plus longue du monde. Au XIXᵉ siècle, les armées américaines ont envahi le Haut-Canada pendant la guerre de 1812. Tu as lu le récit des incursions des Féniens dans les années 1860. Ces événements ont eu une grande incidence sur notre histoire.

Les États-Unis ont une influence sur de nombreux autres aspects de nos vies. Plusieurs entreprises et usines du Canada proviennent des États-Unis. L'Accord de libre-échange nord-américain (ALENA) intensifie les liens commerciaux entre les deux pays. Chaque jour, des milliers de camions et de wagons de trains traversent la frontière internationale en transportant toutes sortes de marchandises canadiennes destinées à être vendues aux États-Unis et de marchandises américaines destinées à être vendues au Canada. De nombreux emplois canadiens dépendent de nos échanges commerciaux avec les États-Unis.

Il est difficile de ne pas remarquer l'incidence des États-Unis sur nos vies dans le domaine culturel. Pendant la majeure partie du XXᵉ siècle, les sons et les images de la culture pop américaine ont dominé notre radio, notre télévision, notre cinéma et nos magazines. L'influence des États-Unis préoccupe certains Canadiens. Selon eux, il faut augmenter le contenu canadien à la radio, à la télévision et au cinéma. En 1936, le gouvernement du Canada a créé la Société Radio-Canada (SRC) qui exploite des

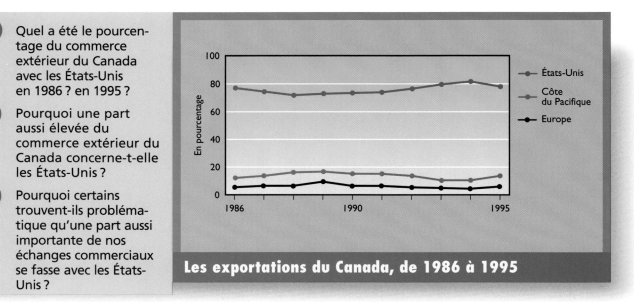

1. Quel a été le pourcentage du commerce extérieur du Canada avec les États-Unis en 1986 ? en 1995 ?

2. Pourquoi une part aussi élevée du commerce extérieur du Canada concerne-t-elle les États-Unis ?

3. Pourquoi certains trouvent-ils problématique qu'une part aussi importante de nos échanges commerciaux se fasse avec les États-Unis ?

Les exportations du Canada, de 1986 à 1995

réseaux français et anglais, pour présenter des informations sur le Canada et la musique du Canada.

Le rôle de la Commission de la radiodiffusion et des télécommunications canadiennes (CRTC) consiste à assurer que les stations de radio et de télévision canadiennes diffusent de la musique canadienne et des reportages canadiens. L'influence des Américains demeure cependant importante.

En moyenne, les Canadiens regardent la télévision une vingtaine d'heures par semaine. Beaucoup d'enfants la regardent jusqu'à cinq heures ou plus par jour. Environ 70 % de toutes les émissions qu'écoutent les Canadiens anglophones sont américaines. Les téléspectateurs francophones du Québec ont tendance à regarder davantage d'émissions canadiennes. Plus de 95 % des films que regardent les Canadiens anglophones et 80 % des films que regardent les Canadiens francophones sont produits aux États-Unis.

Que dire de l'influence des États-Unis sur la musique populaire ? La plupart des disques compacts vendus au Canada sont enregistrés par des musiciens américains, même si certains musiciens canadiens ont beaucoup de succès dans la gigantesque industrie de la musique populaire dominée par les Américains.

Les lecteurs canadiens trouvent aussi de nombreux exemples de l'influence des États-Unis dans le domaine du livre. Seulement 25 % des livres reliés et moins de 10 % des livres de poche grand public que nous lisons en anglais sont écrits par des auteurs canadiens. Les magazines canadiens comptent pour le quart environ des ventes de magazines.

Tout au long de notre histoire, nos voisins américains ont exercé une influence énorme sur les Canadiens. Le Canada va-t-il réussir à maintenir une culture distincte ou va-t-il être envahi par les influences culturelles puissantes des émissions de télévision, du cinéma, des livres et des magazines américains ? Qu'en penses-tu ?

Où en sommes-nous ?

1 a) Nomme les 10 films, livres, émissions de télévision et chansons que tu préfères. Vérifie ensuite combien de ces films, livres, émissions de télévision et chansons proviennent des États-Unis.

b) Selon toi, tes valeurs en tant que Canadienne ou Canadien sont-elles influencées par des activités telles que l'écoute d'émissions de télévision ou de films américains ? Explique ta réponse.

2 Selon toi, quels produits canadiens les Américains veulent-ils ? Et quels produits américains les Canadiens veulent-ils ?

3 Avec tes camarades de classe, dresse une liste d'éléments culturels vraiment canadiens. Classe-les par ordre d'importance dans notre vie culturelle. Réfléchis à des moyens de protéger leur caractère canadien.

Passée le 11 décembre 1931, cette loi du Parlement britannique permet au Canada d'abandonner graduellement son statut politique colonial et d'affirmer son autonomie. Le nationalisme canadien se manifeste. Cependant, les Canadiens ne pourront pas amender eux-mêmes leur Constitution avant 1882.

UNE SEULE NATION OU PLUSIEURS NATIONS ?

Dans un immense pays comptant 10 provinces et trois territoires, la population a forcément des points de vue différents. La Confédération canadienne est comparable à une famille qui a des désaccords. L'unité de la famille est parfois difficile à maintenir.

Voici quelques enjeux récents qui causent des désaccords :

- De nombreuses personnes dans le Canada atlantique estiment que la gestion des pêches dans l'océan Atlantique par le gouvernement fédéral a entraîné de nombreuses pertes d'emplois.
- Beaucoup d'habitants des Prairies estiment que le centre du Canada ne comprend pas ou ne veut pas aider les agriculteurs durement touchés par les changements économiques.
- La population des territoires du Nord se sent exclue des prises de décision dans le sud du pays.
- La population du Québec estime que la Confédération n'accorde pas à la province un pouvoir assez grand sur sa destinée.

Tout au long de l'histoire du Québec, la population s'est souciée de la survie de la langue française et de sa culture distincte. Au cours des années 1960, les gouvernements élus ont commencé à élaborer une politique de « maîtres chez nous ».

Le gouvernement provincial a exercé des pressions sur le gouvernement fédéral pour obtenir l'administration des soins de santé et de l'immigration, par exemple. En fait, le gouvernement du Québec s'est servi de cette idée pour mener la province au bord de la **séparation** du reste du Canada, ou l'indépendance.

Le Québec a franchi les premières étapes vers l'indépendance en 1976. La population du Québec a réélu le Parti québécois, dirigé par René Lévesque, à l'élection provinciale. En 1980, le premier ministre Lévesque a tenu un référendum pour que la population du Québec vote sur la question de la séparation. Quarante pour cent des Québécois ont voté en faveur de la séparation.

Ce référendum a incité le gouvernement fédéral à intervenir sur une question vitale. La loi suprême du Canada, la

René Lévesque, chef du Parti québécois, après la victoire de son parti en 1976

La reine Elisabeth II signe la Loi constitutionnelle à Ottawa le 17 avril 1982, sous le regard du premier ministre Pierre Elliott Trudeau, à gauche.

Constitution, est l'Acte de l'Amérique du Nord britannique. Pendant des années, les chefs des gouvernements fédéral et provinciaux n'ont pu s'entendre sur la manière de réviser, ou modifier, la Constitution. Les changements apportés à la Loi ont nécessité l'approbation du Parlement britannique.

En 1982, le Canada rapatrie la Constitution. Le Parlement adopte la Loi constitutionnelle, qui comprend l'Acte de l'Amérique du Nord britannique de 1867. La nouvelle Constitution comporte une **procédure de modification** indiquant comment la Constitution du Canada peut être changée, ce qui représente un élément vital de toute démocratie. Les premiers ministres et le gouvernement fédéral ont de longs débats sur la manière de procéder à cette modification. Le consentement de toutes les provinces est-il nécessaire ? Ou l'accord d'une majorité simple des provinces est-il suffisant ? Le Québec réclame le droit d'exercer un **véto**, c'est-à-dire de bloquer les changements proposés dans la Constitution. Le premier ministre du Québec, René Lévesque, n'est pas d'accord avec la procédure de modification adoptée en novembre 1981. Le Québec refuse de signer la Loi constitutionnelle de 1982 pour lui donner force exécutoire à cause de ce désaccord et d'autres questions en suspens.

Sans l'approbation du Québec, la nouvelle Constitution du Canada est incomplète.

L'Accord Meech

Le gouvernement fédéral et les premiers ministres des 10 provinces concluent une nouvelle entente en mars 1987. La nouvelle Constitution proposée est appelée l'**Accord Meech**, nom du lac où les dirigeants se sont réunis près d'Ottawa. Ils conviennent que les changements à la Constitution entreront en vigueur seulement après l'appui de toutes les législatures provinciales et du Parlement fédéral. Le processus doit prendre fin au plus tard le 22 juin 1990.

À l'approche de la date limite, Terre-Neuve et le Manitoba ne donnent pas leur accord. Elijah Harper, un Cri membre de l'Assemblée législative du Manitoba, utilise son pouvoir pour retenir son consentement jusqu'à l'expiration de la date limite. Aux yeux des chefs autochtones, l'Accord ne garantit pas à leurs peuples une reconnaissance suffisante. Le refus d'Harper contribue à la défaite de l'Accord Meech. Cet échec a des effets considérables. Une bonne partie de la population québécoise estime que le reste du Canada ne tiendra jamais compte des revendications du Québec. Des appels renouvelés à la séparation se font entendre.

Elijah Harper tient une plume et laisse passer l'échéance fixée pour la motion relative à l'acceptation de l'Accord Meech, en juin 1990. Selon toi, quelle est la signification symbolique de cette plume ? Si tu avais le pouvoir d'influencer l'avenir du pays, quel message transmettrais-tu à la population ?

Que représente le Canada ?

Après l'échec de l'Accord Meech, le Forum des citoyens sur l'avenir du Canada part en tournée pour écouter les opinions de la population sur les besoins du Canada. Dans son rapport, le Forum établit l'importance des valeurs suivantes pour les Canadiens :

- l'égalité et l'équité au sein d'une démocratie ;
- la consultation et le dialogue ;
- la conciliation et la tolérance ;
- l'appui à la diversité ;
- la compassion et la générosité ;
- l'attachement aux beauté naturelles du Canada ;
- l'engagement envers la liberté, la paix et un changement non violent à l'échelle mondiale.

1. Parmi ces valeurs, lesquelles soutiens-tu ?

2. Classe ces valeurs sur une échelle de un à sept selon leur importance pour toi. Compare ensuite ton classement avec ceux de tes camarades.

3. Veux-tu ajouter d'autres valeurs à ta liste ?

L'Accord de Charlottetown

Le premier ministre Brian Mulroney et les premiers ministres des neuf provinces anglophones tentent de nouveau de s'entendre sur une nouvelle Constitution après l'échec de l'Accord Meech. Pour la première fois, leurs pourparlers incluent les chefs autochtones. En août 1992, le premier ministre du Québec Robert Bourassa se joint aux pourparlers à Charlottetown, à l'Île-du-Prince-Édouard. Tous les chefs acceptent les nouvelles propositions constitutionnelles. Ils décident que les nouvelles propositions, connues sous le nom d'**Accord de Charlottetown**, donneront lieu à un référendum national le 26 octobre 1992. L'Accord de Charlottetown ne recueille pas la majorité des voix. Au Québec, 43 % des électeurs votent en faveur de l'Accord, alors que, dans le reste du pays, 46 % des électeurs appuient l'Accord.

Entre-temps, le fossé s'élargit entre le Québec et le reste du Canada. En 1994, l'élection provinciale au Québec remet le Parti québécois au pouvoir. Le deuxième référendum sur la séparation a lieu le 30 octobre 1995. Le Canada en entier regarde les résultats du scrutin. L'avenir du Canada semble reposer entre les mains de la population du Québec. Les résultats sont très serrés : 49,4 % des Québécois appuient la séparation. La motion est défaite par 53 000 voix.

L'attrait du Québec pour la séparation du reste du Canada soulève plusieurs interrogations. Le Parti québécois maintient qu'une majorité simple dans un référendum est suffisante pour que le Québec quitte la Confédération. Ce parti propose de négocier une nouvelle association avec le Canada après la déclaration de l'indépendance. Le gouvernement fédéral soutient qu'un pourcentage d'électeurs supérieur à 50 % plus un est nécessaire à un référendum sur la séparation. De plus, selon le gouvernement fédéral, le Québec doit négocier une nouvelle relation *avant* l'indépendance. Les groupes autochtones et anglophones du Québec maintiennent que si le Québec peut faire sécession du reste du Canada, ils peuvent faire sécession du Québec et demeurer dans le Canada.

L'avenir du Canada dépend peut-être des réponses à ces questions. C'est une histoire en train de s'écrire.

Des milliers de Canadiens se rendent à Montréal dans les jours qui précèdent le référendum de 1995 pour démontrer leur appui au fédéralisme, dans l'espoir d'inciter les Québécois à voter contre la séparation.

L e Canada est un pays ayant une longue histoire qui évolue constamment. Bon nombre des enjeux qui touchent les Canadiens aujourd'hui sont inchangés par rapport à ce que nous avons découvert dans notre étude de l'histoire de notre nation. La négociation d'un traité avec les Nishga'as illustre comment les Canadiens s'y prennent pour réparer les torts envers les Premières nations. Le Canada accueille depuis longtemps des immigrants et des réfugiés. Au cours des 50 dernières années, nous avons ouvert nos portes à de nombreux groupes culturels. Les immigrants représentent maintenant le sixième de la population du Canada, et notre pays a adopté une politique de soutien du multiculturalisme.

Pendant des siècles, les Canadiens ont mis au point de nouvelles technologies pour résoudre les problèmes de transport. Conformément à cette tradition, le Canada a joué un rôle de premier plan dans le programme d'exploration spatiale.

Le voisin du Canada est le pays le plus puissant du monde. Les États-Unis sont notre principal partenaire commercial et nous profitons de ce partenariat. À la fin du xxe siècle, nos liens avec les États-Unis sont plus forts que jamais. La vie culturelle du Canada s'étend aux médias de masse tels que la radio et la télévision. Bon nombre de Canadiens se soucient de la domination des médias américains et de leur influence sur nos valeurs culturelles.

Le régime de gouvernement du Canada comporte des pouvoirs tant fédéraux que provinciaux. Les pouvoirs des deux paliers de gouvernement évoluent à mesure que notre pays cherche à concilier les besoins du Québec, des Premières nations et des différentes régions.

VÉRIFIE TES CONNAISSANCES

1 Résume les mesures qu'ont prises certains peuples autochtones du Canada pour obtenir un règlement concernant les terres abandonnées au xixe siècle.

2 Quels exemples utiliserais-tu pour expliquer à un visiteur que le Canada est une société multiculturelle ?

3 Utilise les ressources de ce manuel et tes propres recherches pour construire une ligne du temps illustrant l'adoption des inventions dans les domaines du transport et des communications au Canada.

4 Recueille au moins cinq nouvelles et articles de magazine sur l'influence des États-Unis au Canada. Résume chaque article en quelques phrases pour décrire cette influence d'après l'article.

5 Décris les principaux progrès dans les relations du Québec avec le reste du Canada depuis les années 1960.

APPLIQUE TES CONNAISSANCES

1 Rédige un argument pour ou contre les traités comme celui qui a été signé avec les Nishga.

2 Recueille des reportages sur les enjeux des Premières nations. Fais ensuite un collage en classant ces articles dans des catégories comme les revendications territoriales, les problèmes de logement, les problèmes d'emploi et les autres problèmes que tu peux définir.

3 Crée un collage ou un autre montage sur les thèmes multiculturels de la société canadienne. Tu peux trouver des images dans des magazines.

4 Choisis *une* des inventions canadiennes suivantes et rédige un compte rendu sur son inventeur et les circonstances de l'invention :
Macintosh d'Apple
voiture-lit de train
corne de brume
jeu des cinq-quilles
insuline
souffleuse à neige
fermeture à glissière
rouleau à peindre
exerciseur pour bébés (*Jolly Jumper*)
pictogrammes pour les enseignes publiques

5 Effectue des recherches sur l'influence de la culture américaine dans ta collectivité en créant un répertoire d'émissions de télévision, d'émissions de radio, de films, de musique, d'annonces publicitaires et d'autres médias. Indique lesquels sont américains, lesquels sont canadiens et lesquels proviennent d'autres pays. Essaie d'évaluer ton temps d'exposition à chaque élément au cours d'une journée.

6 Documente-toi sur le Nunavut. Utilise ces questions pour t'aider à entreprendre tes recherches :

a) Quelle est la population du Nunavut ?
b) Quels sont les principaux établissements ?
c) Comment la population subvient-elle à ses besoins ?
d) Comment la vie a-t-elle changé au cours des 50 dernières années ?
e) Quel genre de gouvernement a été établi ?

UTILISE LES MOTS CLÉS

Associe les termes avec les définitions.

Accord de Charlottetown	entente constitutionnelle entre les premiers ministres du Canada, signée en 1987 ; son adoption a exigé l'appui des 11 législatures au plus tard le 22 juin 1990
Accord Meech	politique visant à soutenir, ou promouvoir, la coexistence d'un certain nombre de groupes culturels distincts dans une zone politique
multiculturalisme	entente constitutionnelle entre le gouvernement fédéral, les gouvernements des 10 provinces et les Premières nations signée en 1992 ; son adoption a exigé la tenue d'un référendum
véto	retrait de la Confédération méthode destinée à changer la Constitution procédure de modification
séparation	droit ou pouvoir de refuser son consentement

Glossaire

A

abolitionniste   personne qui veut abolir, ou éliminer, une loi ou une coutume en particulier, par exemple l'esclavage

Accord de Charlottetown   nouvel accord constitutionnel entre le gouvernement fédéral et les gouvernements des 10 provinces et des groupes autochtones, signé en 1992 ; son adoption a nécessité la tenue d'un référendum

Accord Meech   nouvel accord constitutionnel entre les premiers ministres du Canada, signé en 1987 ; son adoption a nécessité l'appui des 11 législatures au plus tard le 22 juin 1990

acte de concession   document juridique indiquant qui possède une propriété

activiste social   personne qui lutte pour redresser les lois et les attitudes injustes et discriminatoires dans la société

alliés   partisans de l'Empire britannique et personnes qui se sont battues contre l'Allemagne et l'Autriche au cours de la Première Guerre mondiale

amnistie   pardon de crimes

annexion   prise de possession d'un territoire, en particulier sans autorisation, par exemple une opération des États-Unis pour prendre possession de la colonie de la Colombie-Britannique

archives   lieu semblable à un musée où l'on conserve des documents historiques plutôt que des artéfacts

armistice   le 11 novembre 1918, date de la fin des combats de la Première Guerre mondiale ; maintenant appelé jour du Souvenir

arpenteur   personne dont le travail consiste à mesurer, ou arpenter, des terres

Assemblée législative   organisme de représentants élus qui fait les lois

assimilation   acte d'absorber un individu ou un groupe dans le groupe dominant de manière à lui faire perdre son identité

B

bâtiment du patrimoine   bâtiment présentant un intérêt historique spécial qui est sauvegardé pour les générations futures, habituellement annoncé au moyen d'une plaque

boycotter   refuser d'utiliser un service pour protester contre une mesure

briseur de grève   personne cherchant activement à mettre fin à une grève, en particulier une personne embauchée pour remplacer un gréviste

C

camp de bûcherons   cabanes de bois rudimentaires qui ont servi à héberger les travailleurs de l'industrie de la coupe du bois

canton   section du territoire des Prairies mesurant 9,7 km²

capitaliste   actionnaire ou propriétaire d'une usine, d'une banque, d'un magasin, d'une mine ou autre entreprise importante

cargo à bois   navire servant au transport du bois d'œuvre des colonies en Grande-Bretagne

chantier naval   structure située près du bord de l'eau où les navires sont construits et d'où ils sont mis à l'eau

charte   document écrit d'un gouvernement accordant des droits particuliers à un groupe ; la Compagnie de la baie d'Hudson a eu une charte de traite lui accordant le droit exclusif de commercer dans la région arrosée par les cours d'eau qui se jettent dans la baie d'Hudson

chemin de fer clandestin   réseau secret de maisons, ou « gares », sécuritaires qui ont été utilisées pour aider les esclaves afro-américains à atteindre la Province du Canada et à s'émanciper

citadelle   ville entourée d'une enceinte, ou forteresse, commandant une ville

coalition   alliance entre des partis politiques

collectivement   fait de vivre ensemble sur de grands blocs de homesteads avec tous les membres du groupe, en partageant la propriété de ces terres

colonie collective   bloc de cantons contigus réservés à la colonisation

congrès   assemblée des membres de partis politiques pour choisir des chefs et s'entendre sur des politiques

conscription   inscription obligatoire dans les forces armées

consortium   groupe d'entreprises ou de gens qui forment une organisation dans un but précis

Constitution   règles énonçant la manière de gouverner une nation

convoi   flotte de navires marchands accompagnés de bâtiments de guerre

culture commerciale   culture destinée à la vente plutôt qu'à la consommation de la ferme

D

délégué   personne ayant le pouvoir ou l'autorité d'agir au nom d'autres personnes

dépression   période de ralentissement économique

destinée manifeste   conviction de nombreux Américains qu'il est inévitable et juste que les États-Unis fassent la conquête de toute l'Amérique du Nord

document primaire   document manuscrit ou imprimé donnant un compte rendu de première main

E

école non confessionnelle école non associée à une confession religieuse

entrepreneur personne qui démarre sa propre entreprise

États confédérés groupe de 11 États du Sud qui se sont séparés des États-Unis de 1860-1861 à 1865

ethnoculturel groupe de personnes qui ont en commun une langue et une culture

exploitation patronale recours à des travailleurs mal payés, rémunérés à la pièce

F

facteur d'attirance facteur qui attire des gens vers un nouveau milieu de vie

facteur d'incitation facteur qui pousse des gens à quitter leur milieu de vie

faire sécession se retirer officiellement d'une organisation telle qu'une fédération politique

Féniens société secrète ayant pour but de libérer l'Irlande de la domination britannique, également appelée Fraternité républicaine irlandaise

front ligne d'évitement de tranchées qui s'est étendue sur presque 1000 km en Europe, où les troupes ennemies se sont affrontées pendant la Première Guerre mondiale

fusion union ou intégration d'entreprises, par exemple la Compagnie de la baie d'Hudson et la Compagnie du Nord-Ouest, pour former une nouvelle entreprise

G

gouvernement provisoire gouvernement temporaire

gouvernement responsable régime de gouvernement où le Cabinet, ou Conseil exécutif, a la responsabilité de répondre aux désirs d'une législature élue

grève de solidarité grève faite par des travailleurs non directement associés à un conflit pour montrer leur appui à d'autres grévistes

grève générale grève simultanée de l'ensemble ou de la plupart des travailleurs de diverses industries

guerre de Sécession guerre aux États-Unis entre les États du Sud, ou États confédérés, et les États du Nord, ou Union

guerre de tranchées combats menés à partir de fossés, ou tranchées, creusés par les soldats des deux côtés pendant la Première Guerre mondiale

H

hameaux isolés collectivités dispersées, blotties autour des ports sur le rivage rocheux de Terre-Neuve

I

identité ce que l'on est, et ce par quoi l'on se distingue d'une autre personne, par exemple l'identité canadienne

impasse politique position où il est impossible d'agir ou de gouverner en raison d'un désaccord entre les partis politiques

impôt par habitant impôt perçu par le gouvernement fédéral auprès des immigrants chinois à leur arrivée au Canada

Indien inscrit Autochtone enregistré auprès du gouvernement fédéral ; ce statut confère aux Autochtones les droits inscrits dans la Loi sur les Indiens de 1876

industrialisation changement en faveur de l'utilisation d'outils mécanisés et d'usines pour produire des biens

industrie primaire activité reposant sur les ressources naturelles, par exemple l'agriculture, la pêche, l'exploitation forestière et l'exploitation minière

innovation changement par rapport à la manière établie de faire les choses

intermédiaire personne qui achète des biens de producteurs pour la revente, par exemple les Cris qui ont commercé avec les autres Autochtones pour recueillir des fourrures en échange d'articles de traite

L

lettre patente droit accordé à une personne par le gouvernement de mettre au point, d'utiliser ou de vendre une invention pendant un certain nombre d'années

lettre patente de homestead document attestant la propriété officielle d'une terre

libre-échange commerce dans lequel on n'impose aucun droit ni aucune taxe sur les produits importés ou exportés

lieutenant-gouverneur représentant de la monarchie dans une province

loi sur les céréales loi garantissant que le blé de qualité (appelé maïs en Grande-Bretagne) ne sera pas importé pour concurrencer le blé vendu par les agriculteurs britanniques

Loi sur les Indiens loi décrivant les droits et les obligations des Premières nations et du gouvernement du Canada

M

maison en tourbe maison dont les murs sont en mottes de tourbe

marché lieu où il est possible de vendre des biens

métayer fermier qui loue une terre, appelé *crofter* en Écosse

Métis personnes d'ascendance mixte européenne et autochtone

migration en chaîne situation où une ou plusieurs familles s'établissent dans une région et attirent d'autres personnes de leur pays d'origine

milice citoyens entraînés pour servir dans l'armée en cas d'urgence

ministre du Cabinet membre élu d'un parti politique nommé au Cabinet, qui détermine la politique gouvernementale

mondialisation pays liés par l'échange de produits et de services

monopole droit accordé à une entreprise de dominer le commerce dans une région donnée

motion proposition officielle en vue d'entreprendre une action dans une assemblée

mouvement social personnes qui travaillent ensemble pour apporter des changements profitables à la société tout entière

multiculturalisme politique destinée à soutenir ou à promouvoir la coexistence d'un certain nombre de groupes culturels distincts dans un pays ou une province

N

négociateur personne envoyée pour conclure un accord dans une situation de conflit entre des groupes

neutre fait de ne pas prendre parti dans un conflit

no-man's-land terrain neutre

O

obligations de la Victoire obligations vendues par le gouvernement pendant la Première Guerre mondiale pour mobiliser des recettes en vue de l'effort de guerre

One Big Union syndicat créé en 1919 dans l'ouest du Canada dans le but de représenter tous les travailleurs, même les travailleurs non qualifiés, et d'unir les petits syndicats

P

Parti de la Nouvelle-Écosse parti politique dirigé par Joseph Howe pour s'opposer à la Confédération

parti politique organisation de personnes ayant des idées semblables et s'unissant pour faire adopter leurs idées par la population

Parti populiste parti politique qui a l'appui du peuple

Parti unioniste parti de coalition formé au Canada pour soutenir la conscription pendant la Première Guerre mondiale

patriotisme appui loyal des intérêts et des droits de son pays

pemmican aliment fabriqué par les Premières nations d'Amérique du Nord à l'aide de viande séchée, de gras et de baies

pensionnat école créée par le gouvernement et dirigée par les Églises dominantes à l'intention des enfants autochtones, auxquels on a enseigné à renoncer à leur culture

plate-forme électorale idées et politiques d'un parti politique

pogrom persécution officiellement approuvée des familles et des entreprises juives

Politique nationale politique proposée en 1878 par sir John A. Macdonald pour stimuler l'édification du Canada. Cette politique a comporté trois volets : le protectionnisme tarifaire des industries canadiennes, la colonisation de l'Ouest et l'achèvement du chemin de fer jusque dans l'Ouest

potlatch importante cérémonie des Autochtones de la côte du Nord-Ouest comportant la redistribution de biens et de richesses entre les membres de la collectivité

prairie chauve nom donné aux plaines à herbes courtes ou dépourvues d'arbres des Prairies

procédure de modification méthode convenue pour changer ou réviser la Constitution

prohibition loi visant à bannir la vente ou la consommation d'alcool

propriétaire foncier non résident propriétaire d'une terre ou d'une propriété qui ne vit pas à proximité et utilise des mandataires pour percevoir les loyers des fermiers ; une grande partie de l'Île-du-Prince-Édouard a été sous la domination des propriétaires fonciers non résidents avant la Confédération

propriété commune propriété utilisée par tous les membres d'une collectivité, mais n'appartenant à aucun

puissances centrales nom donné à l'Allemagne et à l'Autriche-Hongrie et, parfois, à leurs alliés, la Turquie et la Bulgarie, pendant la Première Guerre mondiale

pupille personne confiée à la garde d'un tuteur ou du gouvernement

R

recensement dénombrement officiel de la population

réciprocité politique de libre-échange de certains articles entre l'Amérique du Nord britannique et les États-Unis ; le traité de réciprocité a été signé en 1854

référendum soumission d'une question à un vote direct

régime fédéral régime dans lequel il y a deux paliers de gouvernement : gouvernement national ou fédéral, et un État ou gouvernement provincial

règle de l'interdiction d'arrêt loi adoptée en 1908 selon laquelle les immigrants doivent se rendre directement au Canada sans s'arrêter dans un autre pays

Regroupement pour la journée de neuf heures tentative des travailleurs dans les années 1870 pour obtenir une journée de travail de neuf heures

représentation selon la population chaque homme politique de l'Assemblée législative représente le même nombre de gens

réserves terres mises de côté par le gouvernement pour l'usage exclusif des Autochtones

réserves du clergé terres mises de côté en 1791 par le gouverneur John Graves Simcoe pour la subsistance du clergé protestant

résolution décision officielle sur laquelle un groupe s'est habituellement entendu

révolution industrielle remplacement d'une civilisation agricole par une civilisation industrielle, en particulier en Angleterre à partir du milieu du XVIIIᵉ siècle environ jusqu'au milieu du XIXᵉ siècle

rural en rapport avec la campagne, à l'extérieur des régions urbaines

S

scrip certificat d'une valeur de 160 $ émis aux Métis pour acheter des terres

séparation retrait d'une province de la Confédération

Société des Nations association de nombreux pays formée en 1919 pour promouvoir la paix et la coopération entre les nations ; précurseur des Nations Unies

sourdough mineur du Klondike

spéculateur personne qui fait des opérations financières pour réaliser des profits

squatter colon qui ne possède pas les titres des terres qu'il habite et cultive

station de quarantaine lieu où des passagers ont été isolés et examinés en vue du dépistage de maladies après un long voyage

subside proportionnel au nombre d'habitants paiement que le gouvernement fédéral verse chaque année à certaines provinces qui se joignent à la Confédération pour chacun des habitants de cette province

succursale usine créée par une entreprise américaine pour fabriquer et vendre des produits au Canada afin d'éviter de payer les tarifs douaniers en vertu de la Politique nationale

suffrage droit de vote

sujet ennemi immigrant du Canada originaire d'une nation des puissances centrales qui a été considéré comme une menace à l'effort de guerre canadien pendant la Première Guerre mondiale

survivance survie de la culture canadienne-française

syndicat de métier syndicat formé de travailleurs qualifiés qui exercent le même métier

syndicat ouvrier organisation formée par des travailleurs qui s'unissent pour améliorer leurs conditions de travail

T

tarif douanier taxe sur des marchandises importées

tarif du fret prix payé pour transporter des produits tels que les céréales des Prairies par train

tarif préférentiel politique britannique consistant à imposer des taxes moins élevées sur les produits importés de l'Amérique du Nord britannique par rapport à ceux d'autres pays

technologie invention ou outil conçu pour faire face à un problème particulier

terminus fin d'un itinéraire, par exemple d'une ligne de chemin de fer

terrassier ouvrier, habituellement un immigrant, qui construit des canaux et des chemins de fer

Terre de Rupert région historique du Canada composée de l'ensemble du réseau hydrographique de la baie d'Hudson, y compris une partie des Prairies actuelles ainsi que le nord de l'Ontario et du Québec d'aujourd'hui ; ce territoire a été accordé à la Compagnie de la baie d'Hudson par Charles II en 1670

titre de propriété document attestant un droit de propriété légal

traité entente officielle entre deux ou plusieurs peuples, nations ou pays ; un certain nombre d'ententes officielles entre le gouvernement fédéral et certaines bandes autochtones en vertu desquelles les Premières Nations cèdent leurs droits fonciers, sauf à l'égard des réserves, et acceptent l'argent des traités et d'autres types d'assistance gouvernementale

transcontinental qui traverse un pays en entier, par exemple le chemin de fer au Canada

Triple Alliance alliance entre l'Allemagne, l'Italie et l'Empire austro-hongrois avant l'éclatement de la Première Guerre mondiale

Triple Entente alliance entre la Grande-Bretagne, la France et la Russie avant la Première Guerre mondiale

U

Union organisation politique qui a appuyé le gouvernement fédéral des États-Unis pendant la guerre de Sécession

union des Maritimes idée présentée en 1864 par les chefs politiques des quatre colonies de l'Atlantique de l'Amérique du Nord britannique en faveur de leur union

union fédérale système dans lequel un gouvernement central administre les enjeux d'intérêt national, et les gouvernements provinciaux s'occupent des intérêts locaux

urbain caractéristique des villes

V

véto droit de refuser son consentement

ville fermée ville construite par une entreprise pour ses travailleurs ; ville typiquement dominée par une industrie ou une entreprise

Sources

ANC Archives nationales du Canada

Page I Collection du Musée canadien des civilisations/V-B-424 ; **page V** ANC/C-073707 ; **page VI à droite** ANC/C-018737, **à gauche** Bibliothèques de l'Université de Washington, Bibliothèque Alan, Photo de E.A. Hegg, Collection historique de photographies, **en bas** Archives provinciales de la C.-B./PDP02612 ; **page VII en haut** Rogers Communications Inc., **en bas** Musée de guerre impérial/Q27255 ; **page VIII à gauche** Gracieuseté de la succession de William Kurelek et du Musée d'art Isaacs, Toronto, **en bas** Photo Gracieuseté du Musée royal de l'Ontario, © ROM ; **page IX en bas** ANC/C001532, **au centre** Bibliothèque de référence de Toronto, **en bas** ANC/K-40 ; **page X au centre** ANC/C-008077, **montage au bas — en bas, à droite** Collection historique — gracieuseté de Bell Canada, **au centre, extrémité droite** ANC/C-005945, **au centre, à droite**, Archives de Glenbow, Calgary, Canada/NA-2685-61, **en bas au centre** ANC/C-0027791, **en haut, à droite** Rogers Communications Inc., **en haut, à gauche** Gracieuseté de General Motors du Canada Limitée, **au centre, extrémité gauche** Bibliothèque de référence de Toronto/TEC1116.01, **au centre, à droite** ANC/PA-061741, **en bas, à gauche** ANC/PA-122236 ; **page XI en haut** Archives de Glenbow, Calgary, Canada/NA-1870-6 ; **page 2** ANC/C-024369 ; **page 6** ANC/C-018743 ; **page 7** ANC/C-031183 ; **page 8 en haut** Michael J. Johnson/VALAN PHOTOS, **en bas** Kennon Cooke/VALAN PHOTOS ; **page 11** Archives nationales du Canada ; **page 13** ANC/C-005086 ; **page 14** ANC/MG24, B40 ; **page 18 en haut**, ANC/C-006077. Réimprimé avec la permission de la CIBC, **en bas** Les Archives de la Compagnie de la Baie d'Hudson, Archives provinciales du Manitoba, 1987/363-R-2/T35B ; **page 19 en haut** ANC/C-075911, **en bas** Archives de la C.-B./A-05056 ; **page 20 en haut** Archives de la C.-B./C-06124, **en bas** Bibliothèque de référence de Toronto/T16264 ; **page 24-25** Archives de référence de Toronto/MTL2288 ; **page 29** Bibliothèque de référence de Toronto ; **page 30** Gracieuseté de la succession de William Kureley et du Musée d'art Isaacs, Toronto ; **page 32** ANC/C-080319 ; **page 35** © Bettmann/CORBIS ; **page 36** ANC/C-019294 ; **page 37** ANC/C-069700 ; **page en haut** ANC/C-003368, **en bas** Musée du Nouveau-Brunswick, Saint-Jean, N.-B. ; **page 41** ANC/C-008642 ; **page 43** Photo — Gracieuseté du Musée royal du l'Ontario, © ROM ; **page 45** ANC/PA-124022 ; **page 46** ANC/C-005146 ; **page 47** Bibliothèque de référence de Toronto T32034 ; **page 48** Gracieuseté du lieu historique national de Dundurn Castle, ville de Hamilton ; **page 49** ANC/C-134167 ; **page 54 à gauche** ANC/C-005962, **à droite** ANC/C-005961 ; **page 56** ANC/C-073707 ; **page 57** ANC/C-015494 ; **page 58** ANC/C-003160 ; **page 59** Archives publiques de la Nouvelle-Écosse ; **page 60** ANC/C-029977 ; **page 61** ANC/C-006721 ; **page 62** Archives de l'Ontario/S15071 ; **page 65** ANC/C-002813 ; **page 66** Archives de l'Ontario/S11831 ; **page 72** Archives de l'Université Queens ; **page 75** Gracieuseté de Rogers Communications Inc. : **page 76** ANC/C014246 ; **page 78** ANC/C000733 ; **page 81** Musée du Nouveau-Brunswick, Saint-Jean, N.-B. ; **page 83** ANC/C-011045 ; **page 84** ANC/C-095148 ; **page 86** ANC/C049491 ; **page 88** ANC/C-001185 ; **page 89** ANC/PA-135072 ; **page 90 en haut** ANC/C-022002, **en bas** ANC/C-011351 ; **page 91** ANC/PA-012632 ; **page 92** Musée du Nouveau-Brunswick, Saint-Jean, N.-B. ; **page 94** ANC/C-018737 ; **page 95** ANC/C-008252 ; **page 96** ANC/C-015021 ; **page 97** ANC/C-004393 ; **page 100** ANC/C-011508 ; **page 102** Archives publiques de la Nouvelle-Écosse/N-4149 ; **page 103** Archives publiques de la Nouvelle-Écosse/N-9476 ; **page 104** ANC/C-066507 ; **page 106** ANC/C-004572 ; **page 108** Archives de Glenbow, Calgary, Canada/NA-1406-91 ; **page 109 en haut** Archives provinciales de la C.-B./A-01222, **en bas** Archives provinciales de la C.-B./1883 ; **page 110** Archives provinciales de la C.-B./F-05095 (détail) ; **page 112** Robert Harris (1849-1919) votant à Charlottetown, 1872. Collection du Confederation Centre Art Gallery & Museum, Charlottetown. Cadeau de la succession de Roberts Harris, 1956 ; **page 114** ANC/PA-033465 ; **page 115** Archives de Glenbow, Calgary, Canada/NA-1769-1 ; **page 116 en haut** ANC/C-006132, **en bas** Archives Saskatchewan/R-B3200 ; **page 117** Gracieuseté des archives et de l'office de l'Île-du-Prince-Édouard, Acc#2320/38-1 ; **page 119** ANC/PA-128080 ; **page 124-125** Gracieuseté de la succession de William Kurelek et du Musée royal de l'Ontario, © ROM ; **page 130** ANC/C-002774 ; **page 131** ANC/C-001918 ; **page 133** Archives provinciales du Manitoba/N9970 ; **page 134** Les Archives de la Compagnie de la Baie d'Hudson, Archives provinciales du Manitoba/N1465 ; **page 136** ANC/C-073663 ; **page 138** ANC/C-001932 ; **page 141** ANC/C-001937 ; **page 142** Photo — Gracieuseté du Musée royal de l'Ontario, © ROM ; **page 143** ANC/C-061461 ; **page 144** ANC/C-013965 ; **page 145** *Canadian Illustrated News*, janvier 1870 ; **page 146** ANC/C-001532 ; **page 148** ANC/PA-012854 ; **page 150** ANC/C-118610 ; **page 154** Archives du Canadien Pacifique/A11370 ; **page 156** Les Archives de la Compagnie de la Baie d'Hudson, Archives provinciales du Manitoba/P-397 ; **page 157 à droite** Archives provinciales de la C.-B./A-1670 (détail), **à gauche** Archives provinciales de la C.-B./A-01229 (détail) ; **page 158** Archives provinciales de la C.-B./PDP02612, **page 159** Archives provinciales de CB/A-00353 ; **page 160** ANC/C-008077 ; **page 161** ANC/PA-061940 ; **page 162** Collections historiques occidentales, Université de Oklahoma ; **page 164 en haut** Association musée & archives des anciens du sud-ouest de la Saskatchewan, Maple Creek, **en bas** Archives de Glenbow, Calgary, Canada/NA-361-10 ; **page 165** Archives de Glenbow, Calgary, Canada/NA-566-1 ; **page 167** Archives de Glenbow, Calgary, Canada/NA-250-15; **page 168** Archives de Glenbow, Calgary, Canada/NA-102-12 (détail) ; **page 169** Archives de Glenbow, Calgary, Canada/NA-40-1 ; **page 170** ANC/PA-009256 ; **page 171** Archives de Glenbow, Calgary, Canada/NA-1033-3 ; **page 172** ANC/PA-066576 ; **page 173** Archives du Canadien Pacifique/9145 ; **page 174** Archives du Canadien Pacifique/7193 ; **page 176 en haut** Archives provinciales du Manitoba; Transport-Chemin de fer 19/N13128, **en bas** ANC/C-016715 ; **page 179** ANC/C-003693 ; **page 182 en haut** Collection du Musée canadien des civilisations/V-B-424, **en bas** Metis Gun & Sheath, AC 335, Collection de Glenbow, Calgary, Canada ; **page 185** Gracieuseté du Musée national des sciences et de la technologie, Ottawa ; **page 187** Western Canada Pictorial Index Inc. ; **page 188** Gracieuseté de Elizabeth Koop ; **page 190** Archives de Glenbow, Calgary, Canada/NA-2365-34 ; **page 192** Archives de Glenbow, Calgary, Canada/NA-2631-7 ; **page 193 en haut** ANC/C-017430, **en bas** ANC/C-005101 ; **page 195** ANC/C-007683 ; **page 196** ANC/C-0006078 ; **page 197** ANC/C-005826 ; **page 198 en haut** ANC/C-001879, **en bas** Archives de Glenbow, Calgary, Canada/NA-3205-11 ; **page 199** ANC/C-015282 ; **page 200** Archives de Glenbow, Calgary, Canada/NA-127-1 ; **page 201** ANC/C-005142 ; **page 202** ANC/C-005394 ; **page 203** ANC/C-023354 ; **page 204** Archives de Glenbow, Calgary, Canada/NA-294-1 (détail) ; **page 205** ANC/C-014258 ; **page 207** Bibliothèque de l'Université de Washington, Bibliothèque Alan, Photo de E.A. Hegg, Collection photo historique ; **page 208** Collection de la Bibliothèque nationale du Canada, Ottawa, « Photo provenant du site Web du Musée canadien des civilisations », http://www.civilization.ca/membrs/canhist/advertis/images/ads6-07b.jpg ; **page 210** Archives Glenbow, Calgary, Canada/NA-470-1 ; **page 211** Gracieuseté de la bibliothèque publique de Saskatoon — Galerie d'histoire locale/Acc. No. LH3347 ; **page 212** Archives de Glenbow, Calgary, Canada/NA-2543-1 ; **page 215** ANC/C-063256 ; **page 216** ANC/PA-027942 ; **page 218** Archives du Canadien Pacifique/NS12968 ; **page 219** ANC/PA-031489 ; **page 220** Archives provinciales du Manitoba ; Équipements agricoles 15/N10548 ; **page 221** Gracieuseté de Mike Egnatoff ; **page 222** Saskatchewan Archives Board/R-B1781 ; **page 223** Église unie du Canada/Archives de l'Université Victoria, Toronto/93.049P/4796 N ; **page 224** Archives de Glenbow, Calgary, Canada/NA-404-1 ; **page 225** Archives provinciales du Manitoba ; Jewish Historical Society/N20676 ; **page 227** Archives provinciales du Manitoba ; Hind, E. Cora 1/N978 ; **page 229 en haut** Archives provinciales de l'Alberta/B2738, **en bas** Archives de Glenbow, Calgary,

Canada/NA-266-1 ; **page 230** ANC/K-40 ; **page 231** Archives provinciales de Manitoba ; **page 236-237** Collection d'art de la Compagnie de la Baie d'Hudson ; **page 238 en haut** ANC/C-033881, **en bas** Archives provinciales du Manitoba, Collection de Marguerite Simons/C36/5 ; **page 240 en haut** ANC/C-009071, **au centre** ANC/C-009480, **en bas** Archives d'illustrations du CP ; **page 241** ANC/C-121146 ; **page 244** ANC/C-095470 ; **page 245** ANC/C-058596 ; **page 247 à gauche** ANC/PA-071362, **à droite** Archives provinciales du Manitoba, **bas de page** 1491/N2438 ; **page 247** Musée agricole de Milton ; **page 248 en haut** Archives de Glenbow, Calgary, Canada/NC-43-12, **en bas** ANC/PA-160539 ; **page 253** Gracieuseté de General Motors du Canada Limitée ; **page 254 en haut** Gracieuseté de General Motors du Canada Limitée, **au centre, à gauche** Bibliothèque de référence de Toronto/TEC1116.01, **au centre, à droite** ANC/PA-061741, **en bas, à gauche** ANC/PA-122236 ; **page 255 en bas, à droite** Gracieuseté — Collection historique de Bell Canada, **au centre, à droite** ANC/C-005945, **au centre, à droite** Archives de Glenbow, Calgary, Canada/NA-2685-61, **en bas, à gauche** ANC/C-027791, **en haut** Rogers Communications Inc. ; **page 256** Archives de l'Ontario/F2082-1-2-10 ; **page 257** Compagnie Marconi Canada ; **page 258** Utilisé avec la permission de Sears Canada inc. Eaton's est une marque de commerce de Sears Canada inc. ; **page 261** Archives provinciales de la C.-B./B-8759 ; **page 264** Archives de l'Ontario/S13722 ; **page 266** Musée du Nouveau-Brunswick, Saint-Jean, N.-B. ; **page 268 en haut** ANC/C-000949 ; **page 269** Archives de l'Ontario/S3663 ; **page 270** ANC/C-038620 ; **page 272** Église unie du Canada/ Archives de l'Université Victoria, Toronto/93.049P/3145N ; **page 273** ANC/PA-001479 ; **page 274** Archives de l'Ontario/S13458 ; **page 275** Archives provinciales de l'Alberta/B1146 ; **page 276** Archives provinciales de l'Alberta/B14882 ; **page 278** The Vancouver Daily World, octobre 1912 ; **page 280** ANC/C-058640 ; **page 281** Archives provinciales du Manitoba, Grève du chemin de fer à Winnipeg 1902/2/N15902 ; **page 282** Archives provinciales de la C.-B./A-03159 ; **page 284** Archives provinciales du Manitoba, Grève à Winnipeg 5/N12296 ; **page 285** ANC/C-055449 ; **page 286 à gauche** Archives provinciales du Manitoba, Foote Collection 1696/N2762, **à droite** Archives provinciales du Manitoba, Winnipeg, Strike/N12315 ; **page 290** Archives provinciales du Manitoba, East Kildonan — Farms 5/N12950 ; **page 292 en haut** ANC/PA-128887, **en bas** Archives de la ville de Toronto/RG8-32-234 ; **page 293** ANC/C-023415 ; **page 295** Archives de la loi sur la Société du Haut-Canada, Collection de photos P291 ; **page 296 à gauche** Bibliothèque de référence de Toronto ; **page 297** Archives provinciales de la C.-B./B6791 ; **page 298** Archives provinciales de la C.-B./B6789 ; **page 299** Archives provinciales du Manitoba, Manifestations

173/3/N9905 ; **page 301** ANC/PA-001305 ; **page 302** Archives de l'Ontario/S15513 ; **page 303** ANC/PA-041785 ; **page 304** ANC/C-085881 (détail) ; **page 305** ANC/C-085579 ; **page 306** ANC/PA-123707 ; **page 307 en haut** ANC/C-037113, **en bas** Archives provinciales de l'Alberta/B1004 ; **page 309** ANC/PA-007439 ; **page 310** Archives de Glenbow, Calgary, Canada/NA-5-16 ; **page 311 en haut** *The Daily Herald*, Calgary, janvier 1907, **en bas** ANC/PA-020910 ; **page 312** Archives provinciales de la C.-B./D9118 ; **page 316** ANC/PA-001086 ; **page 319** Archives de la ville de Toronto/SC-244-979 ; **page 320 en haut** ANC/PA-066815, **en bas** ANC/PA-001479 ; **page 321** Archives de Glenbow, Calgary, Canada/NA-1870-6 ; **page 322** Archives nationales du Canada **page 323** ANC/C-018734 ; **page 324 à droite** Archives de la ville de Toronto/SC-244-640, **à gauche** ANC/C-097750 ; **page 325** Archives de l'Université Queens **page 326** ANC/PA-002468 ; **page 327** Gracieuseté des archives publiques et Bureau de gestion de l'Île-du-Prince-Édouard, Acc. # 2767-145 ; **page 328** ANC/PA-000648 ; **page 329 en haut** Musée de guerre impérial/Q27255, **en bas** Archives publiques de la Nouvelle-Écosse/N-0300 ; **page 331** ANC/PA-003842 ; **page 332** ANC/PA-005001 ; **page 334** ANC/PA-001370 ; **page 335** ANC/PA-122515 ; **page 336 en haut** Archives de l'Université Queens, **en bas** ANC/PA-002279 ; **page 338** Sgt. Thomas Rickettes, VC, Régiment royal de Terre-Neuve, AN 19910109-934, © Musée canadien de la guerre ; **page 339** ANC/PA-001332 ; **page 344** Archives d'illustrations du CP ; **page 346** Archives d'illustrations du CP ; **page 348** Archives provinciales de la C.-B./D-07858 ; **page 349** Gracieuseté de John A. Buis/VisionQuest ; **page 350** Brian Sytnyk/Masterfile ; **page 352** NASA ; **page 353 en haut** NASA, **en bas** Photo — Gracieuseté de l'Agence spatiale canadienne © 2000 ; **page 354** Musée J. Armand Bombardier ; **page 357** © Paul A. Souders/CORBIS ; **page 358** Archives d'illustrations du CP ; **page 359** ANC/PA-141503 ; **page 360** Archives d'illustrations du CP/Wayne Glowacki ; **page 361** Archives d'illustrations du CP/Ryan Remiorz

Sources des textes

Page 7 Recherche des statistiques effectuée par Charles Armour ; **pages 28-29** Tiré de *Immigration* par Ian R. Munro, John Wiley & Sons Canada Limited ; **page 29 (en bas)** Tiré de *The Great Hunger* par Cecil Woodham-Smith, Harper & Row, 1962 ; **page 35** Tiré de *The Refugee or the Narratives of Fugitive Slaves in Canada* (Boston : John P. Jewell and Company, 1856) ; **page 65** Tiré des débats fédéraux ; **page 138** Tiré de *Red River Settlement* par Alexander Ross, Smith, Elder & Company, 1856 ; **page 140** Tiré de *Women of Red River* par W.J. Healy, Peguis Press, 1967 ; **page 142** Le *Toronto Star*, nov. 8, 1988 ; **page 147** Tiré de *The North West : Its Early Development and Legislative Record* par E.H. Oliver,

vol. 11 (Ottawa : Queen's Printer, 1914) ; **page 158** Tiré de *Scenes and Studies of Savage Life* de Gilbert Malcolm Sproat (London : Smith, Elder and Co., 1868) ; **page 166** De la Gendarmerie royale du Canada et du maintien de l'ordre public, 1873-1905 de R.C. Macloed ; **page 167** Tiré de *Looking Forward, Looking Back*, vol. 1, Rapport de la Commission royale sur les peuples autochtones ; **page 187** Des essais historiques sur *The Prairie Provinces* de Donald Swainson, McClelland et Stewart, 1970 ; **page 192** De la pétition de droit, 1884 ; **page 193** Tiré de *The Frog Lake Massacre : Personal Perspectives on Ethnic Conflict* de S. Hughes, McClelland et Stewart, 1976 ; **page 198** D'un discours de Edward Blake, Chambre des communes, 19 mars 1886 ; **page 202** De *Klondike Women : True Tales of the 1897-1898 Gold Rush* de M. Mayer, Swallow Press/Presses de l'Université de l'Ohio. 1989 ; **page 205** De *A Pioneer Woman in Alaska* de Emily Romig, Caxton Imprimeurs, 1948 ; **page 210-211** de *Salt of the Earth* de Heather Robertson (Toronto : James Lorimier & Company, Éditeurs, 1974) ; **page 215** D'un rapport canadien de surveillance de l'immigration de 1903 ; **page 217** De *Salt of the Earth* de Heather Robertson (Toronto : James Lorimer & Company, 1974) ; **page 223** Tiré de *A Few Memories of When Calgary & I Were Young*, Archives de Glenbow, Calgary, Canada ; **page 232** *Black Canadians, Their History and Contributions* de V. Carter (Edmonton : Reidmore Books, 1989) ; **page 245** De la Commission royale des relations de travail, 1889 ; **page 249** Tiré de *Nation : Canada Since Confederation* de J.L. Granatstein et al. (Whitby : McGraw-Hill Ryerson, 1983) ; **page 267, 271** De la Commission royale des relations de travail, 1889 ; **pages 326-327** Des Archives nationales du Canada, interview historique sur bandes pour la radio CBC, les séries «In Flanders Fields» — Interview de Gregory Clark ; **page 328** Tiré des mémoires audio de George Hatch ; **page 348** Tiré du discours de Chief Gosmell's prononcé devant l'Assemblée légistive de la C.-B. ; **page 353** NASA

Index